The Society of Korean Medicine

Ophthalmology, Otolaryngology & Dermatology

한의 韓醫
안이비인후과학

이비인후(耳鼻咽喉)과

대한한방안이비인후피부과학회

한의안이비인후과학(耳鼻咽喉科)

첫째판 1쇄 인쇄 | 2019년 1월 29일
첫째판 1쇄 발행 | 2019년 2월 12일
첫째판 2쇄 발행 | 2021년 1월 22일
첫째판 3쇄 발행 | 2023년 2월 17일

지 은 이 대한한방안이비인후피부과학회
출 판 기 획 김도성
책 임 편 집 배혜주
편집디자인 조원배
표지디자인 김재욱
일 러 스 트 유학영
제 작 담 당 신상현
발 행 처 등록 제4-139호(1991. 6. 24)
　　　　　 본사 (10881) **파주출판단지** 경기도 파주시 서패동 470번지

* 파본은 교환하여 드립니다.
* 검인은 저자와의 합의하에 생략합니다.

ISBN 979-11-5955-406-3
　　　 979-11-5955-404-9 (set)

정가 120,000원

한의 韓醫
안이비인후과학

이비인후(耳鼻咽喉)과

공동편저자

고 우 신   동의대학교 한의과대학 안이비인후피부과학교실
권   강   부산대학교 한의학전문대학원 안이비인후피부과학교실
김 경 준   가천대학교 한의과대학 안이비인후피과학교실
김 규 석   경희대학교 한의과대학 안이비인후피부과학교실
김 남 권   부산대학교 한의학전문대학원 안이비인후피부과학교실
김 윤 범   경희대학교 한의과대학 안이비인후피부과학교실
김 종 한   동신대학교 한의과대학 안이비인후피부과학교실
김 희 택   세명대학교 한의과대학 안이비인후피부과학교실
남 혜 정   경희대학교 한의과대학 안이비인후피부과학교실
박 민 철   원광대학교 한의과대학 안이비인후피부과학교실
박 수 연   동신대학교 한의과대학 안이비인후피부과학교실
서 형 식   부산대학교 한의학전문대학원 안이비인후피부과학교실
윤 화 정   동의대학교 한의과대학 안이비인후피부과학교실
이 규 영   상지대학교 한의과대학 안이비인후피부과학교실
이 동 효   우석대학교 한의과대학 안이비인후피부과학교실
정 민 영   동신대학교 한의과대학 안이비인후피부과학교실
정 현 아   대전대학교 한의과대학 안이비인후피부과학교실
지 선 영   대구한의대학교 한의과대학 안이비인후피부과학교실
최 인 화   경희대학교 한의과대학 안이비인후피부과학교실
최 정 화   동신대학교 한의과대학 안이비인후피부과학교실
홍 석 훈   원광대학교 한의과대학 안이비인후피부과학교실
홍 승 욱   동국대학교 한의과대학 안이비인후피부과학교실
홍 철 희   상지대학교 한의과대학 안이비인후피부과학교실
황 보 민   대구한의대학교 한의과대학 안이비인후피부과학교실

발간사

최근 어느 분야보다도 빠르게 변화하는 의학계에서 한의안이비인후과의 역할과 기능의 중요성은 나날이 커지고 있습니다. 이에 발맞추어 교과서 개정의 시급성 역시 지속적으로 논의되었고, 이번에 여러 회원님과 집필진의 성원과 노력으로 개정판이 나오게 되었습니다.

특히 이번 개정판은 과거 여러 한의과대학에서 서로 다른 교재로 사용되었던 교과서를 2015년 학회주관의 통합교과서로 초판을 출간하였고, 2016년 일부 증보판을 거친 뒤, 2017년부터 학계와 현장의 요구를 충실하게 반영하여 본격적인 개정작업을 시작한 지 2년여의 노력 끝에 오늘과 같은 결실을 보게 되었습니다.

이미 많은 유관학회 및 분과, 연구회 등에서 발간한 다양한 서적이 있지만, 학교나 의료현장 그리고 일반인의 눈높이를 포괄하는 최신의 전문적인 지식과 정보 그리고 의료기술을 담은 체계적인 교과서는 드물었습니다. 이 책은 이러한 갈증을 어느 정도 해소할 수 있지 않을까 하는 생각입니다. 또한, 이 교과서가 많은 한의사나 회원님들이 진료하고 연구하고 후학을 양성하는 데 많은 도움이 되기를 바라며, 주기적인 내용 보완을 통한 개정판 또한 정기적으로 나와주길 기대합니다.

본 교과서 개정판이 나올 수 있었던 데는 집필을 위하여 각고의 공을 들여주신 개정위원회 위원들의 노력뿐만 아니라, 학회 이사님들과 교수님들의 지지와 후원, 한방안이비인후피부과학회의 지원이 있었기에 가능한 일이었습니다. 아울러 좀더 좋은 교과서로 발간될 수 있도록 실무적인 도움과 헌신을 아끼지 않은 글로북스에게도 심심한 감사의 말씀을 드립니다.

지금까지의 발전을 토대로 학회가 더욱 발전하고 그럼으로서 회원 모두의 지식과 경험이 본 교재와 같이 좋은 결과로 이어지는 선순환을 기대하며 독자 여러분들의 지지와 애정어린 비판을 기대합니다.

감사합니다.

2019년 2월
대한한방안이비인후피부과학회
회장　홍 승 욱

머리말

한의안과학, 한의이비인후과학은 전국 한의과대학 안이비인후피부과학 교수님들이 그간 대학 강의를 하면서 공통 교재의 필요성을 절감하여 출간하게 되었습니다. 한의학 고전 및 기존의 한의학 서적, 서양의학에서의 안과·이비인후과·구강과·치과 등 유관 의학서적 등을 종합하여 한시라도 빨리 한의과대학 학생들에게 좀 더 쉽게 다가갈 수 있는 학문이 될 수 있도록 노력하였습니다. 이러한 취지하에 2015년 2월 비로소 안과, 이비인후과 한의과대학 공통교과서를 대한안이비인후피부과학회 이름으로 발간할 수 있었습니다. 그러나, 최초의 공통교과서는 다소 서둘러 진행한 탓에 내용상의 부족함이 있어 보완이 필요하였습니다. 특히 학생들의 이해를 도울 수 있는 그림과 사진 등의 추가 작업이 요구되어, 이를 반영하여 개정을 하다 보니 예상보다 많은 시간이 소요되어 오늘에 이르게 되었습니다.

　한의학에서 안과, 이비인후과 영역은 질병의 개념, 병명, 병태생리 및 발현되는 증상이 다양하고 복잡하여 학생들이나 임상의들이 접근하기 어려워하는 대표적인 학문입니다. 이에 개정 방향을 편집위원회에서 몇 번의 회의를 거쳐 임상에서 흔히 볼 수 있는 사시·중이염·비염·축농증·이명·구내염·안면마비 등의 질환뿐만 아니라, 다양한 안·이비인후·구강과 질환을 치료하고자 할 때 우선적으로 선택할 수 있는 교재로 만들고자 하였습니다. 단, 전체 분량을 너무 늘리거나 완전히 새로운 내용으로 개정하는 것은 학생들이나 임상의에게 부담이 클 수 있겠다는 의견이 있어 질환들에 대하여 임상적 접근을 할 수 있는 방향성만이라도 제시해 줄 수 있는 교재교과서가 될 수 있도록 하자는 방향으로 작업을 진행하였습니다.

이 책의 내용과 구성은 기본적인 안·이비인후·구강의 해부, 생리 및 병리에 관하여 서술하였습니다. 또한, 최근 임상에서의 볼 수 있는 각각의 질병에 대한 병명, 임상증상 및 검사, 진단, 치료, 관리 및 예방 등을 간략하게 제시하여 질병에 대한 정확한 인식과 최선의 치료방법을 적용할 수 있도록 하였습니다. 본 교과서가 결코 완벽하다고 할 수는 없지만 향후 변화하는 의료 환경에 적응할 수 있는 새로운 의학 지식 및 술기 등을 보완해 나가기 위한 초석이 될 것이라 생각합니다.

공통교과서 편찬을 마치며 바쁘신 와중에도 공통교과서 작업을 위해 옥고를 보내주신 여러 교수님들께 감사드리고, 교과서 개정판의 발간을 결정하시고 많은 도움을 주신 홍승욱 학회장님과 이번 작업에서 맡은 부분에 최선의 노력을 경주해 주신 권강 교수님, 정현아 교수님, 홍석훈 교수님, 황보민 교수님, 이동효 교수님, 감수를 맡아주신 최인화 교수님, 서형식 교수님께 깊은 감사를 드립니다. 또한, 편집, 일러스트, 인쇄, 제작 및 판매에 노력과 헌신을 다해주신 글로북스 관계자 여러분들께도 감사드립니다.

대한한방안이비인후피부과학회
교과서편집위원회 일동

목차

제 1 장 　耳科 總論

제 2 장　　耳科 各論

제 1 장　　鼻科 總論

목 차

제 2 장　　鼻科 各論

제 1 장　　**咽喉科** 總論

목 차

제 2 장　　咽喉科 各論

목차

제1장

耳科 總論

I

構造와 機能

귀는 외이, 중이, 내이 3부분으로 나누어져 있으며 인체의 청각 및 평형, 균형운동과 밀접한 연관을 가진 기관이다. 외이는 이개, 외이도로 구성되어 있고, 중이는 고막, 고실(이소골, 이내근 포함), 비인두와 연결된 이관, 유골봉소로 구성되며, 내이는 청각을 위한 와우와 평형미로를 가지고 있는 삼반규관, 전정기관(난형낭, 구형낭) 등으로 구성되어 있다. 중이, 내이는 측두골 내부에 위치하고, 외이는 두부 외측부 및 협부에 자리잡고 있다.

1. 구조

1) 外耳(external ear)

(1) 耳介(auricle)

이개는 두께 약 0.5~1.0 mm의 누두상(漏斗狀)이고 요철상(凹凸狀)의 엷은 탄성연골(彈性軟骨)을 피부가 덮고 있는 구조이다. 그 외측변연의 융기부를 이륜(耳輪, helix), 이륜의 상부연(上部緣)에 다소 융기된 부분을 Darwin 결절이라 한다. 이륜의 내측에 이

와 평행하는 또하나의 융기를 대이륜(對耳輪, antihelix)이라 하며 이륜과 대이륜 사이의 함몰부를 주상와(舟狀窩, scalpa)라 한다. 대이륜이 상방에서 두 융기로 나누어지는데 이것이 대이륜각(對耳輪脚, crura of antihelix)이 되고, 두 융기 사이의 함몰부를 삼각와(三角窩, triangular fossa)라 한다. 대이륜 내측의 함몰부는 이륜각이 전방으로부터 후하방으로 연장하며 함몰부를 2개의 구역으로 나누는데 그 상부를 이개정(耳介艇, cymba conchae), 그 하부를 이개강(耳介腔, cavum conchae)이라 하며 외이도 입구가 된다. 이 이개강을 덮는 보양으로 선방에서 돌출한 것을 이주(耳珠, tragus)라 하며, 이것과 상대하여 후방의 작은 돌출을 대주(對珠, antitragus)라 하고 이주와 대주 사이를 주간절흔(株間切痕, intertragic incisura<notch>)이라 한다. 대주의 하방에 연골이 없는 이수(耳垂, lobule)가 있다. 외이도 입구 상방 즉 이주와 이륜각 사이는 연골이 결여된 부분이 있으며 이것을 전절흔(前節痕, anterior<terminal> incisura)이라 한다.

① 근육

전·상 및 후이개근에 의해 측두골에 부착되어 있으며, 모두 안면신경의 지배를 받는다. 사람에서는 그 운동을 거의 볼 수 없다. 귓바퀴의 지각신경은 삼차신경과 제2,3 경추신경의 분지의 지배를 받고 있다.

② 혈관

이개의 동맥은 외경동맥의 분지인 후이개동맥 및 천측두동맥이 분포하며 이외에 서너 개의 세지가 분포한다. 이개의 정맥은 후안면정맥의 전지와 후이개정맥의 이개분지이며 총안면정맥, 외경정맥으로 흘러간다.

이개는 혈관도 단층만으로 되어 있고, 피하 지방층도 없어서 동상에 걸리기 쉽다.

③ 림프의 흐름

림프의 흐름은 귓바퀴의 전, 하, 후방으로 간다.

④ 지각신경

이개의 지각신경은 제2,3 경추신경의 분지인 대이개신경이 이개전면하 ⅓과 후면하 ⅔에 분포하며 잔여 후면상부는 소후두신경이 분포하고 삼차신경의 3지에서 분지된 이개측두신경이 이개 전면상부에 분포한다. 미주신경의 분지인 이개지는 후면에 분포한다.

(2) 外耳道(external auditory canal)

외이도는 이개강(耳介腔, cavum conchae)에서 고막(鼓膜, tympanic membrane)까지의 관으로 S자형으로 굴곡되어 있으며, 성인에서는 길이가 약 3.0~3.5 cm, 내경은 7~9 mm이다. 외이도의 굴곡된 경사는 고막을 보호하는 작용을 하는데, 이러한 구조로 인하여 고막을 관찰할 경우에는 이개를 후외상방으로

당겨야 하며, 4세 이하 유아에서는 골부 외이도가 형성되어 있지 않으므로 성인과 반대로 후외하방으로 끌어당겨야 한다.

외이도는 하나의 공명강으로서의 역할을 한다. 공명은 개인의 외이도 형태와 크기에 따라 다르지만 대부분 2,500~4,000 Hz에서 발생하며 약 10 dB 정도 음을 증폭시키는 효과를 가져온다.

외이도는 바깥쪽 1/3은 연골부, 안쪽 2/3는 골부로 구성되어 있다[그림 1-1-1].

① 연골부

연골부는 이개연골과 연속된 관으로 형성된다. 그 관 주위에는 부분적으로 연골이 결손된 부분이 있어 외이도의 가동성을 부여하고 혈관과 신경의 통로가 되게 하고 있다.

연골부에는 1~1.5 mm 두께의 피부가 연골에 밀착되어 있다. 연골부 피부에는 작은 이모낭과 이모가 있으며 피지선과 이구선이 있다. 이곳에서 지방성 및 황갈색의 색소과립이 수양성 액체를 분비하며, 이것이 이구를 이룬다. 이와 같이 연골부 피부에는 부속기들이 많아 이절이나 이구전색 등이 연골부에서 잘 생긴다.

※ 연골부의 피부부속기

이구선은 피부깊이 있으며 그 수는 1,000~2,000개 정도이다. 이구선은 대한선(大汗腺)이 변화된 것으로, 이구를 만들어낸다. 이지(耳脂, cerumen)는 지방성 및 황갈색의 색소과립의 수양성 액체로, 이구의 주체가 되고, 피지와 혼합되어 물리적으로 외이도 피부의 보호 역할을 한다. 최근에는 이구성분 중에 lysozyme, 면역글로블린 등이 포함되어 있어 항균 기능이 있다고 밝혀졌다. 이구에는 지방성분이 많아서 습기가 스며들지 못하게 하고, 산성을 유지하여 외이도의 방어기전으로 작용한다. 이구는 인

종 및 체질에 따라 양이 다르며 대체로 습윤형, 건조형으로 나누어 서양인은 습윤형이 많고, 동양인은 건조형이 많으며 한선과 같이 평활근의 자극으로 분비가 증가되고 또 통증, 흥분, 감정의 격화 등으로 분비가 촉진된다. 이와 같이 피부 부속기는 연골부에 많으므로 이절이나 이구전색은 연골부에서만 생기고 골부에는 생기지 않는다. 골부외이도의 피부는 대부분 연골에 있는 부속기가 없고 아주 얇어 0.1 mm 정도이며 골막에 밀착되어 있다.

② 골부

골부외이도는 측두골의 여러 부분이 모여서 관을 이루고 있으며, 그 중간부분, 즉 고막에서 약 5 mm 바깥쪽이 가장 협소하여 외이도협부라 한다. 골부에는 얇은 피부가 뼈에 밀착되어 있으며, 여기에는 피부부속기가 없다.

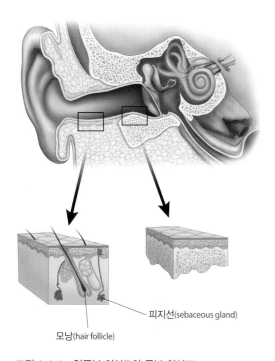

피지선(sebaceous gland)

모낭(hair follicle)

그림 1-1-1 연골부 외이도와 골부 외이도

③ 피부

연골부의 피부는 1~1.5 mm 두께로서 연골에 밀착되어 있고 골부로 이행할수록 얇어진다. 특히 전 및 하벽의 피부가 얇다. 연골부 피부에는 작은 이모낭이 있어 골부 외에도 후상벽 일부까지 파급되어 있고 큰 이모는 성인남자에서 볼 수 있다. 피지선은 그 수가 많으며 이모와 같이 개구하는데 역시 골부 외이도 후상벽 일부까지 파급되어 있다.

④ 혈관 및 지각신경

동맥은 전상방에서 천측두동맥의 분지인 이개측두동맥, 후방에서 후이개동맥 분지와 심이개동맥 등이 있다. 이것들은 고막에도 분포되어 있으며, 정맥은 외경정맥, 내악정맥으로 흘러간다.

지각신경은 그 후벽 및 하벽과 고막의 후상부를 미주신경의 이개지, 즉 Arnold씨 신경이 분포하고, 전 및 상벽은 삼차신경의 하악신경분지인 이개측두신경이 분포한다. 예를 들어 후두질환에 이통이 생기는 것도 미주신경에 의한 방사통이며, 외이도를 자극하면 기침이 나는 것은 미주신경의 반사이다.

2) 中耳(middle ear)

중이는 측두골내 외이(外耳)와 내이(內耳) 사이에 있는 작은 공간으로, 중이는 고막(鼓膜, tympanic membrane), 고실(中耳腔, tympanic cavity), 이소골(耳小骨, auditory ossicles), 이내근(耳內筋, auditory muscles), 이관(耳管, auditory tube), 유양돌기(乳樣突起部, mastoid process) 등으로 이루어져 있다. 고실로 내이에 음파를 전달시키고 강한 진동으로부터 청력계를 보호하며 귓속의 공기 압력을 균등하게 유지시키는 작용을 한다.

(1) 鼓膜(tympanic membrane)

외이도와 고실 사이의 엷은 막으로 타원형이며 진주양 회백색 또는 담홍색의 반투명막으로, 가로 9~10 mm, 세로 8~9 mm, 두께 0.1 mm이며 100 mmHg 압력에도 견딘다.

고막은 신생아에서는 원형으로 성인보다 두껍고 수평위였다가, 성장하면서 수직형이 된다. 고막은 내측으로 많이 함몰되어 있는데 내함된 중심부를 제(臍, umbo)라 한다. 제는 고막상부에서 약간 후하방으로 고막내측에 부착되어 있다. 추골병(搥骨柄)의 하단에 해당된다. 제의 전하방에 광추(光錐, cone of light)가 있다. 이곳에서 전후로 Rivini 절흔에 이르는 선·후추골추벽(anterior and posterior malleus fold)이 있고 상부는 이완부, 하부는 긴장부로 되어 있다. 고막이완부는 Rivini씨 절흔 혹은 고막절흔에, 긴장부는 고막구에 부착되어 있다[그림 1-1-2].

① 조직학적 구조

조직학적으로 총 3층, 즉, 피부층과 고유층, 점막층으로 형성되어 있다.

외측인 피부층은 외이도 피부의 연장으로 얇은 단층편평상피조직이며, 시간이 지나면 탈락되어서 이구(耳垢)와 함께 배출된다.

중간층인 고유층은 탄력섬유를 가진 강한 내, 외 2층으로, 외층은 섬유가 방사선상으로 주행한 방사상층이고, 내층은 윤상(輪狀)으로 배열된 윤상층으로, 외층이 내층보다 강하다. 외상성 고막천공 때에 천공의 모양이 다각형을 나타내는 것은 이러한 고유층의 구조상 특징 때문이다. 이완부에는 이러한 고유층이 없다.

내측은 점막층으로 고실점막의 연장이다.

② 신경

전부는 삼차신경의 이개측두신경이 분포, 내벽은 고실신경총에서 실인신경의 Jacobson 신경이 분포한다. 미주신경의 이개지가 안면신경과 함께 경유돌공을 나와 외부로 상행하여 외이도와 고막의 후상부에 분포된다. 중요한 것은 고막의 부위별 지각도 차이인데 지각도가 가장 낮은 곳이 이완부, 다음이 긴장부의 후하부이므로 고막을 인공적으로 절개할 경우에는 이를 고려하여 시행한다.

③ 혈관

외혈관망으로 고막의 피부층에 외병동맥과 변연동

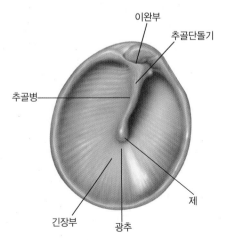

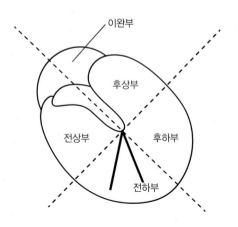

그림 1-1-2 고막

맥이 분포하고, 내혈관망으로 고막의 점막층에 분포하는 전고실동맥과 경유돌동맥이 분포된다. 이들은 혈관망으로 서로 문합되어 전자는 후자보다 대단히 민감한 혈관륜으로 되어 있어서, 외이도의 자극만으로도 쉽사리 충혈되며, 특히 중이염 때에는 더욱 빨리 충혈된다.

(2) 고실(鼓室,中耳腔, tympanic cavity)

협의의 중이이며, 불규칙한 프리즘형의 공간으로 직사각형 6개, 즉 상하, 전후 및 내외벽으로 둘러싸여 있으며, 상중하의 3개 고실로 구분된다. 외이, 내이 사이의 측두골 내에 있는 공기강으로 점막으로 덮여 있으며, 이내근(耳內筋), 이소골(耳小骨) 등을 포함한다.

① 고실의 구분

　• 고실상부

상부는 고실상와로 상고실이라 하여 고막상연을 통과하는 직선보다 위쪽인 곳을 말하며 주위는 골벽으로 둘러싸이고, 이소골인 추골두부, 침골체부(砧骨體部)가 있다. 그 구조가 복잡하여 염증이 생기면 치료가 곤란하고 주위로 파급되므로 임상적으로 중요한 장소이다.

　• 고실중부

중부는 중고실, 고유고실이라 하며 고막의 상,하연을 통과하는 선간(線間)의 부위로 외측면은 고막으로 되어 있다. 내부는 추골병(槌骨柄), 단돌기, 침골장각(砧骨長脚) 등이 위치한다.

　• 고실하부

하부는 고실하와로 고막하연을 통과하는 선이하의 부위이다.

② 고실주변 구조물

내측 즉 내벽의 후상방은 난원창(卵圓窓)에, 후하방은 정원창(正圓窓)으로 내이와 연결되어 있다. 외측은 고막과 경계되고 위쪽인 상방은 두개골과 아래쪽인 하방은 경정맥구(頸靜脈口)와 골벽으로 경계되어 있다. 전방은 이관(耳管)에 의하여 비인강(鼻咽腔)과, 후방은 유양동구(乳樣洞口, aditus adantrum)로 유양동과 통한다. 이러한 복잡한 구조로 인해 여러 가지의 감염경로를 통해 중이염이 발생되고, 역으로 중이강 내의 염증이 쉽게 다른 부위에 전이되며, 재발이 잘 된다.

③ 상, 하, 내, 외, 전, 후벽

　• 상벽

고실의 천정으로 고실개라 하며, 측두골의 추체부와 인상부가 접해 추체인상봉합(錐體鱗狀縫合)을 형성하고 있다. 성인에서는 봉합이 완전 결합하나 유소아에서는 열(裂, fissure)로 되어 있어서 특히 고실의 염증이 두개 내로 파급되어 뇌막 증상을 나타내게 하는 경로가 된다.

　• 하벽

고막하와의 저부로 얇은 골판을 경계로 경정맥부(頸靜脈球)가 위치한다.

　• 내벽

내이와 경계되고 내벽의 중앙부가 외측으로 융기된 갑각(岬角, promontory)이 있다. 이것은 와우(蝸牛)의 기저 회전으로 이루어진 것이며, 후하방에는 정원창이 있는데 이것을 덮고 있는 막이 고실계와 연결되어 있어서 이것을 제2고막이라 하고 갑각보다 2 mm 정도 내측으로 함몰되어 있어 잘 보호되어 있다. 후상방에는 난원창이 있고 등골(鐙骨)의 족판(足板, foot plate)에 끼여 있으며 내부로는 와우각(蝸牛殼)의 전정계(前庭階)와 연결되어 있고, 각각의 중앙부에는 상하로 달리는 구(構)가 있어 이곳에 설인신경의 고실지가 통과하고 있으며, 갑각을 덮고 있는 점막에는 고실신경총이 있다.

• 외벽
고막과 연결되어 있다.

• 후벽
안면신경관의 수직부가 있고 후방에는 유양동으로 통하는 유양동구가 인접하며, 유양동구의 하연에는 침골의 단돌기가 위치하고 침골와가 있다.

• 전벽
좁은 면으로 경동맥의 벽부위이며, 하부에는 이관의 고실구가 있고 이관의 하방에는 내경동맥이 지나가는데 드물게는 이 부위에 결손이 생기면 혈관소음이 내이에 전달되어 완고한 혈관성 이명이 발생되기도 한다.

(3) 이소골(auditory ossicle)
고실 내에 있는 작은 콩 정도 크기의 뼈로서 그 모양에 따라 추골(槌骨, malleus), 침골(砧骨, incus), 등골(鐙骨, stapes) 등으로 이루어져 있다. 대부분이 고실 상와에 포함되어 있다.

이들은 고실과 전정창 사이에서 관절을 형성하여 연골접합으로 연쇄를 이루어 일종의 지렛대를 형성하여, 고막에 전달된 음파의 진동을 내이에 전달하는 전음(傳音)기능을 한다. 따라서 이 관절에 장애가 있으면 난청이 유발된다[그림 1-1-3].

① 추골(槌骨, malleus)
외측에 위치하고 약 7.5~8.0 mm로 길이가 가장 길다. 두부돌기, 경부돌기, 장단돌기, 추골병으로 되어 있다. 추골병은 고막섬유층에 밀착하고 두부는 고실상와에 있으며 침골체부와 접합한다.

② 침골(砧骨, incus),
추골의 내후방에 있고 체부와 장단돌기로 되어 있다. 침골은 지렛대 역할을 함으로써 중이의 변압기능에 중요한 역할을 한다.

③ 등골(鐙骨, stapes)
가장 작으며 두부, 양각과 족판으로 되어 있다. 족판은 윤상인대로 난원창에 연결되어 안쪽으로 움직이

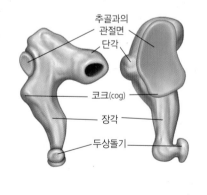

a. 침골(내후측)　　b. 침골(내전측)　　c. 주골(내전측)　　d. 추골(내전측)　　e. 등골

그림 1-1-3　이소골의 구조

게 한다.

(4) 이내근(鼓室小骨筋, auditory muscle)

이소골과 연결되어서, 강한 음의 진동에 반사적인 수축으로 고막의 긴장을 조절하여 내이를 보호한다. 고막장근(鼓膜張筋), 등골근(鐙骨筋)이 여기에 해당한다.

① 고막장근

추골에 부착되어 수축이 되면 추골병을 내측으로 끌어당겨 고막을 내함시킨다. 중이염 또는 이관염이 있을 때에 경련성 수축을 일으켜 고막이 내함되기도 한다. 이러한 작용은 삼차신경 제3지인 하악신경의 지배로 이루어진다.

② 등골근

등골에 부착되어 고막장근과 길항적으로 작용하여 수축이 되면 등골이 후방 혹은 약간의 외측으로 견인되어 고막을 팽륜시킨다. 이 작용은 안면신경의 지배를 받는다.

(5) 이관(歐氏管, eustachian tube, auditory tube)

고실과 비인두강을 연결하는 관으로 중이강이 외계로 연결되는 유일한 관이다. 고실전벽의 이관고실구에서 시작하여, 내하전방으로 내려가서 하비갑개의 후단 정도의 높이인 비인강의 외측벽에 개구한다. 소아에서는 이관 협부의 형성이 불완전하고 넓으며 성인보다 수평위에 있어서, 비강이나 인두의 염증이 쉽게 고실로 들어가게 된다.

① 구조 및 상피

이관의 전체 길이는 31~37 mm로 고실부위의 이관 ⅓은 골부, 인두부위의 ⅔은 연골부로 되어 있다. 이관은 호흡상피 세포인 위중층섬모원주세포 형태로

되어 있으며 점막섬모정화계(mucociliary clearance system)를 이루어 미생물의 침입을 막아주고 비인강의 감염을 방지한다.

② 기능

이관은 외이도와 고실 내의 기압을 평형하게 유지하여 음향의 내이전도를 돕는다. 이관의 연골부는 보통은 폐쇄되어 있으나, 연하운동 혹은 하품 등을 할 때 열리면서 공기가 인두를 통하여 중이강으로 들어가게 하여 기압을 조절한다.

만일 이관에 협착이 있을 경우 고실의 통기가 되지 않아 중이염의 원인이 되며, 고실 내의 공기가 점막에 흡수되어 희박해지면 고막이 고실측면으로 압박되므로 귀 내에 충만감, 동통 등이 나타나고 더불어 고막의 내함에 의한 난청이 발생된다. 반대로 이관의 병변으로 근육이 미비되어 폐쇄가 불완전할 경우 자기의 음성이 자기의 귀에 강하게 울리는 자성강청(自聲強聽, autophonia)이 발생하여 불쾌감을 느끼게 된다.

(6) 유양돌기(mastoid process)

측두골은 추체부, 인부, 고실부 및 유돌부로 구성되는데 유양돌기는 측두골의 유돌부에 위치하여 고실상와에서 유양동구를 통하여 뒤쪽으로 가면 비교적 넓은 공간인 유양동(mastoid antrum)이 있고 여기서 각 방향으로 연장되는 대소 여러 개의 함기봉소(含氣蜂巢)가 있다.

① 유양돌기의 형성

유양돌기의 하단을 유돌첨이라 하는데, 초생아에 있어서는 작은 돌기로 외이도의 후상방에 존재하다가, 점차적으로 유양돌기에 부착된 근육이 아래쪽으로 성장하면서 보통 3~4세가 되면 성인과 같은 위치와 크기로 된다.

태생기에는 유양동과 유양봉소에는 함기적이 아니고 해면상 골조직(海綿狀 骨組織)으로 되어 있다가, 분만 후에 호흡을 하여 이관을 통하여 공기가 고실로 들어가 함기적으로 되는데 이것을 기포화(氣胞化)라 한다. 4~5세가 되면 완전히 함기화가 되어 함기성 봉소가 된다. 이러한 함기화는 고실 내의 산소와 기압을 일정하게 유지시킨다.

② 유양동과 병리

외이도의 뒤쪽에 조그만한 극(棘)이 있는데 이것을 외이도상극이라 하고 그 뒤쪽에 함몰된 부위를 유양와라 한다. 유양와는 유양동에서 유양돌기가 외부로 나오는 최단거리의 장소다. 초생아는 측벽의 두께가 2~4 mm, 성인은 10~15 mm가 되며 많은 혈관에 의해서 유양돌기의 내부와 연락이 되어 있으므로 유양돌기염이 있을 경우에 가장 먼저 외부로 나타난다. 유양돌기의 내부에는 큰 유돌동과 그 외 많은 유돌봉소가 있으며 고실과 유돌동구를 통하여 연결되어 있다.

유양돌기의 외측에는 흉쇄유돌근이, 내측은 이복근이 부착된다. 부착된 근육이 외측벽은 두꺼우나 내측이 얇아서 염증이 빨리 퍼진다. 때로는 농이 근육을 따라 흘러내려 측경부에 농양을 형성하는데 이를 Bezold 농양 혹은 Bezold 유돌염이라 한다.

유양동에 병변이 있으면 고실에 파급된다. 특히 규칙적이고 정상적인 기포화가 된 정상 발육형에서는 병변이 나타나지 않으나 초생아 때의 중이염과 홍역, 성홍열에 병발된 중이염이나 유전적으로 중이점막이 위축, 비대되어 기포화가 방해되어 생긴 상아질상(象牙質狀)의 경화형인 상아질성형에서는 자체의 유양돌기염과 두개 내 합병증이 잘 발생한다.

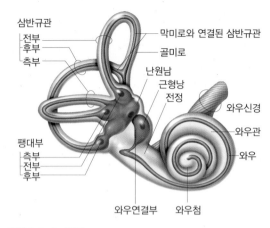

그림 1-1-4 내이

3) 內耳(Inner ear)

내이는 측두골 추체부의 내부 고실의 안쪽에 위치하며 인체의 평형감각, 청각을 담당하는 중요한 기관으로, 크기는 전후 최대경이 약 20 mm, 폭이 약 10 mm이다. 출생 시에 거의 완전하게 만들어진다. 내이는 고실, 정원창, 난원창을 통하여 연결되며 그 형태와 구조가 매우 복잡하여 미로(迷路)라 한다. 내부에는 막미로(膜迷路, membranous labyrinth)가 있고 이를 둘러싼 외부에는 골미로(骨迷路, osseous labyrinth)가 있다.

구조로 청각기관인 와우각(蝸牛殼, cochlea) 및 평형기관인 전정(前庭, vestibule), 삼반규관(三半規管, semicircular canal)이 있다[그림 1-1-4].

(1) 와우(cochlea)

① 골와우(骨蝸牛, osseous cochlea)

달팽이 껍질을 닮은 골와우는 전정의 전하방에 위치하며 직경이 9 mm, 높이가 약 5 mm로 2½번 회전하며, 기저회전, 중간회전, 첨단회전의 3부분으로 구분한다. 그 기저부는 내후방으로 향하여 내이도로 면하고, 첨단을 전외방으로 향하여 고실쪽으로 면하고 있다. 와우의 골축을 와우축이라 하며 이골축에 골나선판이 나와 있어서 Reissner 막과 함께 와우속을 3부분으로 나눈다.

② **막와우**(膜蝸牛, membranous cochlea)
막와우는 즉 기저막(basilar membrane)과 라이스너막(Reissner's membrane)으로 형성된 3각형의 막성관으로 이것을 와우관(cochlea duct)이라 한다.

　이 와우관은 그 기저부에서 연합관에 의해서 막전정 미로와 통한다. 와우관의 내부에는 세포내액과 유사한 내림프액이 가득 차 있는데, Na+, K+를 성분으로 한다.

　외림프강은 골나선판과 와우관에 의하여 나누어져, Reissner씨 막이 있는 쪽을 전정계, 기저막이 있는 쪽을 고실계라 한다. 외우관의 첨단부 끝은 맹관(盲管)으로 이 부위에서 전정계, 고실계가 서로 통하여 이곳을 helicotrema라 한다.

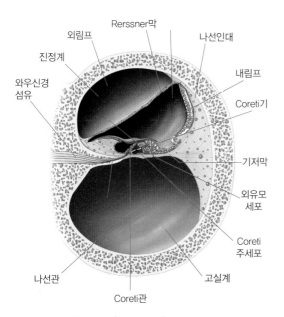

그림 1-1-5　와우 단면(코르티기관)

③ **Corti 기관**
막나선판의 기초를 이루고 있는 기저막은 위쪽에는 Corti기(器)라 하는 와우감수기가 놓여 있는데 이것은 소리를 감지한다. Corti기관은 유모세포(hair cell)로 되어 있고 주세포간(柱細胞幹)에 의하여 내, 외측으로 구분된다. 내측에는 내모세포(內毛細胞)가 한 줄로 배열되어 있고, 외측에는 외모세포(外毛細胞)가 있다. 이들은 감각세포로 stereocilia를 가지고 있어 와우신경섬유의 말단과 연결되어 청신경의 기초가 된다. 나머지는 지지세포로 구성되어 있다[그림 1-1-5].

(2) 전정(vestibule)

① **골전정**(骨前庭, bony vestibule)
골전정미로는 와우의 후상방, 삼반규관의 전하방에 위치한 골포(bony capsule)로 전후의 길이가 6 mm, 폭과 높이가 4 mm이다. 전정절(前庭櫛)에 의하여 앞쪽의 막미로의 구형낭(球形囊)을 내포하는 구형와(球形窩, spherical recessus)와, 뒤쪽의 난형낭(卵形囊)을 내포하는 난원와(卵圓窩, elliptical recessus)로 구분되고, 측벽은 고실 내벽이며 난원창 및 정원창 등에 의하여 고실과 연결된다.

② **막전정**(膜前庭, membranous vestibule)
구형낭(saccule)과 난형낭(utricle) 등으로 구성되어 있다. 이들은 연합관에 의하여 와우관과 통한다. 구형낭 및 난형낭의 내면에는 감각신경상피로 구성된 평형반(平衡斑, macula statica) 또는 청반(聽斑)이 있다. 여기에는 전정신경 섬유종말부가 포함되고 있다.

　감각신경상피에서 나와 있는 섬모는 위에 놓여 있는 평편한 이석막(otlithica) 속에 파묻혀 있다. 이석막은 투명한 콜로이드 물질로 구성되어 있으며, 그 속에 평형사(otholith)가 들어 있다. 이것은 크기

11

가 1-1.5 mm의 육각형으로 탄산석회와 단백질로
주로 구성되어 있다.

　양측 낭의 평형반은 서로 직각을 이루는 평면 내
에 있는데, 구형낭반은 수직 위로, 난형낭반은 수평
위로 있어서 위치와 직선운동의 감각을 관장한다.

(3) 삼반규관(三半規管, semicircular canal)

① 골삼반규관(骨三半規管, bony semicircular canal)
골삼반규관은 전정의 후상방에 있으며 3개의 반환
상관으로 서로 직각으로 위치하고 있다. 위치에 따
라서 외측(수평)반규관, 후(수직)반규관, 상(전)반규
관이라 하나 각 반규관을 포함하는 면이 반드시 90
도도의 각을 가지고 있는 것은 아니다.

　또한 각 반규관이 전정으로 가는 부위에 한쪽 끝
이 팽륭(膨隆)된 부위가 있는데 이를 팽대부(膨大
部), 팽대부릉(膨大部稜) 혹은 호복(壺腹)이라 하고
직경이 2 mm 정도이며 팽대부가 없는 부위를 단각
(單角)이라 한다.

② 막삼반규관(膜三半規管, membranous semicircular canal)
막삼반규관은 내림프액이 충만되어 있고 팽대부릉
의 내부는 유모세포와 지주세포로 구성되어 있다.
유모세포의 긴 융모가 돔 같은 모양의 cupula(팽대
정;膨大頂)를 형성하고 있으며, 내림프를 횡단하여
대측벽(對側壁)까지 도달하며 림프액의 운동에 따
라 모든 방향의 회전운동을 감각한다. 유모세포체의
저부에는 전정신경섬유의 말단이 종착되어 있다.

(4) 내이의 신경 및 혈관, 내이액

① 신경
내이의 신경은 청신경으로 지각신경인 전정신경과
와우각신경으로 구성되며 서로 각각 다른 종말신경

과 신경절을 가지고 있으나 내이도에서는 다 같이
동일한 신경초로 싸여 제8 뇌신경을 이루며 안면신
경과 같이 주행한다.

• 와우신경
와우의 골축내 나선신경절에서 시작하여 Corti
기를 통과하여 와우모신경을 거쳐서 대뇌피질의
청각중추에 도달한다. 이 중추는 측두엽에 있으
며 Broadmann의 41 및 42 부위에 해당되는데 이
것은 판단을 동반하지 않은 단순한 청각중추이
며, 이보다 상위에 청각성의 종합작용을 하는 청
각성 신야(神野)가 있으나 아직은 확실치 않다.

• 전정 및 삼반규관의 신경
전정신경의 말단이 분포되어서 전정신경절을 거
쳐서 뇌간으로 들어가 소뇌의 운동핵, 망양체에
분포되는데, 특히 전정신경은 대뇌에 도달하는
감각투사로(感覺投射路)보다 안, 사지, 구간, 자
율신경 등에 연락되는 반사로가 중요하며 여러
곳에 2차 섬유를 보내어 미묘한 신체의 균형이
완전히 유지되고 있다.

② 내이의 혈관
내이의 혈관은 외림프액 또는 내림프액의 흐름에
영향을 미치며, 내이에 영양을 공급한다. 막성 미로
에 분포하는 미로동맥은 두개 내 혈관의 분지로 골
성 미로와 고실에 분포하는 혈관과는 교통하지 않
는다. 미로동맥은 약 80%에서 전하소뇌동맥에서
기시하며 전정지와 와우각지가 전정과 와우각에 분
포한다. 이외 외경동맥의 분지인 외경동맥의 일부
가 와우각에 분포된다. 정맥은 전정도수관정맥, 와
우각도수정맥과 미로정맥이 하추체정맥동 및 횡정
맥동으로 주입된다.[그림 1-1-6]

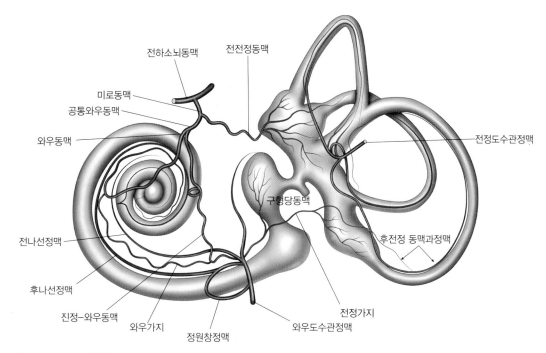

전하소뇌동맥　전전정동맥

미로동맥
공통와우동맥
와우동맥

전정도수관정맥

구형낭동맥

전나선정맥

후전정 동맥과정맥

후나선정맥

진정-와우동맥　와우가지　정원창정맥　와우도수관정맥　전정가지

그림 1-1-6　내이혈관분포

③ 내이액

내이액은 골 미로와 막미로 사이의 외림프강에 채워지는 외림프액과 막미로 내 내림프낭에 채워지는 내림프액으로 구분된다.

　두 림프액은 교통되지 않으며 서로 조성이 다르다. 내림프액은 와우혈관조의 변연세포와 팽대부릉 내 암세포에서 생성되고 내림프낭에서 흡수되는 것으로 생각되고, 외림프액은 뇌척수액과 와우 모세혈관들로부터 여과되어 생성되는 것으로 여겨진다.

2. 귀의 기능

1) 청각기능(聽覺機能, Hearing function)

음파는 이개에서 모아져 외이도에 들어온 후 고막

을 진동시키고 이 진동은 중이의 이소골을 통하여 전정창(前庭窓, 난원창)에 부딪힌다. 전정창을 통해 와우각내에 있는 외림프액에 전달되고 외림프의 진동은 전정계의 전정막(레이즈너막)을 거쳐 와우각의 내림프액을 진동시키게 된다. 외림프가 진동하면 그 속에 있는 믹미로의 벽도 그 진동을 받는다. 음파의 진동수와 동일한 진동수로 기저막의 섬유가 공명 진동하여 그 위에 있는 Corti기라는 와우감수기가 진동을 한다. 유모세포의 청모(聽毛)가 개막에 의해 마찰되며, 유모세포가 흥분하게 된다. 이러한 흥분은 와우각의 신경섬유, 즉 청신경(제8 뇌신경)에 전도된 후에 대뇌피질에 전달됨으로서 소리의 감각이 생기게 된다.

(1) 음의 전도(conduction of the sound)

음파가 내이에 전달되는 전도로는 공기전도, 순수

골전도, 골고실전도 세 가지로 분류할 수 있다.

① 공기전도(air conduction)

공기전도(空氣傳導, air conduction)는 가장 중요한 기본적인 전도방식으로, 외이도로 들어온 음파에 의한 고막진동이 이소골의 연쇄를 거쳐서 난원창에 들어가는 경로와 고막의 진동이 이소골의 연쇄를 거치지 않고 중이강의 공기의 진동으로 정원창에 직접 도달하는 경로가 있다.

• 공기전도의 순서 :
음파 → 외이도 → 고막진동 → 이소골연쇄 → 난원창 → 내이
음파 → 외이도 → 고막진동 → 정원창 → 내이

• 이개
음파를 모아서 외이도 내로 보내는 집합관의 역할을 한다.

• 외이도
외이도는 S자형 모양의 한쪽이 개구된 공명기(共鳴器)로, 굴곡을 통해 음파를 반사하여 고막으로 보내며, 이개에 의해서 증강된 음압을 다시 증강시켜 고막전면으로 보낸다. 자연공명효과는 2,000-3,000 Hz 정도에서 가장 크다.

• 고막
고막에 도달한 음파는 고막을 진동시키고 그 진동은 중이의 이소골에 충분히 전달된다. 또한 고막은 음압과 진폭을 늘리는데, 음파의 진동수와 음파의 진폭에 의해서 고막의 진동이 결정된다. 고음보다 저음에서 진폭효과가 크다. 고막은 원추상인 형태로 추골병 부위에서 기계적인 증강이 생기는데 만일 고막이 모두 손실되었다 하더라도 이소골의 연쇄가 건전하다면 20~30 dB 정도의 손실밖에 없다.

• 중이
중이는 음파가 내이액(림프액)을 전도시키기 위한 역할을 하는 기관이다. 음파는 음향의 특성이 다른 매체로 전달이 될 때에는 그대로 전달되지 않고 대부분이 물리적인 특성으로 반사하게 되는데 이것을 음향저항이라 한다. 이러한 작용으로 인체에서도 외이도를 통해서 들어온 음파가 100%라 하면 1%만이 내이액에 전달된다. 만일 중이가 없다면, 음파가 전정창과 와우창에서 내이액에 직접 들어가서 저항 효과가 매우 거진다. 반면에 음파가 한쪽 창에만 작용을 하면 골벽에서의 저항은 대부분이 없어지며 전액주가 한쪽 창에서 다른 쪽 창으로 이동하게 된다.또한 중이 내의 이소골 연쇄작용도 음의 증강의 중요한 요소이다. 음압의 증강에 있어서 이소골의 연쇄는 추골병과 침골상각과의 사이에 지렛대 효과(lever effect)와 같은 특이한 형태를 취함으로서 증강작용이 있다. 이와 같은 음압의 증강작용으로 약 31.4-36.5 dB 정도 증강되어서 내이에 도달하므로 중이를 음압변환기(音壓變換器)라 한다.

• 이관
이관은 중이강의 환기로 고막의 안팎을 일정한 기압으로 유지하여 고막에 도달한 음의 진동이 아무런 장애 없이 이소골을 거쳐서 내이에 전달되게 한다. 이관은 보통 닫혀 있다가, 연하운동이나 하품할 때에는 이관인두구(耳管咽頭口)가 열려서 공기가 유통하게 된다. 여러 가지 원인으로 이관이 폐쇄되면 자성강청(自聲强聽)이 발생할 수 있으며 고실의 기압이 일정치 못해서 난

청, 이내충만감(耳內充滿感) 등이 발생된다, 병적인 상태에서는 고실 및 유양돌기에서 기원한 분비물의 배설로가 된다.

· 이내근

등골근, 고막장근이 강한 음파가 내이에도 전달되는 것을 방지하는 고실반사를 한다. 역치보다 70 dB 이상의 강한 음에 반사적으로 수축하여 침골, 등골을 잡아당겨 소리의 전달을 감소시키는 작용으로, 지속적인 강한 음에서는 방어가 가능하다. 그러나 순간적으로 발생되는 강한 소리에는 방어가 힘들고, 이러한 방어에도 한계가 있으므로 강한 음에 계속적으로 노출되면 손상을 받아 청력 소실이 나타난다.이러한 이내근(耳內筋)의 수축은 강한 음 외에도 몸의 움직임, 촉각자극, 발성 등에서 일어난다.

특히 등골근은 안면신경의 지배를 받아 안면마비가 발생하는 경우 등골근의 마비로 높은 음이 불유쾌하게 들리는 청각과민이 발생할 수 있다.

② **골전도**(bone conduction)

골전도(骨傳導, bone conduction)는 고막을 거치지 않고 두개골을 통하여 직접 내이에 전달되는 것인데 이것을 다시 두 가지 경로로 생각할 수 있다. 하나는 음파가 두개골에서 직접 미로골각을 통해서 림프액으로 전해지는 순수골전도(純粹骨傳導)이며, 또 하나는 두개골에서 이소골을 거쳐서 난원창으로 전도되는 골고실전도(骨鼓室傳道)이다.

· 골전도의 순서 :

음 → 두개골 → 내이
음 → 두개골 → 이소골 → 난원창

(2) 음의 감음(sound perception)

① 감음의 순서

감음은 음을 감지하는 청력의 기전이다.

전음계를 통해서 들어온 음파는 음압을 증강시켜 전정창을 거쳐 내이로 들어와 감음이 이루어진다. 음의 감음을 순서대로 보면 음파 → 전정의 난원창 → 전정계 → 외림프액의 파동 → 각정에서 연결된 고실계로 파급 → 와우창(정원창) → 와우각 내의 전림프액의 파동 → 내림프액의 파동 → 와우관 및 그 내부에 들어 있는 Corti기에 파급 → Corti기 내부의 유모세포 자극 → 와우신경섬유의 신경자극 → 청신경로 → 대뇌의 감각중추로 이루어진다[그림 1-1-7].

② 림프액의 파동

전정의 난원창을 통해 전파된 음파는 외림프액의 파동을 일으키며 이 파동운동은 전정계를 따라 그 속까지 들어가 각정(殼頂 : helicotrema)에서 연결된 고실계(鼓室階)로 파급되어 와우창, 즉 정원창에 도달하게 된다. 음파는 와우각내의 전림프액에 파동을 일으키며, 특히 기도음에서는 난원창과 정원창은 서로 역위상으로 진동하게 된다. 이러한 파동이 내림프액으로 충만된 와우관과 그 속에 들어 있는 Corti기에 파급되면 내림프액에 파동이 생기면서

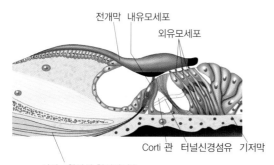

그림 1-1-7 Corti기의 구조

Corti기 내부의 유모세포를 자극하며 이후에 와우 신경섬유에 신경자극을 일으킨다. 이때 Corti기의 감음작용은 음의 에너지를 전기에너지로 변환시키는 것이며 이 작용은 Corti기에 공급되는 혈액, K+ 및 Na+ 이온, 혈액 중의 산소가 밀접하게 관여한다. 이러한 자극은 청신경로에 연결되어 대뇌의 감각중추에 도달하게 된다.

기저막의 팽륭은 진동수가 많은 음에서는 와우 창 가까이에서 일어나고 진동수가 적은 음에서는 각정 부근에서 일어나는데 이 양끝 사이에는 약 11 octaves의 많은 음역(音域)이 내포되어 있으며 기저막이 짧은 섬유에서는 높은 음(high pitch tone)에, 긴 섬유에서시는 낮은 음(low pitch tone)에 진동한다.

※ 음파(sound wave)

일반적으로 탄성체나 공기의 진동운동이 귀에 들어오면 음으로 감지된다. 음의 강도의 단위는 bel로 음의 강도/기준음의 강도로 표시한다. 이 값은 실제로 너무 크기 때문에 그 1/10인 decibel (dB)을 사용한다. 사람이 들을 수 있는 소리의 한계 값을 음압이라 하며, 이것이 소리 크기의 기준이 되고 임상적으로는 건강한 젊은 사람이 최소가청역치(最小可聽域値)를 0 dB로 한다. 음의 높이는 기저막의 부위에서 운동하는 진동수로 결정이 된다. 다시 말해, 진동수가 크면 높은 음이 되고, 진동수가 작으면 낮은음이 된다. 진동수는 cycles per second (C.P.S)로 표시한다. 사람이 들을 수 있는 음파의 진동수는 16-24,000 cycles per second (C.P.S. Hz)로 이것을 가청음역(hearing range)이라 하고, 이 중에서 일상생활에서 회화영역은 250~2,000 Hz이다. 진동수가 16 C.P.S Hz 이하인 저주불가청음파와, 24,000 C.P.S Hz 이상인 고주불가청음파에서는 음을 감지하지 못한다.

2) 평형기능(平衡機能, Function fo body balance)

3개의 반규관 및 전정의 구형낭(球形囊)과 난형낭(卵形囊)이 몸의 위치, 운동방향 및 속도, 방향변화 등 평형감각을 감지하는 기능을 한다. 신체의 운동은 크게 직선운동과 회전운동으로 나누며 직선운동은 전정에서, 회전운동은 삼반규관에서 감지한다.

(1) 반규관

3개의 반규관의 팽대부릉(crista ampullaris)에서 머리운동의 방향과 연관하여 수직 혹은 수평면에서의 회전운동의 방향 및 가속도의 크기를 감지한다. 머리가 앞쪽으로 움직인다면 반규관은 머리와 같이 움직이지만 그 속에 있는 림프액은 그 자체의 관성 때문에 머리가 돌아가는 것과 동시에 움직이지 못하고, 팽대부에 있는 섬모는 머리의 운동방향과 반대로 기울어지게 된다.

(2) 전정

전정 구형낭 내의 평형반에 있는 평형사는 머리의 위치에 따라 평형반의 유모세포 섬모에 다르게 작용한다. 머리 위치에 따라 섬모는 어느 한 방향으로 구부러지거나 잡아당기는 상태가 되는데 이 자극이 평형반의 유모세포, 전정신경을 거쳐 중추에 전달되어 지구의 중력방향에 따라 머리의 상대적인 위치를 감지한다.

- 신체의 평형

인체에서 평형을 유지한다는 것은 신체의 위치, 자세 및 운동을 감수하여 반사적으로 구간근(軀幹筋), 안근(眼筋) 등의 수의근과 자율신경계에 반응을 일으켜 중력, 관성, 원심력 등에 대하여 본래의 위치, 자세를 항시 재조정하려고 하는 것이다. 수의근, 구간근, 안근, 자율신경계 등의 작

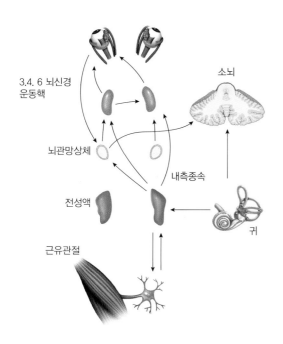

3.4, 6 뇌신경
운동핵

소뇌

뇌관망상체

내측종속

전성액

귀

근유관절

그림 1-1-8　전정의 평형

용이 깨지고 전정기에 질병이 발생하거나 역치
이상의 강도 혹은 이상 자극을 받게 되면, 인체의
평형이 깨지고 현훈(眩暈, vertigo)이 발생한다.
신체의 평형은 시기(視器), 전정기(前庭器)의 협
동작용과 촉각, 근감각, 관절감각, 건감각, 내장
감각 등이 관여하여 유지되며, 이들의 협동작용
은 소뇌에서 통합한다. 이들 중에서 전성기의 삭
용이 가장 중요하여, 전정기 만이 선택적 또한 전
문적으로 평형에 관여한다.　전정기에서 신체 평
형의 유지 작용은 신체의 위치 및 운동의 감각,
수의근의 긴장에 미치는 작용, 자율신경계에 대
한 작용, 이상 자극에 대한 반사로 분류할 수 있
다[그림 1-1-8].

① 인체의 위치 및 운동의 감각

전정의 평형반(平衡斑)은 평형사(平衡砂), 즉 이석
(耳石, otolith)의 위치에 따라 전정 내의 내림프가
움직여 유모세포(有毛細胞)를 자극함으로 이루어
진다.

② 수의근의 긴장에 미치는 작용

전정기는 전정의 신경 및 중추에서 운동신경계를
통하여 안근 및 경부근(頸部筋)을 긴장하게 하고 또
한 이것을 지배하며 다시 심부감각(深部感覺)을 통
하여 이차적으로 미로성 위차반사를 통해 구간(軀
幹) 및 사지의 근육의 긴장에 관여한다.

③ 자율신경계에 대한 작용

전정기가 자극되면 수의근이 자극을 받는 것과 같
이 자율신경계도 전정신경　·전정신경핵 → 자율
신경핵 → 자율신경 → 평활근 → 장기의 반사로를
거쳐서 근긴장에 영향을 준다. 또 심장, 폐, 혈관, 위,
장 등에도 영향을 주어 운동할 때 수의근이 충분히
활동할 수 있게 하는 작용이 나타난다.

④ 이상자극에 대한 반사전정기는 외적인 여러 가
지 변화에 대해 수의근, 자율신경계 등에 작용하여
신체의 평형을 유지하고 있다. 만일 비생리적인 혹
은 부적합한 자극인 전기자극과 온도자극에 여러
가지의 반응을 일으킨다.

生理

한의학에서는 腎主耳, 腎氣通於耳라 하여 腎과 耳의 관계를 중시하였는데 腎의 精氣가 위로 올라와 開竅한 것으로 腎이 調和를 이루면 五音을 判別할 수 있다고 하였다. 이에 관한 문헌적 근거를 살펴보면 《靈樞 · 邪氣臟腑病形論》《口問篇》에서는 十二經脈과 三百六十五絡의 血氣가 上部로 올라와 空竅를 따라 走行하며 그 中에서 別氣가 耳로 走行해 聽力이 나타나고, 또한 耳는 宗脈이 聚한 곳이라 하여 耳는 人體의 聽力 및 五音을 鑑別하는 機能이 있으며 五臟六腑의 精氣와 經絡이 聚合되는 부위라 하였다.

1. 部位

《醫宗金鑑 · 正骨心法要旨》“耳者司聽之竅也, 耳門之名曰蔽, 耳輪之名曰郭, 玉梁骨卽耳明骨, 其處上卽曲頗, 下卽頰車, 兩骨之合鉗也, 耳門內上通腦髓, 亦關 靈明” 또 “耳垂下與耳後完骨下界之間, 名曰耳根”이라 언급하였다. 《骨度篇》《類經 · 八卷 · 骨度》에서는 耳後에 있는 高骨을 完骨이라 칭하며

그 廣은 九寸이라 하였다. 內耳에 관한 언급으로는 《醫林改錯 · 上卷 · 通竅活血湯所治之症目》“耳空內小管通腦”, 《血證論 · 卷二衛》“爲司聽之神所居, 其形如珠, 皮膜包囊眞水 是爲神之所出 聲之所入, 內通于腦, 爲空虛之府” 등이 있다.

2. 五臟六腑와의 관계

1) 腎

腎藏精, 精生髓, 髓通於腦, 耳內通於腦하므로 청력은 腎精이 溫養하여 腦髓를 生하여 耳竅를 滋養함에 달려 있다. 《素問 · 陰陽應象大論》北方에서 寒을 生하고 그 장부는 腎에 있고 耳로 開竅하므로 腎은 耳를 주관한다 하였다. 《靈樞 · 脈度篇》《靈樞 · 五閱五使篇》腎氣가 耳로 通하므로 腎의 官이며 腎和가 되면 耳는 能히 五音을 判斷하게 된다 하였다. 《景岳全書 · 卷二十七》에서는 耳는 宗脈이 所聚한 곳으로 이곳에 腎氣가 通하여 있다 하였고, 《醫學心

悟 · 卷四》耳의 枯潤을 살펴서 腎의 强弱을 診斷할 수 있다 하였다.

인체의 모든 근원은 腎에서 발원한다. 그러므로 뇌척수액이나 림프액의 근원도 腎이라고 볼 수 있다. 腎陰이 마르게 되면 귀의 림프액도 마르며 소리를 듣거나 평형을 감각하는 부분 역시 약해지게 된다.

2) 心

《聖濟總錄 · 卷一百一十四》《證治準繩 · 卷士》《外科大成》《瘍醫大全》《醫貫 · 卷五》《普濟方》《醫學正傳》《血證論 · 卷六》"心寄竅于耳" 및 "耳爲心腎之竅"라 하여 이것은 心竅는 本來가 舌이지만 舌은 空竅가 아니기에 耳가 心의 寄竅가 되고, 心은 耳竅之客이며, 또한 心火와 腎水가 相互 調和가 이루어져 心腎이 相交되어 淸淨晴明한 氣가 空竅로 上走하여야 耳가 聽斯聰해진다. 또한 心은 血脈을 주관하여 耳目을 聰明하게 하는데 사람의 耳目은 달이 햇빛의 반사를 받아야 빛을 내는 것 같이 사람의 耳目도 陽氣를 받아야 밝아지며, 耳와 目에 陰血이 不足되면 陽氣가 있어도 받아들이지 못하므로 聰明을 잃게 되고 耳目에 陽氣가 虛해도 陰血이 作用되지 못하여 역시 밝지 못하므로 耳目이 밝아지려면 반드시 血氣가 充分해야 되고 血氣가 서로 작용해야만 된다 하여 耳가 聰明하게 聽하려면 陰血이 作用되어야 하는데 이것을 心이 주관한다.

3) 肝膽

《醫學心悟》足厥陰肝經과 足少陽膽經이 耳와 연결되어서 肝氣가 耳와 通한다 하였고, 《辨證奇聞》腎氣가 耳에 通하지만 肝腎同源이라서 肝氣와 서로 연결되었기에 비록 耳는 腎의 外竅지만 肝과도 관계되어 있다고 하였다. 精과 血은 同源이고 이를 주간하는 肝과 腎 역시 밀접한 관계를 가지고 있다. 그러므로 肝의 藏血 기능은 腎을 유지하고 耳竅를 滋養하게 된다.

4) 脾胃

《脾胃論 · 卷上》九竅는 胃氣가 通利되어야 그 機能이 이루어진다 하여 氣血化生의 作用을 말하였다.

5) 肺

《雜病源流犀燭 · 卷二十三》《證治彙補》腎竅는 耳이어서 聲音을 聽하지만 肺는 聲과 氣를 주관하기에 水生于金으로 肺聲과 耳聞聲이 서로 關聯이 있음을 설명하였다.

肺는 氣를 主하고 腎은 氣의 根本이 된다. 肺는 腎을 生하고 腎은 耳를 주관한다. 고막이 외부 음의 자극에 의해 떨리고 이소골이 소리를 증폭하면서 등골이 림프액을 진동시켜 림프액에 파동을 전달하는 과정을 金生水의 관계로 연관지어 볼 수 있다.

3. 經絡과의 관계

《證治準繩》十二經脈 中에서 足太陰經, 手厥陰經만 제외하고는 모두 耳竅 內에 들어가는데 手少陰心經, 足少陰腎經, 手太陰肺經, 足厥陰肝經, 手少陽三焦經, 足少陽膽經, 手太陽小腸經 등의 絡脈은 耳內에서 會하고, 耳前에는 手少陽三焦經, 足少陽膽經, 足陽明胃經 등이 會하며, 耳後에는 手少陽三焦經, 足少陽膽經이 會하고, 耳下曲頰에는 足少陽膽經, 足陽明大腸經 등이 會하며 或은 手太陽小腸經이 屬하고, 曲頰前面에는 足少陽膽經, 足陽明大腸

經 등이 會하며, 曲頰後面에는 足少陽膽經이 屬하여 있다 하였다. 그러므로 생리적으로 각 경락이 耳의 주변을 통과하거나 직접 直通하고 있다. 그렇기 때문에 각종 경락의 이상은 귀의 병을 일으키는데 《經脈篇》手太陽小腸經의 是主液所生病은 耳聾目黃頰腫이고, 手少陽三焦의 是動病은 耳聾으로 因해 煇煇, 焞焞하며 傷寒病에서 足少陽膽經이 邪氣를 받으면 耳聾하거나 厥逆하게 되어 氣逆上升하여 耳鳴이 나타난다 하였다.

病因 및 病理

耳는 여러 經絡이 모이고 宗脈이 聚하는 곳으로 많은 經絡 및 絡脈 등이 面部로 上走하여 耳와 挾하거나 또는 通하고 있기 때문에 外邪가 經絡을 循環하여 耳竅에 侵入하고, 반대로 臟腑機能의 失調나 經絡의 阻塞不通이 耳竅에 발생된다. 耳病의 원인은 크게 外因, 內因, 不內外因으로 나누어 볼 수 있다. 外因의 경우 耳竅에 침입하는 外邪 中 風, 火熱, 濕邪에 의한 경우가 많고, 內因의 경우 臟腑機能 失調에 의한 경우가 많으며 肝, 腎, 心, 脾 등이 關聯이 있다. 不內外因의 경우 여러 원인에 의한 氣血 및 臟腑의 문제, 外傷에 의해서 발생하게 된다.

1. 病因

1) 外因

《素問 · 熱論》傷寒三日에 少陽이 病邪를 받으면 胸脇痛, 耳聾하게 되고 九日 傾에 少陽病이 衰弱하게 되어서도 耳聾이 되며, 또한 이것이 寒에 感受가 되면 三日 傾에는 少陽 및 厥陰經이 함께 弛緩되어 耳聾, 囊縮되면서 闕하여 水漿不入, 不飮食한다 하였다.

外邪는 六淫 가운데 主로 風, 火熱, 濕邪 등이며 대부분이 體虛할 경우에 쉽게 感受되어 나타난다.

(1) 風은 陽邪로 向上向外하는 性質이 있기 때문에 陽이 聚하는 頭面의 兩側에 위치한 耳와 風邪와 五行상 대응되는 肝經에 侵入한다.

(2) 熱은 火熱로 陽邪이며 上炎하는 性質이 있으므로 風과 함께 頭面에 上炎하는데 火熱은 暴怒, 情志不舒로 肝, 膽, 心 등이 鬱滯되거나 腎陰虛하여 虛熱上炎하는 등의 병변에 따라 耳竅에 上炎하는데 만약 熱이 甚하게 되면 風을 끌어들여 風熱로 相搏하기도 한다.

(3) 濕은 脾虛로 水濕運化不利로 濕이 內生되고 脾에 停滯되면 陽氣不昇 혹은 腎虛水泛하여 發生되나 대부분은 脾虛하여 外濕感受가 容易하게 되어서 나타난다.

2) 內因

陰陽失調, 氣血不和, 五臟六腑의 機能失調로 인해서 발생하는데 이는 주로 七情不和나 情志不舒에 의해서 나타난다.

3) 不內外因

(1) 勞力過多하여 氣血이 傷하고 氣血이 不足하여 心血耗傷, 腎精虧損

(2) 飮食不節로 脾胃가 虛弱

(3) 膏粱厚味 및 炙煿한 飮食을 過多攝取하여 脾胃蘊熱, 濕熱內生

(4) 瘟疫之邪가 耳竅에 侵入 혹 外傷

2. 病理

1) 外感邪毒

耳竅에 侵入한 風熱, 火熱, 濕熱邪, 蟲毒 등이 鬱滯되어 火熱이 上炎한 實證을 유발시킨다.

2) 肝火上炎

情志不舒로 肝氣鬱結되면 疏泄失常을 유발, 鬱滯化熱하여 頭痛, 眩暈, 耳鳴, 耳聾 등의 症狀이 나타난다. 특히 肝火上炎은 주로 갑자기 發病되는 特徵이 있다.

3) 肝膽濕熱

肝經實火의 火熱로 濕熱이 內生되거나, 濕熱邪毒의 甕盛으로 발생되며 또한 脾胃濕熱에서 유발되기도 한다.《素問 · 藏氣法時論》肝病者는 兩脇下痛引小腹, 善怒하고, 肝虛하면 目慌慌無所見, 耳無所聞, 善恐 如人將捕之하며 또는 虛하여 耳無所聞하고, 肝氣가 逆하면 頭痛, 耳聾不聽 등이 나타난다 하였고,《中藏經》에서는 肝氣가 逆하면 頭痛, 耳聾, 煩赤 등이 나타난다 하였고,《辨證錄》肝氣上逆하면 火盛血虧하게 된다 하였다.《證治準繩》肝虛하면 耳聾, 多恐이 發生된다 하였고,《醫貫》肝膽이 實하면 多怒, 耳聾, 耳鳴 등이 나타나는데 耳瘡은 肝經暴火風熱 혹은 腎經風火 등으로 발생한다 하였으며,《外科正宗》耳病은 三焦 및 肝風內動으로 발생한다고 하였다.《醫學六要》左脈이 弦急 및 數하면 肝火이므로 반드시 多怒하고 耳鳴 혹은 耳聾이 發生된다 하였다.《類證治裁 · 卷六》肝氣가 逆하면 頭痛, 耳聾 등이 나타나며 肝膽은 表裏관계로 膽脈이 上貫하여 耳竅 內에 있으므로 精脫失聰은 腎을, 氣逆閉竅은 膽을 治療하고 또한 肝膽火升은 항시 耳竅 內에 蟬鳴音이 들린다 하였다.《辨證錄》耳痛은 膽氣가 不舒할 때에 風邪가 乘하여 火가 散하지 못해 발생된다 하였고,《血證論》肝火火盛하면 口苦嘔逆, 目眩耳聾 등이 나타난다 하였다.

肝氣上逆하거나 肝膽火가 熾盛하게 되면 氣는 上逆하되 血은 그를 따르지 못하게 된다. 이때 氣와 血의 불균형이 발생하게 되고 耳鳴, 혹은 難聽이 발생하게 된다.

4) 脾胃濕熱

膏粱厚味, 炙煿한 飮食이나 醇酒를 過多攝取하면 脾失運化로 濕熱內生되고 耳竅上蒸하여 발생된다. 水濕代謝의 機能은 脾腎의 相互作用에 의해 이루어지는데 脾虛로 運化失積하거나 腎虛로 氣化失常하면 水濕이 內停되고 오래되면 濕熱이 발생되어 耳竅에 上蒸된다.《素問 · 口問篇》耳는 宗脈이 聚

한 곳으로 胃中이 空하면 宗脈도 虛해져 下溜하고 脈도 竭해 耳鳴이 발생된다 하였고, 《通平虛實論》頭痛耳鳴은 九竅가 不利한 것 인데 주로 腸胃에서 발생된다 하였으며, 《玉機眞臟論篇》脾는 孤臟으로 脾不及하여 九竅不通한 것을 重強이라 하였다. 《醫學入門 · 卷四》膏粱厚味로 胃熱이 上升하여 痰火가 있으면 兩側의 耳에 蟬鳴이 발생된다 하였다.

5) 腎臟虛損

房勞過多, 勞役過多, 素體虛弱, 年老腎虧, 久病傷腎하였거나 溫燥寒凉한 것이 過한 경우에도 발생한다. 腎陰虛와 腎陽虛로 나눌 수 있으며 腎陰虛는 腎精不足으로 眞陰이 不足되고 腦髓空虛해져서 耳를 濡養하지 못하거나 또는 腎水虧損으로 水不制火하여 虛火上炎하여 발생된다. 腎陽虛는 腎氣耗傷되면 腎陽不足되고 命門火衰하여 發生하는데 耳竅를 溫煦하지 못해 耳의 機能이 허약해진다. 《靈樞 · 海論》, 《靈樞 · 口問篇》髓海不足으로 腦轉耳鳴, 또는 上氣不足으로 腦가 不滿하면 耳鳴, 頭傾, 目眩 等이 發生한다 하였고 《靈樞 · 結氣篇》에서는 精脫로 耳聾이, 液脫이 되면 屈伸不利, 色夭, 腦髓消, 脛痠痠, 耳數鳴 等이 發生된다 하였고 《景岳全書》《證治彙補》耳가 聞할 수 있는 것은 腎의 精氣가 調和되어 腎氣充足하여야 되는데 勞傷氣血로 風邪襲虛되면 精脫로 腎憊하여 氣厥耳聾, 挾風耳聾, 勞傷耳聾 等이 나타난다 하였다. 《景岳全書》《證治要訣》腎虛가 되면 耳中에 潮聲, 蟬聲과 같은 소리가 들리고 或

은 暴聾이 되어 듣지 못한다 하였고, 《證治準繩 · 雜病》新聾多熱은 少陽陽明經, 久聾多虛는 腎常不足에서 發生된다 하였다.

6) 心腎不交

心血不足과 腎精虧損으로 水火旣濟가 되지 않아 心陽은 내려가지 못하고, 腎陰은 상승하지 못하여 발생된다.

7) 기타

脾失運化와 腎의 氣化不能으로 痰熱 或은 痰火가 耳竅에 上擾할 경우, 火熱邪毒이 心包에 侵犯할 경우, 情志不舒로 脈絡이 閉塞된 경우, 耳病이 오래되어 邪毒이 鬱滯된 경우, 勞傷心脾로 氣血不足이 되어 心氣虛, 血行不暢하여 氣滯血瘀한 결과 耳竅가 閉塞된 경우에도 발생된다. 또한 《素問 · 氣交變大論篇》歲金受邪하여 民病瘧, 嗌乾, 耳聾 등이 발생된다 하였고, 《藏氣法時論篇》肺病은 喘咳逆氣, 肩背痛, 汗出, 尻陰股膝, 髀腨胻足皆痛 등이 나타나며 虛하면 少氣, 不能報食, 耳聾嗌乾 등이 나타난다 하였다. 《古今醫統》大病 後의 耳聾은 주로 氣虛하여 發生하고 또 老人이 氣虛하면 耳聽漸重된다 하였으며, 《證治準繩》肺氣가 虛하여 少氣가 되면 耳聾이 발생된다 하였으니 肺의 이상 또한 귀의 문제를 일으킬 수 있다.

일반적 증상

귀 질환의 경우 발열, 외이 및 주위의 종창, 이루, 이통, 이충만감, 자성강청, 이명, 난청, 이상청각, 어지림증, 안면마비 증싱 등이 나타날 수 있다.

1. 발열(發熱)

귀의 이상에서 발열은 다양한 질환에 의해 나타날 수 있다. 먼저 외이도 질환에서 외이도의 염증성 질환에서는 고열이 심하지 않는 특성이 있다. 이성 대상포진의 경우 37.5도도 정도의 미열을 띄고, 급성 화농성 유양돌기염에서는 초기에는 37.5~40.5℃를 나타낸다. 고열을 동반하는 경우는 봉와직염이 병발되었거나, 횡정맥동염, 횡정맥동혈전 등 전신감염으로 전변될 경우에 해당한다.

급성 화농성 중이염의 경우 성인에서는 대개 38℃ 이상 혹은 39℃ 전후가 되고 특히 소아에서는 40.5℃까지 올라갈 수가 있다. 밤에 특히 고열을 띄고 오한과 경련이 유발되기도 하고, 고막의 자연천공이나 인공적인 절개로 고실에서 배농(排膿)이 되면 열이 다소 떨어진다. 배농이 되더라도 열이 내리

지 않거나 반대로 열이 상승되면 유양돌기염이나 그 밖의 합병증을 의심하여야 한다.

이성 화농성 뇌막염에서는 열의 형테기 다르고 오한, 전율 등이 없이 2-3일 사이에 단계적으로 상승하여 40℃부근까지 올라간다.

점액구균성 중이염(粘液球菌性 中耳炎)은 급성 중이염의 하나로 發熱이 경미하나 두개 내의 합병증을 유발하기 쉬우므로 조심해야 한다.

만약 중이에서의 국소소견과 발열의 정도가 부합되지 않으면 이성 합병증과 기타 다른 질환의 유무를 살펴야 된다.

2. 외이 및 주위의 종창

이개 및 외이도 등의 염증이 주위 조직에 파급이 되어 외이도 주위농양이나 봉와직염이 되는 경우 이개가 솟고, 외이도 종창으로 인한 외이도의 협착이 일어나게 된다. 봉와직염인 경우에는 이주전방, 이개 부착선 후반부까지 종창이 파급된다.

유양돌기염의 경우 성인과 소아가 다른 모습을

보이는데 성인의 경우 Bezold씨 유돌염으로 유양돌기첨단의 두부에 종창이 나타나고, 소아에서는 이개의 전상방에서 협골궁부(頰骨弓部)에 종창을 보이는 유돌염이 많이 나타난다.

유양돌기의 후연을 따라 종장(縱長)의 종창을 griesinger 증상이라고 하는데 이는 횡정맥동혈전의 징조에 해당한다[표 1-4-1].

표 1-4-1. 耳癤과 급성유양돌기염 감별

	이절	급성 유양돌기염
이개의 위치	위쪽으로 밀리기 쉬움	우뚝 솟고 아래쪽으로 처짐
압통	이개 부착부를 누르거나 이개를 잡아당기면 동통이 있음	유양돌기첨과 유양와를 누를 시 통증
외이도 소견	전하벽이 종대될 가능성 있음	후상방의 종창하수
고막 소견	없거나 경미한 변화	심하게 팽윤
청력 변화	없거나 경미한 감소	크게 장애가 됨
체온 변화	없거나 미열	고열인 경우가 많음
X선 소견	없음	함기세포의 혼탁 소견

3. 이루 (耳漏, otorrhea)

이루란 외이도, 중이강 혹은 측두골 주위의 병변에 의해 외이도로 흘러내리는 병적인 분비물로 성질, 양, 기간, 냄새 등으로 염증의 과정 및 병변의 경중을 관찰할 수가 있다. 또한 이루가 동통이나 현기증 또는 청력장애 등의 다른 증상과 병행하여 같이 나타나는지, 감기 혹은 기타 질환의 동반 여부를 먼저 파악 하여 진단해야 한다[표 1-4-2].

1) 性狀

수성, 장액성, 농성, 점액성 혹은 혈성 등으로 구분하지만 이들이 혼합되어 나타나는 경우가 많다. 혈성 이루의 경우 인플루엔자성 중이염, 출혈성 고막염, 종양 등에서 볼 수 있으며 두개저의 골절에서는 혈성이면서도 뇌척수액이 유출됨을 볼 수 있다.

외이도염도 이루를 일으킬 수 있는데 급성 미만성 외이도염은 초기에 수성 혹은 장액성 이루를 분비하지만 만성화하면 농성으로 변하며 이절이 화농하면 농성 혹은 혈농성 이루(血膿性 耳漏)를 분비한다.

중이염은 상태에 따라서 다양한 종류의 이루를 배출하게 한다.

카타르성 중이염에서는 일반적으로 이루가 초기에는 장액성이나 시기가 경과함에 따라 점액성으로 변하고 점액구균성 중이염에서는 점액성이 현저하고 장액성은 중이강 내에 음압이 생기는 경우에 모세혈관에서 혈장의 누출에 의하여 일어난다. 참고로 외이질환의 경우 점액성 이루가 드물다.

급성 화농성 중이염의 이루는 초기에는 장액성 혹은 장액혈성이던 것이 차츰 농성으로 변하며 치유기에 들어서면 점액성으로 변한다. 대부분이 농성으로 대개가 2주를 넘지 않으나 2주 이상 계속되고 다량의 농성 이루가 박동성으로 배출되는 경우 염증이 유양동이나 유양봉소(乳樣蜂巢)로 파급된 것이다.

만성 화농성 중이염은 보통 소량의 점액성 이루가 나타난다. 만약 악취 나는 다량의 농성 이루가 분비될 경우는 혼합감염에 의한 급성 악화를 의미한다. 또한 병의 경과 도중에 육아조직이나 polyp이 형성되면 혈성이루를 분비된다.

악취가 나고 우유 같은 성질의 이루가 보이면 진주종이나 골괴저(骨壞疽)가 형성된 것이며, 특히 진주종에서는 농성 혹은 점액의 농성 이루와 특징적인 악취가 있고 광택이 있는 유백색의 생선비늘이나 비지 부스러기 같은 물질이 섞여서 나온다. 결핵성 중이염은 소량의 수양성 이루가 대부분이나 골파괴를 수반할 때는 악취 나는 건락양 농성 이루(乾酪樣膿性 耳漏)로 변한다.

2) 냄새

이루의 경우 냄새가 나는 경우와 나지 않는 경우가 있다. 냄새가 나는 경우는 만성 외이도염, 만성 중이염 때 혼합 감염을 일으키거나 혹은 장기간 동안 치료를 하지 않은 경우에 주로 나타나며 골괴저가 수반되는 진주종성, 결핵성 중이염에서도 나타난다. 특히 진주종에서는 특유의 cholestin 냄새가 난다.

3) 양

이루의 양은 병변의 경중을 진단하는데 매우 중요하다. 이루가 대량이면 병의 증상이 진행된 경우가 많다. 급성 중이염에서 농성 이루가 다량으로 분비되면 고실뿐만 아니라 유양동이나 유양봉와에서도 분비되고 있는 것이고. 만성 중이염에서 농성이루가 박동성으로 다량 분비되면 유양돌기로 염증이 파급된 것이다. 갑자기 다량의 이루가 급격히 감소한 경우에는 고막천공의 협착이나 육아종의 형성으로 고실로부터 배농이 되지 않거나 유양동구나 유양동내에 협착 때문에 유양봉소에서 배농이 되지 않는 경우일 수도 있다. 이런 경우에는 유양돌기염이나 두개 내의 합병증을 일으킬 가능성이 있으므로 주의하여야 한다.

표 1-4-2. 이루 감별법

이루의 성상	의심되는 疾患
장액성	외이도염, 중이염의 초기
점액성, 점액농성	중이염
농성	외이도염, 이절, 진주종, 결핵성 중이염
혈성	중이의 악성종양, 골파괴를 동반한 심한 중이염
악취를 가신 이루	진주종, 결핵성 중이염, 심한 중이염

4. 이통(耳痛, earache)

내적인 원인에 의해 귀 자체에 동통을 호소하는 내적이통, 외적인 원인에 의해서 반사적으로 이통을 나타나는 외적이통으로 분류한다. 또는 기타 요인에 의한 이통도 있다[표 1-4-3].

1) 내적이통(內的耳痛)

외이질환에서의 이통은 이개 및 외이도의 피부염, 단독(丹毒), 이개연골막염(耳介軟骨膜炎), 이절(耳癤) 등에서 나타난다. 이도의 종양에서는 다른 특징적인 증상이 없이 조기에 이통이 발생되므로 다른 외이도 질환과 감별이 필요하다.

중이질환에서의 이통은 고실 내압의 상승으로 고막이 팽융되어 나타나며 이는 급성염증의 경우 대부분에 해당한다. 만약 고막이 자연적으로 천공되거나 혹은 고막절개를 해서 배농이 되면 동통은 사라지게 된다. 점액구균성 중이염, 만성 중이염의 경우에는 급성적으로 악화되는 경우에 이통이 발생된다. 중이의 악성종양도 완고한 이통이 나타난다. 인플루엔자성 중이염에서는 극심한 이통을 호소하는데 이는 배농 후에 계속되기도 한다.

생리적으로 급격한 외부기압의 변동, 특히 비행기 하강할 때에 외부의 기압이 급격히 올라갈 때 중이강 내의 상대적인 음압 때문에 이통이 발생하는 경우도 있다.

2) 외적이통(外的耳痛)

외이도나 고막이 정상적인 상태인데 이통이 발생되면 삼차신경, 설인신경, 미주신경 3개의 신경병변으로 생긴 자극을 염두에 두어 구강, 비인강, 후두강 등을 진찰하여야 한다. 신경의 통증은 중요하며 다음과 같은 차이가 있다.

(1) 삼차신경
삼차신경 제3지는 분지인 이개측두신경(耳介側頭神經)을 거쳐 이개, 외이도, 고막의 외면에 지각신경이 분포하고 동시에 하악 및 설을 지배하고 있다. 그러므로 하악대구치의 충치, 치간농누(齒齦膿漏), 설하선 및 이하선의 염증과 결석, 혀 앞의 2/3 부위의 병변이 있는 경우 반사적으로 耳痛이 나타난다.

(2) 설인신경
설인신경(舌咽神經)은 분지인 고실신경(鼓室神經)을 경유하여 고실신경총(鼓室神經叢)을 형성해서 고실 내면, 고실점막, 이관을 지배하는 동시에 인두점막, 편도선, 설의 뒤쪽 1/3 부위에 지각신경이 있다. 그러므로 급성 인두염, 편도염, 편도주위의 농양, 비인두의 궤양 및 종양이 있는 경우에 耳痛이 발생할 수 있다.

(3) 미주신경
미주신경(迷走神經)의 분지인 이개지(耳介枝), 즉 Arnold's nerve는 이개후면 피부, 외이도, 고막내면에 지각신경이 분포하고 미주신경의 상후두신경(上喉頭神經)이 후두의 감각을 지배한다. 그러므로 후두 및 기관상부의 급성염증, 결핵, 종양 등의 병변이 있을 시 耳痛이 나타난다.

이와는 별도로 신경이 예민한 경우 신경성 이통이 발생할 수 있고 음향성 이통의 경우 강력한 음향에 의해 고실 내의 압력변화에 의해 발생한다.

또한 후안구종양(後眼球腫瘍), 비중격만곡으로 인한 중비갑개의 압박, 사골동염 및 접형동염일 때에도 이통이 발생할 수 있으며 이성 대상포진, 안면신경마비가 있을 때에도 이개, 외이도 후면에 통증이 나타나는데 이는 안면신경의 지각신경이 자극받은 경우에 해당한다.

표 1-4-3. 이통의 감별법

증상	의심되는 질환
이주를 당기거나 이개를 압박하면 통증이 증가	외이도염
박동성, 이루가 생기면 경감, 발열 동반	급성 중이염
때때로 '찌릿찌릿'하는 느낌의 통증, 난청은 없음	삼차신경통
심한 이통과 두통, 발열은 없음	중이의 악성종양
경미한 이통이 느껴짐	방사통(편도염, 인두염, 후두염)
개구 및 식사시의 통증	하악관절의 이상

5. 이충만감(耳充滿感, ear fullfeeling)

귀의 내부에 폐쇄 혹은 충만감을 느끼는 것을 말한다. 외이도에 이물이 있을 때나 급성 이관염, 급성 및 만성 삼출성 중이염, 항공성(航空性) 중이염에서 이관이 폐쇄되면 고실 내의 기압이 저하되므로 나타난다. 이경화증(耳硬化症)에서도 이충만감이 나타나는데 이는 이소골의 연쇄가 내이에 이상 압박을 가하여 발생된다. 이외로 이명, 감각신경성 난청, 돌발성 난청 시에도 이충만감을 유발할 수 있다.

6. 자성강청(自聲强聽, autophony)

자기의 음성이 공명(共鳴)을 일으켜 이상적으로 강하게 청취되는 것을 말하며 중이 및 이관이나 비강의 질환에서 나타난다. 이관개방증 등으로 비인강으로부터 음이 내이로 전해지는 경우와 급성 및 만성 삼출성 중이염 같은 전음성 난청에 의해 외계의 음이 작아져 상대적으로 자신의 목소리가 크게 내이로 전달되는 경우가 있다.

7. 이명(귀울림, 耳鳴, tinnitus, ear-ringing)

이명은 음원이 없는 데도 본인은 소리를 자각하는 증상을 말하며, 환자 자신에게만 들리는 자각적 이명과 간혹 검사자에게도 들리는 타각적 이명이 있다. 이명은 청기질환(聽器疾患)에 단독 혹은 조기증상으로 존재할 수 있기 때문에 유의해야 한다. 이명의 병태는 불분명하며 청기내의 및 중추경로의 이상 자극에 의해서 발생되는 것으로 보이나 기능적인 병변이 없이도 정신적인 흥분이나 자극에서도 이명이 증강된다. 또한 정신과 질환에서 보이는 이성환각의 경우 구체적이고 복합적인 소리인 반면에 이명은 단순한 소리로 표현되므로 감별해야 한다. 이명이 있을 시 이명의 성질, 난청의 동반여부, 이명의 기간, 음의 고저, 음질, 계속성 등을 파악하여야 한다. 병변부위에 따른 耳鳴의 특징은 질병부위를 진단하는 데에 도움을 줄 수 있다[표 1-4-4].

표 1-4-4. 이명의 감별법

자각적 이명 (subjective tinnitus)	저주파의 단속적인 이명	전음계장애
	고주파의 지속적인 이명	감음계, 중추신경계장애
타각적 이명 (objective tinnitus, audible tinnitus)	이관의 이상개방, 연구개근의 경련, 동·정맥류	

8. 난청(難聽, hearing-disturbance, hard of hearing)

청기기능의 주요한 장애로 청력장애라 하며 이과에서는 중요한 증상이고 그 장애를 양적 혹은 질적으로 여러 가지로 분류한다. 소리를 전달하는 고막과 이소골의 이상이 있거나 이들간의 소리전달 경로가 이상이 있을 때 전음성 난청이 생긴다. 예로는 고막 천공, 중이염으로 인한 중이 내 저류액이 있거나 이소골 미란이 있는 경우, 외상으로 인한 이소골 연쇄의 단절, 등골 고정 등을 들 수 있다. 달팽이관에 문제가 있는 경우 감각성 난청이 생기며, 그 후 신경을 통한 전달 경로에 문제가 있는 경우 중추신경성 난청이 생긴다[표 1-4-5].

1) 선천성 난청

유전성 소인, 임신 초기의 풍진, virus의 감염, 산모의 키니네 복용, 분만 시의 손상 등으로 출생 때부터 난청을 초래한다. 선천성 난청이 있는 경우 약 60%에서는 양측의 중증의 난청 혹은 완전농(完全聾)이 있어서 농아(聾啞, deafmutism)가 되기도 한다. 선천성 난청의 경우 대부분 감각신경성 난청에 해당한다.

2) 후천성 난청

소아기에는 후천적으로 이관염, 아데노이드 증식증, 비인두염, 중이염이 난청의 원인이 된다. 성인의 경우 반복되는 상기도 염증, 급성 전염병, 음향성 외상, 약물중독증, 메니에르 병, 내이염, 청신경종양 등이 원인이 되고 고령에서는 노화로 인한 노인성난청이 발생한다. 이경화증이 있는 여성의 경우 사춘기부터 난청이 진행되다가 임신 및 수유로 인해 난청이 악화되게 된다. 정신질환이 원인이 되어 나타나는 정신성 귀머거리(psychogenic deafness)도 있다.

3) 돌발성 난청

갑자기 발생하는 감각신경성 난청으로 고도난청인 경우가 많다. 원인은 명확히 밝혀지지 않았으며 그 원인은 단일이 아닐 것이라고 추측되고 있다. 바이러스 감염, 혈관장애, 와우창 파열, 자가면역성 질환, 청신경종양 등이 원인일 것으로 보고 있다. 주 증상으로는 갑작스런 청력저하와 이폐색감, 이명, 자성강청, 청각과민 등이며 때때로 오심, 구토, 현훈, 두통 증상을 동반한다.

4) 진행성 난청

태어날 때는 정상이었으나, 유아기, 소아기, 혹은 사춘기에 난청이 발생하여 나이가 듦에 따라 증상이 심해지는 것을 말한다. 이경화증, 내이매독, 여러 가지 약물 중독성 내이장애에서 볼 수 있다. 원인질환을 찾아서 치료해야 한다.

5) 전음성 난청

외이, 중이의 전음계장애로 인해서 발생하는 난청으로 골전도력은 정상이다. 내이와 신경중추는 정상이므로 소리를 왜곡하는 일은 없고 소리를 크게 해주면 소리의 명료도는 정상이다. 원인질환으로는 이구전색, 외이도협착, 외이도 폐쇄증, 고막열상, 중이염, 이경화증, 외이종양, 중이종양, 아데노이드 비대증 등이 있다.

6) 감각신경성 난청

내이에서 피질청각에 이르는 부위에 기질적인 장애가 있어 발생한다. 내이염, 메니에르 병, 돌발성 난청이 이에 해당하며 소리의 왜곡이 발생하고 말소리의 명료노노 저하된다. 병변부위에 따라 미로성 난청과 후미로성 난청으로 나뉘고 후미로성 난청의 경우 와우신경성 난청과 중추신경성 난청으로 나뉜다.

7) 소음성 난청

직업성 난청이라고도 하며, 비행장이나 조선소 등 소음이 많은 환경에 장기간 노출된 사람에게 발생한다. 80-90 dB의 소음을 장기간 듣게 되면 내이의 코르티기관의 유모세포에 변성이 일어나 비가역적인 청력장애가 발생하며 이는 감각신경성 난청에 해당된다. 난청이 점차 깊어져 나중에는 전혀 소리를 듣지 못하게 된다.

8) 중독성 난청

내이독성을 가지는 여러 가지 약물에 의하여 발생하는 난청을 말한다. 스테렙토마이신, 키나마이신 등의 아미노산 배당체계의 항생제의 부작용으로 신독성과 내이 독성을 유발한다. 이들 항생제는 적은 양이지만 천천히 내이에 쌓이게 되면 내이의 유모

표 1-4-5. 난청감별법

난 청		
발현시기에 따라	선천성 난청	기형, 유전성 난청, 모성감염
	후천성 난청	
병변부위에 따라	전음성 난청	외이질환, 중이질환
	감각신경성 난청	내이질환, 신경중추질환
발현양상에 따라	돌발성 난청	외상성, 중독성 내이장애와 원인불명의 병인에 의한 질환
	진행성 난청	이경화증, 내이매독, 각종 약물중독성 내이장애
이상청각		
Willis 착청(paracusis Willis)		이경화증, 기타 전음성 난청
자성강청(autophony)		중이 및 이관 비강질환시 발생. 이관개방증, 이관폐쇄증 등의 이관장애, 급성 이관염, 삼출성 중이염 등
복청(diplacusis)		메니에르 병, 돌발성 난청 초기
청각과민(hyperacusis)		안면신경마비의 후유증으로 생기는 등골근의 마비, 급성 이관염, 신경증
이충만감(ear fullness)		이관장애, 삼출성 중이염, 만성 중이염, 이명, 감각신경성 난청, 돌발성 난청, 이경화증, 메니에르 병

세포나 지지세포의 변성 괴사, 신경의 변성을 일으키게 된다. 초기에는 청력저하는 인지하지 못하고 이명만을 자각하게 되는데 이는 난청이 고음영역에서 발생하기 때문에 이를 자각하지 못하는 데서 발생한다. 따라서 청기독성을 가진 약물을 사용할 때는 사용전과 사용 도중에 정기적인 청력검사를 시행해야 한다.

청의 형태인 삼출성 중이염에서 호발한다.
3) 복청(複聽, diplacusis): 한 개의 음이 두개 음으로 들리는 현상으로 메니에르 병이나 돌발성 난청의 초기에 호발한다.
4) 청각과민: 모든 음이 매우 높고 불쾌하며 강하게 들리는 현상으로 안면신경마비의 후유증으로 생기는 등골근의 마비 혹은 급성 이관염에서 호발한다.

9. 이상청각

1) Willis 착청(錯聽, paracusis Willisii): 고요한 곳보다는 소음이 있는 곳에서 더 잘 들리는 현상으로 이경화증이나 전음성 난청에서 발생한다.
2) 자성강청: 자기 음성이 공명이 되어 이상적으로 크게 들리는 현상으로 이관개방증이나 전음성난

10. 현훈 및 현기(眩暈, 眩氣, vertigo, dizziness)

현기(眩氣, dizziness)란 인체의 평형감각의 장애로 생기며 주위환경에 대해 움직이는 기분을 느낄 때, 특히 회전성의 움직임을 느끼는 경우, 어찔하다든지 머리가 텅 빈 것 같다든지 하는 경우나 일반적

으로 막연히 어지럽다고 하는 경우를 말한다. 현훈 (眩暈, vertigo)이란 내이의 이상으로 인한 말초성의 어지러움인 경우를 말한다. 현훈은 진성현훈(혹은 미로성현훈)과 가성현훈(혹은 비미로성 현훈)으로 구분하는데 이는 운동각 및 위치각의 이상 유무에 따라 또는 전정기의 선택적인 장애에 따른 분류이 다. 또한 현훈의 발생부위에 따라 이성현훈, 비이성 현훈으로 분류하며, 발현양상에 따라 발작성 현훈, 지속성 현훈, 체위변환성 현훈(體位變換性 眩暈)으 로 나누기도 한다[표 1-4-6].

1) 진성현훈(眞性眩暈)

진성현훈은 난청이나 이명 등의 청기증상이나 반사 로를 통한 자율신경계의 자극증상으로 오심, 구토, 안구진탕(眼球振盪), 냉한 등의 증상이 동반되는 경 우가 많으며, 특히 두위변화에 따라 심해지고 각종 의 외이 및 중이질환, 미로염, 청기외상, 미로매독, 미로루공, 약물중독, 이경화증, 메니에르 병에서 나 타난다. 대부분은 청기, 특히 미로 및 근접부의 병변 으로 인하여 일어나는 것으로 이성 현훈, 말초성 현 훈, 미로성 현훈이며 이외에 드물게 전정 중추성 현 훈인 경우도 있다. 전정 중추성 현훈은 대부분 증상 이 경미하며 두위변화에도 증상이 심해지지 않고 난청이나 이명의 증상이 동반되지 않는다. 측두엽 의 종양, 뇌동맥경화증 및 뇌교, 중뇌, 뇌간 등의 병 변으로 전정신경핵과 내종속(內縱束, medial longi-tudinal fasciculus) 사이의 연결에 장애가 있는 경우 발생한다.

2) 가성현훈(假性眩暈)

청기(聽器) 혹은 그 중추로에 직접 관계가 인정되지 않는 비이성 현훈(非耳性 眩暈), 비전정성 현훈(非 前庭性 眩暈)을 말한다. 시성 현기(視性 眩氣), 비성 현기(鼻性 眩氣), 심인성 현기(心因性 眩氣), 뇌성 현 기(腦性 眩氣)와 기타 전신질환과 관련된 현기가 이 에 속한다. 명확한 운동각이나 수직각의 이상을 호 소하지 않으면서 안전(眼前)의 암흑감(暗黑感 : dark vision), 탈력감(脫力感), 심부근감각의 이상을 나타 낸다. 이외 발작성 현훈은 메니에르 병, 편측성 내이 장애가 있을 시 주로 일어나고, 지속성 현훈은 양측 미(emanate)로기능의 폐절, 중추신경계 질환 환자에 서 주로 발생하며, 두위 및 체위 변환성 현훈은 이석 기(耳石器)의 병변 및 순환기 장애 시 발생한다.

3) 평형장애

중추성과 말초성을 구분해야 한다. 중추성인 소뇌 성의 경우 개안, 혹은 폐안에 관계없이 두위변경으 로 전도의 방향이 변화하지 않고 일반적으로 실조 증(失調症)의 양상을 보인다. 그러나 미로성 병변으 로 나타나는 말초성의 경우 주로 자발전도(自發顚 倒, Romberg's sign, spontaneous), 자발성 편시(自發 性 偏視, spontaneous past pointing) 등의 편의(偏倚) 의 현상이 발생한다. 자발전도의 방향은 자발안진 의 반대방향과 일치하고 폐안을 할 때에 움직임 정 도가 현저하며 두위변경에 따라 전도방향이 변한 다.

11. 두통

귀의 질환으로 인한 두개 내의 합병증이 있을 경우 두통이 발생하게 되는데 병소의 부위에 따라 두통 의 양상이 달리 나타난다. 이성 뇌막염의 두통은 주 로 미만성으로 초기에는 전두부에 유발되고 진행되 면서는 측두, 후두부에 파급이 되며 이외 안구, 안와

표 1-4-6. 현훈의 감별

말초성 현훈	중추성 현훈
진성현훈(true vertigo) 미로성 현훈(vestibular vertigo) 이명, 난청 동반 다른 신경증상이 없음 체위 및 두위의 변화에 증감 보상(compensation)이 용이. 의식장애 없음 안진의 방향이 일정함	가성현훈(pseudovertigo) 비미로성 현훈(non-vestibular vertigo) 이명, 난청 동반 없음 다른 신경증상이 흔함 체위, 두위의 변화에 증감 없음 보상이 어려움 의식장애 가능 안진의 방향이 가변성임

부, 후두하와에 압통을 띠고 두통이 심해 진통제를 사용해도 효과가 없을 정도로 매우 강렬하다. 경뇌막외농양(硬腦膜外膿瘍)의 경우 농양이 중두개강에 있으면 환측의 측두부에 일어나고, 농양이 후두개강에 있으면 후두나 전두부에서 유발된다. 측두엽의 뇌농양은 측두부의 두통을, 소뇌농양은 후두부에 심한 두통을 유발한다.

12. 안면신경 및 외전신경의 마비(facial and abducens paralysis)

1) 耳性 안면신경마비

이성 합병증에서 나타나는 증상으로 특히 유소아에서 많이 발생된다. 만성 중이염, 특히 진주종성 중이염의 괴저상태에서 안면신경을 침식했을 경우, 혹은 중이결핵 등에서 염증이 안면신경에 파급되거나 혹은 염증산물의 압박으로 인해서 유발된다.

2) 耳性 대상포진(Ramsay-Hunt 증후군)

대상포진 바이러스가 안면신경의 슬상신경절(膝狀神經節)을 침범하여 발생되며 주로 면역력이 떨어진 노인이나 허약자 혹은 면역력이 저하된 질환의 환자에서 호발한다. 특징으로는 이통과 이개 및 외이도에도 수포성 포진을 동반한 안면신경마비이며 심할 경우에는 감각신경성 난청, 이명 및 현기증도 동반된다.

3) 耳性 외전신경마비(Gradenigo's syndrom)

이성 외전신경마비가 되면 외직근이 마비가 되어 내사시와 복시가 발생된다. 추체첨염이나 소뇌농양에서 신경의 압박증상으로 발생이 된다.

13. 귀 소양증

耳竅 內의 瘙痒으로 대부분 風邪가 耳竅 內에 入하여 나타나나 外感風熱, 風熱, 風濕, 血虛生風 등에서도 발생된다. 瘙痒하면서 煩熱感, 局部紅腫, 濕爛한 것은 風熱濕邪의 侵積이며, 瘙痒과 耳竅 內의 肌肉이 粗厚, 皸裂, 痂皮, 鱗屑 등이 있는 것은 血虛生風으로 耳竅가 燥해서 나타난다. 耳痒과 疼痛이 兼한 것은 만성 외이도염에서 血虛生風이 극심해져 나타나며, 風寒이 耳竅의 肌肉에 結束되면 血脈도

凝滯되어서 陽氣不達하여 耳凍傷이 된다.

　奇異한 瘙痒感과 耳內에 灰色 혹은 黃白色의 菌絲的인 痂皮가 反覆해서 일어나는 것은 외이도나 고막에 진균이 기생하여 소양증을 유발하는 귀 진균증(眞菌症, otomycosis)의 증상이다.

檢査

1. 檢査法

귀의 진찰은 耳介 및 그 주위의 조직, 특히 이개연골, 림프절, 이하선 및 유양돌기 부위의 촉진 및 시진으로 시작하여 외이도와 고막의 순으로 관찰하며 이루(耳漏)의 양상, 지속기간과 또 이루가 이통(耳痛)이나 현기증(眩氣症) 또는 청력장애와 같이 나타나는가를 살피고, 이통은 지속기간과 동통의 정도 및 다른 증상과 함께 발생되었는지를 진찰한다. 이어서 이명(耳鳴)이 발생되는 기간, 음의 성격, 음질 및 청력상애나 현훈(眩暈)을 동반하였는가를 살피며, 청력장애에 있어서는 장애의 기간, 진행양상이 급성 혹은 만성인지 난청의 정도와 양측성인지 또는 일측성인지, 과거력, 가족력, 소음에의 노출, 기타 약물사용의 여부를 확인한다. 귀의 검사법에는 이경검사법(耳鏡檢査法), 고막검사법(鼓膜檢査法), 청력검사법(聽力檢査法) 및 평형기능(平衡機能)의 검사법, 이관통기법(耳管通氣法) 등이 있다.

1) 이경검사(耳鏡, otoscopy)

대개는 반사경이나 긱종 이경, 휴대용 이경을 사용하게 되고 특수한 경우에는 pneumatic otoscope나 수술 현미경을 사용하여 관찰하게 되는데 이경을 외이도에 삽입하기 전에 이개, 외이도 및 그 주위를 정밀하게 살핀 후에 사용한다. 이경검사를 위한 자세는 환자를 진료의자에 앉힌 후 환자의 머리를 검사자보다 조금 높게 하고 앞으로 숙인 후에 환자의 머리를 여러 방향으로 움직이면서 외이도 및 고막을 관찰한다.

(1) 외이도의 검사

외이도는 수평단면(水平斷面)으로는 전내방에서 후방으로 굴곡되었고 다시 약간 전내방을 향하고 있으며, 전두단면(前頭斷面)에서는 먼저 위쪽으로 향하고 고막 부근에 와서는 굴곡하여 아래쪽으로 향하기 때문에 정확한 관찰을 위해서는 성인의 경우 이개를 후상방으로 당기면서 관찰해야 한다. 소아의 경우에서는 고막이 수평 위이므로 반대로 이개를 후하방으로 당겨야 한다. 이개를 후상방으로 견인하고 이경

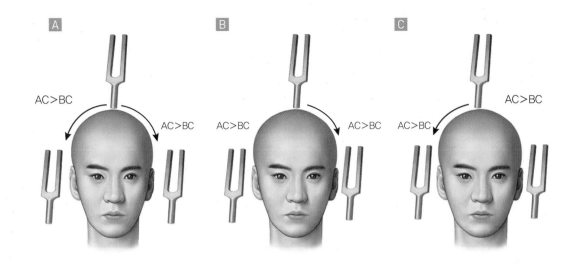

그림 1-5-1 음차검사

삽입 및 교정은 왼손으로 하고 오른손은 자유로이 여러 가지 조작을 한다. 이경을 사용하여 정확한 외이도와 고막을 살피기 위해서는 면봉이나 cerumen spoon을 이용하며 이물이 습하면 흡인기를 사용하여 제거하고, 고막에 천공이 없으면 체온과 같은 온도의 물로 세척해 시야가 깨끗하도록 한다. 특히 이경의 끝이 외이도의 골부를 자극하면 동통이 심하므로 연골부 외이도까지만 넣도록 주의한다.

(2) 고막의 검사

이경을 이용한 고막의 검사는 추골돌기(槌骨隆起)를 중심으로 하여 관찰해야 되나, 이경첨단(耳鏡尖端) 직경이 보통 고막보다 작으므로 고막 전체를 보기 위해서는 이경첨단의 위치를 적당히 돌려가면서 관찰해야 한다. 고막의 하반부는 비교적 쉽게 관찰할 수 있으며, 이경을 통해 고막에서 처음으로 보이는 것은 고막의 전하부에 위치한 광추(光錐, cone of light) 또는 그 부근이다. 이곳에서 제부(臍部, umbo)를 찾은 후에 전상방으로 추골파병(槌骨把柄, handle of malleus)을 따라 올라가면 끝으로 단돌기

(短突起, process of malleus)가 나타난다. 이완부(弛緩部), 특히 그 상연에 있는 천공과 같은 병변을 살필 경우에는 환자의 머리를 반대쪽으로 기울이든지 혹은 동통을 주지 않도록 주의하면서 이경의 첨단을 위로 보게 하든지 혹은 가만히 돌리면서 살펴야 한다. 또한 고막의 가장자리에 위치한 건륜(腱輪)을 따라 고막의 변연성(邊緣性) 천공여부를 보아야 한다.

① 정상적인 고막소견

정상고막은 진주색 또는 약한 분홍색을 띠는 회백

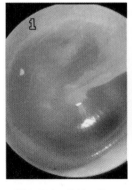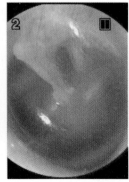

그림 1-5-2 정상 고막

색의 타원형으로 단돌기, 추골파병과 광추 등의 구조물이 보인다. 또한 고막은 반투명의 막으로 고실 내의 구조물인 침골장각(砧骨長脚)이나 고삭신경(鼓索神經) 등이 투시되어 보이기도 한다. 병적인 상태에서는 고막의 색깔 변화가 있거나 혹은 광택을 소실하거나 또는 정상적으로 보여야 할 구조물이 모양이 변하든지 혹은 보이지 않게 된다.

② 병적인 고막

• 충혈과 발적(hyperemia)

외이도를 자극하거나 외이도염 또는 중이염이 있을 경우에 쉽게 나타난다. 가장 먼저 충혈이 발생되는 곳은 추골파병 부근인데 이것은 내, 외혈관망의 변화에서 생기며 진행이 되면서 진홍색

으로 변한다[그림 1-5-3].

• 출혈과 일혈(hemorrhage)

충혈과 함께 발생되지만 외상에서는 충혈 없이 출혈을 볼 수가 있다. 초기에는 진홍, 대자적색(帶紫赤色)을 보이다가 점차적으로 암적색과 흑갈색을 띠며 오래되면 황색으로 변하여 소실이 되거나 혈종(血腫)을 만든다[그림 1-5-4, 그림 1-5-5].

• 수포의 형성(vesicle)

고막염에서 수양액(水樣液)을 가진 수포(水疱)가 관찰된다. 수포는 반투명한 담황색이고 천자하면 수양 또는 수양성 혈액이 나오며 대부분이 고막의 피부층만 침범하므로 곧 치유가 된다[그

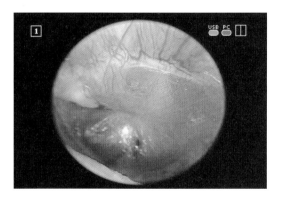

그림 1-5-3 충혈

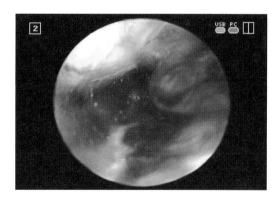

그림 1-5-5 일혈

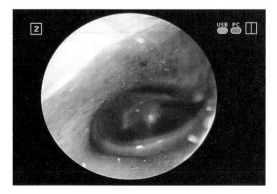

그림 1-5-4 고막 출혈

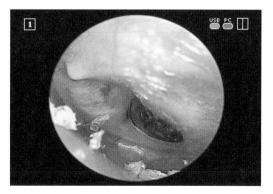

그림 1-5-6 고막 수포

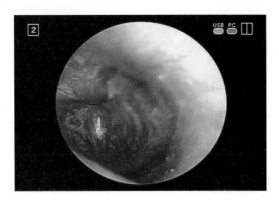

그림 1-5-7 급성 중이염

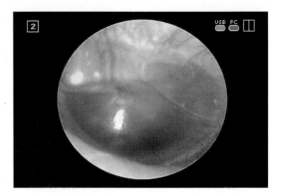

그림 1-5-9 중이 및 이관카타르

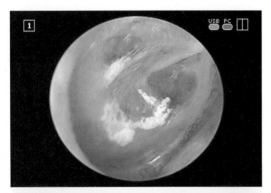

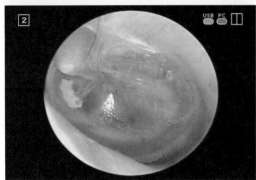

그림 1-5-8 고막 변성

으로 고막은 부분적 또는 전체적으로 팽륭을 보이며 이때에는 고막표면의 광택이 없어지고 광추도 없어지며 고막 전체가 강하게 팽륭되면서 추골파병부는 깊은 구(溝)가 되어 길어져 보인다[그림 1-5-7]. 고실 내의 염증에서는 고막은 점차 비후되고 혼탁해지거나 반흔(瘢痕)을 만들어 광택과 투명도를 잃게 되며 경계가 뚜렷한 백색의 석회 침착이 남는 경우도 많다[그림 1-5-8].

• **중이 및 이관카타르**

고실 내에 장액이 괴면 담황색으로 비쳐 보이며 위를 향한 반달모양의 삼출선을 보이는 저류(exudation)를 나타내며, 머리를 숙이면 위치가 변한다. 저류액이 점액성이면 두위에 따라 삼출선이 변하지 않고 고막은 황갈색 또는 암녹색을 보인다[그림 1-5-9].

• **고막에 생기는 천공(perforation)**

원인에 따라 특징적인 모양을 갖는데 외상성 천공은 대개 세장형(細長形), 삼각형 또는 반월형의 형태를 가지며 천공의 변연부는 예리하고 불규칙하다. 염증성의 천공은 처음에는 둥글지만 점차 커짐에 따라 심장형, 신장형으로 변한다. 때로는 고

림 1-5-6].

• **급성 중이염**

고실의 변화에 따라 발적, 종창, 팽륭 등이 나타난다. 염증산물의 저류에 의한 고실 내압의 상승

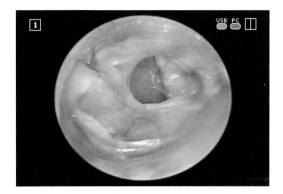

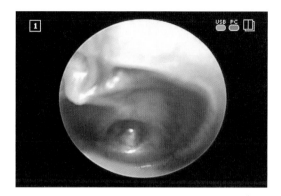

그림 1-5-11 고막 내함

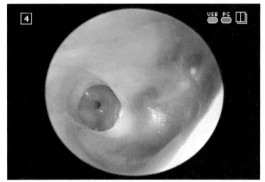

그림 1-5-10 고막 천공

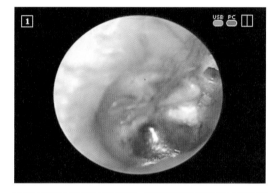

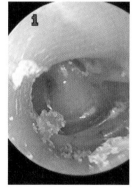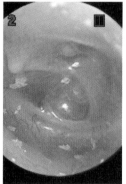

그림 1-5-12 고막 위축

막 전체가 결손되는 경우도 있다. 염증에 의한 천공은 중심성 천공과 변연성 천공이 있는데 중심성은 염증이 고실 또는 이관에 국한되는 것으로 고실형, 이관형이라 하고 보존적 치료의 대상이 된다. 변연성은 고실싱와형으로 염증이 고실상와 또는 유양동 내까지 확대된 것으로 특히 진주종(眞珠腫)을 가지고 있는 경우가 많아 반드시 수술적 치료를 필요로 한다[그림 1-5-10, 표 1-5-1].

• **고막의 내함**(retraction)

이관이 폐쇄되든지 혹은 급강하, 급잠수 등으로 외이도의 기압이 급격히 높아지는 경우에는 고실 내에 상대적 음압(陰壓)을 유도하여 고막이 내함되며 이때 제부(臍部)가 강하게 안쪽으로, 단돌기가 바깥쪽으로 돌출되고, 추골병은 수평위에 가

까워지기 때문에 단축되어 보인다[그림 1-5-11].

• **고막의 위축**(atrophy)

고막천공이 잘 융합되지 않거나 내함이 오래 지속된 경우에 나타나며 드물게는 영양장애로 인해 발생하

표 1-5-1. 고막 천공 비교

	만성 중이염에 의한 천공	외상성 천공
천공의 양상	대개는 원형, 타원형	방추형, 초승달형, 예리한 모양
변연의 상태	비후하여 둥근 느낌	예리하며 응혈이 붙어 있음
분비물	유	무
고막상태	반흔, 혼탁, 석회화 등	천공 외에는 정상 소견이며 때로는 충혈, 출혈이 있음
고실점막	점막의 부종, 비후가 있음	정상 점막소견을 보임
청력	분명한 감퇴가 있음	경미한 감퇴가 있음
X-ray 소견	측두골 함기봉소의 발육부전	대개는 정상발육의 함기봉소

기도 한다. 아주 드물게는 선천적으로 위축이 발생하기도 하며 고막결손도 나타난다[그림 1-5-12].

2) 분비물의 검사

귀의 분비물인 이루를 검사하는 것으로, 원인이 되는 균주를 밝혀내기 위해서 중요하다. 멸균된 이경을 사용하여 멸균면봉이나 바늘 흡입관으로 채취하여 배양한다. 만성 중이염의 원인균으로는 연쇄상구균, 포도상구균, 폐렴균 등이 많다.

3) 청력검사

(1) 청력기능검사

청각기능을 정확히 검사하려면 먼저 음의 물리적인 성질과 생체 내에 있어서 음의 전달경로를 이해하고 있어야 한다. 청력기구는 박자(拍子), 음차(音叉), 시계음(時計音) 등을 이용한 간단한 방법에서부터 순음(純音) 또는 언어청력계기(言語聽力計器)에 의한 질적, 양적인 검사에 이르기까지 다양한 검사방법이 있으나 모든 의사가 calibration이 제대로 되어 있는 청력검사계기와 방음된 검사장소 및 숙련된 검사자를 구비할 수 없으므로 기초적이고 간단한 방법부터 검사를 시작하도록 한다.

① 음차검사(tuning fork test)

음차는 검사법이 간편하고 검사하는 장소나 시설의 제약을 비교적 받지 않으므로 외래에서 혹은 병실에서 쉽게 할 수 있다. 기구는 Hartmann 음차로 128 Hz, 256 Hz, 512 Hz, 1,024 Hz, 2,048 Hz의 주파수 음을 내는 5개로 되어 있다. 진동시킬 때에는 일반적으로 저조음파에서는 왼손의 약지로, 고조음파에서는 일정한 타기(打器)나 엄지손톱으로 가볍게 두드리는 정도로 해야 하며 소음이 날 정도로 두드리면 안된다. 이러한 음차 검사법은 공기전도(空氣傳導音, air conduction, AC)와 골전도음(骨傳導音, bone conduction, BC)을 비교하여 난청의 형태나 전음성 난청의 손실 정도를 개괄적으로 파악하는데 그 의미가 있다.

- **Weber test**

편측성 난청이 있거나 양쪽의 청력 손실이 서로 다를 때, 청력장애의 전음성(傳音性) 또는 감음성(感音性) 여부를 감별하는 데 주로 사용한다. 512 Hz 음차를 진동시켜 이마 혹은 상절치(上切齒)에 대고 어느 쪽 귀에서 크게 들리는가 알아내는 골전도에 대한 검사이다. 예를 들면 좌측이 전음성 난청(傳音性 難聽)이고 우측은 정상이라면 음이 좌측에서 크게 들려 편위(偏位)가 되는데 이는 골전도로 내이에 전달된 음이 중이내의 병변으로 외이도로 유출되지 못하기 때문에 생기며, 감각신경성 난청(感覺神經性 難聽)에서는 반대로 청력손실이 없는 쪽으로 편위가 된다.

- ### Rinne test

기도음(氣導音)과 골도음(骨導音)을 비교하는 방법으로 정상 상태에서는 기도음이 골도음보다 예민하므로 크게 들려 Rinne 양성이라 하고, 골도음이 크게 들리면 전음성 난청으로 Rinne 음성이라 한다. 방법은 512 Hz 음차를 진동시켜 외이도의 입구에서 약 1 cm 떨어진 곳에서 기도청력을 검사하고 음이 들리지 않으면 유양돌기 부근에서 음차의 손잡이 끝을 대어 골전도 검사를 한다.

- ### Schwabach test

골도청력(骨導聽力)의 청취시간을 검사자의 청력과 환자의 청력과 비교하는 것으로 보통은 256 Hz, 512 Hz음차를 진동시켜 환자의 유양돌기 부근에 대어 청취시간을 초시계로 측정하거나 혹은 환자에서 청취가 끝난 후에 즉시 검사자의 유양돌기에 대고 그때까지 진동하는가를 관찰한다. 주로 환자가 전음성 난청이 있으면 골도음의 청취시간이 길어지고, 감각신경성 난청이 있으면 청취시간이 짧아진다.

- ### gelle test

특수한 검사로 이소골의 연쇄, 등골저의 운동성, 고막의 신축성, 고막장근의 기능 등을 검사하는 방법이다. 방법은 음차를 진동시켜 유양돌기 부분에 대고 골도청력을 검사하면서 Politzer bag이나 pneumatic otoscope 등을 이용하여 외이도를 완전히 막으며 압력을 가하여 이소골의 연쇄나 등골저의 움직임을 억제시킨 상태에서 골도청력과 비교한다. 외이도에 압력을 가하여 음이 적게 들리는 것을 gelle 양성이라고 하고 이것은 정상

인에게서 나타나는 반응이다. 반면 외이도에 압력을 가해도 골도청력의 변화가 없는 경우 gelle 음성이라 하며 등골의 움직임이 없는 이경화증(耳硬化症)과 같은 질환에서 나타난다.

(2) 순음청력검사(pure tone audiometry)

음차에서 발생되는 것과 같이 순음(純音)을 청력계기(聽力計器, audiometry)에서 전기적으로 발진(發振)시켜 각 음의 강도, 즉 주파수를 조절하여 청력역치(聽力閾値)를 측정하는 방법이다. 청력계기는 음을 발생시키는 진동기, 발생된 음을 증폭시키는 증폭기, 단절스위치, 음의 크기를 조절하는 감쇠기, 이어폰, 음차폐기 등으로 이루어져 있으며, 청력역치를 정확히 측정하려면 정상 청년 연령층의 최소 가청역치(可聽閾値)의 평균치를 기준으로 하는 표준에 맞게 보정(calibration)되어 있어야 한다.

측정 시의 단위는 decibel (dB)로 하며 청력계기를 이용하여 기도청력 및 골도청력검사를 시행하고 청력도(聽力圖)를 이용하여 청력역치를 측정한다.

① 기도청력검사

방음실에서 청력기기가 보이지 않는 위치에서 헤드폰이나 삽입형 이어폰을 귀에 착용한 후에 각 주파수에 따른 최소가청역치를 측정한다. 처음에는 비교적 쉽게 알아들을 수 있는 1,000 Hz에서 시작하여 2,000 · 3,000 · 4,000 · 8,000 Hz의 순으로 고음력을 검사하고 다시 1,000 Hz의 음을 검사한 후에 500, 250, 125 Hz의 순으로 저음력을 검사한다. 최소가청역치의 결정에는 높은 강도에서 점차 그 강도를 줄여서 측정하는 하강법과 약한 강도에서 점차 높이는 상승법이 있다.

② 골도청력검사

진동체인 골전도 진동기를 이개 뒤쪽의 유양돌기에

대면 두개골에 전달된 음의 진동이 직접 내이로 전
달되어 외이나 중이의 상태에 거의 영향을 받지 않
으므로 내이와 그 이상의 청각 전달로의 기능을 반
영한다. 검사법은 기도청력검사와 같다.

(3) 청력장애의 진찰

귀는 청각 기관이므로 청력장애는 가장 흔하고 중
요한 증상이며 또한 그 장애도를 양적, 질적으로 측
정함으로써 중이 및 내이의 상태를 알 수 있다. 청
력장애의 원인을 알기 위해서는 청력장애가 양측성
혹은 편측성인지, 급성 혹은 만성인지를 살피고 기
간과 진행양상, 청력장애의 시간에 따른 변동 여부
와 난청의 정도를 파악한다. 또한 과거력, 전염성 질
환의 감염여부, 이환연령, 항생제 등의 약물사용 여
부, 소음의 노출 여부, 난청의 가족력, 임신 중의 모
체 질환이나 약물사용의 여부 및 분만기록을 반드
시 확인하도록 한다.

① 청력장애의 기준

[표 1-5-2]

② 청력장애의 정도

회화음역에서 40 dB 이하의 청력소실이 있으면 본
인 자신은 잘 모를 수 있으나 주위 사람들이 난청을
인식하나, 40 dB 이상의 청력소실이 있으면 환자
자신이 인식하게 된다. 일반적으로 40-50 dB의 청
력소실에서는 1~1.5 m 안에서의 회화음을 알아들
을 수 있으며, 55~70 dB의 소실이 있으면 1~1.5 m
안에서 큰소리로 말하여야만 알아들을 수 있으며,
70-90 dB의 소실이 있으면 30 cm 안에서 큰소리를
외쳐야만 들을 수 있어서 말의 분별이 곤란한 경우
가 많고, 90 dB의 소실이 있으면 언어청취가 거의
불가능한 상태이다[표 1-5-2].

③ 청력장애의 분류

• **전음성 난청**(conductive hearing loss)
음을 전달하는 전음계, 즉 외이나 중이질환으로
발생되는 난청이다.

• **감각신경성 난청**(sensorineural hearing loss)
내이나 청신경의 병변으로 음파를 전기적 음향
에너지로 바꾸어 청각중추에 전달하는데 장애가
있는 난청이다.

• **중추성 난청**(ceutral hearing loss)
청각신경이 연수에 들어가 대뇌피질 사이의 중

표 1-5-2. 청력장애기준표

청력소실 dB 1951 ASA기준	청력소실 dB 1964 ISO기준	표 현 법	
10 ~ 15	10 ~ 26	normal limits	정상역
16 ~ 29	27 ~ 40	mild hearing loss	경도 난청
30 ~ 44	41 ~ 55	moderate hearing loss	중등도 난청
45 ~ 59	56 ~ 70	moderately severe hearing loss	중등 고도 난청
60 ~ 79	71 ~ 90	servere hearing loss	고도 난청
80 이상	91 이상	profound hearing loss	이롱(耳聾)

추신경계의 장애로 발생되는 난청이다.

- **기능성 난청(functional hearing loss)**
기질적인 질환이 없이 심인성으로 발생되는 난청이다.

- **혼합성 난청(mixed hearing loss)**
전음성과 감각신경성 장애가 혼합되어 발생되는 난청이다.

(3) 어음청력검사(Speech audiomerty)

순음청력검사는 순음청력역치(pure tone hearing threshold)에 의하여 언어에 대한 청취 및 이해능력을 추정할 수 있으나, 이는 직접적인 측정 방법이 아니므로 정확하지 않을 수 있어서 의사소통의 한 방법인 어음에 대한 청취 및 이해능력을 측정하는 자극음으로 어음 자체를 사용한 검사로, 기본적인 검사는 어음청취역치검사와 어음명료도검사가 있다.

(4) 임피던스 청력검사(impedance audiometry)

중이의 상태를 간접적으로 규명하는 데 이용되는 검사이다. 중이는 저항이 낮은 외이에 전달된 음을 저항이 높은 내이로 전달하는 임피던스 변압기의 역할을 하여 중이에 병변이 생기면 고유의 진행과 반사에 변화가 생기게 되어, 이 원리를 이용하여 중이의 변화를 검사하는 것이다.

방법으로는 고막운동성계측, 정적 탄성 검사 및 등골반사가 있다.

(5) 유발반응 청력검사(evoked response audiometry)

음자극 후 청각중추로에 나타나는 전기적 변화를 피부전극을 사용하여 생체 밖에서 측정하는 것으로 자극 후 반응의 초기반응을 이용하는 전기와우청력검사, 음자극에 의한 뇌간유발반응 청력검사, 전기

자극에 의한 뇌간유발반응 청력검사 등이 있다.

4) 평형기능의 검사법

현훈과 평형장애를 진찰하여 전정기관의 기능을 검사하는 방법으로 주로 자각적인 감각을 검사하는 방법이다. 검사방법으로는 자각적인 평형기능 검사법과 안근(眼筋) 및 전신근군(全身筋群)에 나타나는 우발성(偶發性) 및 특발성(特發性) 현상을 관찰하는 타각적인 평형기능 검사법이 있다.

(1) 문진

현훈을 진단하는 데 가장 중요한 것이 바로 문진이다. 발생이 자발성인가, 유발성인가, 지속적인가, 진행성인가 등을 환자에게 확인하여야 한다. 주로 회전성 현훈은 말초전정계의 장애로 인해 나타나는 것이 많고, 비회전성 현훈은 중추 전정장애로 인한 것이 많다. 그러나 말초전정계와 소뇌를 포함하는 중추전정계의 급격한 병변이 발생하면 회전성 현훈이 나타나고, 병변이 서서히 진행하면 비회전성 현훈이 나타나기도 한다. 또한 동반되는 다른 증상이 있는지 물어보아야 한다. 예를 들면 메니에르 병에서는 현훈이 반복되고 이명과 난청 등이 동반되지만 두통, 운동, 연하 및 언어 장애 등이 나타나면 중추신경계의 병변을 의심할 수 있다.

(2) 자각적 평형기능 검사

중심이 높고 바닥의 지지면이 신장에 비해 좁은 인간이 안정하게 직립한 자세를 취하면서 운동이 가능한 것은 인간에게는 두부와 체간을 항상 중력에 대항해서 바른 위치에 직립시키려는 반사적 조절운동이 있기 때문인데, 이것이 직립반사(righting reflex)이며 이 반사를 이용하는 전정기능검사가 직립반사검사이다.

① Romberg 검사, Mann 검사, 단각기립 검사

Romberg 검사에서는 양발 끝을 모아 직립시키고 정면을 보게 한다. Mann 검사에서는 양발을 전후로 일직선상에 한쪽 발의 발끝을 다른 발의 발꿈치에 대게 하여 기립시키고 양발을 똑바로 펴게 한 후 정면을 보게 한다. 단각기립 검사에서는 한쪽의 대퇴부를 거의 직각이 되도록 올리게 하고 이런 자세에서 각각 30초씩 관찰하여 신체의 동요, 전도의 유무와 방향을 기록한다. 세 검사 모두 각각 개안과 폐안의 상태에서 실시하여 비교한다. 미로성 실조에서는 눈을 가리면 편의가 증강하는데 반해 중추성 실조에서는 시성 보상작용이 적기 때문에 개·폐안간에 차이가 없다.

② 사면대검사

환자를 사면대 위에 양발을 모으고 직립시킨 후에 일정한 각 속도로 사면대를 경사시켜 환자가 진도(顚倒)될 때의 경사 각도를 측정하며 개안 및 폐안에서 전후, 좌우방향 각각에 대해서 측정을 한다. 건강한 성인에서는 개안 혹은 폐안 모두가 25~35도

각도에서 전도되나 미로성 장애(迷路性 障碍)에서는 폐안을 하였을 경우 더 작은 각도에서 전도되고, 소뇌성실조증(小腦性 失調症)이나 심부지각이 손상되면 더욱 더 작은 각도에서 전도된다.

③ 족답검사(足踏檢査)

제자리걸음 검사로 마루바닥에 30도씩 分度한 반경 0.5 m 및 1 m 두 개의 중심원의 중심에 환자의 양발을 모아 기립시킨다. 양 눈을 가리고 양팔을 전방으로 뻗게 한 후에 기립의 위치에서 무릎을 높여 대개 1분에 100보 정도 제자리걸음을 시키고 일정 횟수가 끝나면 환자가 처음의 위치에서 어느 정도, 즉 몇 cm나 혹은 몇 도나 이동했는지를 측정한다. 보통의 성인에서는 원위치이나 미로성 장애가 있을 경우에는 이동이 된다[그림 1-5-13].

④ 보행검사

6 m의 직선 위에서 똑바로 전진, 후진시키고 폐안하여 같은 방법으로 3회 이상 실시하여 미로성의 장애가 있으면 미로성 편의(迷路性 偏倚)가 발생되며,

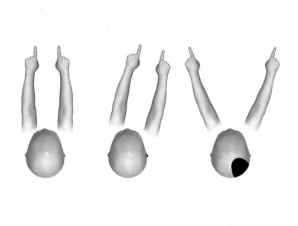

그림 1-5-13 족답, 지시 검사

중추성 장애에서는 방향이 일정치 않고 보행이 부드럽지 못하다.

⑤ 지시검사(指示檢査)

환자를 의자에 앉히고 무엇을 가리키는 것처럼 시지(示指)를 펴며 상지를 수직되게 올린 위치에서 어깨를 축으로 하여 앞으로 수평의 높이까지 내리게 하여 그 위치에 있는 일정한 목표물을 가리키게 한다. 우선 개안하고 2~3회, 다음에 폐안하여 3~4회 실시하여서 최대편시(最大偏視)가 생기면 미로성 장애를 검사한다.

(3) 타각적 평형기능검사법

전정기는 안근, 경근, 구간, 사지근 등 전신 골격근군에 전정, 안 및 척추반사를 통한 자극에 의해 근긴장을 변화시킨다. 즉 전징은 운동 및 위치 자극에 의해 전신 골격근군의 긴장의 변화 혹은 반사 운동을 일으키며, 이 밖에 자율신경계에 대한 미로반사로서 내부 장기에도 일정한 영향을 준다. 만일 전정미로 및 반사로에 병변이 생기면 안진(眼振, nystagmus) 등과 같은 우발성이고 속발적인 현상이 나타나게 된다.

① 자발안진검사(自發眼振檢査, spontaneous nystagmus test)

안진은 안구의 평형실조, 즉 안구진탕(nystagmus)으로 불수의적이고 율동적인 안구운동으로서 상반되는 2개의 방향으로 규칙적으로 왕복운동을 하는 것을 말하며 평형기능 장애로 환자가 어지러워서 비틀거리고 넘어지기도 한다. 안구진탕은 주로 회전 및 온도자극과 같은 여러 자극이 전정기관에 가해졌을 때에도 발생되는데 정상인에서는 거의 생기지 않지만 미로에 장애가 있으면 나타난다. 안진의 성상은 안구운동의 성상에 따라 수평성 안진, 회전성

안진, 수직성 안진으로 구분된다.

· 자발안진

자발안진은 바로 앉은 자세로 눈을 뜬 상태에서 어떠한 자극도 없을 때에 저절로 나타나는 안진을 말하며, 눈을 감은 상태에서 기록되는 안진을 잠복안진이라고 한다. 눈을 뜬 상태에서 일정한 목표를 고정하여 주시하면 안진이 억제되어야 하며 이것을 시선고정억제라고 한다. 시선고정억제가 되지 않는 경우는 중추성 병변을 강하게 시사한다. 검사법은 환자에게 중심에서 20~30도의 상방, 하방, 좌측, 우측을 주시하게 하고 각각 30초간 검사하는데 이를 주시안진검사라고 한다. 정상인에서 주시각도가 커지면 안진이 나타날 수 있는데 이를 생리적 극위안진이라고 한다.

· 시성 안진(視性 眼振)

시력이 쇠약한 환자에서 장시간 한쪽을 응시하게 하였을 때에 주로 나타나는데 이것을 시성 안진 혹은 피로성 안진이라 한다.

· 미로성 및 소뇌성 안진

미로성 안진은 수평성, 회전성인데 반하여 소뇌성은 수직형이고 짧은 시간 내에 싱질이 변하나 미로성은 그렇지 않다. 미로의 화농에 의한 안진은 1~2주 내에 미로기능이 감퇴됨에 따라 감약 혹은 소실되나 소뇌성은 오히려 강해진다. 이외 안진은 미로성 병변이 없어도 극위안진(極位眼振, end position nystagmus), 피로성 안진, 맹인안진(盲人 眼振), 광부성 안진(鑛夫性 眼振) 등에서 발생되기도 한다.

② 장애부위별 자발안진의 차이점

[표 1-5-3]

표 1-5-3. 장애부위별 자발안진의 차이점

	말초성(미로성) 자발안진	중추성 자발안진	시성(視性) 안진
방향	단(單) 방향성	양방향성 또는 방향전환성	불일정
성상	수평성, 회전성	수직성, 사향성, 수평성	진자양(榛子樣)
지속시간	수분-수주일	수주일-수개월	장기간 또는 평생출현
진폭	시간경과에 따라 악화	변함없음 또는 증가	변함없음
고정시에 의한 억제	유	없음 또는 오히려 증가	무 또는 오히려 증가
시(視)운동성 안진	정상형, 좌우차이 있음	반응저하, 역반응 있음	무반응, 역반응 많음
수반증상	현기증, 이명, 난청	중추신경증상	없음

③ **유발성 안진검사**(provoke nystagmus test)
정상에서는 안진이 발생되지 않고 頭位變化 또는 실험적으로 자극을 주면 변화가 나타나는 안진을 검사하는 법을 말한다.

• **두위변화에 의한 방법**
좌위, 와위에서는 발생되지 않으므로 앙와위에서 검사를 하며 주로 Frenzel 안경을 착용시켜야 자세히 관찰할 수 있다. 서서히 삼반규관의 최저 감수역치 이하로 각가속도하거나 또는 두위를 변화하여 떨어뜨린다. 먼저 앙와위에서 정중위, 좌, 우로 돌려서 또 머리를 검사대 끝에 떨어뜨린 현수두위(懸垂頭位)에서 정중위, 좌, 우로 돌려서 검사하는데 두위는 가능한 서서히 변경시켜야 한다. 이러한 유발성 안진검사의 의의는 중추성인지 말초성인지를 진단하는 것으로 안진의 방향이 두위변화에 따라 향하는 것을 방향 전환성 안진(方向轉換性 眼振)이라 하며 이것은 두부 외상, 뇌종양 또는 음주 후에 발생한다. 또한 안진의 방향이 두위와 관계없이 일정한 것을 방향 일정성 안진(方向一定性 眼振)이라 하는데 이것은 주로 미로성 장애가 있을 때에 보이나 뇌종양

과 같은 두개질환에서도 나타나고, 일정한 두위를 취해도 안진의 방향이 달라지는 것을 부정안진(不定眼振)이라 하는데 이것은 중추신경계 질환에서 많이 발생된다.

• **실험적 안진검사**
자발안진이 나타나지 않고 내이증상이 명백하지 않을 때에는 내이에 여러 가지 인공적 전정자극을 가하여 안진을 발생시키는 검사법으로 실험적 안진검사법이라 하는데 방법은 회전자극시험(回轉刺戟試驗), 온도시험(溫度試驗), 전기시험(電氣試驗), 압박시험(壓迫試驗) 등이 있다.

• **온도안진검사**(caloric test)
온도안진검사는 체온보다 높거나 낮은 온도의 물이나 기체를 외이도에 주입하면 전정기관이 자극받아 안진이 발생하는 원리를 이용하여 전정기능을 평가하는 검사이다. 귀의 양쪽을 독립적으로 자극할 수 있으며, 병변이 어느 쪽인지 알 수 있는 검사로서 평형기능검사 중 제일 중요한 검사이다. 방법은 검사하기 전에 앞서 외이도 협착, 이구(耳垢), 고막천공, 이룡(耳茸), 진주종(眞

珠腫) 등의 여부를 반드시 확인하며 항시 멸균수로 온도차가 나지 않도록 하고 수온과 주입속도를 일정하게 한다. 환자의 두위를 60도 후굴시켜 수평반규관이 수직이 되도록 하고 5 ㎖의 냉수를 외이도에 주입시키며 이렇게 해서 1분 후에도 안진이 나타나지 않으면 10 ㎖, 20 ㎖, 40 ㎖로 양을 증가시키면서 반응을 살핀다. 체온보다 높은 온도로 자극하면 임상안진의 방향인 자극한 쪽으로 향하는 안진이 발생하며, 체온보다 낮은 온도로 자극하면 반대쪽으로 향하는 안진이 발생한다. 온자극은 내림프의 팽대부 쪽으로, 냉자극은 팽대부에서 멀어지는 쪽으로 내림프의 흐름을 유발하여 안진이 발생한다. 이러한 온도로 인한 안진의 변화는 주로 전정기능저하, 두개골골절, 뇌막염, 화농성 및 장액성 미로염, 미로진탕(迷路振盪), 청신경종양, 다량의 streptomycin 투여, 메니에르 병에서 발생된다. 최근에는 보다 정확한 유발안진을 검사하기 위해 전기안진기록검사(電氣眼振記錄檢査, ENG, electronystagmography)를 많이 사용하고 있다.

• **두위변환 안진검사(Dix-Hallpike검사)**
양성 발작성 체위변환성 현훈의 대부분의 원인부위인 후반규관의 이석증을 검사하는 방법으로, 환자가 앉은 자세에서 시작하며 검사자는 환자의 머리를 병변이 있다고 생각되는 쪽으로 45도 돌려 잡고 후방으로 가볍게 끌어 당겨 누운 자세에서 머리가 검사침대 밖으로 나와 현수위가 되도록 한다. 이때 목을 돌려서는 안 되며 계속 머리를 잡고 있으면서 전방으로 똑바로 보도록 하며 적어도 20초간 환자의 눈을 관찰해야 한다. 반응이 있다면 다시 앉은 자세로 돌아간 후 같은 검사를 몇 번 더 시행하여 안진의 피로현상이 있는지를 검사한다. 다시 반대쪽 검사를 같은 방법으로 시행한다. 양성 발작성 체위변환성 현훈이 있는 환자에서는 병변이 있는 쪽이 아래로 향하였을 때 그쪽으로 향하는 회전안진이 발생한다. 양성 발작성 체위변환성 안진의 특징은 안진이 몇 초간의 잠복기 후 일시적인 안진이며, 강한 현훈을 동반하며, 되풀이하여 같은 자세를 취하면 안진이 나타나지 않는 피로현상이 있다는 것이다.

5) 이관통기(耳管通氣)

이관의 통기가 이루어지지 않으면 고실의 압력조절기능이 상실되어 고실 내가 음압 상태로 되어 고막은 내함되며 심할 경우에는 고실 내에 삼출액이 차게 된다. 이관통기법은 이관의 통기기능검사 및 협착된 이관의 치료 목적으로 주로 사용되며 이관인두구(耳管咽頭口)로부터 공기를 중이강으로 넣는 검사법이다. 이관통기를 하기 전에는 반드시 비강 및 인두강비부를 검사하여 분비물이 이관이나 고실 내로 들어가지 않도록 미리 코를 풀던지 비세척이나 흡인을 하고, 비강점막에 종창이 있든지 혹은 과민한 경우에는 cocaine, adrenaline으로 미리 처지를 해둔다. 통기를 할 때에는 검사자와 환자의 귀를 고무관인 otoscope로 연결하여 공기가 이관에서 중이강으로 노달할 때의 소리를 듣거나 고막의 움직임이나 기포의 발생을 관찰하여 이관협착의 정도나 중이강 내의 삼출물의 유무를 판정한다.

(1) 이관통기법

① Valsalva법
환자 자신이 할 수 있는 간단한 방법으로 입을 다물고 손으로 양비익(兩鼻翼)을 꼭 잡아 외비공을 막으면서 강한 호기운동을 하는 것이다.

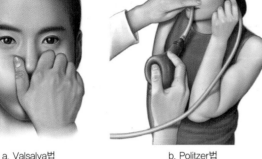
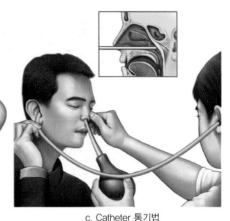

a. Valsalva법 　　　b. Politzer법　　　c. Catheter 통기법

그림 1-5-14　이관 통기법

② Frenzel법
환자가 수의적으로 성문(聲門)을 닫고 동시에 상인두(上咽頭)의 수축근(收縮筋)과 구강저(口腔底)의 근육을 수축시킴으로써 비인강(鼻咽腔)의 압력을 증가시켜 중이강에 공기를 유입시켜 통기가 이루어진다.

③ Politzer법
Politzer 고무구의 끝을 검사하고자 하는 쪽의 외비공에 삽입하고 반대쪽의 외비공을 손가락으로 압박하여 폐쇄시킨 다음 연하운동을 시키든지 'ㄱ'이나 'K' 발음을 시키면서 동시에 고무구를 압축하여 비강 내에 공기를 넣는 방법이다. 연하운동이나 이런 발음을 할 때 연구개가 올라가 인두강의 비부(鼻部)와 구부(口部)사이를 폐쇄시키게 되고 들어간 공기는 이관을 열고 중이강으로 들어가게 된다. 이 방법은 카테터법의 실시가 곤란한 소아에게 많이 사용된다.

④ Catheter 통기
왼쪽 엄지손가락 끝으로 환자의 코를 들어 카테터를 비강저(鼻腔底)를 따라 가만히 넣고 공기의 압력을 가하는 것으로 절대 무리하게 힘을 주어서는 안된다. 카테터의 끝이 인후후벽(咽喉後壁)에 도달하게 하고 여기서 90도 외측방으로 회전하면서 약간 당기면 인두함요(咽頭陷凹)에 도달된다. 다음에 가만히 약 1.0 cm 정도 카테터를 끌어내면 그 끝은 작은 언덕을 넘어서 골짜기로 들어가는 느낌을 주는데 이것이 이관융기를 넘어서 이관인두구(耳管咽頭口)에 도달된 것이며 여기서 45도 측상방하면 카테터의 끝이 정확히 이관인두구로 들어간다[그림 1-5-14].

(2) 이관 기능 검사법
위의 전통적 방법인 가압통기법들은 단순한 이관의 개폐검사로서 기질적 폐쇄를 진단하는 데는 의의가 있으나 이관의 기능적 이상을 감지해내지는 못한다. 1963년 Flisberg가 고안한 압력계기(manometer)를 이용한 부아음압평형검사(Inflation-deflation test)는 신빙성 있는 검사방법으로 이용되고 있다. 이관의 기능적 폐쇄를 검사할 수 있는 능동적 기능검사로 제시된 음파이관측정은 이관의 능동적 개구능력을 검사하는 대표적인 방법으로 평가받고 있다.

治法

1. 藥物療法

1) 內治法

《普濟方》耳病은 氣逆閉竅, 經氣痞塞, 腎經氣實, 肝膽之氣不舒, 氣厥耳病 등으로 분류되며, 治療原則에 대해서 風은 疏散, 熱은 淸利, 虛는 調養, 邪氣는 屛退하여 通한 후에 安神之劑로 調氣하면 耳中三昧라 하였다. 《醫貫》腎虛로 인해 耳中에서 蟬聲, 潮聲의 耳鳴이 있어 聽하는데 障碍가 있으면 墜氣補腎을 하라 하였고, 《類證治裁》精脫失聽은 腎을, 氣逆竅閉는 膽을 治하라 하였다. 《濟生方》大槪 氣逆耳聾은 易治나 精脫耳聾은 難治이고 六淫이 外部에서 侵入하여 腎에 應하며 人體內에서는 情志不舒로 인해 瘡이 생겨 聤耳로 腫痛, 發熱하는데 六氣로 인해 傷하게 되면 腎을 調節하고, 七情으로 損傷을 받으면 心을 治하라 하여 耳病의 治療根本은 寧心順氣하는 것이라 하였다. 《古今醫統》耳聾과 耳鳴은 房勞過多로 腎虛하여 精液이 枯渴되어 일어나는데 이것은 寫南方, 補北方하고, 思慮過多로 인해 心이 損傷하여 血虛로 耳聾과 耳鳴이 일어나는 것은 寧心順氣하며, 右側耳聾은 色慾過度하여 太陽膀胱相火가 動해서 나타나므로 주로 益精, 補腎하여 六味地黃丸을 使用하라 하였다. 또 耳聾은 痰火鬱結로 인해 氣機가 閉塞하여 聾이 나타나므로 降痰火하는 藥物 중에서 行氣 및 通竅하는 藥物을 兼하는 것이 治法이나 痰火藥을 峻用하면 脾胃를 損傷하여 閉塞을 開하지 못하고 또 氣虛한 것을 갑자기 補하게 되면 火가 도리어 上衝하여 閉를 開하지 못하기 때문에 痰火藥 中에 辛溫藥을 적절히 加하여 서서히 治療하는 것이 가장 옳은 治療法이라 하였다. 또 膏粱厚味, 炙煿한 飮食이나 醇酒를 過多攝取하면 足陽明胃火가 動하여 耳病이 나타나므로 防風通聖散과 滾痰丸을 活用하며, 耳熱로 出膿, 作痒은 痰 혹은 腎火上炎으로 일어나므로 防風, 天花粉, 貝母, 黃柏, 白茯苓, 玄蔘, 蔓荊子, 白芷, 天麻, 半夏, 甘草 등을 使用하라 하였다. 《醫學心悟》耳聾, 耳中痛은 少陽經에 屬하여 邪氣가 半表半裏에 在하므로 마땅히 和解시키고 또한 傷寒邪熱로 인한 耳聾도 少陽經에 屬하므로 小柴胡湯으로 治療한다. 만일 耳病이 外感에서 나타나지 않으면 暴聾이 나타나는데 이것은 氣火上衝으로 發生된 氣閉耳聾이므로 먼저

逍遙散에 蔓荊子, 石菖蒲, 香附子을 加하여 治療하라 하였다. 만일 오래된 耳聾과 耳鳴이 마치 蟬聲, 鐘聲, 鼓聲 같으면 腎虛로 精氣가 不足되어 上榮이 되지 않은 것이므로 먼저 六味地黃丸에 枸杞子, 人蔘, 石菖蒲, 遠志之類를 加하여 治療하며, 風熱相搏으로 耳中의 津液이 凝聚되어 聤耳, 出膿, 出水淋 或은 痒極疼痛하면 厥陰 및 肝經의 風熱로 나타난 것이므로 加味逍遙散에서 白朮을 去하고 薄荷, 木耳, 貝母, 香附子, 石菖蒲 等을 加하여 활용하라 하였다.

(1) 疎風淸熱

風熱邪毒의 侵犯이나 風寒化熱로 인한 耳病 初起의 表熱證으로 微痛, 瘙痒, 耳脹滿感, 堵塞感, 輕微한 聽力減退와 惡寒發熱, 頭痛, 舌質紅, 苔薄白, 脈浮數 등이 나타나는 耳癤, 耳瘡, 聤耳, 膿耳의 初期에 止痛, 止痒, 消除紅腫시킬 目的으로 활용한다. 荊芥, 防風, 夏枯草, 金銀花, 菊花, 柴胡, 連翹 등의 辛溫解表 및 淸熱藥과 銀翹散, 桑菊飮, 淸耳散, 柴胡淸肝湯, 荊芥連翹湯, 蔓荊子散, 鼠粘子湯, 東垣鼠粘子湯 등의 處方이 있다.

(2) 瀉火解毒

外感熱毒의 治療가 未盡되거나 熱이 盛하여 裏熱內蘊으로 壅盛上灼되어 또는 肝膽濕熱의 積盛으로 耳竅를 薰灼하고 또 邪熱이 心經에 侵犯하여 心火積盛으로 耳紅腫, 疼痛極烈, 流膿, 膿液黃稠, 臭穢, 耳膜充血, 穿孔, 耳後紅腫 및 癭疽, 癤 등이 일어나고 全身發熱, 頭痛, 口渴, 口乾, 大便燥結, 舌質紅, 苔黃膩, 脈弦數 등이 나타날 경우에 주로 활용한다. 또한 心包가 內陷되어 高熱, 頭痛, 嘔吐, 神昏譫語, 頸項强直, 抽搐 등의 症狀을 나타내는 實證 또는 急性인 膿耳, 耳根毒, 耳癭疽, 耳癤, 耳瘡 등에도 瀉火解毒法을 사용한다.

金銀花, 連翹, 蒲公英, 紫花地丁, 黃芩, 梔子, 龍膽草, 黃連, 生石膏, 夏枯草, 大黃, 芒硝 등의 藥物과 龍膽瀉肝湯, 蔓荊子散, 黃連解毒湯, 柴胡聰耳湯, 防風通聖散, 酒製通聖散, 荊芥連翹湯, 玄蔘貝母湯, 犀角飮子, 五味消毒飮, 淸瘟敗毒散, 安宮牛黃丸 등의 處方이 있다.

(3) 利水滲濕

利水化濕法이라 하며 脾失運化로 濕濁停滯, 濕熱內生되어서 耳竅에 上蒸하여 발생되거나 또는 飮食不節로 脾胃를 傷해 氣血生化가 不足되어서 膿漏 혹은 滲出液의 流出과 耳竅의 肌肉이 潰爛, 濕潤이 發生되나 不紅腫, 不痛하고 또 寒水가 上泛되면 眩暈도 發生되어 耳疳, 膿耳, 旋耳瘡, 耳性眩暈 등에 주로 활용한다.

脾는 利水滲濕하는 作用이 있어 健脾藥物인 白茯苓, 蒼朮, 白朮, 澤瀉, 車前子, 地膚子, 通草, 薏苡仁 등을 사용하고, 濕은 쉽게 停積되기에 芳香化濕理氣藥인 川芎, 陳皮, 藿香, 石菖蒲 등을 활용하기도 하며, 또는 祛痰藥物인 半夏, 陳皮, 前胡, 貝母, 桔梗, 杏仁 등과 排膿藥을 兼하여 治療한다. 처방으로는 補中治濕湯, 淸耳散合五苓散, 苓桂朮甘湯 등이 있다.

(4) 散瘀排膿

火熱邪毒의 積盛, 肝膽火熱이 上蒸된 實證에서 紅腫疼痛, 膿液出多, 稠黃 등이 있으면 淸熱解毒藥과 兼하여 주로 使用한다. 邪毒이 오랫동안 鬱滯되고 慢性的으로 正氣가 虛하여 紅腫하지 않고, 膿이 오랫동안 반복적으로 일어나거나 혹은 膿이 淸하고 量이 多하거나 혹은 黃稠하며 潰爛된 耳膜이 愈合되지 않아서 虛鳴과 重聽으로 聽力이 輕微하게 떨어지면 益氣養血藥과 兼하여 托裏排膿시키는 仙方活命飮, 黃芪內托散, 托裏消毒飮 또는 黃芪, 白芷,

桔梗, 薏苡仁, 穿山甲, 皂角刺, 天花粉 등을 사용한다. 腎虛로 인해 耳竅의 骨質에 까지 腐蝕시켜 出膿 黑腐臭穢하면 活血散瘀, 祛腐生新시키는 桃仁, 紅花, 五靈脂, 硫黃, 沒藥, 馬勃, 澤蘭 등의 藥物을 加하여 治療한다.

(5) 祛痰通竅

濕聚生痰으로 痰濁中阻되어 耳竅를 蒙閉하여 耳鳴, 耳聾, 眩暈과 頭脹, 胸悶, 心悸, 惡心嘔逆, 舌質淡, 苔白潤, 細數脈 등이 나타나거나 혹은 痰鬱化火로 痰火가 上壅하여 耳鳴, 耳聾, 眩暈과 頭暈, 頭重, 口苦, 胸悶脘滿, 舌質紅, 苔黃膩, 細數脈 등이 발생되는 경우에 주로 사용한다. 半夏白朮天麻湯, 二陳湯, 六君子湯, 淸氣化痰丸, 加減龍薈丸, 復聰湯, 通明利氣湯 등의 處方이 있다.

(6) 行氣通竅

邪毒이 壅阻되어 淸陽이 淸竅에 不能上通되거나 또는 氣滯血瘀 혹은 痰濁이 耳竅를 開塞하여 堵塞, 脹滿感, 耳鳴과 급작스런 耳聾이 발생되는 경우에 주로 사용한다.

香附子, 靑皮, 鬱金, 藿香, 石菖蒲, 厚朴, 白蔻仁 등의 行氣通竅, 芳香化濕하는 藥物과 半夏白朮天麻湯, 蔓荊子散, 桂香散, 聰耳湯 등의 처방을 사용한다.

(7) 補腎益精

腎臟虧損으로 耳를 濡養하지 못해서 또는 肝腎陰虛로 虛火가 上炎한 경우에 사용한다.

陰精이 不足되어 耳鳴, 耳聾, 眩暈, 膿耳日久, 腰膝痠軟, 健忘少寐, 五心煩熱, 盜汗, 舌紅少苔, 脈細數 등이 발생하면 六味地黃丸, 補腎益腎丸 등의 처방에 旱蓮草, 女貞子, 龜板, 鱉甲, 冬虫草 등의 약물을 加한다. 또 虛火旺盛하면 知柏地黃丸, 杞菊地黃

丸에 知母, 黃柏, 天花粉, 天門冬, 石斛 등의 滋陰降火藥을 加하며, 腎陽虛로 頭暈, 面色㿠白, 形寒肢冷, 腰膝痠冷, 舌淡苔白, 沈細脈 등이 나타나면 附桂八味丸, 磁石羊腎丸, 補骨脂丸 등과 肉蓯蓉, 鎖陽, 巴戟, 補骨脂, 肉桂, 附子 등을 사용한다.

(8) 益氣補血

氣血不足으로 耳竅를 滋養하지 못해 耳鳴, 耳聾, 眩暈, 流膿日久, 旋耳瘡 등이 나타날 경우에 주로 활용한다. 人蔘, 當歸, 熟地黃, 鹿茸 등의 補氣血, 補脾益氣血하는 藥物과 人蔘養榮湯, 補中益氣湯, 歸脾湯, 八珍湯, 雙和湯 등의 處方이 있다.

2) 外治法

《太平聖惠方》耳痛이 있으면 附子, 石菖蒲末을 油調하여 灌耳하며 耳鳴, 耳聾, 耳痛有血水, 聤耳, 耳內惡瘡이 있으면 附子, 石菖蒲, 麝香, 杏仁, 白礬, 蓖麻子 등을 丸으로 만들어 耳中에 穿透, 納하여 治療하고, 耳卒腫에는 木別子仁 半兩, 赤小豆 各各 半兩과 大黃末 半兩과 混合하여 粉末로 한 後에 水生油旋하여 調涂하라 하였다.《外臺秘要》耳病에 藥丸을 棗核大로 만들어 耳中에 넣고 一頭尖과 耳孔과 通하게 해서 綿裏塞耳하면 나으며, 또한 耳鳴에도 藥을 塞耳하고 耳卒腫에는 耳門 外에 鹽裏熨耳하여 治療하라 하였다.《古今醫統》에서는 耳中膿水를 綿杖子로 捉去 혹은 藥을 摻入하라고 하였으며《千金方》에서는 綿裏藥을 耳中에 揷入해 使用하라 하였다.

(1) 洗滌

耳竅의 內外에 발생하는 紅腫疼痛, 膿液과 痂皮를 除去하는데 주로 사용한다. 藥을 淸潔하게 水煎煮沸하여 淸熱解毒, 祛腐收斂, 除濕止痒시키며, 藥物

로는 板藍根, 蒲公英, 黃柏, 黃連, 野菊花, 白礬, 鹽, 硼酸, 白醋 등이 있다.

(2) 滴耳

淸熱解毒, 祛腐收斂, 除濕止痒, 止痛시킬 목적에 주로 활용한다. 藥物들을 水煎煮沸한 後에 汁을 만들어 여러 번 濾過하여 耳紅腫, 出膿, 瘙痒, 疼痛, 瘡瘍, 糜爛 등에 사용한다.

(3) 塞耳

塗敷 혹은 敷貼法이라 하며 藥物의 粉末이나 膏藥을 蜜, 猪脂, 油와 混合하여 耳竅의 內外 患部에 敷貼하거나 또는 丸藥으로 調製하여 塞耳하여 治療한다. 주로 前者는 吹藥하는 藥物로서 淸熱解毒, 祛腐收斂, 除濕止痒, 止痛시킬 목적으로 활용한다. 後者는 龍腦膏, 甘遂散, 蒲黃膏, 塞耳丹, 鍼砂酒, 透耳筒 등으로 갑자기 耳竅가 閉塞된 耳聾과 耳鳴에 사용한다.

(4) 吹藥

淸熱解毒, 祛腐收斂, 除濕止痒, 止痛의 목적으로 주로 활용한다. 處方으로는 黃龍散, 紅綿散, 抵聖散, 明礬散, 吹耳散, 白龍散, 靑黛散 등이 있다.

(5) 熨

芳香性藥物을 加溫하거나 煎煮하여 耳周圍를 布包裹熨하여 耳竅를 溫經通絡, 辛溫하게 하며, 耳內脹塞 및 疼痛에는 食鹽, 木香, 葱炒熱로 耳周圍를 布包熨하는 治療法이다. 또한 虛性 耳鳴에는 藿香, 蒼耳子, 磁石 등을 煎水煮沸하여 熱熨한다.

2. 鍼灸治療

頭頸部의 下關, 耳門, 聽宮, 聽會, 翳風, 翳明, 風池, 瘂門穴 등을 활용하고 體幹部의 大杼, 風門, 肺俞, 厥陰俞, 心俞穴과 上肢部의 曲池, 外關, 合谷, 中渚穴과 下肢部의 飛揚, 復溜, 內庭穴 등을 활용한다.

耳鍼으로는 口, 頰, 神門, 腎, 腎上腺, 內分泌, 枕, 內耳點 등을 활용한다. 때로는 耳尖部를 瀉血시키기도 한다.

3. 導引治療

1) 鳴天鼓

耳鳴, 耳聾을 예방 및 치료하는데 주로 사용한다.

《內功圖說·十二段錦總訣》左右의 鳴天鼓를 二十四度하면 들을 수가 있는데, 方法은 먼저 呼吸을 九次하고 곧 兩手를 交叉되도록 하면서 手掌으로 擦耳하며 다음에는 二指를 中指上에 쌓아 두고 二指에 힘을 주면서 올려 여러 번 腦後를 重彈하는데 이때에는 擊鼓聲이 들려야 되며 左右로 各各 二十四次를 實施하여 四拾八聲이 들리도록 한 後에 잡은 손에 힘을 푼다. 또한 呼吸을 고르게 하고 먼저 手掌으로 耳廓을 按擦하고 다시 手掌으로 耳竅內를 强하게 壓迫하며 兩手의 食, 中, 無名, 小指로 枕部를 橫으로 잡아 대칭이 되게 하여 兩中指가 서로 접촉이 되도록 한다. 다시 兩食指를 中指上에 중첩되게 쌓아두고 食指를 中指上에서 힘을 가해 내려치도록 하여 거듭해서 腦後의 枕部를 叩擊하며 이때에 宏亮淸晰한 聲을 들을 수가 있는데 이것은 마치 擊鼓하는 소리와 같고 먼저 左手로 二十四次, 右手로 二十四次하며 左右 兩手로 四拾八次 실시하라 하였다. 《遵生八箋》天鼓를 擊深하는 것은 鳴天鼓와 유사하니 天鼓는 耳中聲이며 手掌으로 耳門을 堅固하게 壓迫하고 手指로 腦後를 叩擊하는

데 이 방법은 兩手의 掌心으로 兩側의 耳竅內를 堅固히 눌러 外耳道가 잠시 封閉된 상태에서 枕部에 兩手를 두고 手指로 腦後의 枕部를 叩擊하는 것이라 하였다.

2) 掩耳去頭旋法

眩暈을 예방 및 치료하는 데 사용한다.

《紅爐点雪》靜坐 後에 몸을 일으켜 呼吸을 멈추고 兩手로 掩耳한 後에 頭動搖를 四十二次하며 元神이 있다고 생각하고 泥丸으로 逆上하여 그 邪氣를 몰아내면 자연히 風邪가 散去된다 하였다. 여기에서 元神이 있다고 생각하여 泥丸으로 逆上하라는 것은 마음을 想念이 없게 하여 意志를 集中하여 恬惔虛無에 이르게 하여 凝神을 마음대로 할 수 있는 경지에 이르도록 하라는 것이다.

3) 耳聾導引法

《保生秘要》耳聾의 導引法에 대해 掌心을 五十度 정도 摩擦한 後에 熱이 생기면 耳門을 封閉하고 空視, 즉 耳無所見 및 腦無所想하는 것을 六次하고 또 그 火를 推散하는데 男子는 逆으로 兩腎間에 收藏하며 女子는 逆으로 兩乳下에 歸藏하여 침을 삼키고 氣를 下降시키며 呼吸을 固定하여 靜坐하고 關을 꽉 물며 兩手指로 鼻孔을 막고 兩目을 直上으로 直視하며 氣가 耳竅內로 通하게 하고 耳竅 內에 "윙 윙 윙"하는 소리가 나면 그치는 方法을 二-三日 동안 反復하여 實施하여 耳竅 內로 氣가 通하게 계속한다. 때로는 兩側 耳로 하여금 듣는 것을 歸元으로 돌리고 安靜을 取하며 혹은 口中의 氣, 鼻中의 氣를 멈추어서 妄出하지 말고 항상 念頭에 耳中으로 氣가 出한다는 생각을 하면서 듣는 것을 反復的으로 거두어 들리면 자연히 耳竅가 聰聽해진다 하였다.

《諸病源候論》《外臺秘要》《萬病醫藥顧問》耳聾의 導引에 對해서 地面에 兩脚을 交叉하게 하여 靜坐하고 兩手를 曲脚內로 넣은 後에 또 頭項도 曲脚內에 넣어 頸上이 되도록 하게 하면 久寒하여 스스로 溫하지 못하여 소리를 듣지 못하는 것을 治療하며, 또 靜坐하여 項上에다 兩脚을 붙이고 숨을 쉬지 않는 것을 十二次하면 效果가 있는데 이것을 오랫동안 持續하면 寒冷, 耳聾, 目眩 등이 치료된다.

제2장

耳科 各論

耳介疾患

1. 耳介 기형

1) 槪要

인간의 이개는 기본형 내에서도 크기와 모양에 있어 개인적 차이가 있다. 전체 이개기형은 10,000명당 1-2명, 소이증은 10,000~20,000명당 1명꼴로 발생한다. 양측성 보다는 일측성이 더 흔하고 여자보다는 남자에서 더 흔히 발생한다. 소이증의 25~30%는 양측성으로 발생하고 외이도 폐쇄나 다른 승후군과 함께 발생하기도 한다. 이개의 기형이 심할수록 이소골의 기형이나 중이 및 안면신경 기형이 더 심하고 청력손실 정도도 크다.

2) 種類

(1) 발육과잉
대이증(macrotia), 부이증(accessory ear), 다이증(polyotia)

(2) 발육장애
소이증(microtia), 돌출이증(protruding ear)

(3) 위치이상
저위이증(抵位耳症, lowset ear), 배상이(cup ear)

2. 선천성 이루관

1) 槪要

서양의학의 신천성 진이개누공, 전이개낭종에 해당한다. 이륜과 이주 사이의 이개 전상부에 작은 누공을 형성하며 일측 또는 양측에 생길 수 있다.

2) 病因病理

(1) 선천적으로 허약하거나, 胎毒이 쌓여 있을 경우 瘻가 형성되기 쉽다.
(2) 자극적이면서 기름지고 단음식을 절제하지 못하여 濕熱上蒸 瘻管에 머물고 쌓이면 肌肉과 鼓膜에 병이 생긴다.

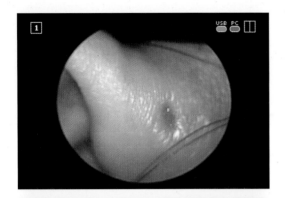

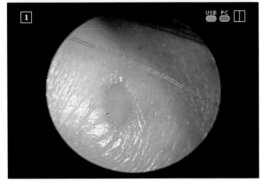

그림 2-1-1 선천성 이루관

(3) 瘻毒이 오래 되어 氣血 손상으로 正氣가 邪氣를 이기지 못한 경우이거나 적절한 치료가 되지 않아 오래된 경우가 있다.

3) 臨床症狀

(1) 귀 앞의 일측 또는 양측 모두 발생할 수 있으나 일측에 발생하는 경우가 더 많다.

(2) 일반적인 증상으로 국부의 약간의 소양감과 불쾌감이 있고 재차 감염이 있을 경우 국부 붉은색 종창이 나타나면서 동통과 고름이 흐르고 반복 발작한다. 장기간 감염이 있을 경우에는 瘻管 부근에 궤양이 생기면서 두꺼워지고 흉터가 생기며 융합되지 않으면서 묽은 고름이 흐르는 등의 증상이 나타난다.

(3) 분비물의 자극으로 누공의 주위에 습진과 감염이 유발되어 화농되기도 한다. 또 위치에 따라 유양돌기염이 유발되기도 하고 때로는 감음성 난청을 동반한다.

(4) 함몰된 누공 속으로 낭포를 형성하거나 편평상피로 피막된 누공로를 형성하여 간헐적 또는 지속적으로 악취가 나는 분비물이 나온다[그림 2-1-1].

4) 辨證施治

(1) 胎毒蘊積證

紅腫과 고름이 보이면서 患兒가 보채면서 울고, 煩燥不安하고 소변이 적색을 나타내면서 舌紅증상이 나타난다. 淸熱解毒, 消腫排膿하며 처방은 五味消毒飮加減을 사용한다. 紅腫이 명확하고 고름이 나오지 않는 경우에는 皂角刺을 加한다.

(2) 濕熱稽留證

성인에서 많이 보인다. 瘻管에 潮紅腫脹이 생기고 그 크기가 비교적 크며 누르면 통증이 있고, 냄새가 나는 황색의 粘稠한 고름이 심하며 양이 많고 반복 발작하면서 쉽게 치료되지 않는다. 舌紅苔黃膩하며 脈은 有力하다. 淸熱燥濕, 解毒消腫하니 黃連解毒湯加減을 주로 사용한다. 병이 계속되어 반복 발작할 경우 生黃芪, 赤茯苓, 生薏苡仁을 加한다.

(3) 氣血不足證

瘻管에서 淸稀하고 물과 같은 고름이 흐르고 그 양이 적다. 管이 오래되어도 수렴되지 못하고 국부 색깔이 붉지 않고 종창 또한 미약하다. 안색이 좋지 않으면서 少氣乏力한 증상을 보인다. 舌淡苔白, 脈緩弱하다. 補益氣血, 化濕托毒하니 托裏消毒飮加減을 사용한다. 만약 물과 같이 淸稀한 고름이 나올 경우 制附子, 鹿角膠을 加한다. 국부가 암홍색을 띠면서 딱딱하면 桃仁, 紅花을 加한다. 갑작스레 濕熱이 겸하여져 누르면 濁하고 粘稠한 황색의 고름이 생기면서 약간의 냄새가 나고 舌苔黃이 하면 車前草, 生薏苡仁, 蒲公英을 加한다.

3. 耳血腫

1) 槪要

外耳 및 耳介 피부 내에 혈액이 고이는 것으로 주로 외상에 의한다.

2) 病因病理

傷耳症이며 耳竅의 손상으로 인해 瘀血이 정체되어서 발생된다.

　주로 타박, 마찰 등으로 인해 발생하고 흔히 권투, 씨름, 레슬링, 유도와 같은 운동을 하는 사람에서 많이 발생한다.

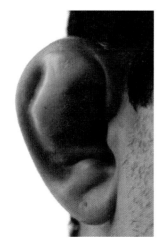

그림 2-1-2　이혈종

3) 臨床症狀

혈종은 외상으로 인해 연골막의 혈관이 손상되어 연골과 연골막 사이의 공간에 혈액이 고이게 되는 것이다. 만약 연골의 골절이 동반된 경우에는 혈액이 연골의 양면으로 고이게 된다. 부분적인 부종, 홍종, 반상출혈 그리고 이개통증 또는 이상감각을 보인다. 고인 혈액을 바로 제거하지 않으면 혈종이 섬유질로 변성되어 이개 모양이 변화하거나 연골로 가는 영양분을 차단하게 되어 연골이 괴사할 수 있다[그림 2-1-2].

4) 辨證施治

耳廓瘀腫이며, 조기에 鍼刺로 내용물을 제거하고 山梔子, 蒲公英, 黃芩, 黃柏, 黃連 등으로 세척하거나 復元活血湯加減을 內服한다.

　혈종을 제거하고 혈액이 다시 고이지 않도록 연골막과 연골이 마주 닿도록 압박을 가한다. 단순한 세침흡입은 혈액과 혈장의 반복적인 고임을 가져와서 섬유변성의 발생빈도를 높이므로 적절하지 않다. 최근에는 혈종을 16게이지 바늘로 흡인하고 같은 양의 triamcinolone을 주입하여 좋은 결과를 얻고 있다.

4. 이개 동상

1) 槪要

이개는 외부에 노출되어 있으면서 피부하 조직이나 지방조직이 없으므로 쉽게 동상에 걸린다. 추위에 노출된 초기에는 혈관 수축으로 귀에 저린 느낌이 있으면서 창백해진다. 진행되면 부종, 홍반, 수포와 가피 등이 생긴다. 약한 동상의 경우 조직을 따뜻하게 해주면 수일 후에 원상으로 회복되지만 심하면 피부하 혈종, 조직 괴사가 오며 최종 단계에서는 괴저가 되어 이개 전체가 소실된다.

2) 辨證施治

當歸四逆湯, 人蔘養榮湯, 桂枝當歸湯加減, 補陽還五湯 등을 服用하고 如神散, 白斂散, 貝母 등을 鹽湯으로 세척한 후에 酒, 香油와 혼합하여 塗布하거나 陽和膏를 敷貼한다. 鍼灸治療는 비교적 紅斑이 輕微하게 있으면 紅斑의 中央에 여러 壯의 灸를 하거나 紫色腫脹, 鬱血된 부위에 三稜鍼으로 瀉血을 힌다. 동상을 입은 귀에 먼지 38~42℃의 물을 적신 면거즈를 20분간 대어준다. 이 경우 통증이 있으므로 진통제와 감염을 예방하기 위한 항생제를 함께 쓴다. 찬물이나 뜨거운 물, 열선을 대는 것은 좋지 않다. 동상으로 인한 수포는 저절로 흡수되기를 기다리는 것이 최선이나, 흡수되지 않는 수포는 세침으로 흡입한다. 동상부위는 잘 세정한 다음, genta-mycin 크림 또는 질산은 용액 등을 도포한다. 상한 조직의 괴사조직은 즉각 제거하지 않고 괴저 부위가 확실할 때에 제거한다.

5. 이개 연골막염

1) 槪要

耳癰, 혹은 耳門癰이라 하며 耳根 혹은 耳廓이 紅赤腫脹과 疼痛이 甚해져서 潰爛이 되며 膿液이 흐르는 疾患이다.

2) 病因病理

(1) 七情不和로 肝氣가 鬱結하여 肝膽火熱이 上逆되어서 발생된다.

(2) 風濕 또는 醇酒, 膏粱厚味, 炙煿한 飮食 등을 過多攝取하여 脾胃濕熱이 耳로 上蒸하여 발생된다.

연골막염(perichondritis)과 연골염(chondritis)은 대개 봉와직염, 급성 외이도염, 외상을 적절히 치료하지 못하였거나 귀걸이용 구멍을 여러 군데 만들어 연골막이 손상된 자리에 세균이 감염되어 발생한다. 원인균은 대개 pseudomonas이다. 초기 단계에는 항생제 등을 복용하며 항생제 용액의 국소 도포 및 괴사조직 제거로 치료한다. 병이 진행되면 입원치료가 필요하다.

3) 臨床症狀

耳廓 或은 耳根이 發熱, 紅赤腫脹 등이 일어나고 疼痛이 甚하며 潰爛이 나타나 膿液이 흐르고 甚하면 耳竅가 閉塞된다.

감염부위에는 동통, 발적, 부종과 함께 장액 및 화농성 삼출액이 흐른다. 연골염 또는 연골막염 주위의 연부조직에도 넓게 감염이 파급된다.

4) 辨證施治

初期에는 梔子淸肝湯, 逍遙散加減, 升陽散火湯, 龍膽瀉肝湯 등을 投與하며, 膿이 形成되면 四妙勇安湯 또는 四妙湯에서 黃芪를 除去하고 牧丹皮, 白芷 등을 加하여 服用하며, 膿液이 흐르고 潰瘍, 糜爛이 있으면 托裏消毒飮, 黃芪內托散, 仙方活命飮 등을 使用한다.

초기 단계에는 항생제 등을 복용하며 항생제 용액의 국소 도포 및 괴사조직 제거로 치료한다. 병이 진행되면 입원치료가 필요하다.

外治法으로 青黛散, 紅升丹 등을 塗布하거나 黃蓮, 黃柏 등을 煎湯하여 滴耳한다.

6. 耳廓 假性囊腫

1) 異名

耳殼痰包, 耳殼流痰이라고 한다.

2) 病因病理

대부분의 원인은 맵고 탄 음식이나 기름지고 달고 맛이 강한 음식 등을 많이 먹어 痰濕이 생긴 경우이고, 또는 耳郭이 손상되었거나 風邪에 감촉되어 痰濕이 上犯하여 귓바퀴 부위에 정체되면서 병이 생긴다.

3) 臨床症狀

(1) 30-40세에서 많이 발생하고, 여자보다는 남자에서 많이 발생한다.
(2) 耳廓이 손상을 받았거나 壓迫을 받은 과거력이 있을 수 있다.
(3) 대부분 한쪽 귀에서 많이 나타나고 특히 舟狀窩, 三角窩 부위에서 많이 발생한다.
(4) 耳廓부위가 부어오르면서 灼熱感과 瘙痒感이 동반되나 일반적으로 통증은 없다. 국부가 두텁게 융기되나 피부색의 변화는 없다. 경계가 명확하며 누르면 탄력감이나 파동감이 있고 눌렀을 때 통증이 나타난다.
(5) 융기된 부위를 구멍 내보면 담황색의 액체가 흘러나온다.

4) 辨證施治

(1) 内用藥療法

주로 燥濕化痰, 散結消腫하는 導痰湯加減을 사용한다. 작열감이 있으면서 苔黃膩하면 黃芩, 生薏苡仁을 가하고 표피의 색깔이 暗紅色이고 두께가 두텁고 오래되어도 사라지지 않거나 생겼다 사라졌다를 반복하는 경우 赤芍藥, 澤蘭, 三稜, 莪朮을 加하여 사용한다. 국부의 색깔이 붉은 색을 띠고 작열감이 명확하게 나타나며 淡黃色 또는 혈색의 액체가 나온다면 清熱化痰하고 散結消腫하는 치법을 사용하여야 한다. 清氣化痰丸에 木通, 車前草 등을 加하여 사용한다.

(2) 外用藥療法

① 국부 소독 후 魚腥草 液이나 丹蔘注射液을 주입한다.
② 30% 芒硝液을 국부에 습포한다.

5) 調理豫防

(1) 낭종이 커지지 않도록 주의한다.
(2) 감염으로 화농되지 않도록 소독해 준다.

7. 이개습진

1) 概要

旋耳瘡이라 하며 이명으로 月蝕瘡, 割耳瘡, 耳鏇瘡, 月蝕疳瘡, 月食瘡, 耳瘁月瘡, 黃水疱, 鴉啗瘡 등이 있다.

2) 病因病理

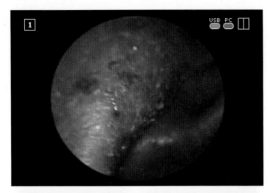

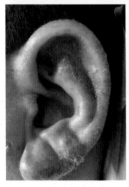 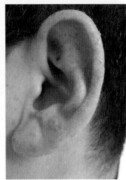

그림 2-1-3　이개습진

(1) 風濕熱毒이 침습하였거나, 땀이나 눈물, 膿耳의 膿液이 귀의 피부에 침입하여 肌膚腫潰를 일으킨다.
(2) 辛辣炙煿厚味를 過食하거나, 소아의 乳食이 不當하여 濕熱이 蘊積肝膽, 上蒸耳膚 하여 발생한다.
(3) 邪氣에 오래 감촉되어 陰血이 손상되고 燥하게 되면서 風이 발생되어 귀의 피부를 滋養하지 못하여 발생하게 된다.

3) 臨床症狀

(1) 계절적으로는 여름에 많이 발생하게 되며 성인에서도 발생되지만 특히 영유아에서 많이 발생한다.
(2) 외이도에서 많이 발생하며 耳后로부터 耳周 耳

甲腔에까지 파급된다.
(3) 이개습진의 선행질환으로는 중이염이나 외이도염에 의한 분비물, 아토피성 피부염, 알레르기성 접촉피부염, 지루성 피부염, 화폐상 피부염 등이 있다.
(4) 병소에서 작열감과 가려움증이 느껴지면서 간혹 통증이나 번조감이 나타날 수 있고 성인에 경우 이명이나 청력감퇴에까지 이를 수 있다.
(5) 급성기에는 피부가 붉은 색을 나타내고 좁쌀만 한 小丘疹과 함께 水疱가 생기면서 糜爛되고 황색의 액체가 흐르면서 탁한 황색의 痂皮가 생긴다.
(6) 만성기에는 피부가 乾燥, 肥厚, 皸裂, 鱗屑 등이 발생한다[그림 2-1-3].

4) 辨證施治

(1) 內用藥療法

① 風濕熱毒證
급성기에 보인다. 국부가 潮紅하면서 腫脹이 생기고 열이 나면서 가려움과 함께 수포가 생기고, 潰波되면서 糜爛되고 황색의 삼출액이 흐르고 통증과 열이 날 수 있다. 舌紅苔黃膩 하면서 脈은 浮數하다. 清熱祛濕 消風止痒하며 消風散合萆薢滲濕湯 加減을 투여한다. 통증이 심한 경우에는 赤芍藥, 蒲公英을 加한다.

② 肝膽濕熱證
皮膚糜爛이 비교적 심하고 黃水淋漓, 侵襲四周, 結痂黃濁, 煩燥不安, 便秘尿赤, 口苦, 苔黃膩厚, 脈弦數한다. 清泄肝膽, 利濕解毒하니 龍膽瀉肝湯加減을 투여한다. 黃水多인 경우 苦蔘, 黃連을 加한다.

③ 血虛化燥證

外耳道, 耳后沟, 耳周皮膚가 煩燥하면서 두터워지며 층층이 가피가 생기며 파열되면서 소양감이 있고 잘 낫지 않으면서 반복 발작한다. 養血潤燥, 活血息風하니 四物消風飮加減을 투여한다. 邪滯血瘀하고 피부가 暗紅增厚 하면 桃仁, 紅花를 加하고 脾虛血燥하면서 쉽게 피로하고 몸이 무거우면 蔘苓白朮散加減方을 合方하여 사용한다.

(2) 外用藥療法

① 口瘡, 口邊肥瘡, 耳疳瘡 등이 나타나면 黃連, 枯白礬 혹은 馬齒莧, 五倍子, 黃柏 등을 분말하여 香油와 제조하여 敷點 또는 塗布한다.
② 黃水 혹은 脂水가 흐르면 黃連, 苦蔘, 胡粉, 蛇床子 等分을 분말하여 塗布하거나 白蘚散, 靑黛散 등을 사용한다.

(3) 單驗方療法

① 蒲公英, 苦蔘, 野菊花 각 20g을 煎水外洗 한다.
② 黃柏, 白鮮皮, 馬齒莧 등의 煎湯液으로 外洗 혹은 濕布한다.

5) 調理豫防

(1) 耳部를 깨끗이 유지해야 한다.
(2) 結痂는 스스로 떨어질 때까지 기다린다.
(3) 맵고 찬 음식이나 탄 음식, 비린 음식은 피한다.

8. 이성대상포진

1) 概要

耳爛이라고 한다. 耳爛은 이성대상포진 혹은 심한 이개 습진을 포괄한다.

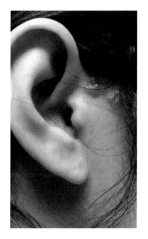

그림 2-1-4 이성 대상포진

2) 異名

火丹, 蛇串瘡, 耳火丹瘡

3) 病因病理

기름진 식사와 음주를 지나치게 하면 濕熱이 內生하여 肝膽에 쌓이게 되는데 邪毒의 外侵으로 濕熱을 引動시켜 耳部로 上烝하게 되면 氣血筋脈을 煩炸하게 되고, 아울러 濕熱이 外發하여 피부에 넘치게 되므로 疱疹이 된다.

　　대상포진 바이러스의 슬상신경절 침범으로 외이도와 외이도 입구부에 소수포성 발진이 생기고 심한 이통과 함께 동측에 말초성 안면신경마비가 발생하는 질환으로 Ramsay-Hunt 증후군이라고 한다. 바이러스 침범에 따라 전정신경이나 청신경의 침범으로 감각신경성 난청, 이명 혹은 어지럼증이 동반될 수도 있다.

4) 臨床症狀

(1) 사계절 모두 발생할 수 있으나 봄여름에 호발한

다.

(2) 一側 耳部에 발병하며 耳廓의 전방에서 많이 보인다.

(3) 먼저 發熱, 全身不适, 頭痛, 食欲不振의 증상이 보인다.

(4) 患耳의 통증이 극심하여, 외이 피부에 疱疹이 무리지어 나타나며 이개와 외이도 입구부에 작열감, 수포성 발진 및 습진이 나타난다.

(5) 난청, 현훈, 안면 신경 마비 및 기타 뇌신경 손상으로 인한 증상이 수반될 수 있다[그림 2-1-4].

5) 辨證施治

(1) 內用藥療法

淸泄肝膽, 利濕解毒, 凉血止痛하니 龍膽瀉肝湯加減을 사용한다. 耳痛이 甚하면 乳香, 沒藥을 加하고 耳聾증상이 甚하면 菖蒲를 加한다. 또 眩暈 惡心 嘔吐 증상이 있으면 制半夏, 天麻를 加하고 안면마비가 있으면 全蟲, 蜈蚣, 白附子을 加한다.

(2) 外用藥療法

① 초기에는 黃連膏, 혹은 如意金黃散, 三黃洗劑로 도포한다.

② 疱疹이 궤파된 후에는 柏石散을 외부에 도포한다.

③ 해열진통제 및 항생제와 항바이러스제인 Acyclovir와 부신피질 호르몬제를 활용한다.

6) 예방조리

① 수포가 터지지 않도록 주의한다.

② 수포가 성한 시기는 자락을 주의해서 시행한다.

③ 가피는 저절로 탈락하도록 기다리고 세수나 연고세로 인해 자극되지 않도록 한다.

④ 수포가 초기부터 크거나 가피가 피부 안쪽으로 깊을 경우 반흔이 남을 수 있음을 미리 설명한다.

外耳 및 鼓膜疾患

1. 국한성 외이도염

1) 概要

耳竅 內에 癤腫이 생겨 내부가 紅腫되고 심한 耳痛이 나타난다. 또 耳竅를 압박하거나 견인하면 더욱 동통이 극렬해지며 심해지면 癤腫에 황백색의 농액이 흐르는 것으로 외이도 입구부 근처에서 나타난다. 耳癤이라 한다.

2) 病因病理

(1) 耳竅 內의 손상, 이물 등에 의한 水가 耳로 들어가거나, 濕熱, 風熱 혹은 邪毒 등이 蘊積하여 발생한다.
(2) 평소 辛辣炙熘한 음식을 좋아하여 火熱內蘊하여 火熱上蒸하여 壅遏氣血되면서 발생한다.
(3) 외이도 연결부의 모공, 이구선, 피지선, 한선 등에 포도상 구균의 감염으로 나타난다. 불결한 오염된 물질, 외이의 자극 또는 중이염으로 이루가 연골부를 습하게 해서 유발된다.

3) 臨床症狀

(1) 여름철에 다발하고 특히 청소년에서 많이 발생한다.
(2) 초기에는 모낭이 많은 외이도 외방의 연골부 외이도에 국한하여 소양감, 경미한 동통이 있다가 점차적으로 심한 이통이 생기고 특히 이개를 잡아당길 경우 격렬한 동통이 수반되고 부종 작열감이 함께 나타난다.
(3) 외이도에 국한성 紅腫이 생겨 화농되고 膿이 배출되는 것이 반복적으로 잃어졌다가 다시 생겼다 한다. 이러한 紅腫은 耳珠부위에서 확연히 발견되고 심할 경우 耳介부위까지 幷發한다. 그리고 분비물이 외이도를 막으면 난청이나 폐색감이 나타나기도 한다[그림 2-2-1].

4) 辨證施治

(1) 內用藥療法

① 風熱邪毒證 耳癤

67

초기에 나타나는 증상으로 아직 화농이 되지 않고 疼痛灼熱, 惡寒發熱, 舌尖紅苔薄黃, 脈浮數한다. 淸熱解毒, 消腫止痛하고 五味消毒飮加減을 사용한다.

② 火熱結聚證

癰腫疼痛이 명확히 나타나고 많은 수의 耳介癰腫을 并發하고 심하면 耳周에까지 번져 동통이 극심하고 종창과 함께 發熱頭痛, 舌紅苔黃, 脈數有力하다. 淸熱瀉火, 消腫潰膿하고 黃連解毒湯合仙方活命飮加減을 사용한다.

(2) 外用藥療法

① 초기에는 熱敷니 冰酒液, 酚甘油를 환부에 塗布한다.
② 潰膿 후에는 黃連汁을 耳竅 內에 塗布한다.
③ 耳周紅腫이 있으면 黃連膏 또는 金黃散 등을 外敷한다.

(3) 單驗方療法

① 五倍子, 野菊花 등을 煎湯하여 塗布하거나 冰片, 胭脂, 牡蠣, 乳香 등을 분말하여 香油와 조제하여 耳竅 內에 塗布한다.
② 鮮野菊花, 蒲公英을 각 30 g을 煎服한다.
③ 膿成不潰하는 경우 三稜鍼 등을 이용하여 膿頭

그림 2-2-1 급성 국한성 외이도염

를 点刺하여 黃蓮液이나 消腫化腐散 등을 塗布할 수 있다.

5) 調理豫防

耳部를 청결하게 유지하고 특히 汚水가 귀로 들어가지 않게 하고, 만약 들어갔다면 완전히 배출되도록 해주어야 한다.

2. 범발성 외이도염

1) 槪要

외이도의 염증 상태는 광범위하게 耳瘡이라 하였다. 여러 가지 이유로 외이도에 광범위하게 발생하여 耳瘡보다 중한 상태이며 이개질환의 旋耳瘡과는 감별이 된다. 범발성 외이도염의 원인으로는 잦은 수영, 습한 기후, 좁고 털이 많은 외이도환경, 이물, 이구나 중이염 분비물, 보청기나 잦은 이어폰 사용이 있다. 이외에 피부질환과 병발하여 습진, 건선, 지루성 안면일 때 같이 나타나기도 하고 당뇨와 같은 면역저하질환과 함께 나타나기도 한다. 기타 요인으로 잦은 음주나 식이문제도 있다[그림 2-2-2, 그림 2-2-3, 그림 2-2-4].

2) 病因

(1) 外傷 또는 汚水入耳 하여 濕毒이 침범하는데 風熱邪氣에 감촉되어 風濕熱毒이 耳道 內를 腐灼하여 潰瘍이 형성된다.
(2) 肝膽濕熱이 上蒸耳部 하여 발생한다.
(3) 耳瘡이 잘 치료되지 않아 邪毒滯留하여 陰血이 傷하여 오랫동안 낫지 않은 경우 발생한다.

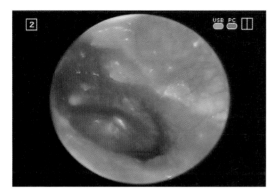

그림 2-2-2   범발성 외이도염

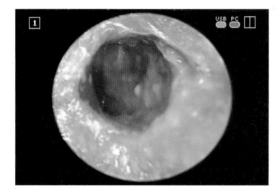

그림 2-2-3   만성 외이도염

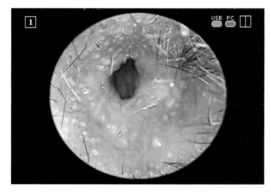

그림 2-2-4   악화-외이공 폐쇄

(4) 대개 외이도가 가려워져 면봉, 핀 또는 손톱으로 외이도 피부를 긁어서 침연, 국소외상이 생기면서 시작된다. 선행요인으로는 잦은 수영, 습

한 기후, 좁고 털이 많은 외이도, 뼈돌출증을 가진 외이도, 외이도 외상 또는 이물, 이구의 이상, 보청기 또는 이어폰 사용, 습진, 지루성 피부염, 건선 등의 피부질환, 당뇨병, 면역저하상태 또는 땀이 많은 체질 등이다.

3) 病理

(1) 여름과 가을에 자주 발생하고, 연령에 상관없이 발생한다.
(2) 전형적인 증상으로 이개를 후상방으로 움직일 때 통증이 유발되는 것이다.
(3) 외이도에 瘙痒, 紅腫, 灼熱疼痛, 靡爛, 潰瘍, 瘡瘍 등이 일어나면서 황백색의 농액이 흐른다. 단 그 양은 적으며 간혹 聽力減退, 全身灼熱 등의 증상이 동반된다.
(4) 만성적인 경우 소양증이 특징적인 증상으로 나타나고 오랜 염증으로 외이도 피부가 특이적으로 두꺼워져 외이도 강이 점차 좁아진다. 심해지면 소량의 육아종이 형성되기도 한다.

4) 辨證施治

(1) 內用藥療法

① 風濕熱毒證
외이도가 작열감이 있고 가려우면서 통증이 있고 彌散性 紅腫이 있고 표피에 가벼운 궤양이 발생하고 적은양의 黃稀한 고름이 흐르며 혹 發熱頭痛하고 舌尖紅 苔薄黃而膩, 脈浮數하다. 消風淸熱, 祛濕解毒하며 五味消毒飮加減을 처방한다.

② 肝膽濕熱證
외이도에 만성적인 붉은색의 종창이 생기고 간혹

耳道를 막기도 하며 灼熱疼痛하고 표피에 궤양이 생기고 많은 양의 악취가 나는 고름이 나오고 耳鳴 증상이 심하게 나타나며 耳周부위를 누르면 통증이 나타나고 간혹 發熱, 口苦, 舌紅苔黃膩, 脈弦數하다. 淸泄肝膽, 利濕消腫하며 龍膽瀉肝湯加減을 처방하고 紅腫이 있으면서 통증이 심하면 赤灼藥, 牧丹皮를 加하고 流膿黃臭量多하면 黃連을 加한다.

③ 血虛邪滯證

外耳道腫厚, 結痂, 流膿量少, 耳痒不适, 聽力減退되고 간혹 肉芽腫이 생기기도 하고 舌淡或暗, 脈弱하다. 養血活血, 淸泄除邪하고 四物消風飮加減을 투여하고 耳痒甚하면 防風, 地附子 을 加하고 정력감퇴가 심하면 菖蒲를 加한다.

(2) 外用藥療法

① 紅種이 아직 潰破되지 않은 경우 黃連, 白附子, 五倍子 등을 粉末하여 香油와 調製하여 塗布한다.
② 五倍子, 野菊花 등을 煎湯하여 洗滌하거나 淸黛散을 塗布한다.
③ 耳珠의 腫脹이 비대해진 경우 金黃散을 사용해 볼 수 있다.

5) 調理豫防

(1) 외이도 감염을 주의하고 청결하게 유지한다.
(2) 외이도가 습해지지 않도록 주의하고 汚水가 들어가지 않도록 관리한다.
(3) 물이 들어갈 경우 면봉사용을 자제하고 자연건조나 드라이기 등으로 말려준다.
(4) 辛辣炙爆한 음식과 飮酒를 피한다.

3. 이진균증

1) 槪要

耳竅 內에 극심한 瘙痒感을 동반하는 특징이 있는 질환으로 耳脹悶感과 경미한 耳痛 및 流水가 있는 耳竅 內의 瘙痒症이다. 다양한 국소 혹은 경구 항생제로 치료받아 온 만성 외이도염 환자에게서 가장 흔히 발생한다. 소양감 이외에도 난청, 이루, 이물감, 불편감 등이 있을 수 있다. 耳痒의 범주에 속해 있다.

2) 病因病理

(1) 風熱濕毒, 風火痰濕이 耳竅에 結하여 발생된다.

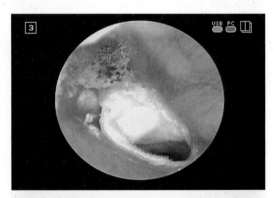
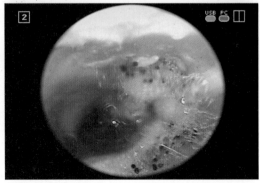

그림 2-2-5 이진균증

(2) 血虛有熱, 血虛風燥 또는 肝腎虧損으로 虛火上炎하여 발생된다.

대개 Aspergillus나 Candida에 의해 발생한다. 진균의 아포(芽胞)는 공중에 떠다니기 때문에 언제나 외이도에 침입할 수는 있으나 모두가 발병되는 것은 아니다. 주로 피부염, 점액성 혹은 농성이루, 수영, 목욕 등으로 외이도가 습해 있을 때와 알레르기의 증상에서 주로 나타난다. 또한 다양한 국소 혹은 경구 항생제로 치료받아 온 만성 외이도염 환자에게서 가장 흔하게 발생한다.

3) 臨床症狀

(1) 연령에 관계없이 발생하고 계절적으로 특히 여름철에 많이 빌생한다.
(2) 외이도에 참기 힘든 瘙痒感이 특징적으로 나타나고, 耳脹悶感이 있고 소량의 稀水가 흐르고 때로는 耳鳴증상이 동반되는 경우가 있다.
(3) 외이도에 부분적으로 검은색 혹은 백색의 진균 덩어리나 파편을 볼 수 있다.
(4) 외이도 深部에 灰黃色 혹은 黑色의 膜이 보이고 이를 제거하면 피부에 경도의 紅腫, 靡爛, 소량의 줄혈이 나타나고 膜은 단시일 내에 다시 생긴다[그림 2-2-5].

4) 辨證施治

(1) 內用藥療法

① 風熱濕毒
燥濕淸熱止痒하니 龍膽瀉肝湯加減을 사용하고 소양감이 심하면 荊芥, 防風을 加한다.

② 肝腎陰虛
補肝腎하니 六味地黃湯加減을 사용한다.

(2) 外用藥療法
① 黃連煎湯液으로 씻어낸다.
② 救痒丹과 胡桃肉을 불에 익혀서 耳內에 挿入하는 胡桃肉方과 生烏頭 1枚를 生薑汁에 담갔다가 棗核大로 만들어 挿入한다.

(3) 單驗方療法
① 苦蔘 12 g, 黃連 12 g, 氷片 0.5 g을 煎湯하여 씻어낸다.
② 姑矾粉 15 g, 滑石粉 15 g, 氷片 0.5 g를 버무려 외이도에 塗布해준다.

5) 調理豫防

外耳道를 濕하지 않게 유지하도록 하고 汚水가 귀에 들어간 경우 깨끗이 제거해 준다.

4. 악성 외이도염

1) 槪要

외이도염의 더 심한 형태로 괴사성 외이도염으로 악성 외이도염에 해당된다. 耳蕈이라 하며 고령의 당뇨병 환자에서 많이 발생하는 질환으로 외이도와 외이도 주변의 연부조직 그리고 두개저까지 점진적으로 침범하여, 경우에 따라서는 매우 치명적인 질환이다. 외이도에서 시작된 감염은 봉와직염, 연골염, 골염으로 발전하여 결국 두개저골수염까지 이르게 된다. 치료가 잘 되지 않고 만성적으로 진행되는 특징이 있다. 당뇨나 면역억제 상태인 환자에게

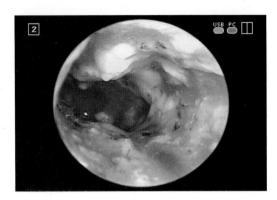

그림 2-2-6　악성 외이도염

외이도염이 생겼을 때에는 악성 외이도염을 반드시 의심해 보아야 한다.

2) 病因病理

肥甘炙爆한 음식을 자주 먹어 火熱內生 하였거나 환자가 당뇨병이 있어 본래 체력이 약한 상태에서 火毒에 傷하여 火熱上蒸耳部하여 燔灼氣血하고 腐蝕骨肉하여 발생한다.

3) 臨床症狀

(1) 당뇨병 환자에서 많이 발생하고 특히 연령이 많은 환자에서 발생빈도가 높다.

(2) 병세가 매우 급하고 지속적이고 극렬한 耳痛이 특징이다. 외이도에서 농액이 흐르고 심하면 全身腫脹에까지 진행된다.

(3) 외이도에 肉芽腫이 형성되는 경우도 있고, 심한 경우 고막에 천공까지 생긴다.

(4) 일반적인 抗炎치료에 효과가 없다.

(5) 매우 중한 병으로 뇌막염이나 뇌종양 등 합병증으로 사망할 수도 있다[그림 2-2-6].

4) 辨證施治

清熱瀉火, 凉血解毒하는 黃連解毒湯加減을 사용한다. 熱入營血하여 頭痛神昏, 高熱이 있으면 清營湯에 石膏을 加하고 氣血이 모두 虛하여 乏力口渴하면 生脈散을 같이 복용하고 顏面喎斜가 있으면 牽正散을 같이 복용한다.

5) 調理豫防

당뇨병 치료와 체력보강에 힘을 기울인다.

5. 이구전색

1) 槪要

耵耳이라 한다. 외이도의 연골부에는 이구선, 피지선, 한선 등이 있어 이곳에서 분비물, 즉 이지가 분비된다. 이 맑은 분비물은 표피의 각질, 먼지 등과 혼합되어서 귀지, 즉 이구가 형성되며 서양인은 습한 이구가, 동양인은 건조한 이구가 만들어진다. 건조하고 작은 것은 수면, 저작운동 중에 자연히 배출된다. 이구는 약산성으로 항균작용, 염증에 대해서 방어작용, 외이도 피부를 외상에서 보호하는 기능이 있다.

2) 病因病理

본래 陰虛하거나 또는 少陽相火가 上鬱하여 또는 陰虛火旺한 狀態에서 風熱, 風溫, 濕熱이 耳竅內에 侵入하여 津液이 結聚되어서 結硬成塊하여 氣竅不通으로 耵耳 또는 耳聾이 발생된다.

　외이도를 폐색할 정도로 크거나 이구가 많은 상

태에서 습기가 차면 팽창하여 이구전색이 나타난다. 특히, 수영, 목욕 후에 갑자기 난청을 호소하는 사람이 있는데 이것은 건조한 이구가 수분을 흡수해서 커짐으로써 폐색되기 때문이다.

3) 臨床症狀

이구전색으로 외이도를 폐색하여 이물감, 경미한 이명을 유발하며 심할 경우에는 난청, 두통, 자성강청, 해수발작 등이 유발된다. 이구전색은 작은 것은 별로 증상이 없으나 작은 것이라도 덩어리로 되어 가동성이 있으면 이물감, 이명과 현훈을 호소하기도 한다. 때로는 이구를 제거하려고 여러 가지 기구를 사용하여 고막손상과 함께 이소골이 손상되기도 한다[그림 2-2-7].

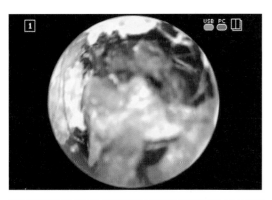

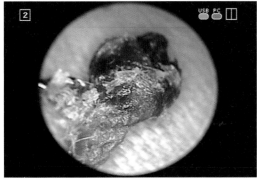

그림 2-2-7   이구전색

4) 辨證施治

風熱이 經絡에 傳하여 叮聹結抉, 耳痛, 耳聾, 膿水 등이 흐르는 경우에는 柴胡聰耳湯을 投與하고, 風溫邪가 上鬱하여 叮耳, 耳脹 등이 생기는 경우에는 馬勃散을 복용한다. 肝膽濕熱로 인하면 龍膽瀉肝湯加減, 柴胡淸肝湯 등을 投與한다. 陰虛火旺한 狀態에서 風溫을 感受하여 叮耳, 耳脹痛, 咳嗽 등이 오랫동안 낫지 않으면 六味地黃湯에 沙蔘, 百合 등을 加하여 使用한다.

이겸자로 제거하거나 흡인을 활용한다. 이구 용해제 또는 세척액으로 중조 1 mg, 글리세린 5 cc, 정수 15 cc을 혼합하여 사용하거나 2% salicylic acid 또는 중조 1찻숟갈을 500 cc의 물에 녹여서 세척하고, 평소에 외이도에 남아 있는 물이나 습기를 면봉을 사용하여 건조시킨다. 특히 고막천공이나 중이염이 있으면 사용하지 말고 물은 항시 미지근한 것으로 내이를 자극하지 않도록 해야 한다. 차가운 세척액은 현훈, 오심, 구토를 유발하므로 피해야 한다.

5) 調理豫防

이구용해제 사용방법: 귀를 위로 향하게 누운 다음 점액을 넣어주고 10분 정도 자세를 유지한 후 흘러 나오는 용액은 닦아준다. 하루 4회 정도 시행한다.

6. 외이도 종양

1) 槪要

耳竅 內에 小肉, 疣贅, 峙樣 등이 형성되어 耳脹痛, 耳痒, 耳鳴, 耳聾 등이 발생하는 질환으로 耳痔라고 하였다. 통증이 심하고 출혈이 동반되면 耳疔, 혹은

黑疔이라 하였다(악성종양의 범주이므로 확인). 외이도 종양은 양성종양 또는 외이도 골종(外耳道骨腫, osteoma), 외골증(外骨症, exostosis), 과골증(過骨症, hyperostosis), 이식육(耳息肉) 등이 있고 외이도 양성종양의 종류는 혈관종, 낭종, 전이개누공, 켈로이드, 폐쇄성 각화증, 뼈돌출증과 골종, 선종으로 분류할 수 있다.

2) 病因病理

(1) 情志不舒로 인한 肝經怒火, 肝膽濕熱로 발생된다.
(2) 肝腎不足 혹은 腎精虧損으로 인한 腎經虛火로 발생된다.
(3) 脾胃의 蘊熱, 積火가 凝結되어 발생된다.
　　외골증과 과골증의 경우 원인은 분명치 않으나 주로 선천적인 소인이 많으며 찬물에서 수영을 오래하는 서퍼, 수영부, 잠수부에서 많이 발견된다.

3) 臨床症狀

돌연히 耳竅 內에 小肉, 疣贅, 峙樣 등이 형성되어서 耳脹痛, 耳痒, 耳鳴, 耳聾 등이 나타난다. 심해지면 疼痛이 極烈하여 腦巓에까지 波及되며 出血과 때때로 膿水가 흘러나온다. 서양의학적으로 외골종 및 과골종의 경우 골증식으로 외이도를 폐쇄하거나 거기에 이구가 차 있으면 난청, 이명, 이내압박감 등이 나타나고 중이염을 합병하였을 때에는 농즙의 배설을 방해한다. 특히 외골증은 고막근처 혹은 추골돌기에 실질성 혹은 해면상의 골조직이 국한성으로 1개 혹은 2~3개의 황백색 구상 융기가 나타난다. 과골증은 연골부와 골부의 접합부에 주로 나타난다[그림 2-2-8].

4) 辨證施治

肝膽濕熱, 肝經怒火에는 梔子淸肝湯, 淸肝流氣飮, 丹梔逍遙散 등에 澤瀉, 車前子 등을 加하고, 腎經虛火에는 知柏八味丸에 三稜, 皂角刺 등을 또는 六味地黃丸에 靑皮, 澤蘭, 桃仁, 紅花, 半夏, 貝母 등을 加하며, 脾胃蘊熱에는 淸胃散에 瓜蔞仁, 貝母, 枳實 등을 加하여 投與한다.
　　서양의학의 외골증과 과골증의 경우 자각 증상이 없으면 치료를 하지 않으나 골증식이 커서 난청 등의 증상을 유발하면 외과적인 처치를 해야 한다.
　　外治로는 硼砂酸 白降丹을 塗布한 後에 솜으로 塞耳한다.

7. 이내이물

1) 槪要

耳竅 內에 異物이나 蟲이 들어가 耳痛, 閉塞感, 異物感 등이 나타나고 심하면 耳鳴, 耳聾등이 발생하는 것으로 白蟲入耳, 飛蛾入耳, 蚰蜒入耳, 耳中有物이라 한다.
　　오늘날 외이도 내의 이물(foreign body of external

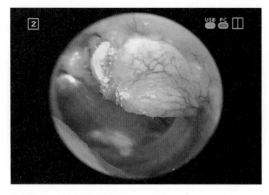

그림 2-2-8　외이도 종양

auditory canal)의 증상이다. 외이도 내의 이물은 종류와 크기에 따라 발생되는 증상이 다르나 큰 것에서는 폐색감과 난청, 동통 등을 유발하며, 유생물일 경우에는 외이도 내에서 운동을 하기 때문에 심한 동통과 잡음으로 고통을 많이 호소하게 된다. 이물의 제거는 작은 것은 이 세척으로 가능하나 콩 같은 것이 습기로 인해 커져 있으면 알코올로 탈수하여

용적을 작게 한 후에 adrenalin을 주입하여 외이도의 충혈을 소퇴시켜서 적출한다. 이물을 제거할 때에는 주로 forceps를 주로 사용하며 글리세린을 소량 주입하면 더욱 편리하며, 특히 유생물일 경우에는 먼저 알코올, 에테르를 넣어서 죽인 후에 이물겸자(異物鉗子)로 제거한다. 숙련된 시술이 필요하며 잘못 처리할 경우에는 외이도 내로 더욱 깊숙하게 들어갈 수 있으므로 주의하여야 한다[그림 2-2-9].

8. 고막염

1) 槪要

대체로 고막의 염증 소견은 중이 혹은 외이의 염증에 병발하며 고막의 원발성 국한성 염증은 드물다. 다른 복합증상 없이 순수하게 이통을 호소하는 것은 고막 질환, 특히 급성 고막염의 특징이라고 할 수 있다. 심한 경우 고막에 수포를 형성할 수 있다.

2) 病因病理

(1) 고막이 손상된 후 邪毒에 재차 감수되면 邪氣가

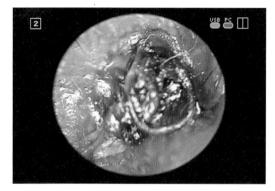
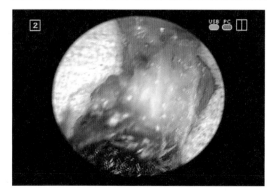

그림 2-2-9 이내이물

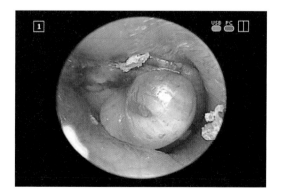

그림 2-2-10 고막염

고막에 정체되므로 발생한다.

(2) 肝膽에 열이 쌓여서 경락을 따라 上炎하면 熱이 鼓膜에 울체되어 발생한다.

3) 臨床症狀

(1) 사계절 모두 발생할 수 있으며, 연령에 상관없이 고르게 발생한다.

(2) 발병이 비교적 빠르며, 患耳에 동통과 가벼운 이명, 중청감이 발생한다. 수포성 고막염으로 진행하는 경우 돌발적으로 耳深部에 지속적으로 극렬한 刺痛 및 脹痛이 생기는데 耳廓을 끌어당기거나 耳屛을 압박할 경우 통증이 심해지고 더욱 심할 경우 耳痛이 머리까지 이어지며, 귀 안이 막힌 느낌이며, 이명이 생기고 가벼운 청력감퇴가 발생한다. 수포는 장액성 혹은 혈성 용액으로 차 있을 수 있다.

(3) 고막의 색은 紅色 또는 淡紅色이며, 고막 상부에 더욱 현저하게 나타난다. 증상이 심하면 고막 전체가 紅色으로 종창되어 부위구분이 어렵거나 혹은 고막 내 수포가 발생한다. 고막과 고막에 가까운 외이도 피부에 紅腫이 생기며, 고막 뒤 상방에 1개에서 여러 개의 홍색, 자색 혈괴가 생기는데, 혈괴가 터지면 표면에 壞亂이나 血痂가 보인다. 천공은 없다.

(4) 체온이 약간 높거나 정상이다[그림 2-2-10].

4) 辨證施治

(1) 內用藥療法

① 風熱客襲證
병의 초기에 나타나고 병세가 急하고 耳痛이 약간 있고 耳膜이 淡紅하며, 惡寒發熱하고, 舌尖紅, 苔薄

黃하다. 消風淸熱, 解毒消腫하니 五味消毒飮加減 등을 사용한다.

② 肝膽蘊熱證
병이 중한 경우이고, 耳痛, 耳鳴, 重聽, 고막이 전체적으로 鮮紅으로 腫脹되고 急躁易怒, 發熱하며 舌紅苔黃, 脈弦數하다. 淸泄肝膽, 消腫止痛하니 梔子淸肝湯加減을 사용한다.

(2) 외용약요법
黃連液을 귀에 몇 방울 떨어뜨리거나 또는 耳炎靈을 떨어뜨려서 淸熱消腫止痛시킨다.

5) 調理豫防

(1) 외이도에 이물이나 귀지를 깨끗이 청소한다.

(2) 부식성 물질이 귀에 들어가는 것을 방지한다.

(3) 病情의 변화를 주의하여, 中耳炎으로 轉變하는 것을 방지한다.

(4) 매운 음식과 육류를 삼간다.

(5) 유행성 감기를 예방하고, 耳部의 위생에 주의하여 患耳의 반복적인 感邪를 방지한다.

(6) 耳痛이 심한 자는 진통제를 사용할 수 있다.

(7) 血疱를 터트려야 할 경우에는 고막이 穿孔되지 않게 하여 邪毒이 中耳로 들어가지 않도록 막는다.

中耳疾患

한의학은 눈에 보이는 현상을 파악하는 학문이었으므로 오늘날의 중이질환은 한의학 문헌에서 찾아보기 어렵다. 예를 들어 오늘날의 삼출성 중이염 같은 경우는 중이질환이 아니고 이명, 이통, 이중청 등의 범주에서 찾아야 할 것이다.

따라서 중이질환 부분에서는 오늘날 질환을 중심으로 설명하고자 한다.

급성 중이염 急膿耳, 膿耳, 聹耳

급성 삼출성 중이염 急耳瘁, 耳脹痛

만성 삼출성 중이염을 耳瘁, 耳脹閉

만성중이염을 慢膿耳, 膿耳, 耳疳, 耳濕, 聹耳의 범주로 본다.

1. 중이염

중이염은 이비인후과나 소아과를 찾아오는 환자 중에서 상기도염 다음으로 높은 빈도를 차지하는 질환이다. 중이염은 모체로부터 받은 면역성이 소실되는 시기로 알려진 생후 6개월이 지나면 발병률이 급격히 증가하기 시작하여 3세경까지는 약 70%의

유·소아가 적어도 한 번 이상 앓는다고 알려져 있다. 3세가 넘어 감염에 대한 면역기능이 증진되면 발병률이 점차 감소하기 시작한다.

유·소아의 이관의 구조는 성인에 비하여 상대적으로 더 넓고 짧으며 수평에 가까워 이관을 통해 역류 감염되기 쉬우며, 이관의 개폐에 관여하는 이관연골이나 연구개의 긴장과 이완 작용을 하는 근육의 발달이 미숙하기 때문에 중이염이 발생할 확률이 높아진다. 항생제의 발달 이후에 중이염의 급성 합병증, 특히 두개강 내의 감염 등은 많이 감소하였으나, 중이강 내 저류액의 잔류나 유칙으로 인한 청력장애 등의 만성 합병증은 오히려 증가하고 있는 실정이다.

한의학에서는 耳膜이 潰破되고 耳竅 內에서 膿液이 지속 혹은 간헐적으로 流出되는 질환으로 膿耳라 한다.

1) 急性 中耳炎

(1) 槪要

계절적으로는 겨울과 초봄 사이에 가장 많이 발병

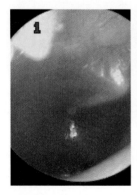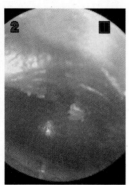

그림 2-3-1 급성중이염

하며, 담배를 피우는 가족이 있는 가정에서 자라거
나 끙해기 심한 환경에서 생활하는 아이들의 발병
률이 높다. 알레르기 체질인 경우, 면역기능이 저하
되어 있는 경우, 유치원에 다니는 소아의 경우 발병
률이 높다.

한의학에서는 急膿耳, 膿耳, 聤耳라고 한다.

(2) 病因病理
바이러스나 세균 등의 감염, 이관의 기능부전, 알레
르기, 환경적 · 유전적 요소가 상호 복합적으로 작
용해 중이염이 발병한다고 생각된다.

이관의 분비기능과 보호기능이 저하되면 상기
도 감염 시 상기도 점막의 미생물에 의해 이관과 중
이점막이 쉽게 감염될 수 있다. 임상적으로 바이러
스에 의한 상기도염이 수일 후에 중이염을 일으키
는 경우가 흔한데, 이것은 바이러스 감염 후 이차적
으로 세균감염이 발생한 것이다.

한의학적 원인: 肝膽에 체질적으로 濕熱이 많은
데 다시 濕熱邪에 감수되어 濕熱이 上蒸하여 耳脈
에 壅滯하고 氣血을 燔灼하니 腐肉하며 膿이 찬다.

(3) 臨床症狀
초기에는 이폐색감과 압박감 등이 있다가 맥박과

일치하는 박동성의 이통이 나타난다. 영아는 보채
고 울거나 귀를 잡아당기는 시늉으로 이통을 호소
할 수 있다. 염증의 정도에 따라 발열이 있으며, 고
막이 천공되어 배농이 일어나면 곧 이통이 없어지
면서 열이 떨어진다. 이소골 주변, 정원창과 난원창
부근의 점막에 고도의 종창이나 삼출물로 인한 전
음성 난청이 나타나며, 드물게 정원창을 통해 염증
이 내이로 파급되어 감각신경성 난청이 동반되기도
한다. 기타 증상으로 저음의 박동성 이명이나 드물
게 어지럼증, 안면신경마비, 이개후부 종창 등이 나
타날 수 있고 급성 염증기에는 두통, 식욕부진, 구
토, 설사, 불안감 등의 전신증상이 나타날 수 있다.

중이염의 병변은 다음의 5기로 나눌 수 있다.

① 제 I 기(발적기 stage of hyperemia): 고막이 전
체적으로 발적되어 광추(cone of light)가 소
실되며, 중이강 내에 장액성의 삼출액이 고인
다.

② 제 II 기(삼출기 stage of exudation): 중이강 내
에 농성 혹은 점액농성 삼출액이 차고 고막이
팽창하여 이통이 가장 심해지고 발열 등의 전
신증상이 나타난다.

③ 제 III 기(화농기 stage of suppuration): 삼출액
의 압력이 증가하여 고막이 자연 천공되면서
농성 이루가 생기고 심한 이통과 발열은 소실
되나 전음성 난청은 더욱 심해진다.

④ 제 IV 기(융해기 stage of coalescence): 화농이
계속되어 육아조직과 농이 차서 압력이 높아
지면 주변 골에 골미란(osteoclastic erosion)을
일으켜 공동(cavity)이 생긴다. 농성 이루가 계
속되고 유양돌기부에 통증이 있으며, 미열이
있고 백혈구도 증가하며 심한 난청이 유발된
다.

⑤ 제 V 기(합병증기 stage of complication): 세
균에 ㅋ의한 염증이 중이나 유양돌기 밖으로

퍼져나가 합병증을 일으키는 시기이다[그림 2-3-1].

(4) 辨證施治

① 內服藥療法

• 風熱壅阻證

鼓膜이 穿孔되기 전에 많이 볼 수 있다. 갑자기 귀 안에 답답한 느낌이 있고 극렬한 통증이 있으며 심하면 搏動性 痛症이 머리까지 이어지고 聽力이 減退된다. 鼓膜이 鮮紅色으로 부어오르거나 소량의 膿液이 삼출된다. 惡寒發熱, 全身無力, 鼻塞涕黃이 있고 영아의 경우 야간에 귀를 건드려 심하면 高熱과 驚風이 나타나기도 한다. 舌尖紅, 苔薄黃, 脈浮數한다. 淸熱解毒, 消腫止痛하며 解表를 겸해야 하므로 五味消毒飮合銀翹散加減을 사용한다. 귀 안에 강렬한 통증이 있으면 赤芍藥, 牧丹皮 등을 加한다. 高熱이 있으면 生石膏를 加한다. 귀 안으로 극렬한 통증이 멈추지 않고 鼓膜에 鮮暗色의 부풀어 오르는 것이 뚜렷하며 高熱과 頭痛이 있는 경우에는 仙方活命飮加減을 合하여 사용한다.

• 肝膽濕熱證

成膿期 혹은 潰膿期 볼 수 있다. 귀 안에 격렬한 통증이 있고 聽力이 감퇴하며 耳鳴이 있다. 鼓膜은 鮮暗色으로 부풀어 오르는 것이 뚜렷하거나 귀 안의 膿은 黃色으로 粘稠하며 양이 많다. 膿이 나오면 증상이 경감된다. 鼓膜은 紅腫하고 穿孔된다. 發熱頭痛, 口苦咽乾, 便秘尿赤, 舌紅 苔黃膩, 脈弦數한다. 淸泄肝膽, 燥濕排膿해야 하므로 龍膽瀉肝湯加減을 사용한다. 黃色의 끈끈한 많은 膿이 흐르면 苦蔘, 蒲公英 등을 사용한다.

② 外用藥療法

• 鼓膜이 빨갛게 붓고 穿孔이 되지 않으면 氷酒液을 점적한다.

• 鼓膜이 穿孔되어 膿液이 흐르면 먼저 과산화수로 膿液을 닦아 내고, 耳炎靈이나 黃連液을 귀에 점적한다.

• 鼻塞이 있으면 1% 麻黃液이나 鼻炎靈을 점적한다.

③ 鍼灸療法

• 體鍼療法: 聽宮, 聽會, 翳風, 外關, 合谷, 曲池를 强刺戟한다.

• 耳鍼療法: 耳中, 內分泌, 肺, 肝, 膽点에 刺針하거나 埋鍼한다.

(5) 後遺症과 合併症

대부분의 급성 중이염은 2-4주 내에 완치되나, 고막 천공, 석회침착, 전음성 또는 감음성 난청 등의 후유증을 남길 수 있고, 삼출성 중이염이나 만성 중이염으로 이행하기도 한다.

두개 외 합병증으로 급성 유양돌기염, 안면신경마비, 미로염 등이 있고 두개 내 합병증으로는 뇌수막염, 측두엽 농양, 두개 내 농양, 소뇌농양, 횡정맥농 혈전증 등이 있다.

2) 滲出性 中耳炎

(1) 槪要

삼출성 중이염(otitis media with effusion)은 이통이나 발열 등의 급성 증상이 없이 중이강 내에 삼출액이 고이는 중이염의 일종으로, 급성 중이염에 속발하거나 감염이 없이도 생길 수 있다. 중이강 내 삼출액 저류의 평균 지속기간은 23-40일이며, 급성 중이염 환아의 2/3에서 삼출성 중이염이 속발한다. 중이강 내 삼출액이 3개월 이상 지속되는 경우 만성 삼출성 중이염이라 하고, 이 경우는 수년간 추적 관찰하여도 자연 완해율이 20~30%에 불과하다. 1980년대 이후로는 우리나라에서도 고막천공이 없는 삼출성 중이염이 점차 늘어나고 있다. 특히 유·소아의 발생빈도가 매우 높으며 성인의 빈도도 높아졌다.한의학에서는 급성 삼출성 중이염을 急耳痺, 耳脹痛이라고 하고 만성 삼출성 중이염을 耳痺, 耳脹閉라고 한다.

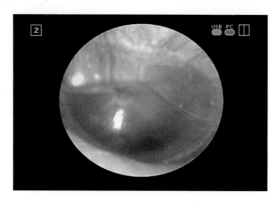

그림 2-3-2 급성 삼출성 중이염

(2) 病因病理

삼출성 중이염의 병인은 이관의 기능장애로 인한 중이강의 환기장애이다. 중이강 안에 갇혀 있는 공기가 점막을 통해 흡수되어 중이강에 음압이 조성되고, 이로 인해 고막이 내측으로 함몰되며 중이점막에서는 부종과 혈관의 팽창으로 모세혈관의 투과성이 증가되어 삼출액이 분비되어 고이게 된다. 이러한 이관기능의 장애를 초래하는 질환으로는 급성 상기도염, 비알레르기, 아데노이드 증식, 만성 부비동염, 구개범장근(tensor veli palatini muscle)의 기능장애를 일으키는 구개열, 구개수열, 종양, 급격한 기압의 변화로 인한 기압외상(barotrauma) 등이 있다. 감염 외에 면역계의 미성숙 또는 이관기능부전, 유전적 소인, 수유방법, 성별, 인종 등과 같은 숙주인자와 집단생활이나 비위생적인 생활, 간접흡연 같은 환경적 요인, 구개파열이나 다운증후군, Apert 증후군, 점다당질증(mucopolysaccharidosis) 등과 같은 이관기능부전을 동반하는 해부생리적 요인 등이 있다.

(3) 臨床症狀

① 급성 삼출성 중이염

급성적으로 오는 경우 주로 감기와 동반되므로 겨울과 봄에 많다. 전음성 난청과 이명이 있을 수 있고 이폐색감이나 자신의 음성이 크게 울려 들리는 자성강청(autophonia) 등이 나타난다. 유·소아가 TV 소리를 높이거나 TV를 가까이에서 보려고 하는 행동, 수업 중 주의산만 등이 청력장애의 신호가 될 수 있으며, 학교에서의 정기 신체검사에서 우연히 발견되기도 한다.고막소견은 鼓膜이 內陷하고 광택이 소실되어 淡紅色을 나타내거나 鼓膜邊연 혈관이 放射狀의 확장된다. 鼓室에 渗出液이 쌓이면 삼출액 선이 머리 위치에 따라 변동되며 鼓膜穿刺를 하면 淡黃色의 액체가 나온다[그림 2-3-2].

② 만성 삼출성 중이염

계절에 관계없게 발생하고 주로 急性 非化膿性 中耳炎의 병력을 가지고 있다.귀가 답답하고 터질 것 같으며 막힌 느낌이 있고 聽力이 점진적으로 감퇴한다. 자성강청하고 저음의 耳鳴이 나타나기도 한다.

고막소견은 鼓膜이 內陷, 混濁하면서 增厚해지며 暗淡하거나 灰白色을 나타낸다. 소수의 경우에 鼓膜이 위축되는 경우도 있다. 鼓室에 渗出液이 있으면 鼓膜의 色이 淡黃色이 되고 穿刺하면 점액성의 액체가 나온다[그림 2-3-3].

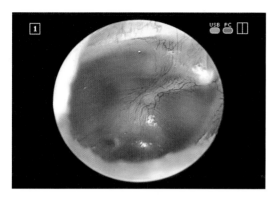

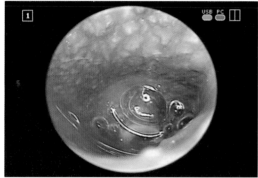

그림 2-3-3　만성 삼출성 중이염

(4) 辨證施治

① 급성 삼출성 중이염 內服藥用法

• 風熱濕滯證

갑자기 귀가 답답하고 터질 듯하며 聽力은 減退하지만 자성강청 증상이 나타난다. 耳鳴이 바람소리처럼 들리고 고막은 淡紅色으로 內陷한다. 병이 나타나기 전에 감기에 걸린 병력이 있는 경우가 많다. 發熱頭痛, 鼻塞涕黃, 舌尖紅, 苔薄黃, 脈浮數한다. 疏風淸熱, 行滯通竅해야 하므로 銀翹散合通氣散加減을 사용한다. 鼻塞이 있으면 辛夷花를 加하고, 耳痛이 있으면 赤芍藥을 加하고, 귀가 답답하고 터질 듯한 것이 심하면 絲瓜絡을 加한다.

• 膽經鬱熱證

귀 안이 갑자기 답답하고 터질 것 같으면서 조금 아프다. 마치 꽉 차 있는 듯 답답하고 聽力이 감퇴하며 耳鳴이 매우 크게 들린다. 鼓膜은 淡紅色을 나타내며 內陷하고 주위 혈관이 확장한다. 頭痛, 口苦咽乾하며 寒熱往來가 나타나기도 하며 舌邊紅, 苔黃, 脈弦數한다. 淸泄膽熱, 行痺通竅해야 하므로 小柴胡湯合通氣散加減을 사용한다. 귀 안에 滲出液이 있으면 通草, 茯笭, 猪笭 등을 加한다.

• 肝膽濕熱證

귀 안이 답답하여 막힌 것 같고 터질듯 아프며 청력이 감퇴되고 耳鳴이 조수와 같다. 鼓膜은 紅色으로 內陷하거나 바깥으로 돌출한다. 頭痛頭脹, 急躁易怒, 口苦咽乾, 舌紅苔黃膩, 脈滑數한다. 淸泄肝膽, 利濕通竅해야 하므로 龍膽瀉肝湯加減을 사용한다. 鼓室에 滲出液이 차 있으면 茯笭, 澤瀉를 加하고, 耳脹痛 하면 赤芍藥, 牧丹皮, 川芎 등을 加한다.

② 만성 삼출성 중이염 內服藥用法

• 邪滯血瘀證

귀 안이 답답하여 막힌 것 같고 때로 刺痛이 있다. 聽力이 떨어지고 耳鳴이 나타날 수 있다. 鼓膜이 灰暗色 혹은 暗紅色을 띠며 점점 두터워지면서 內陷이 뚜렷해진다. 頭昏頭悶, 胸脇悶脹刺痛, 舌暗 혹 瘀点이 있고 脈緩 혹 澀한다. 活血化瘀, 通絡導滯해야 하므로 通竅湯合通氣散加減을 사용한다. 鼓室에 滲出液이 비교적 끈끈하면 通草, 茯笭을 加한다. 鼓膜의 內陷이 뚜렷하면 升麻, 葛根을 加한다.

• 脾虛濕困證

귀가 막힌 것처럼 답답하고 聽力이 떨어지며 마치 물이 흐르는 것 같은 소리의 耳鳴이 나타난다. 머리가 昏重한 것이 오랫동안 지속된다. 鼓膜이 灰白色으로 混濁하며 두터워지고 內陷이 비교적 심하다. 鼓室에 滲出液이 쌓여 시간이 지나도 없어지지 않는다. 권태롭고 기운이 없으며 밥을 먹지 못하고 大便이 무르다. 舌淡胖, 苔白 혹 白膩, 脈緩弱한다. 健脾化濕, 升淸聰耳해야 하므로 補中益氣湯加減을 사용한다. 中耳에 滲出液이 쌓여 오래 되어도 없어지지 않으면 茯苓, 猪苓, 澤瀉를 加한다. 脾虛가 腎까지 영향을 끼쳐 寒氣를 싫어하고 小便이 淸白하고 腰膝冷痛하고 귀가 시리면 金匱腎氣丸을 사용한다.

③ 鍼灸療法

- **耳鍼療法**

內耳, 外耳, 神門, 內分泌, 肺, 膽, 肝, 內分泌點등을 鍼刺하거나 埋針을 사용한다.

- **體鍼療法**

聽宮, 聽會, 耳門, 翳風, 合谷, 內關 등을 강하게 자극한다.

- **艾灸療法**

耳門, 聽宮, 聽會, 翳風穴에 溫灸한다.

(5) 기타

치료의 목적은 청력의 회복과 더불어 만성화로 인한 합병증의 예방으로 상기도 염증이나 만성 부비동염, 알레르기 등이 원인일 경우 이를 먼저 치료해야 하고, 간접흡연이나 집단생활 또는 비위생적인 생활 등의 환경요인들을 개선해야 한다. 만약 중이강 내 삼출액 저류가 발생한 지 6주 이내이고 급성 염증 소견이 없는 경우 특별한 치료 없이 1-2주까지 추적관찰

한다. 이는 중이강 내 삼출액의 60%가 1개월 이내에 자연 소실되고, 80%가 2개월 이내에 사라지며, 90%가 3개월 이내에 자연 완해되기 때문이다[표 2-3-1].

표 2-3-1. 조기에 수술치료를 해야 하는 경우

양측성 병변
양측성 난청
언어발달 지연
행동장애
고막의 구조적 변화
항생제 알레르기
급성 중이염이 재발할 위험성이 높을 때

3) 慢性中耳炎

(1) 槪要

만성 중이염은 고막이 천공된 소견을 보이는 천공성(비진주종성) 만성 중이염과 고막의 천공 유무와 관계없이 진주종 형성이 나타나는 진주종성 만성 중이염으로 나뉜다. 최근 한국인의 중이염 유병률을 조사한 연구에서 전체 중이염의 유병률은 2.85%, 만성 중이염의 유병률은 2.19%로 보고되었다고, 만성 중이염에서는 천공성 만성 중이염이 71.7%, 진주종성 만성 중이염이 22.8%를 차지하였다. 한의학에서는 慢膿耳, 膿耳, 耳疳, 耳濕, 聤耳라고 한다.

(2) 病因病理

급성 중이염에서 만성화되는 요인

① 원인균의 독성 즉 성홍열, 홍역, 디프테리아, 인플루엔자, 대장균 등은 독성이 강하여 괴저성으로 나타난다.

② 선천적 또는 유아기의 중이감염으로 함기봉소의 발육이 억제된 경우에 나타난다.

③ 연소자 및 노약자에서의 전신 저항력이 감퇴되

는 경우에 나타난다.

④ 이관, 비강, 부비동, 인두, 편도 등에 기능장애가 있는 경우에 나타난다.

⑤ 부적절한 치료.

⑥ 진주종이 형성되는 경우와 결핵성 중이염, 상고실형 중이염 등에서 더욱 더 만성화의 경향이 크다. 이외에 전신적 저항력의 약화가 크게 좌우되며 최근에는 항생제의 남용으로 저항성을 가진 균이 많으므로 만성화되는 경우도 많다.

(3) 臨床症狀

① 중이점막이 충혈, 침윤, 비후화되었고 육아 또는 용종이 발생되며 반대로 결체 조직화되어서 반흔이 생기고 이소골과 주위 골조직이 괴저의 경과를 밟게 된다.

② 고막의 천공은 반드시 나타나는 증상으로 화농이 중지되면 반흔으로 폐쇄되거나 천공된 상태로 나타나고, 천공의 위치와 크기가 예후와 치료에 있어서 의의가 있어 임상적으로 매우 중요하다. 중심성 천공은 주로 점막화농을 의미하고, 변연성 천공은 골화농과 외이도로부터 상피의 침입을 나타내는 동시에 진주종 형성의 가능성을 보여주며 때로는 두개 내두개 내 합병증의 발생도 예측하게 한다. 고막의 천공연이 적색을 띠면 농의 배설에 따르는 자극에 의한 것이고, 천공연이 백색을 보이면 상피의 침입을 의미한다. 천공의 위치에 따라서는 이관부의 천공은 고막의 전하방에 천공이 있고 병변은 이관 가까이에 있으며 묽은 점액농성 이루가 나오게 되고 비 및 비인강의 병변에서 이관의 감염으로 자주 유발되는 경향을 보인다. 중고실의 천공은 병변이 주로 고실에 있고 천공은 중심성으로 비교적 크며 이루는 점액농성이거나 농성이고, 상고실의 천공은 고막 긴장부의 후상방에 변연성 천공이나 이완

부의 천공을 보이며 병변은 상고실에 있고 이루에서 악취가 나며 진주종이 형성될 가능성이 있다. 이외에도 고실 주위의 조직, 즉 내이, 수막, 정맥동, 안면신경, 뇌 등에 병변이 파급되는 중증형도 있는데 이것은 주로 진주종을 형성하고 있다.

③ 사계절에 모두 발병하고 여름과 가을에 자주 재발한다. 청소년기에 많다.

④ 귀 안으로 장기간 혹은 간헐적인 膿이 흐르는데 膿의 냄새가 있을 수도 있고 없을 수도 있으며 양도 일정치 않다. 이루는 만성 중이염 환자에서 가장 흔히 나타나는 증상이다. 진주종성 중이염에서 이루의 양은 비진주종성 중이염에서보다 적은 경우가 흔하며 특히 상고실 함몰 초기 상태에서는 환자가 거의 느끼지 못할 정도로 미미하다.

⑤ 청력장애는 대부분 전음성 난청이며, 합병증으로 미로염이 동반되면 혼합성 난청이나 경우에 따라서 감각신경성 난청이 나타난다.

⑥ 이통은 만성 중이염 환자에서 드물게 나타나는 증상이지만, 통증을 호소하는 경우는 육아종이나 폴립 등으로 분비물의 배출이 막혀 고여 있는 상태를 의미하므로 측두골내 혹은 두개 내 합병증이 발생할 가능성이 있다.

⑦ 현훈을 호소하면 골미로에 누공이 발생했을 가능성이 많으며, 진주종으로 인한 수평반규관 미란이 미로누공의 가장 흔한 원인이다.

(4) 辨證施治

① 內服藥療法

- **濕熱蘊結證**

귀 안으로 黃色의 끈끈한 膿이 있거나 혹은 黃色의 粘水와 같고, 냄새는 나기도 하고 안 나기도 하는데 때에 따라서 흐르기도 하고 멈추기도 한다. 鼓膜은 紅色 혹은 暗紅色이고 穿孔이 있다.

머리가 무겁고 어지러우며 口苦粘膩하고 舌紅苔黃膩, 脈濡數한다. 淸熱燥濕, 解毒排膿해야 하므로 萆薢滲濕湯加減을 사용한다. 입이 쓰면 黃芩을 加하고, 黃色의 膿이 많이 나오면 蒲公英을 加한다.

- **脾虛濕困證**

귀 안으로 白色의 끈끈한 膿이 있다. 또는 물처럼 맑은 膿이 흐르기도 하는데 냄새는 없고 때에 따라서 많기도 하고 적기고 한다. 聽力이 減退되고 머리가 어지럽거나 무겁고 鼓膜이 白色으로 약간 부풀어 오르면서 穿孔된다. 疲困하고 힘이 없으며 舌淡胖, 苔白 或 白膩, 脈緩弱한다. 健脾益氣, 化濕托膿해야 하므로 托裏消毒散加減을 사용한다. 脾虛하고 濕熱을 겸한 경우에는 黃色의 탁한 膿이 다량으로 흐르는데 이런 경우에는 車前子, 黃連을 加한다.

- **脾腎陽虛證**

귀 안으로 맑은 물 같거나 灰白色의 膿이 흐르는데 오래되어도 낫지 않는다. 耳鳴, 耳聾이 있고 鼓膜이 白色으로 穿孔되며 鼓室에 瘜肉이 있을 수도 있다. 腰膝冷痛, 小便淸白하고 便溏, 五更泄瀉, 舌淡苔白, 脈沈遲한다. 溫腎健脾, 散寒化濕해야 하므로 溫腎健脾湯加減을 사용한다. 鼓室 안으로 瘜肉이 있으면 僵蠶, 浙貝母를 加한다.

- **腎陰虧虛證**

耳內에 黃色의 탁하고 끈끈한 膿이 있는데 黑水와 같거나 혹은 두부 찌꺼기 같다. 양은 적고 냄새가 많이 나거나 惡臭가 난다. 鼓膜이 穿孔되어 주위가 약간 紅腫하고 오래되어도 없어지지 않는다. 乳樣突起의 뼈가 손상된 흔적이 있고 頭暈, 耳鳴, 耳聾, 腰膝酸軟, 手足心熱, 舌紅少苔, 脈細數한다. 滋陰補腎, 降火托毒해야 하므로 知柏地黃湯加減을 사용한다. 陰虛에 濕熱이 겸한 경우 黃色의 냄새나는 膿이 많이 흐르며 鼓室에 긴 紅色의 肉芽나 瘜肉이 있고 苔黃膩한 경우에는 生薏苡仁, 車前子, 黃連을 加한다.

② **鍼灸療法**

- **耳鍼療法**: 內耳, 肝, 膽, 脾, 腎, 內分泌, 腎上線点을 刺鍼하거나 埋鍼한다.
- **體鍼療法**: 聽宮, 聽會, 翳風, 足三里, 三陰交, 脾俞, 腎俞 등의 穴을 虛補邪實한다.
- **艾灸療法**: 脾腎虛損證의 경우 脾俞, 腎俞, 足三里, 三陰交, 聽會, 聽宮 등의 穴에 溫灸한다.
- **약침요법**: 聽宮, 聽會, 翳風, 耳門, 完骨에 주입한다.

4) 眞珠腫

진주종은 점막으로 구성된 중이강 내로 각화된 편평상피가 침입하여 각질을 축적하면서 주위의 골조직을 파괴하는 질환이다.

만성 중이염이 있을 경우에 중이 내에 발생하는

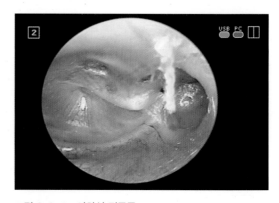

그림 2-3-4 이차성 진주종

회백색의 광택을 가진 종양성 물질로 형태가 진주와 같다 하여 진주종성 중이염이라 하였다. 형태는 결체조직성의 피낭으로 싸여 있으며 내부에는 각질로 변한 편평상피가 중첩 충만되어 있고 콜레스테롤을 함유하고 있다. 분류는 진성 진주종과 가성 진주종으로 나누고 가성은 다시 일차성과 이차성으로 구별한다. 중이 진주종의 발생 원인은 아직 밝혀져 있지 않으나 일반적으로 선천적인 요인이나 때로는 후천적인 요인으로 발병한다고 알려져 있다.

(1) 진성 진주종
중이염과 관계없이 두개저에서 볼 수 있고 태생기의 표피아(表皮芽)의 미입(迷入)으로 발생된다.

(2) 가성 진주종
후천성 신주종으로 중이질환과 관련이 밀접하다.
① 일차성 진주종: 흔하게 발생되지 않으며 중이내압의 저하에 따라서 상고실의 음압에 의한 고막의 이완부가 내몰되고 여기에 케라틴이 축적되어 나타난다.
② 이차성 진주종: 주로 중이질환과 병발하여 나타나는 이차성 진주종은 고막의 변연성 천공, 특히 이완부의 천공으로 유발된다[그림 2-3-4].

2. 이관기능부전

1) 槪要

이관은 중이강과 비인강을 연결하는 통로로 중이강과 대기의 압력이 같도록 조절하는 환기기능(ventilation), 유양동과 중이강 점막에서 분비되는 분비물을 비인강으로 내보내는 배출기능(drainage), 이관을 통해 역류하는 오염을 방지하는 방어기능

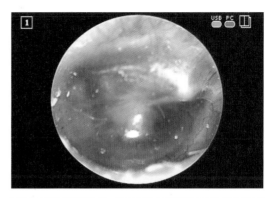
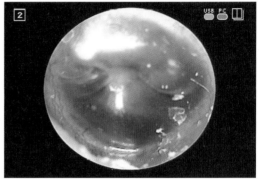

그림 2-3-5 항공성 중이염

(protection)을 가진다.

이관기능부전은 개방성이관과 이관협착증으로 분류한다. 개방성이관은 이관이 닫혀 있어야 할 순간에도 열려 있는 상태를 말한다. 이관협착증은 이관이 닫힌 상태로 유지되는 것을 말한다. 기능적인 경우와 기계적인 경우로 분류하며, 기능적인 경우는 성장에 관계되어 늦어도 사춘기 이후 개선되는 경향이 있고 기계적인 경우는 이관의 외부 또는 내부 병변으로 이관이 막혀 기능을 못하는 경우이다. 특히 감염이나 알레르기 등의 이관점막 염증으로 성인에 있어서 편측성으로 이관통로가 막히는 경우가 내부병변으로 인한 기계적인 이관협착에서 가장 흔하다[그림 2-3-5].

2) 病因病理

(1) 외부 사기가 폐를 침범하여 폐기가 막히거나 혹은 오래된 병으로 폐를 상하게 하여 폐의 宣降기능이 실조되면 耳咽開闔不收가 된다.

(2) 과로로 脾胃가 상하여 비위가 허약해지면 升降이 실조되어 耳咽開闔不收가 되어 濁氣가 귀에 차게 된다.

(3) 情志失調하면 肝鬱氣滯하고 氣機不暢하여 咽鼓管의 開合이 失調되어 항상 열려있게 된다.

(4) 체중이 갑자기 감소했던 병력이 있다.

3) 臨床症狀

성인에게 호발하고 이 내 창만감 혹은 폐색감이 있고, 자성강청, 자기의 호흡소리를 듣게 되고, 바람소리와 같은 이명이 들리는데 그 리듬이 호흡과 일치하며, 반듯이 눕거나 머리를 아래로 하면 잠시 증상이 줄어들거나 소실된다. 이경으로 검사할 경우 고막이 호흡에 따라 움직임을 볼 수 있다.

4) 辨證施治

(1) 內用藥療法

① 肺失宣降證
귀에 창만감을 느끼며 본인의 호흡소리가 들리고, 바람소리 같은 耳鳴이 들리고, 기침하게 된다. 舌尖紅, 苔薄黃, 脈浮有力하다. 清宣肺熱, 肅降肺氣하니 麻杏石甘湯加減을 사용한다. 肺熱盛하여 呼氣에 열기를 느끼며 기침가래의 색이 黃色인 경우 黃芩을 加한다. 오래된 병후에 肺虛하여 自汗乏力하고 쉽게 감기에 걸리며 舌淡苔白, 脈浮無力한 자는 生石膏를 빼고 玉屏風散을 合方하여 益氣斂肺한다.

② 脾虛清陷證
귀가 막힌 느낌이 들며, 바람소리 같은 이명이 들리고 서 있으면 심해지고 누우면 증상이 줄어들며, 頭昏頭重하고, 倦怠乏力하며, 舌淡苔白, 脈緩弱하다. 健脾益氣, 升淸降濁하니 補中益氣湯加減을 투여한다.

③ 肝鬱氣滯證
귀가 막힌 느낌이 들며 바람소리 같은 이명이 들리고 정신이 긴장하거나 마음이 편하지 않을 경우에 증상이 더욱 심해진다. 마음이 답답하고 조급하며 胸脇悶脹하고 失眠, 頭痛, 舌淡紅, 脈弦하다. 疏肝解鬱, 行氣除腸하니 柴胡疏肝散加減을 사용한다. 마음이 납납하고 쉽게 화를 내는 자는 梔子, 牧丹皮를 加한다.

5) 調理豫防

(1) 체질을 개선하며, 전신만성질환을 근본적으로 치료한다.

(2) 너무 세게 코를 풀어서 콧물이 귀로 들어가는 것을 방지한다.

(3) 마음가짐을 편안하게 한다.

(4) 귀가 막히거나 이명이 심한 자는 누워 있거나 머리를 아래로 하는 자세를 취한다.

3. 유양돌기염

1) 槪要

한의학에서 耳根毒이라고 한다. 급성 중이염 이후 발생하며 대개 소아에서 볼 수 있다.

2) 病因病理

(1) 급성 유양돌기염

주로 急膿耳를 失治, 惡治하여 발생하거나 邪氣가 盛하고 正氣가 弱해서 濕熱火毒이 귀 뒤쪽의 完骨에 침범하고 骨肉이 손상되어 생기는 병이다.

(2) 만성 유양돌기염

① 急性中耳炎을 失治하여 濕熱이 계속 머물거나 耳內에 蘊積하여 발생한다.
② 邪毒이 머물러 脾胃를 손상하고 氣血이 不足하여 濕邪가 귓구멍을 侵襲하여 발생한다.
③ 脾腎虛損하여 귀가 溫養을 잃어 寒濕이 귀에 정체되기 때문이다.
④ 邪氣가 腎을 傷하여 腎陰이 虧虛하고 虛火가 灼耳하여 邪氣가 骨肉을 蝕하여 발생한다.

3) 臨床症狀

(1) 급성유양돌기염

주로 아동이나 체질이 비교적 약한 사람의 경우에 발생하는데 急性 化膿性 中耳炎으로 鼓膜에 穿孔이 생긴 후 耳痛이 減少하지 않고 聽力이 회복되지 않으며 頭痛이 나타나고 이루가 증가하고 발열이 지속된다. 外耳道에 膿이 쌓여 膿을 세정한 이후 증상이 심해지며 鼓膜이 穿孔되어 膿液이 搏動性으로 湧出한다. 外耳道 상벽의 뼈끝이 下垂한다. 乳樣突起 표면을 누르면 壓痛이 있다.

이후부의 발적과 종창이 심해져 이개가 앞으로 돌출되어 보이고 이루도 반복적으로 배출되고 양도 많아진다.

고막소견으로는 외이도 후벽이 많이 부어서 고막이 눌려 잘 보이지 않아

외이도염과의 감별이 어려울 때도 있다. 의심되는 경우 측두골 단층촬영으로 유돌봉소와 외벽의 염증을 확인해야 한다[그림 2-3-6].

(2) 만성유양돌기염

귀 안으로 장기간 혹은 간헐적인 膿이 흐르는데 膿의 냄새가 있을 수도 있고 없을 수도 있으며 양도 일정치 않다. 聽力이 떨어진다. 고막에는 中央性 혹은 邊緣性의 穿孔이 나타난다. 骨瘍型의 경우 鼓室 안으로 肉芽나 瘜肉이 있다. 膽脂瘤型의 경우에는 灰白色의 인설이나 두부 찌꺼기 같은 것을 볼 수 있으며 이상한 냄새가 난다. 聽力檢査上 傳音性 難聽이 나타난다. 병이 오래되면 混合性 難聽이 나타난다.

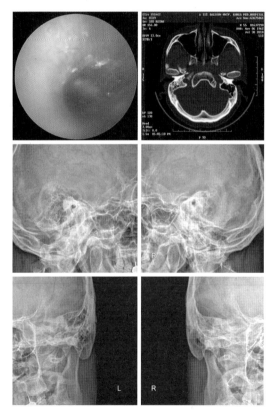

그림 2-3-6 유양돌기염

4) 辨證施治

(1) 內服藥療法

① 급성기에는 清熱燥濕, 瀉火解毒해야 하므로 龍膽瀉肝湯合黃連解毒湯加減을 사용한다. 高熱이 사라지지 않으면 生石膏를 加한다. 耳痛이 극렬하면 乳香, 沒藥을 加한다.

② 濕熱蘊結證

귀 안으로 黃色의 끈끈한 膿이 있거나 黃色의 粘水와 같고, 냄새는 나기도 하고 안 나기도 하는데 때에 따라서 흐르기도 하고 멈추기도 한다. 鼓膜은 紅色혹은 暗紅色이고 穿孔이 있다. 머리가 무겁고 어지러우며 口苦粘膩하고 舌紅苔黃膩, 脈濡數한다. 清熱燥濕. 解毒排膿해야 하므로 萆薢滲濕湯加減을 사용한다. 입이 쓰면 黃芩을 加하고, 黃色의 膿이 많이 나오면 蒲公英을 加한다.

③ 脾虛濕困證

귀 안으로 白色의 끈끈한 膿이 있다. 또는 물처럼 맑은 膿이 흐르기도 하는데 냄새는 없고 때에 따라서 많기도 하고 적기고 한다. 聽力이 減退되고 머리가 어지럽거나 무겁고 鼓膜이 白色으로 약간 부풀어 오르면서 穿孔된다. 疲困하고 힘이 없으며 舌淡胖, 苔白 或 白膩, 脈緩弱한다. 健脾益氣, 化濕托膿해야하므로 托裏消毒散加減을 사용한다. 脾虛하고 濕熱을 겸한 경우에는 黃色의 탁한 膿이 다량으로 흐르는데 이런 경우에는 車前子, 黃連을 加한다.

④ 脾腎陽虛證

귀 안으로 맑은 물 같거나 灰白色의 膿이 흐르는데 오래되어도 낫지 않는다. 耳鳴, 耳聾이 있고 鼓膜이 白色으로 穿孔되며 鼓室에 瘜肉이 있을 수도 있다.

腰膝冷痛, 小便清白하고 便溏, 五更泄瀉, 舌淡苔白, 脈沈遲한다. 溫腎健脾, 散寒化濕해야 하므로 溫腎健脾湯加減을 사용한다. 鼓室 안으로 瘜肉이 있으면 僵蠶, 浙貝母를 加한다.

⑤ 腎陰虧虛證

耳內에 黃色의 탁하고 끈끈한 膿이 있는데 黑水와같거나 혹은 두부 찌꺼기 같다. 양은 적고 냄새가 많이 나거나 惡臭가 난다. 鼓膜이 穿孔되어 주위가 약간 紅腫하고 오래되어도 없어지지 않는다. 乳樣突起의 뼈가 손상된 흔적이 있고 頭暈, 耳鳴, 耳聾, 腰膝痠軟, 手足心熱, 舌紅少苔, 脈細數한다. 滋陰補腎, 降火托毒해야 하므로 知柏地黃湯加減을 사용한다. 陰虛에 濕熱이 겸한 경우 黃色의 냄새나는 膿이 많이 흐르며 鼓室에 긴 紅色의 肉芽나 瘜肉이 있고 苔黃膩한 경우에는 生薏苡仁, 車前子, 黃連을 加한다.

(2) 外用藥療法

① 먼저 3% 과산화수소로 膿을 닦아 낸 후 耳炎靈을 사용하거나 黃連 抽出液으로 滴耳한다.
② 穿孔이 크지만 膿이 적은 경우에는 紅棉散이나 膽硼散을 귀 안으로 1일 1~2회 넣어 준다.
③ 耳蕈이나 耳痔(肉芽, 瘜肉)가 있는 경우에는 硇砂散이나 鴉膽子油를 点涂한다.

(3) 鍼灸療法

① 耳鍼療法: 內耳, 肝, 膽, 脾, 腎, 內分泌, 腎上線点을 刺鍼하거나 埋鍼한다.
② 體鍼療法: 聽宮, 聽會, 翳風, 足三里, 三陰交, 脾俞, 腎俞 등의 穴을 虛補邪實한다.
③ 艾灸療法: 脾腎虛損證의 경우 脾俞, 腎俞, 足三里, 三陰交, 聽會, 聽宮 등의 穴에 溫灸한다.

5) 調理豫防

(1) 急性化膿性中耳炎에 걸렸을 때 적절한 치료를 해야 하며 다른 합병증이 생기지 않도록

(2) 外耳道의 청결을 유지하고 耳道에 膿이 쌓이면 排膿이나 洗淨을 한다.

(3) 수영이나 잠수를 금하고 더러운 물에 들어가지 않는다.

(4) 음주를 금하고 맵고 짠 음식에 주의하며 성관계를 조심한다.

(5) 風寒을 피하고 감기에 걸리지 않으며 코가 막히지 않도록 주의한다.

內耳疾患

1. 耳鳴

1) 槪要

이명은 聲源이 없이 耳竅 內에 自覺的으로 鳴聲하는 증상을 특징으로 한다. 자각적이고 울리는 소리도 다양하여 風聲, 汽軸聲, 潮聲, 蟬聲, 鼓聲, 雷聲, 蚊噪聲, 蟻鬪聲 등과 같은 여러 소리가 자각적으로 들린다고 느끼는 질병이다. Tinnitus(이명)는 'Tinnire'라는 라틴어에서 유래한 단어로 '귀에서 들리는 소음에 대한 주관적 느낌'을 의미한다. 즉 외부로부터의 특이적 청각적 자극이 없는 상황에서도 소리가 들린다고 느끼는 상태이다. 모든 사람의 약 95%가 완전히 방음된 조용한 방에서도 20 dB 이하의 이명을 느끼지만 이런 소리는 임상적으로 이명이라 하지 않고, 자신을 괴롭히는 정도의 잡음일 때 이명이라 한다. 이명 환자가 점차 증가하고 있는 추세이지만, 현재까지 이명의 뚜렷한 원인과 그 기전은 불명확하여 정확한 진단과 치료가 어려운 실정이다.

2) 分類

이명은 여러 가지 방법으로 분류된다. 자각적 이명은 타각적 이명보다 흔하며, 환자 자신만이 들을 수 있는 자각적 반응이기 때문에 객관적인 방법으로 그 성상을 표현하기 어렵고, 발생기전 또한 불분명하므로 치료방법도 아직 뚜렷하게 확립되어 있지 않다. 타각적 이명은 자각적 이명과 달리 환자 이외의 관찰자에게도 들리는 것으로, 혈관의 이상 또는 이소골근이나 인두근의 경련으로 인한 지속적인 이관의 개방, 구개근육경련, 악관설실환 등이 원인이다.

3) 病因病理

(1) 實證

① 風熱이 侵犯되거나 情志不舒로 肝氣가 鬱結되어 肝火가 上擾하여 발생된다.

② 飮食不節, 思慮勞倦 및 膏粱厚味, 炙煿, 肥甘한 飮食, 醇酒를 過多하게 攝取하여 脾失運化로 水濕이 停聚되고 痰濕이 乃成된 것이 오래되어 痰

火가 上擾하여 淸竅를 蒙蔽하여 發生된다.

(2) 虛證

① 飮食不節, 勞役過度, 思慮過多로 脾胃가 虛弱되어서 또는 心血不足으로 耳竅를 濡養하지 못해서 發生된다.

② 素體不足 或은 久病, 大病, 房勞過多, 勞役, 老齡으로 腎精不足이 되고 髓海가 空虛해져 나타난다.

③ 腎水不足한 狀態에서 風邪 或은 外感邪熱이 侵犯해 相火가 上升하거나 또는 心腎不交로 心火가 亢盛해서 發生된다.

4) 臨床症狀

(1) 實證

肝火上擾, 痰火阻塞, 氣滯血瘀, 風熱 등의 辨證을 나타낸다. 樣相은 突發的, 持續的으로 耳鳴이 發生하고 汽軸聲, 鼓聲, 雷聲, 鐘鼓聲, 蟻聒聲 등과 같이 鳴音이 크고 閉塞感, 頭重, 頭旋과 激烈한 眩暈이 일어나며 手按하면 鳴音이 더욱 커진다.

(2) 虛證

飮食不節, 思慮過多, 久病, 大病, 房勞過多, 勞役, 老齡으로 因해 氣虛, 血虛, 腎陰虛, 腎陽虛, 心腎不交, 脾胃虛弱의 辨證을 보인다. 樣相은 間歇的으로 風雨聲, 潮聲, 蟬聲, 蚊噪聲 등과 같이 鳴音은 크지 않으나 思慮過多, 勞倦, 勞役 或은 夜間에 鳴音이 커지며, 眩暈은 輕微하게 持續的으로 나타나고 手按하면 鳴音이 減少되거나 不鳴해진다. 이명의 자각적 표현은 단순음이 복합음으로 표현하는 예보다 3배 정도 더 많다. 단순음 중에는 윙(웅,왕)으로 표현하는 예가 월등히 많고 그 다음으로 쐬(쏴,쒸), 매미소리, 바람소리의 순이며, 복합음은 매미소리와 웅

(윙) 소리의 혼합이 가장 많다. 이명이 심해지는 조건은 피로할 때, 조용할 때, 신경을 쓸 때 등이다.타각적 이명은 타인이 확인할 수 있는 이명인데 이는 지속적 이관개방, 정맥성 잡음, 종양, 동정맥기형, 근수축으로 나누어 볼 수 있다. 지속적 이관개방은 파도소리와 유사하게 들리며, 간혹 자성강청을 호소하기도 한다. 이경검사상 고막이 호흡음과 일치하여 진동한다. 누우면 증상이 호전되고 머리를 앞으로 기울이면 이명이 없어지는 것이 특징이다. 출산 후나 항암 치료 후 또는 갑자기 체중이 감소한 경우에 이 증상이 주로 발생하고 특히 비인강암 환자에서 방사선치료 후 호발한다.

5) 辨證施治

(1) 內服藥用法

① 風熱耳鳴

風邪 或은 風熱邪毒이 侵入되어 風熱이 耳竅에 上壅하여 發生된다. 症狀은 風聲 或은 耳中에 風吹하는 鳴音, 奇異한 瘙痒, 耳膜이 潰破되고 黃, 靑綠, 淸稀, 白稀色 或은 黑色의 膿液이 時流時止하며 頭痛, 惡寒發熱, 耳內阻塞 및 脹痛感, 鼻塞, 流涕이 있고 舌邊尖紅, 苔薄白, 浮數한 脈이 나타난다. 治療는 銀翹散, 蔓荊子散, 荊芥連翹湯을 服用한다.

② 肝火耳鳴

忿怒, 暴怒, 鬱怒로 肝氣鬱結되어 肝火上擾하여 突發的으로 發生된다. 症狀은 風雷聲, 雷聲, 鼓聲, 鐘鼓聲과 같은 鳴音과 閉塞感, 堵塞感, 頭痛, 眩暈, 煩燥不安, 顏面紅潮, 口苦咽乾, 不眠, 舌質紅, 苔黃, 弦數有力한 脈이 나타난다. 治療는 龍膽瀉肝湯, 加減龍薈丸, 柴胡淸肝湯을 사용한다.

③ 痰火耳鳴

膏粱厚味, 肥甘, 辛熱한 飲食, 醇酒을 過多하게 攝取하여 脾失運化로 水濕이 停聚되고 痰濕이 乃成된 것이 오래되어서 痰火가 上擾하여 淸竅를 蒙蔽하여 發生된다. 症狀은 耳中이 閉塞된 것과 같은 激烈한 耳鳴 或은 蟬鳴, 潮聲, 呼呼한 鳴音이 들리고 때로는 輕微한 耳聾을 兼하기도 하며 頭痛, 頭重, 眩暈, 胸脘溝悶, 口苦, 咳嗽痰多, 嘔吐痰涎, 口中粘膩, 便溏, 舌質紅, 苔黃膩, 滑數脈이 나타난다. 治療는 加減龍薈丸, 複聰湯, 淸氣化痰丸, 聽聰化痰丸, 滾痰丸, 半夏白朮天麻湯과 通明利氣湯에 石菖蒲, 遠志, 蔓荊子를 加하여 使用한다.

④ 腎虛耳鳴

稟體不足 或은 久病, 大病, 房勞過多, 勞役, 老齡으로 腎精이 不足 되고 髓海가 空虛해져 耳竅를 濡養하지 못해 나타난다. 또한 腎水不足한 狀態에서 風邪 或은 外感邪熱이 侵犯해 相火가 上升하여 發生된다. 症狀은 風雨聲, 潮聲, 蟬聲, 蚊噪聲이 多樣하게 들리고 鳴音은 細小하나 思慮, 勞倦, 勞役過多하면 夜間에 특히 鳴音이 커지며 漸次的으로 耳聾이 되며 眩暈은 輕微하게 持續的으로 나타난다. 이외 目眩頭暈, 腰膝痠軟, 精滑, 遺精症, 手足心熱, 盜汗, 舌質紅, 苔薄少, 脈細弱無力 或은 細數하게 나타난다. 治療는 主로 附桂八味丸, 補骨脂丸, 滋腎通耳湯, 地黃龜膠湯, 補腎丸, 黃芪丸, 大補丸, 坎離丸과 六味地黃丸 또는 八味地黃丸에 加減하여 活用한다.

⑤ 心腎不交耳鳴

水火偏勝으로 心腎의 升降이 不交되어서 나타난다. 七情不和, 思慮過度, 久病, 大病, 房勞過多, 勞役 等으로 精血이 消耗되어 心의 陰血과 腎의 陰精이 虛損되어 心腎이 耗損되어서 心火와 腎水의 密接한 關係가 維持되지 않아 發生된다. 症狀으로 心의 陰血不足으로 心悸, 怔忡, 健忘, 多夢不眠, 虛煩, 易驚이 일어나며, 腎의 陰精不足으로 耳竅를 濡養하지 못해 耳鳴과 頭暈目眩, 潮熱, 盜汗, 口乾, 遺精, 早漏, 細數脈, 舌紅少苔 或은 無苔가 나타난다. 이러한 心腎不交로 因한 耳鳴은 血虛, 氣虛, 腎虛耳鳴을 包含하고 있는 症候로 생각된다. 治療는 天王補心丹, 淸心地黃湯, 六味地黃湯, 四物歸脾湯에 加減하여 投與하며 歸脾湯에 柴胡, 生地黃, 山藥, 地骨皮, 鱉甲을 加하여 服用한다.

(2) 外治

① 熨法: 芳香性藥物을 加溫하여 또는 藥物을 煎煮하여 耳周圍를 布包裏熨하여 耳竅를 溫經通絡, 辛溫하게 하며 이명으로 긴장된 귀 주위를 이완시켜준다.

虛性 耳鳴에는 藿香, 蒼耳子, 磁石 등을 煎水煮沸하여 熱熨한다.

▌鍼灸治療▐

聽宮, 聽會, 翳風, 百會, 液門, 耳門, 上關, 完骨, 臨泣, 陽谷, 前谷, 腎俞, 肩貞, 腕骨, 大陵, 中渚, 後谿, 陽谿, 偏歷, 合谷, 大陵, 太谿, 金門穴 등을 刺鍼한다.

翳風, 聽宮, 完骨 등에 當歸, 丹參, 麝香液, 紫河車 등을 활용한다.

艾灸療法 : 聽會, 聽宮, 翳風 등의 穴에 溫灸한다.

6) 기타

치료받은 이명 환자의 25%는 증상이 상당히 많이 호전되고, 50%는 어느 정도 호전되며, 나머지는 호전되지 않으며, 아직 이명의 서양의학적 치료법은 뚜렷하게 정립되어 있지 않다.

이명 환자들은 심각한 두개 내 질환을 걱정하므로 환자를 안심시키기 위해 검사를 시행하는 것이 중요하다. 난청은 보청기나 수술로 교정한다. 이명에 적응하며 지낼 수 없는 환자들은 치료가 필요하다.

이명재훈련(tinnitus retraining therapy, TRT)이란, 이명에 대한 상담치료, 정신과적 치료와 보청기나 이명차폐기를 이용한 차폐방법을 조합하여 치료하는 훈련치료 방법이다. 전문가와 반복적으로 상담하여 이명을 무시할 수 있는 능력을 배우고 보청기나 이명차폐기로 차폐하여 장기간 이명을 줄이므로 서서히 이명을 잊게 되는 방법이다. 하지만 이명재훈련 또한 치료에 시간과 노력이 많이 필요하다.

2. 난청

1) 槪要

耳聾은 病因에 따라 勞, 風熱, 風濕, 痰火, 肝火, 氣血虛, 腎虛耳聾 등으로, 또는 部位에 따라서는 左右, 左, 右耳聾으로, 發病의 期間에 따라서는 卒聾, 久聾, 暴聾, 漸聾, 厥聾으로, 耳竅가 閉塞되는 病因에 따라서 火, 氣, 邪, 竅, 虛閉로 分類하였으며, 耳鳴이 甚해져서 나타나기도 하고 또 耳鳴과 兼하여 발생되는 것으로 보았다.

여러 가지 질환으로 인해 유발되는 청기 기능, 즉 내이의 장애로 유발되는 후천적인 돌발성, 진행성 난청의 증상과 선천적인 청력장애인 농아(聾啞) 또는 연령이 높아짐에 따라 생리적으로 나타나는 노인성 난청을 포함하는 포괄적인 증후이다. 먼저 난청의 출현이 선천성, 후천성인지를 분류하고 가족력의 유무로 유전성, 비유전성 난청을 감별하며, 난청이 증후군의 일부 증상인가 또는 진행성, 비진행성, 변동성 혹은 안정성인가를 진단한다. 특히 소아기의 심한 감각신경성 난청의 대부분은 유전성이며, 증후군을 동반한 난청은 선천성이나 유전성으로 나타난다.

耳聾 질환에서는 오늘날의 다양한 난청에 대하여 각각 알아보고 耳聾질환의 한의학적인 辨證 및 治療에 대해 종합적으로 기술하겠다.

2) 分類

(1) 部位

① 左耳聾: 忿怒過度하여서 少陽膽火가 動한 것으로 主로 婦人에게 많이 일어나며 耳聾 中에서 忿怒로 因한 것이 가장 많다.

② 右耳聾: 色慾過度하여서 太陽膀胱相火가 動한 것으로 主로 男子에서 많이 나타난다.

③ 左右俱聾: 醇酒過多, 膏粱厚味, 炙煿한 飮食을 過度하게 攝取하여 足陽明胃火가 上衝한 것으로 主로 肥甘한 사람에서 많이 發生된다.

(2) 實證과 虛證의 분류

① 實證

돌발적으로 발생된 厥聾, 卒聾, 新聾에서 나타난다. 多熱로 肝火, 胃火, 痰火熱盛으로 일어나고 病邪의 旺盛으로 氣逆이 되어 閉塞된 것이다.

② 虛證

점차적으로 나타난 勞聾, 虛聾 或은 오래된 久聾에서 나타난다. 素體不足 혹은 久病, 大病, 房勞過多, 勞役, 老齡으로 腎陰虧損되거나 또는 肝腎의 陰精이 不足되어서 또는 虛火上炎, 氣不足으로 閉塞된 것이며 주로 實證보다 많다.

난청은 크게 전음성(중이성)난청, 감각신경성

(내이성)난청, 혼합성 난청으로 나눌 수 있다. 외이 혹은 중이의 어떤 병변도 전음성 난청을 일으킬 수 있다. 감각신경성 난청은 와우나 8번 신경의 손상으로부터 나타날 수 있다. 청력 손실의 정도는 청력검사상 데시벨로 수치화되어 표현한다.

발현양상에 따라 돌발성 난청과 진행성 난청으로 분류하기도 한다. 전자는 주로 음향외상성, 중독성, 내이장애, 원인불명으로 나타나고, 후자는 이경화증, 내이매독, 각종 약물중독성 내이장애로 나타난다.

3) 種類

(1) 유전성 난청

한의학적으로 聾啞, 傳染中毒性 耳聾으로 나누어 볼 수 있다.

최근 다양한 백신의 출현으로 인플루엔자, 홍역, 유행성 이하선염 등의 감염질환이 감소하였고 적극적인 계몽과 치료로 인하여 이독성 약물이나 사고로 인한 내이손상도 줄어들게 되어 상대적으로 유전성 난청의 발병률이 증가하였다. 난청의 원인을 살펴보면, 약 50%는 유전성이며 20~25%는 환경적 원인에 기인하고 나머지 25~30%는 원인불명으로 생각되고 있다.

약물치료가 큰 의미가 없으며 잔여청력을 이용하여, 가능한 한 빨리 언어훈련을 해야 하며 예방을 위하여 모체와 영아의 보호를 증강하고, 임신기의 보건에 주의하며, 전염병이나 약물남용을 피해야 한다.

(2) 중독성 난청

한의학의 溫毒聾, 疫毒聾에 속하는 것으로 각종의 전염성 질환의 후유증으로 나타나게 된다. 대체로 耳聾은 질환의 중간단계나 질병을 앓은 후에 나타난다. 서서히 나타나기도 갑자기 나타나기도 하며, 耳鳴, 眩暈과 동반하는 경우가 많다. 이하선염이 耳聾에 이르는 경우 偏側으로 발생하는 경우가 많으며, 그 외 여러 질병에서는 兩側이 함께 발생하는 경우가 많다. 청력검사 상으로 감각신경성 난청을 나타내고 영유아기에 발병하는 경우 회복되지 않고, 영구적으로 지속되는 경우가 많다.

원인이 되는 전염병의 치료에 집중하고, 청력의 손상을 입었는지 신중하게 관찰해야 한다. 예방을 위하여 예방접종을 통해 영, 유아의 면역력을 키우며, 각종전염병을 예방한다. 농아는 조기에 잔여청력을 이용하여 언어훈련을 시켜, 벙어리가 되는 것을 방지한다.

(3) 이독성 약물에 의한 난청

약물에 의한 독성 난청으로 19세기 말 퀴닌과 아스피린으로 인한 일시적인 청력감퇴와 어지럼증, 이명이 보고된 이후부터 알려지기 시작하였다. 한의학에서는 藥毒聾이라고 한다.

이독성 약제로 인한 내이의 손상은 경구투여, 근육주사, 정맥주사 등의 전신적 투여나 점이액과 같은 국소적 투여 모두에서 일어날 수 있고 증상 역시 투여 후 즉시 또는 투여 중단 후 수 주, 수개월 후에 지연성으로 발생하는 등 다양하고 증상이 일시적인 경우도 있으나 영구적 손상이 초래될 수도 있다. 내이의 청각 및 전정기관 각각에 손상을 초래할 수 있으며 청력소실, 이명, 어지럼증, 진동시(oscillopsia)를 나타낸다.

예방이 중요한데 난청을 유발할 수 있는 약물을 미리 파악하여 증세가 보이면 바로 복약을 중단하고 耳毒性 藥物을 사용하기 전에 자세하게 과거력, 가족력을 알아본다.

약물을 반드시 사용해야 하는 경우 처음 투여 시 반드시 최소량으로 시작하여 중간 정도량에서 그치

고, 사용하기 전, 사용하는 기간 동안 정기적으로 전
정기관과 청력을 검사하여 이상을 조기 발견할 수
있도록 한다[표 2-4-1].

표 2-4-1. 이독성 약물의 종류

항생제
이뇨제
소염제
말라리아 치료제
항암제
산업 화학물질
국소 점이액
음식물 및 기타 물질

(4) 소음성 난청

소음으로 인한 청력손실인 소음성 난청은 산업화
사회에서 중요한 장애 중 하나이다. 특히 작업장의
기계 소음 등으로 인한 난청을 직업성 난청이라고
한다.

한의학에서는 噪聲聾이라고 한다. 소음이 청력
에 미치는 영향은 음향외상, 일시역치변동, 영구역
치변동으로 분류할 수 있다. 음향외상은 폭발음 같
은 강력한 음에 단기간 노출된 후 일어나며 돌발적
감각신경성 난청으로 나타난다. 일시역치변동은 소
음에 노출된 후 휴식기간을 가지면 청력이 회복되
는 일시적이며 가역적 청력손실을 말한다. 영구역
치변동은 장기간 소음에 노출된 후 회복되지 않는
비가역적 감각신경성 난청을 말하며 이를 소음성
난청이라고 한다.

소음이 청력을 악화시키는 기전은 기계적, 화학
적 손상이다. 주 병리소견은 와우의 외유모세포 손
상이며, 점차 지지세포, 내유모세포가 손상되고 이
는 와우신경원의 위축을 초래하게 된다.

소음성 난청의 진단을 위해서는 병력조사, 이학
적 검사 및 청력검사를 가장 먼저 시행해야한다. 각

종 원인이 될 수 있는 소음폭로의 기왕력을 조사하
는 것이 가장 중요하고, 소음측정계를 사용하여 작
업장의 소음을 측정해야 한다. 큰 소음이 있는 작업
장에 취업하기 전과 취업한 후의 정기적인 청력검
사 결과가 중요하다.

순음청력검사상 소음성 난청의 전형적인 순음
청력도는 초기에 4 kHz에서만 경도 난청을 보이는
'C5 dip' 소견을 보이고 소음폭로가 계속되면 주변
의 주파수도 난청소견을 보이게 된다. 이는 소음에
가장 쉽게 손상되는 부위가 난원창에서 10 mm 부
위의 와우 Corti기이고, 4 kHz의 주파수 영역에 해
당하기 때문이다.

소음성 난청의 원인 중 공장 소음 다음으로 흔
한 것이 총기류이다.(170 dBA) 총기류로 인한 소음
성 난청은 직업군인뿐만 아니라 사냥이 취미인 사
람에서도 종종 발생한다. 그 외에 소리가 큰 음악
(110~120 dBA)을 연주하는 연주자, 제초기를 사용
하는 정원사, 조종사 등이 난청의 위험에 노출되어
있다.

소음성 난청의 정도를 표시할 때는 항상 노인성
난청과 감별을 염두에 두어야 한다. 소음성 난청은
소음폭로 후 급격히 일어나고 더 이상 크게 증가하
지 않는 감속과정을 취하는 반면, 노인성 난청은 처
음에는 서서히 증가하지만 나이가 많아질수록 급격
히 증가하는 가속과정을 밟는다. 가령 65세의 사람
에서 두 성분이 섞여 있다면 노인성 난청이 전체 청
력손실의 75%를 차지한다.

일단 소음성 난청으로 확진되면 치료 방법은 없
으니 무엇보다 사전 예방이 중요하며, 조기에 발견
하여 상담 등을 통해 적절한 조치를 취해야 한다. 고
음역 난청 환자는 시끄러운 장소에서 대화가 안 되
어 사람을 기피하는 경향이 있으므로 가족이나 직
장동료의 이해와 도움이 필요하다.

(5) 노인성 난청(presbycusis)

노인성 난청은 퇴행성 변화로 인한 청력감수를 의미한다.

일반적으로 청력의 감소는 30대부터 시작되고 1,000 Hz 부근의 회화영역에 청력감수가 생겨 실제로 잘 안 들리는 것을 느낄 수 있는 시기는 40~60세 때이고, 60대가 되면 질병이나 외상 등의 요인으로 인하여 저주파 영역도 떨어지게 된다.대개 남자가 여자보다 일찍 시작되고 2배 정도 빠르게 진행되어 청력감소가 더욱 심하게 나타난다. 남자는 고주파 영역에서, 여자는 남자보다 저주파 영역에서 감소가 심하다. 우리나라 보고를 보면 27 dB HL (hearing level)을 기준으로 삼으면 남자와 여자의 차이가 없었다. 그러나 41 dB을 기준으로 삼으면 남자 11.1% 여자 5.4%로 남자에서 노인성 난청이 더 많이 나타나는 것으로 되어 있다. 이런 차이에는 사업장에서의 소음 노출, 식사 같은 여러 생물학적 요소들이 관여한다고 생각되나 아직 규명되지는 않았다.

전형적인 증상은 양측 고주파 영역에 경도 혹은 중등도의 청력감소가 나타나고 소리의 방향을 감지하는 능력이 떨어지는 것이다. 계속 진행되며, 약물 치료 등으로 호전시킬 수 없고 영구적으로 남게 된다. 노인성 난청의 기준은 청력 검사상 양측 귀의 난청 양상이 대칭을 보이며, 외상, 이독성 약물, 귀질환, 소음에의 노출, 귀 수술 등의 과거력이 없고, 최소한의 전음성 난청(10 dB 이하), 검사 결과가 신뢰성이 있을 것, 65세 이상의 연령, 가족력이 없을 것 등이다.

이는 腎精이 점차 쇠하고, 髓海가 서서히 비어, 耳官이 精髓의 滋養을 잃는데 오래되면 精損及陰하고, 耗衰及陽하여, 陰陽互損하게 되므로 耳官이 濡養을 잃고, 聽神이 聰明함을 잃어 聾이 된다. 만약 先稟이 부족하거나 청장년기에 과로하고, 房勞가 과다하면 腎精이 일찍 쇠하여 耳聾의 발생이 더욱

빨라진다.

노인성 난청의 발병 원인은 여러 가지의 원인들이 복합적으로 관여하는 다인자적 과정에서 발생한다고 본다. 지금까지 연구된 원인인자로는 와우기저막의 경화(Mayer, 1919), 나선인대의 위축(Schuknecht, 1972), Corti기의 손상, 청력에 관여하는 중추의 퇴화, 고막과 이소골의 퇴화, 동맥경화증에 따른 혈류의 감소로 인한 순환기계의 이상 등이 있다.

(6) 돌발성 난청

暴聾, 卒聾이라고 할 수 있는 돌발성 난청은 이과 질환 중 응급처치를 요하는 질환의 하나이다. 돌발성 난청의 정의는 순음청력검사에서 3개 이상의 연속된 주파수에서 30 dB 이상의 감각신경성 청력손실이 3일 이내에 발생한 경우를 말한다. 최근에는 발생한 후 며칠 후에 청력손실을 느끼거나 저음이나 고음 영역에서 국소적인 청력손실을 느끼거나 다른 사람의 말을 감지할 때 왜곡이 생기는 경우 등도 돌발성 난청에 포함하기도 한다.

증상은 청력저하와 함께 이명, 이충만감, 어지럼증, 자성강청, 청각과민, 두통 등의 여러 동반증상이 나타나 단일질환이라기 보다 증후군으로 보는 견해도 있다.

일반적으로 갑작스럽게 청력손실이 진행되는데 환자의 약 1/3에서 아침에 깨어나서 일측 귀의 청력손실을 감지하는 경우가 가장 많으며 육체적, 정신적 긴장 상태에서 자주 발생한다. 환자의 80% 정도에서 이명이 동반되며 이충만감을 호소하기도 하고 어지럼증이 약 40%에서 동반되기도 하나 증상은 심하지 않고 보통 수일 내에 소실된다.

청각손실의 정도는 경도에서 완전 소실로 환자마다 다양하다.

해마다 세계적으로 1만 5천 예 정도가 보고되

고 있고 한국에서도 10만 명당 10명꼴로 발병하는 것으로 보고되었다. 성별과 좌우 빈도차이는 없고 10대에서 80대까지 어느 연령대에도 올 수 있으며 30~50대가 가장 많고 최근 40대의 발병율이 빠르게 늘고 있다.

발생 원인은 대부분 불명이다. 바이러스 감염, 혈관장애, 와우막 파열, 자가면역질환, 청신경종 등이 유력하다는 보고가 있고 일부에서는 종양이나 두부외상에서 기인하기도 한다고 말한다.

① 바이러스성 요인 : 신경이나 신경절에 헤르페스 등과 같은 침범에 의한 신경원 및 신경절 감염의 빌생, 대상포진에서 외림프 미로염의 감염, 이하선염, 홍역, 풍진, 인플루엔자 등에서 와우관 침범으로 내림프 미로염이 발생, 바이러스의 감염에 동반된 혈관의 폐색으로 나타난다.

② 혈관계의 요인 : 혈전, 색전증, 당뇨, 백혈병, 혈관염등의 질환에서 감각기에 혈관을 공급하는 미로동맥의 폐색으로 발생된다. 특히 귀는 측부순환이 없이 미로동맥에서 혈액을 공급받는 형태로 혈관장애에 민감하다.

③ 와우막 파열: 내파성 경로, 폭발성 경로 등으로 정원창 파열

④ 자가면역질환: 자가면역성 내이질환, SLE 등

⑤ 청신경 종양: 청신경 종양의 10% 내외에서 나타남

조기 진단과 치료가 예후에 큰 영향을 미친다.

필요한 검사는 이경검사를 포함한 이학적 검사와 신경학적 검사, 순음 청력검사, 어음 명료도 검사, 미로 및 전정기능 검사, 혈당 및 혈중지질 검사, 혈액의 과응고 상태, 바이러스에 대한 혈청검사, 갑상선 기능검사, 자가면역질환 등에 대한 검사를 실시한다. 특히 돌발성 난청의 약 1%에서 청신경종양이 존재할 수 있으므로 자기 공명영상을 시행한다.

초기 2~3주 내의 치료로는 대개의 경우 발병 1~2주 내에 자연회복률이 40~60%에 이르는 질환으로 여러 검사 이후에도 원인불명으로 나타나는 돌발성 난청에 대한 치료법은 추정되는 병인이 다르고 진단이 명확하지 않기 때문에 항염증제, 혈액순환 개선제, 혈관 확장제, 항바이러스제 등을 사용할 수 있다. 가장 광범위하게 사용되는 치료제는 경구 스테로이드 복용으로 감염성, 염증성, 자가면역성 질환에서 갖는 치료효과를 근거로 돌발성 난청의 표준 치료제로 사용되고 있다. 그러나 스테로이드의 전신부작용을 고려하여 최근에는 고실 내 스테로이드 주입법을 상황에 따라 단독, 병행하기도 한다.

• 예후

일반적으로 1/3 정도는 정상 청력을 되찾지만 1/3은 40~60 dB 정도 손실되며 나머지 1/3은 완전히 청력을 잃는다.

초기에 난청의 정도가 심하거나 언어명료도가 떨어져 있거나 현훈을 동반하면 예후가 좋지 않다. 소아나 노인에서는 상대적으로 회복이 지연된다.

청력이 호전된 후에도 귀가 꽉 막히고 답답한 귀폐색감이나 귀가 물에 차 있는 듯한 이충만감 또는 청각과민으로 일상생활의 어려움을 호소하는 경우가 많고 특히 식당이나 사람이 많은 장소에서의 소음노출에 대한 피로도가 높다.

청력저하를 경험한 후 심리적으로 위축되고 불안해 하는 환자들이 많고 체력저하를 호소하는 경우도 많다.

• 청력회복

회복에 대한 치료평가기준은 아직 통일된 의견

이 없는 상태이다. 청력회복의 평가시기 또한 아직 명확한 지침은 없으나 청력 역치의 변동성이 거의 없는 시기로 치료종료 후 2개월 이상에서 검사를 시행하는 것으로 하고 있다.

• 주의

급성저주파성 감각신경성 난청은 다른 돌발성 난청과 달리 여성에서 흔히 발생하고 어지럼 증상을 동반하는 경우가 많으며 회복률이 높으나 재발이 빈번하여 메니에르로 이행되는 비율이 높아 초진시 염두에 두어야 한다는 보고가 있다.

4) 辨證施治

(1) 돌발성 난청
內服藥療法

① 邪遏少陽證
돌연히 耳聾, 耳鳴, 耳內悶脹이 발생했을 경우, 外感病邪에 의한 경우가 많아, 頭昏, 頭痛, 口苦, 咽乾, 舌淡紅, 苔薄黃微膩, 脈弦緊 惑 數而有力 한 증상이 나타난다. 치료는 마땅히 淸解少陽, 導滯通竅로 해야 한다. 처방은 柴胡聰耳湯加減을 쓴다. 痰熱內蘊, 舌苔黃膩할 경우 膽南星, 靑礞石을 가한다.

② 肝鬱化火證
突然 耳聾, 耳鳴如潮, 眩暈이 나타날 경우는 七情抑鬱 恚怒激動에 의한 경우가 많으며, 口苦咽乾, 煩失眠, 急躁易怒, 便乾尿赤, 舌質紅 苔黃, 脈弦 或 脈弦數이 나타난다. 치료는 마땅히 舒肝解鬱, 淸火開閉 해야 한다. 處方은 丹梔逍遙散加減을 사용한다. 만약 肝鬱의 초기인 경우, 아직 化火까지 이르지 않았을 경우, 暴籠, 熱象이 분명하지 않은 경우, 마땅히 柴胡疏肝散合通氣散加減을 쓴다. 만약 肝火旺盛하

여, 面紅目赤, 急躁易怒, 耳鳴甚, 頭痛, 便秘자는 마땅히 聰耳蘆薈丸加減을 쓴다.

③ 氣血瘀阻證
갑자기 耳聾이 발생하고, 耳鳴尖銳하며, 耳內悶脹하거나, 刺痛, 痲木증상이 있을 경우 發病에 명확한 발병요인이 없을 경우, 혹 外感이나, 情志鬱悶病邪에 의해 舌暗紅 或生於點, 或舌下靑筋暴脹, 脈澁 或 緩 등이 나타난다. 치료는 마땅히 活血化瘀, 通絡開竅해야 한다. 處方은 通竅活血湯合通氣散加減을 사용한다. 耳鳴이 심한 경우 加 磁石 한다. 眩暈에 加酸棗仁한다. 耳聾이 오래되어 낫지 않으며, 乏力, 脈弱는 마땅히 補陽還五湯가 菖蒲, 鬱金, 穿山甲을 사용한다.

④ 心脾兩虛證
耳聾이 夜間이나 새벽에 다발하며, 耳鳴이 細小하며, 頭目이 어지러운 경우, 發病이 思慮나 勞役過度와 有關하며, 健忘心悸, 失眠多夢, 倦怠乏力, 便溏, 脣舌色淡, 苔白, 脈細弱한다. 이때는 마땅히 補益心脾, 升淸通耳한다. 處方은 歸脾湯加減을 사용한다. 耳鳴이 甚하면 磁朱丸을 합방한다. 痰濕을 兼하여 극렬한 眩暈, 惡心嘔吐가 나타나며 舌苔膩白한 자는 制南星, 制半夏, 天麻를 加한다.

⑤ 陰精虧虛證
突發耳聾, 耳鳴如蟬, 종종 眩暈을 동반할 경우, 발병연령이 높고, 체질이 虛弱한 경우가 많으며, 體素形弱, 腰膝痠軟, 健忘神疲, 或 五心煩熱, 顴紅潮熱, 舌嫩紅, 혹 舌紅少苔, 脈細 或 脈數한다. 치료는 補腎益精, 降火通耳한다. 處方은 滋陰地黃湯加減을 사용한다.

• 鍼灸治療

聽宮, 聽會, 翳風, 百會, 液門, 耳門, 上關, 完骨, 臨泣, 陽谷, 前谷, 腎俞, 肩貞, 腕骨, 大陵, 中渚, 後谿, 陽谿, 偏歷, 合谷, 大陵, 太谿, 金門穴 등을 刺鍼한다.

翳風, 聽宮, 完骨 등에 當歸, 丹參, 麝香液, 紫河車 등을 활용한다.

艾灸療法 : 聽會, 聽宮, 翳風 등의 穴에 溫灸한다.

• 외치법

芳香性藥物을 加溫하여 또는 藥物을 煎煮하여 耳周圍를 布包裹熨하여 耳竅를 溫經通絡, 辛溫하게 하는 것으로 藿香, 蒼耳子, 磁石 등을 煎水煮沸하여 熱熨한다.

• 조리예방

청력이 회복된 후에도 재발에 대한 가능성이 있으므로 소음 노출이나 무리한 신체활동은 피하도록 한다.

(2) 이독성 약물에 의한 난청 內服藥療法

① 精虧毒滯證 약물에 의한 이롱에 사용할 수 있다. 耳毒性 藥物을 사용한 후 突然 耳聾, 耳鳴 如蟬如笛, 頭暈 發生. 發育遲延, 體質虛弱 多病, 納差, 舌淡或嫩紅, 脈弱하다. 이때 마땅히 益精補腎, 健脾蠲毒한다. 處方은 耳聾左慈丸加減을 사용한다. 脾虛가 심하여, 面黃肌瘦, 納差腹脹, 脣舌色淡, 少氣乏力, 易感冒할 경우, 益氣聰明湯或補中益氣湯加減을 사용한다.

② 痰阻風動證 用藥, 혹은 온병 후 突然히 耳鳴, 耳聾이 생겨, 耳鳴耳聾이 연달아 나타나거나, 眩暈, 欲嘔가 심하고, 걷고 달리는 것이 힘들고, 입과 입술이 저리고, 舌苔白膩, 脈弦滑한다. 치료는 마땅히 滌痰舉風, 蠲毒通竅한다. 處方은 滌痰湯加減을 사용한다.

③ 痰瘀交阻證 耳聾정도가 심하며, 耳鳴이 그치지 않고, 耳鳴, 耳聾이 오래되어 낫지 않는다. 面色이 晦暗하며, 표정이 일정하고, 舌暗苔膩, 脈澁한다. 치료는 마땅히 化痰祛瘀, 醒神聰耳한다. 處方은 蠲毒聰耳丸加減을 사용한다.

(3) 중독성 난청 內服藥療法

① 陰傷邪滯證 溫病 후 서서히 또는 갑자기 耳聾, 耳鳴하여, 頭暈, 口乾, 口渴, 便乾, 飢不欲食, 舌紅少津, 苔白乏津 或 薄黃而乾, 脈細한다. 치료는 마땅히 養陰益精, 導滯通絡한다. 處方은 滋腎通耳湯加減을 사용한다.

(4) 노인성 난청 內服藥療法

① 腎精虧損證 중년 이후 양측에 점차 난청이 나타나고, 건망증이나 때로는 현훈과 이명이 있고, 모발이 적고 윤기가 없어지며, 흰머리가 나타나며, 여성의 경우 月經이 일찍 끊어지며, 舌嫩紅, 脈細弱하다. 益精補髓, 健腦聰耳하니 左歸丸加減, 杞菊地黃湯加減을 사용하고 失眠多夢하면 酸棗仁, 遠志를 加한다.

② 腎陽虛弱證 양귀가 점차 난청이 되고, 몸이 차고 추위를 타며, 정신이 맑지 않고, 허리와 무릎, 아랫배가 차갑고 시큰거리거나 冷痛이 있고, 발기부전이나 불임, 빈번한 夜尿, 농도가 낮은 소변, 五更泄瀉 등의 증상이 나타나며 舌淡, 脈沈遲하다. 溫腎壯陽, 益精聰耳하니 右歸丸加減을 하고 耳聾의 진행 속도가 빠르면, 鹿茸, 補骨脂, 仙靈脾을 加한다.

③ 單驗方療法 胡桃肉을 爵服한다. 黑豆, 熟地黃, 制首烏를 같이 쪄 殘渣를 제거한 후, 복용한다.

3. 평형장애(어지럼증)

1) 概要
불균형, 어지럼증, 현훈은 모두 전정계의 장애로 인한 것이다. 병리는 중추성이거나 이과적 원인의 말초성 또는 기타원인에 의해 발생한다. 말초성 기인하여 어지럼증을 일으키는 질환은 여러 가지가 있는데 대표적으로 메니에르 병, 전정신경염, 양성 발작성 체위변환성 현훈 3가지가 있다. 그러므로 여기에서는 각각의 질환으로 구분해서 설명하고 다시 한의학적인 관점에서의 현훈의 변증 및 치료에 대해서 기술하고자 한다.

2) 種類

(1) 메니에르 병

① 개요
메니에르 병은 1861년에 Meniere에 의하여 회전성 현훈과 청력저하, 이명, 이충만감이 동시에 발현되는 질병으로 처음 기술되었다. 아직까지 병리와 생리 기전이 완전히 밝혀지지는 않았지만 내림프수종이 주된 병리현상으로 이해되고 있으며, 급성 어지럼증을 일으키는 가장 대표적인 내이질환이다. 호발연령은 30-50대이며 여성이 남성의 1.3배이다. 한의학적으로 耳鳴掉弦, 耳鳴眩轉, 腦轉耳鳴 등이라 하여 이명, 현훈이 동시에 병발되는 양상과 이명, 현훈이 먼저 나타나고 점차적으로 난청, 즉 롱(聾)이 되는 병리와 腦髓 및 髓海不足과 연관된 중추신경계의 병변에서 유발되는 면으로 보아 이명의 병태와 연관되는 것으로 생각된다. 특히 耳鳴의 辨證 中에서 肝火耳鳴, 痰火耳鳴, 腎精不足, 心腎不交되어 발생되는 耳鳴, 耳重聽, 厥聾과 유사하다.

② 원인
메니에르 병의 병리조직 소견은 림프액의 과생성, 외림프액과 내림프액 사이의 기능장애, 내림프의 흡수 장애로 인한 내림프수종으로 알려져 있다. 임상적으로 유병률이 나이가 듦에 따라 증가하며, 시간의 경과에 따라 진행하는 양상, 양측성으로 재발하는 특성으로 인해 자가면역질환이 중요한 기전으로 주목받고 있다. 메니에르 병에서 정상군에 비하여 높은 비율로 면역복합체가 발현되는 현상은 자가면역질환의 원인을 강력히 시사하지만 아직까지 충분한 증거는 없다. 이외에 메니에르 병의 증상 발작이 스트레스나 과로와 관계가 있다는 보고가 있다.

③ 증상
季節性이 없고, 30-50대에서 많이 보인다. 眩暈은 발작성, 회전성의 眩暈이 나타나며 突然 발작하고 청각증상으로는 耳聾, 耳鳴, 耳內의 충만감을 동반한다. 이명은 보통 어지럼 발작에 선행한다. 혹 面色이 蒼白하고 冷汗이 나오며 惡心嘔吐가 있고 누워 있으려고만 하며 움직이기를 싫어하고 意識淸楚하기도 하다. 發作時의 持續時間은 짧으면 數分 정도에서 길면 數日에 달하기도 하며 間歇的으로 나타나기도 하는 등 均等하지 않다. 또한 양측 메니에르 병은 보행실조, 동요시, 만성 어지럼증 등 전형적인 양측 전정기능 소실 환자에서만 볼 수 있는 임상증상을 나타낸다. Tumarkin발작이란 메니에르 병환자가 의식 소실 없이 갑자기 쓰러지는 현상으로 1936년 Tumarkin이 처음으로 보고하였고 이는 이석기관에 갑자기 수종이 발생하여 전정척수반사가 자극을 받아 발생하는 것으로 알려져 있다. 와우의 허혈이 수종으로 인해 발생하고 막미로의 파열로 인해 내이압력이 완화되어 일어나는 것으로 알려져 있다. 또한 전형적인 메니에르 병은 많게는 61%까지 체위변환성 현훈을 유발하는 것으로 보고되고 있다. 청력검사에서는 특징적으로 발병 초기에 변동성 감각신경성 난청이 저주파수대에서 시작된다는 것이다. 점차 병변이 진행하면서 고음역에도 청력소실이 발생하나, 반대로 고음역의 청력변화부터 시작 할 수 있다.

④ 진단
메니에르 병은 객관적인 진단 검사법이 없는 증후군으로 현재는 1995년에 미국 이비인후과학회에서 메니에르 병의 진단기준을 정한 것을 표준으로 삼고 있다. 메니에르 병의 진단에 가장 중요한 것은 특징적인 병력으로 환자의 병력청취가 중요하다.

네니에르 병의 초기에는 청력검사를 해보면 특징적인 저음역에서 변동성의 감각신경성 난청과 고음역의 청력저하가 나타나기는 하나 드물게 고음역의 청력소실이나 중간 주파수의 청력소실이 먼저 나타날 수 있다. 전정기능검사는 급성 어지럼증의 발작 시기에 중추신경계의 이상으로 인한 어지럼증과의 감별진단에 중요한 역할을 한다[표 2-4-2].

⑤ 치료

표 2-4-2. 메니에르 병의 진단기준(AAO-HNS, 1995)

확실한 메니에르 병
　명확한 메니에르 병과 병리조직 소견 확진이 동반
명확한 메니에르 병
　2회 이상의 20분 이상 지속되는 자발 현훈의 병력
　청력 검사로 기록된 난청이 1회 이상 존재
　동측의 이명이나 이충만감
가능성이 높은 메니에르 병
　1회 이상의 확실한 현훈의 병력
　청력검사로 기록된 난청이 1회 이상 존재
　이명이나 이충만감
가능성이 있는 메니에르 병
　난청을 동반하지 않는 주기적 현훈의 병력
　감각신경성 난청, 변동성 혹은 고정성 평형장애를 동　반하나 확실한 현훈의 병력은 없음

메니에르 병 치료에 앞서 고려해야 할 점은 일반질병과 달리 초기 발병 환자 중에서 80%가 자연 치유될 수 있으며 발작 증세의 주기가 환자에 따라 다르게 나타난다는 점이다. 그 외에 현훈 발작의 주기, 강도, 청력소실 정도, 양측성 여부에 따른 치료 방침을 세워야 하며, 급성 현훈 발작 시기와 만성 시기에 따라 치료방법을 달리해야 한다. 식이요법은 저염식으로 하루 1 g 정도로 염분 섭취를 제한하며, 술이나 커피, 담배, 스트레스를 회피하고 충분한 수면과 심리적인 안정이 필요하다.메니에르 병에 대한 약물치료의 효과에 대하여는 논란이 많다. 약물이 급성기 현훈의 증상 치료에 매우 효과적이지만 청력보존에 어떠한 효과가 있는지, 또한 병의 진행을 어느 정도 막을 수 있는지는 아직 불분명하다.

• 급성 메니에르 병의 치료
메니에르 병 환자의 급성 현훈을 치료하기 위하여 전정억제제와 오심 및 구토 억제제가 필요하다. Diazepam은 가장 많이 사용되고 있는 전정억제제이다. 급성 현훈의 발작 시기에는 심한 구토로 인한 수분 및 전해질 균형 장애를 방지하기 위하여 수분을 공급하고 전해질을 보충한다.

• 만성 메니에르 병의 치료
약물 치료에서 베타히스티딘은 가장 효과적인 약제로 알려져 있다. 이뇨제로는 thiazide, acetzolamide, urea 등이 사용된다. streptomycin이나 gentamicin을 이용한 고실 내 주입방법이 최근 사용되고 있다. 이 국소점적 치료방법은 와우 독성을 유발하여 청력을 저하시키는 것이 가장 큰 문제이므로 사회적응 청력 이하로 청력이 나쁜 환자나 전신 마취하에서 내림프낭감압술이나 전정신경절단술을 시행할 수 없는 환자에게 시술하는 것이 일반적이다.

· 수술적 치료법

내림프낭 감압술, 전정신경절제술, 미로 절제술 등이 있다.

⑥ 辨證施治

· 風陽上搖證

眩暈의 發作이 激烈하고 耳鳴이 바람이 밀려오는 것과 같으며 聽力이 減退되고 發作에 정해진 時間이 없으며 혹은 情志의 波動에 의해 發作 或은 加重되어 頭脹, 頭痛, 口苦咽乾, 胸脇脹滿, 急躁易怒, 舌紅苔黃, 脈弦細 혹은 弦數하다. 平肝降逆, 熄風定眩 의 방법으로 治療한다. 鎭肝熄風湯加減을 사용한다. 眩暈이 激烈하면 珍珠母, 天麻을 더한다.

· 痰濕中阻證

眩暈은 항상 飮食이 不當하여 發하며 眩暈이 發하여 激烈하고 耳鳴重聽, 耳內悶塞, 頭重身輕, 胸脘滿悶, 泛惡欲嘔 혹은 吐痰涎, 納呆, 舌苔白膩, 脈弦滑한 症狀이 있다. 燥濕化痰, 降逆熄眩의 방법으로 치료한다. 處方으로 半夏白朮天麻湯加減을 사용한다. 眩暈이 激烈할 경우 制南星, 僵蠶을 더한다.

· 精虧髓虛證

眩暈이 항상 일어나며 頭空耳虛한 自覺感이 있고 耳鳴과 耳聾이 점차 加重되며 腦를 쓰거나 房勞가 過度하여 쉽게 발생하며, 精神疲憊, 腰膝痠軟, 健忘 或은 心煩失眠, 手足心熱, 舌紅 혹 舌紅少苔, 脈細나 脈細數 등 症狀이 있다. 滋陰補腎, 益精補髓의 방법으로 치료한다. 杞菊地黃湯加減을 쓴다. 眩暈의 發作이 頻繁하고 激烈할 경우 生龍骨과 牡蠣를, 龜板을 더한다. 手足心熱이 있으면 懷牛膝 旱蓮草를 더한다.

· 心脾兩虛證

眩暈이 時發時止하며 耳鳴과 耳聾이 있고 매번 생각을 많이 하여 腦를 사용하거나 勞倦過度로 인하여 발생하여, 少氣懶言, 神疲乏力, 心悸怔忡, 失眠多夢, 面色不華, 納差便溏, 舌淡, 脈細弱 등 症狀이 있다. 補益心脾, 養血安神의 방법으로 치료한다. 處方으로는 歸脾湯加減을 쓴다.

· 寒水上泛證

眩暈과 耳鳴 및 聽覺이 不聰해지며, 매번 發作時 心下動悸, 嘔吐淸水 혹은 寒氣가 少腹에서 心下로 上衝하는 것을 느끼게 되기도 하고 혹은 脊柱에서 腦까지 冷氣가 치받는 느낌과 함께 肢體不溫, 面色蒼白, 冷汗, 舌淡苔白水滑, 脈沈細弱한 症狀이 나타난다. 溫腎壯陽, 散寒利水의 방법으로 치료한다. 處方으로 眞武湯合五苓散加減을 쓴다. 耳聾不聰할 경우 石菖蒲를 더한다. 耳鳴이 그치지 않을 경우 生龍骨과 牡蠣를 더한다.

· 痰瘀交阻證

眩暈이 자주 일어나며 오래 治療해도 낫지 않고 發作時 眩暈이 激烈하며 嘔吐痰涎, 耳內脹滿, 耳鳴不止, 耳聾失聰, 舌淡胖而暗, 혹은 舌質에 瘀點이 있거나 苔白膩하고 脈沈緩한 症狀이 있다. 化痰利濕, 活血化瘀의 방법으로 치료한다. 處方으로는 二陳湯合血府逐瘀湯加減을 쓴다.

(2) 전정신경염

① 개요

전정신경염은 다른 중추신경학적 징후가 없는 급성 어지럼증상과 고막과 청력은 정상소견을 보이는 증후군을 말한다.

급성 전정신경염은 증후군으로 발생 원인이나

기전에 대하여 아직 확실히 규명된 것이 없는 질환
이다. 어지럼증을 주소로 내원하는 질환 중 양성발
작성두위현훈에 이어 두 번째로 흔한 질환 중의 하
나지만, 전정신경염, 급성미로염, 급성 편측전정마
비, 유행성 어지럼증, 유행성 신경미로염 등 여러 동
의어가 급성 전정신경염과 혼용되어 사용되고 있다.

② 원인

급성 전정신경염은 30~50대에서 발병률이 높으며
남녀 성비에는 큰 차이가 없다. 이는 신체의 노화로
나타나는 혈관계 질환 등의 만성 질환보다는 감염
으로 인한 신경계의 염증의 급성 전정신경염의 주
요 원인으로 작용할 수 있음을 암시한다. 동반되는
감염증으로는 상기도 감염이 가장 흔하고, 그 외 위
장관염, 헤르페스감염, 이하선염 등이 있다.급성 전
정신경염의 병변 부위가 뇌간, 제8번 뇌신경의 기시
부, 전정신경, 말초신경 말단 등 전정신경계의 어느
부위인지 명확히 밝혀지지 않았지만 급성 전정신경
염의 병인으로 말초전정계 이외에 중추신경계 병변
의 가능성도 배제할 수는 없다. 급성 전정신경염과
양성발작성두위현훈을 동시에 호소할 수 있다.

③ 증상

계절에 관계없이 발병하고 중년에 호발한다.病前
1~2주에 外感病歷이 있을 수 있고 돌발적인 眩暈
이 있으면서 흔들리는 느낌이 안정이 되지 않고, 빙
빙 도는 느낌이 멈추지 않으며 몇 시간에서 며칠 사
이에 最高潮에 달하고 이후 점차 頭位性 眩暈을 이
루게 되는데, 惡心嘔吐를 동반할 수 있으되, 耳鳴이
나 耳聾은 없다. 현훈과 동시에 發熱이나 全身無力
感, 頭痛 등이 있을 수 있다.청력검사상으로는 정상
이며 자발성의 수평회전성 眼震이 있다. Caloric test
상 세반고리관이 가볍게 마비되거나, 健側으로 우
세한 결과가 나타난다. 두위성 眼震이 분명하게 나

타난다.

④ 진단

진단기준은 Coates가 5가지 진단기준을 제시한 것
으로 첫째, 난청이 동반되지 않는 급성 편측성 말초
전정계 질환으로 둘째, 중년에 호발하고, 셋째, 심하
고 지속적인 현훈이 한 차례 있는 것, 넷째, 온도안진
검사에서 병변 쪽의 반규관마비가 있고, 다섯째, 6개
월 이내에 증상이 완전 소실되는 경우이다. 급성기
의 환자에게 Frenzel 안경을 씌우면 자발안진을 확인
할 수 있으며 병변의 반대 측으로 안진이 나타난다.

⑤ 치료

급성기에는 일반적인 급성 어지럼증 환자의 대증치
료가 주된 방법이다. 급성 어지럼증 치료에는 전정
억제제, 진토제가 필요하다.

⑥ 辨證施治

- **膽經痰熱證**

病前 外感 病歷이 많고 갑작스럽게 眩暈, 發熱,
頭痛, 惡心嘔吐, 口苦咽乾, 舌邊紅, 苔薄黃而膩,
脈弦數한 症狀을 나타낸다. 淸泄痰熱, 化痰定眩
의 방법으로 치료한다. 處方은 小柴胡湯合溫膽
湯加減을 쓴다.

- **肝陽上亢證**

갑자기 激烈한 眩暈, 어지러움이 멈추지 않으며
행동이 안정되지 않고 움직이면 眩暈이 加重되
고 巓頂이나 後枕 부위의 痛證이 있으며 目系가
拘急되고 目珠가 흔들리며 舌紅少苔, 脈弦한 症
狀이 있다. 淸肝熄風, 育陰潛陽의 방법으로 치료
한다. 處方으로는 天麻鉤藤飮加減을 쓴다.

- **痰濁瘀阻證**

갑자기 眩暈, 惡心嘔吐, 頭痛, 身重, 胸脘滿悶, 納呆, 舌暗紅苔白膩, 脈弦滑 한 症狀이 일어난다. 化痰降逆, 活血通脈의 방법으로 치료한다. 處方은 半夏白朮天麻湯合通竅活血湯加減을 쓴다. 舌苔黃膩한 경우 黃連, 黃芩을 더한다.

(3) 양성발작성두위현훈

① 개요

양성발작성두위현훈은 머리의 위치를 바꿀 때 안진과 현훈이 일어나는 질환으로서, 보통 후반규관의 병변으로 발생하는 양성발작성두위현훈으로 알려져 있으나, 외반규관이나 상반규관의 병변으로 인한 발병도 가능하다. 양성발작성두위현훈(BPPV)은 특정 체위에서만 나타나는 안진이 특징인 병으로 1952년 Dix와 Hallpike가 특징적 인진의 형태를 유발할 수 있는 Dix-Hallpike법을 기술하고 잠복기, 특징적 안진형태, 피로 경향, 짧은 안진기간, 가역성 등의 특징은 이석기관의 문제에 기인한다고 보고하였다. Dix-Hallpike법 앉은 자세에서 환자의 머리를 45도 돌린 상태로 환자를 눕힌다. 머리를 뒤로 20도 정도 낮게 유지한 1~2초 후 안진을 관찰한다. 환

자가 환측에 위치하였을 때 회전 수직성 안진 발생함. 안진의 회전성 성분은 눈의 상극이 귀의 하단을 향하여 떨린다. 우측 이환 시 우측 귀를 향하여 떨린다. 수직성 성분은 상방향을 향한다[그림 2-4-1].

② 임상증상

후반규관의 BPPV 환자는 주로 아침에 잠자리에 일어날 때 갑자기 회전감 있는 현훈과 평형장애를 발작적으로 경험하며, 특히 베개를 베거나 목을 구부렸다 위를 쳐다보는 행동을 할 때 순간적으로 평형장애가 발생한다. 자율신경계의 자극증상인 오심, 구토, 두통, 가슴 두근거림, 식은땀 등이 나타난다. 회전감 있는 현훈은 1분 이내로 짧게 지속되며 머리를 움직이지 않고 가만히 있으면 곧 소실된다. 두위를 바꾸는 행동을 하지 않으면 일상생활에는 지장이 없다. BPPV의 남녀의 성비는 1:1.6~2로 여자에게 더 많다.

③ 원인

특별한 원인을 찾을 수 없다. 두부외상, 전정신경염, 메니에르 병, 귀 수술, 비이과적 수술, 비활동성 등과 관련이 있으나 원인을 알 수 없는 경우가 더 많다. 주로 50세 이상에서 많이 발생하는데, 이는 나이가 들면서 내이의 허혈로 인해 이석이 불완전하게 형성되기 쉽고, 또한 이석기관의 퇴행성 변화로 유동성 석회화 물질이 쉽게 발생하기 때문이라고 추측된다.

④ 치료

치료의 기본은 석회 부유물을 반규관 내에서 제거하는 물리치료이다. Semont 방법(1988)과 Epley방법(1992)이 있는데, 두 방법의 기본 원리는 후반규관의 관내를 따라 석회 부유물을 머리의 위치를 변화시켜 공통각으로 이동시켜 전정으로 유도하는 것

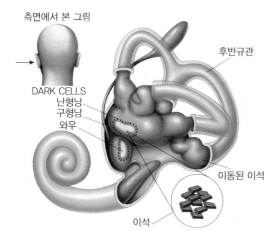

측면에서 본 그림
후반규관
DARK CELLS
난형낭
구형낭
와우
이동된 이석
이석

그림 2-4-1　양성 발작성 체위변환성 현훈의 기전

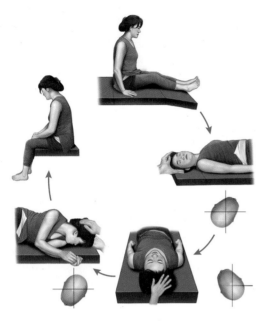

그림 2-4-2 Epley방법- 수기법

이다. 일반적으로 두 방법의 효과는 70~90%로 보고되고 있다. 한 번의 정복요법으로 반응이 없으면 몇 차례 반복하여 시행한다. Epley방법: ① 환자를 앉히고 머리를 환측으로 45도 회전시킨다. ② 환자를 재빨리 눕히고 머리를 검사대 끝에 20~30초간 떨어뜨린다. ③ 머리를 반대쪽으로 90도 회전시킨 후 20초 정도 유지한다. ④ 머리와 몸을 ③의 방향으로 회전시켜 측와위를 하도록 하고 코를 수평면에서 45도 밑으로 두고 20~30초 유지한다. ⑤ 환자를 일으켜 앉는 자세를 취하게 한다. Semont 방법: ① 머리는 수기 내내 건측방향으로 45도 회전시킨 상태를 유지한다. ② ①의 상태에서 몸을 환측으로 신속히 눕히고 1~2분 기다린다. ③ 환자의 몸을 건측으로 신속히 눕히고 1~2분 기다린 후 앉은 자세를 취한다[그림 2-4-2].

4. 其他疾患

이경화증과 같은 유전성 질환이나 미로염과 같은 질환은 한의학적 영역 분류가 어렵다. 여기에서는 이 두 질환에 대해서 기술하도록 한다.

1) 이경화증

(1) 槪要
이경화증은 상염색체 우성 유전양식을 지니며 여성이 전체 환자의 2/3를 차지하고 임신으로 병변이 악화될 수 있나. 내부분 10대 후반이나 20대 초반에 발견되나, 30-40대에도 발병할 수 있다. 이경화증의 초기에는 전음성 난청을 호소하며 병변이 와우로 진행하면 혼합성 난청이 발생할 수 있다.

(2) 異名
漸聾, 耳漸鳴.

(3) 病因病理
① 先天稟賦 不足과 房勞過度, 姙娠에 의해 精을 傷하고, 腎精을 消耗하게 되어 精虧陰衰에 이르러 耳를 濡養할 수 없어 일어남.
② 邪氣가 耳內를 犯하고 오랫동안 막은 상태에서 不去하며 氣血이 瘀阻하여 일어남.

(4) 臨床症狀
대부분의 환자들은 특별한 염증이나 외상의 과거력 없이 수년에 걸쳐 서서히 진행되는 청력손실을 호소하며, 약 70%의 환자들은 양측성 청력손실을 가지고 있다. 10대 이후에 발생하며, 58% 정도에서 가족력이 발견된다. 환자의 75%에게 이명이 있고, 25%가 전정기능 이상을 호소한다. 漸進的으로 兩

側 聽力이 減退되며 姙娠期에는 聽力 下降이 加重된다. 間歇性이나 혹은 持續性으로 耳鳴이 있으며 Willis 錯聽(즉, 소음 환경에서 도리어 안정 환경에서보다 소리가 잘 들리는 것) 或은 眩暈이 있다. 이경 검사상 外耳道가 넓어지고 귀지는 매우 적다. 鼓膜은 正常이거나 或은 얇게 변한다. 초기에는 鼓膜 윗부분에서 紅色의 點狀 區域이 보인다. Eustachian tube의 기능은 正常이며 乳養突起의 X-ray상 氣化 상태는 良好하다. 청력검사상 전음성 난청이 나타나며, 전음성 난청은 특징적으로 저음부터 시작하여 진행하는 기도-골도 청력차이며, 병변이 진행하여 등골이 완전히 고정되면 저음과 고음이 모두 영향을 받아 기도청력은 수평형을 보인다. 이경화증으로 인한 골도청력은 병변의 진행정도에 따라 다양한 양상을 보이며, 초기에 2 kHz에서 20~30 dB의 골도청력 손실이 있는 이경화증의 특징적인 청력검사 소견을 Carhart notch라 한다.

(5) 鑑別診斷
非化膿性 中耳炎이나 鼓室硬化症과의 鑑別에 注意한다.

(6) 辨證施治

① 腎精虧虛證
耳漸聾, 漸鳴이 있거나 或 耳鳴이 時發時止하고, 姙娠期에는 耳聾이나 耳鳴이 加重된다. 外耳道가 넓어지고 津液이 약간 일어나며 鼓膜色이 白色이고 얇게 변한다. 때때로 頭暈, 머리털이 희어지는 症狀, 腰膝酸軟, 舌紅少苔, 脈細한 症狀이 있다. 마땅히 益腎補精, 聰耳하여 치료하여야 한다. 處方으로는 耳聾左慈丸加減을 쓴다. 精의 虧損이 陰에 미쳐 腎陰不足이 되어 耳聾이 더욱 甚해지며 耳鳴夜重하고 耳膜에 點狀의 紅區가 생기며, 手足心熱, 舌紅少

苔, 脈細數한 경우 知母, 黃柏, 懷牛膝, 女貞子을 더한다. 精의 虧損이 陽에 미쳐 腎陽이 虛弱하여 耳聾 耳鳴이 있고, 耳內涼楚, 陽痿宮寒과 形寒怕冷, 舌淡苔白, 脈沈遲의 症狀이 있는 경우 制附子, 肉桂, 仙靈脾, 杜冲, 磁石英을 더한다.

② 氣滯血瘀證
耳聾이 매일 漸漸 加重되고 耳鳴이 時輕時重하며 月經期에 耳鳴이 더욱 甚해지고 혹은 耳聾이 이미 甚하며 外耳道가 넓어지고 感覺이 遲鈍하며 혹은 耳內에 때때로 刺痛感이 있고, 舌暗하며 瘀点, 脈澀의 症狀이 있다. 行氣活血, 通竅聰耳로서 治療하며 處方은 通竅活血湯加減을 쓴다.

(7) 調理豫防
① 營養을 잘 섭취하고 房事를 절제하며, 少生育한다.
② 外耳道의 衛生에 注意하여 感染을 防止한다.

2) 미로염

(1) 槪要
내이의 염증은 중이강, 와우도수관, 내이도 또는 나선와우축혈관을 통하여 원인균 혹은 바이러스가 침입하여 발생한다. 일반적으로 바이러스에 의해 발생하는 미로염은 치명적이지 않지만 중이염 합병증으로 발생하는 화농성 미로염은 치료가 지연되면 치명적일 수 있다. 세균성 미로염, 바이러스성 미로염, 매독성 미로염, 미로누공 등으로 구분할 수 있다.

(2) 病因病理
① 급성 膿耳에서의 火熱邪毒이 熾盛하여 內耳로 들어가면 迷路를 煩灼하여 熱盛動風하게 된다.

② 만성 膿耳를 잘못 치료하여 膿毒이 內攻하거나 혹은 復感邪毒하여 만성 膿耳가 급성으로 발작하게 되면 筋脈을 손상시켜 肝風을 야기시킨다.

③ 邪熱이 오래되어 陰을 손상시켜, 肝腎이 손상되면, 虛風이 內動한다.

(3) 種類

① 세균성 미로염

• 화농성 미로염

세균이 직접 내이로 침입한 것을 의미한다. 염증은 전파경로에 따라 중이의 정원창이나 난원창을 통하는 고실성 미로염, 수막염이 내이도나 와우도수관을 통해 전파되는 수막성 미로염, 패혈증으로 인해 혈액을 통하는 혈행성 미로염의 3가지로 분류된다. 특징으로 이명, 난청, 현훈, 안진, 오심구토 등이 발생한다.급성 중이염이 원인일 때는 고막절개술을 시행하여 중이강 내의 화농성 삼출액을 배농시키고 항생제를 투여하고 만성 중이염으로 인해 화농성 미로염이 발생한 경우는 수막염으로 발전하기 쉬우므로 적극적인 치료를 시행해야 한다.

• 장액성 미로염

장액성 미로염은 내이에 염증세포나 세균의 침입이 없는 무균상태에서 염증성 물질의 독성에 대한 반응으로 발현된다. 급성 화농성 중이염의 가장 흔한 합병증의 하나이다. 선홍색의 호산성 침전물이 외림프액 속에 나타나며 와우에서는 내림프수종이 발생할 수 있다. 증상으로는 감각신경성 난청이 나타나며 치료하면 회복할 수 있다.

• 세균성 수막성

미로염수막염에 속발하여 발생하는 화농성 미로염은 보통 양측성으로 발생하며 고열을 동반하는 경우가 많아서 중이염으로 인해 생기는 편측성 고실성 미로염과 구분된다. 수막성 미로염은 고실성 미로염에 비해 발생빈도가 높으며 전정기관 침범이 많고, 소아 난청의 원인 중 약 20%를 차지한다. 세균성 수막염 환자의 10%에서 영구적인 난청이 동반된다. 그리고 양측성으로 발생되면서 돌발적, 심한 감각신경성 난청, 현훈, 안진 등이 발생한다.

② 바이러스성 미로염

• 선천성 거대세포바이러스 미로염

선천성 내이감염을 일으키는 원인 비이러스 중 가장 높은 빈도를 보이며, 미숙아에서 면역 결핍이나 수혈로 인한 바이러스 감염의 중요한 원인 균주이다.

• 선천성 풍진바이러스 미로염

모체가 임신 3개월 이전에 풍진바이러스에 감염되면 약 80%에서 유산, 사산, 미숙아, 신생아 치아 발육부전, 신생아 지능장애 등의 선천성 풍진 증후군이 발생한다. 이 질환의 특징적 3대 병변은 난청, 심장비대, 백내장이다.

• 출생 후 바이러스 미로염

유행성 이하선염, 홍역바이러스, 대상포진바이러스가 모두 미로염을 일으킬 수 있다.

③ 매독성 미로염

매독성 미로염은 선천성 혹은 후천성 감염으로 인해 발생한다.

④ 미로 누공

와우나 반규관의 골미란으로 인해 생기며, 진주종

성 중이염의 가장 흔한 합병증이다. 증상으로는 반복성 현훈, 구토, 구역이 있고 이와 함께 감각신경성 난청, 이명, 이충만감이 함께 나타난다.

(4) 辨證施治

① 熱盛動風證

耳內 황색의 끈적이는 농이 흐르며, 眩暈이 極熱하고, 惡心嘔吐, 耳鳴如潮하며, 耳聲較重하고 耳內 疼痛이 있고, 舌紅, 苔黃, 脈數有力하다. 淸熱瀉火, 解毒熄風하니 龍膽瀉肝湯合天麻鉤藤飮加減을 사용한다.

② 肝風內動證

耳內 농이 흐르며, 갑자기 극열한 眩暈과, 惡心嘔吐, 耳鳴耳聾, 두통, 마음이 답답하고 쉽게 화를 내며, 舌紅하고 脈弦數하다. 鎭肝熄風, 降逆息眩하니 鎭肝熄風湯加減을 사용한다.

③ 肝腎陰虛證

耳內 농이 흐르는 데 때에 따라 흐르는 양이 다르며, 시간이 지나도 낫지 않으며, 眩暈이 時發時止하고, 반복적으로 발작하며, 耳鳴耳聾하고, 잘 잊어버리고 꿈이 많으며, 視物昏花하고, 腰膝痠軟하며, 手足心熱하고 舌紅少苔, 脈弦細하다. 滋補肝腎, 熄眩聰耳하니 杞菊地黃湯合大定風珠加減을 사용한다.

5. 안면신경마비

1) 槪要

안면신경마비, 즉 口眼喎斜는 <三因方>에서 口眼喎斜를 언급한 뒤 대표적으로 사용되었는데 口喎, 口僻, 喎僻, 口噤喎斜, 口噤眼合, 風牽喎僻 등 여러 가지로 표현되어 왔다. 이 질환에 대하여 <靈樞>에서는 주로 "足陽明經, 手太陽經脈上의 病變"으로 기술되었고, <金匱要略>에서는 "血虛하여 經絡이 空虛한데, 風邪를 瀉하지 못해 발생한다"고 하였다. <醫林改錯>에서는 "風邪가 經絡을 阻滯하고 氣滯 血瘀하여 발생한다"고 하였으며, <諸病源候論>은 "足陽明과 手太陽經에 風邪가 침입하고 寒邪를 만나서 나타나고, 수면 시 風邪가 귀로 들어가 발생한다"고 하였으며, <東醫寶鑑>의 口眼喎斜 항목에서는 東垣을 인용해 "口眼喎斜之證, 大率在胃"라 했다. 서양의학적으로 일곱 번째 뇌신경에 해당하는 안면신경은 뇌교 및 연수 경계부에서 나와 소뇌-교각부에서 여덟 번째 뇌신경인 청신경 및 중간신경과 합류하여 내이도로 들어가 내이관 안에서 청신경과 갈라져서 안면관을 통하여 슬신경절로 진행한다. 그 후 경유놀공을 통하여 두개골 밖으로 나와 안면표정에 관여하는 모든 근육을 지배한다. 중간신경은 혀의 앞쪽 2/3의 미각을 담당하며, 누선, 설하선, 악하선의 분비에도 관여한다. 안면신경마비는 이러한 신경해부학적 경로의 어느 부위에든 병변이 있으면 발생할 수 있으며 그 위치에 따라 핵상마비, 핵마비, 핵하마비로 나눌 수 있다. 그러므로 진찰 시에는 안면운동장애, 청각기능장애, 눈물 및 침의 분비장애, 미각장애 등에 관해 자세히 평가해야 한다.

2) 病因病理

안면경락상의 風, 寒, 熱, 氣虛, 血虛, 內傷 등에 의해서 발생한다.

(1) 足陽明 手太陽脈에 寒熱로 인함
(2) 血虛하여 經絡이 空虛하고 風邪를 瀉하지 못해 발생
(3) 邪氣가 血脈에 적중
(4) 風邪가 經絡을 阻滯하고 氣滯血虛하여 발생
　　Virus 감염, 외상, 가족성소인, 중이염의 후유증,

뇌종양, 당뇨라임병, guillain Barre syndrome 등이 있다. 그리고 알러지설, 바이러스설, 염증설, 혈관경련에 의한 혈액순환장애 등 여러 가지 학설이 대두되고 있다.

3) 分類

표 2-4-3. 중추성과 말초성의 감별

분류	중추성	말초성
장애부위	반대측	동측
wrinkling	O	X
eye close	O	X
wink	X	X
whistle	X	X

4) 臨床症狀

顔面筋肉의 마비, 流涎, 構音障碍, 落涙, 耳痛, 感覺過敏, 偏側味覺消失 등이 있다. 급성으로 발병하며 근력약화는 대개 48시간 이내에 뚜렷해진다. 경우에 따라 근력약화 1~2일 전 귀 뒷부분에 통증이 선행될 수 있다. 일반적으로 Bell's palsy에서는 미각장애, 침샘기능장애, 또는 청력과민 등이 동반되지 않지만 염증이 매우 심한 경우 이들 증세가 동반될 수 있다.

5) 種類

(1) Bell 마비

① 개요
안면신경마비 중 가장 많은 형태인 Bell마비(Bell's palsy)는 특발성 안면신경마비라고도 하며, 10만 명당 20~30명이 매년 또는 일생 동안 60~70명 중 1명 꼴로 발생한다고 보고되고 있다. 좌우측에 동일하게 발생하고 대부분 일측성이며 30%는 불완전마비, 70%는 완전마비의 형태로 발생한다.

② 원인
가설로는 바이러스 감염, 허혈성 혈관질환으로 인한 마비, 당뇨로 인한 혈관장애, 다발신경염, 자가면역질환, 한랭 노출, 유전설 등이 있다. 원인은 아직 밝혀지지 않았지만 바이러스, 특히 단순포진바이러스가 중요하다. 바이러스 감염으로 인한 신경 내 염증 변화로 분절 탈수초형성이 일어나고 이에 속발한 부종이 안면 신경관 내의 신경을 압박하여 안면신경마비가 발생된다고 본다.

③ 증상
갑자기 나타난다. 일반적으로 48시간 내에 가장 심하게 나타나고 이개 후부의 동통이 1~2일은 있은 뒤 안면마비가 온다. 수주~수개월 내에 80% 이상 회복된다. 마비가 첫 일주일 동안 불완전 마비면 예후가 좋다고 알려져 있다. Bell마비는 대부분 양호하게 회복되는 질환이며 비진행성으로 자연히 회복되는데 4~6개월 사이에 회복되고 12개월 이내에 완전 회복된다. Bell마비 증상으로 특징적인 바이러스 전구증(60%), 설인신경 또는 삼차신경의 감각감퇴 혹은 이상감각(80%), 안면부 혹은 경부의 이상감각(안면저림)과 동통(60%), 미각장애(57%), 청각과민(30%), 눈물감소(17%), 유루증, 이명 등이 있다.

④ 검사
순음청력검사는 청각기능의 검사로서 중요하며 등골반사검사, 누액분비검사, 타액분비검사 등은 국소진단과 예후를 예측하는 데 도움이 되는 검사이다.

⑤ 진단

기준진단은 안면신경마비를 유발하는 다른 질환을 배제함으로써 가능하나 최소한의 진단기준은 다음과 같다. 편측의 모든 안면근육의 불완전 혹은 완전마비가 있고, 갑자기 발생해야 하며, 마지막으로 중추신경계 질환, 이과질환, 소뇌교각 질환이 없는 경우에 Bell마비라 할 수 있다.

⑥ 치료

불완전마비 형태의 Bell마비를 치료하지 않는 경우 6%만이 경미한 마비를 남기면서 94%는 완전회복되고, 완전마비 형태의 경우 완전 회복이 71%, 경미한 장애는 13%, 중등도 및 고도의 안면신경장애는 16%라고 알려져 있으나, 각 개인에 대한 예측은 불가능하다. 약물치료에는 부신피질호르몬, 혈관확장제, 비타민, acyclovir 등이 있다. 안면신경감압술은 광범위한 신경변성의 증거가 있는 완전마비의 경우에 가능하다.

(2) 외상성 안면신경마비

외상은 Bell마비 다음으로 흔한 원인 중 하나다. 외상성 안면신경 손상은 원인별로 중이, 이하선 및 청신경종 수술 후에 발생하는 의인성과 비의인성으로 나뉘며, 비의인성은 발생 부위별로 측두골 내 손상과 측두골 외 손상으로 나뉜다. 그 외에도 뇌진탕, 중추신경 외상, 관통상, 안면열상 등이 원인이다.

(3) 감염성 안면신경마비

① 바이러스 감염

감염으로 인한 안면신경마비에는 단순포진바이러스(herpes simplex virus, Bell마비), 대상포진바이러스(herpes zoster virus), 인플루엔자바이러스, 거대세포바이러스 등이 관여하며 이 중 대상포진바이러스에 의한 경우가 가장 많다. 특히 대상포진바이러스에 의한 안면신경마비를 Ramsay-Hunt증후군이라 하며, 세포면역기능이 저하되는 60세 이상에서 급격히 많이 발생하는 양상을 보인다. 증상으로는 이통, 소수포성 발진, 감각신경성 난청, 이명 혹은 어지럼증이 있으며 안면신경마비와 동반된다. 다른 뇌신경 증상도 함께 발생하여 바이러스 전구증, 청각과민, 청력장애, 안면부 또는 경부의 이상감각, 동통 등의 동반률이 Bell마비보다 높다. Bell마비와 달리 완전 회복률은 20% 정도로 예후가 불량하고, 완전마비의 경우 약 10%, 불완전마비의 경우 66%이다. 전신적 부신피질호르몬 투여는 급성 동통, 어지럼증 및 포진 후 신경통의 빈도를 줄이나 질병의 진행 경과를 억제하지는 못하며 용법 및 용량은 Bell마비에 준하여 처방한다. 후천성 면역결핍질환의 어느 시기에나 안면신경마비가 발생할 수 있으며, 면역결핍바이러스에 의한 일차적 손상이거나 대상포진바이러스에 의한 이차 감염의 형태로 발생한다.

② 세균감염

중이를 침범하는 세균감염은 모두 안면신경마비를 유발할 수 있다. 급성 중이염으로 인한 안면신경마비는 그람 양성구균과 Hemophilus의 치료가 가능한 항생제를 투여하고 고막절개술을 시행하여 치료한다. 만성 중이염으로 인한 안면신경마비는 진주종이나 염증을 제거하면 회복될 수 있으며 유양동삭개술과 안면신경감압술을 함께 시행한다.

(4) 종양에 의한 안면신경마비

종양으로 인한 안면신경마비는 안면신경에서 직접 발생한 경우와 주위 조직에서 발생한 종양이 안면신경 기능의 장애를 초래하는 경우로 대별할 수 있다. 안면신경마비의 5% 정도는 종양 발생이 원인이다. 서서히 발생하는 불완전 혹은 완전 안면마비, 4

표 2-4-4. 장애부위에 따른 말초성 안면신경마비의 감별

부위	안면마비 이외의 증상	원인
뇌교	외전신경마비(안면마비와 동측) 반대측의 편마비	혈관장애, 종양 다발성 경화증
소뇌교각	난청, 이명, 현기증 각막반사 소실, 소뇌증상	소뇌교각종양, 청신경종양 수막종
슬상신경절 이상 측두골내	청신경 장해시 청력장애, 혹 청각과민, 눈물과 타액분비의 감소, 혀의 전방 2/3의 미각장애	외상, 종양 염증(중이에서 파급) 대상포진(Ramsay-Hunt 증후군)
고색신경 이상 슬상신경절까지	혀의 전방 2/3의 미각소실, 수액분비장애, 청각과민	염증, 외상, 중이염 다발성 신경염
고색신경 분지부에서 말초	안면마비 외에는 없음	Bell's palsy, 다발성 신경염 염증, 외상
경유돌공에서 말초	안면마비 외에는 없음(부분적)	외상, 염증, 이하선 종양

표 2-4-5. House-Brackmann 안면신경마비 평가기준(1985)

단계	정도	특징
I	정상	정상
II	경도마비	얼굴 외관 : 약간 약함 정지 시 : 좌우대칭 정상, 긴장도 정상 운동 시 : 이마 – 양호 　　　　　눈 – 작은 노력으로 잘 감김 　　　　　입 – 미세한 비대칭
III	중등도 마비	얼굴 외관 : 약함, 일그러짐 정지 시 : 좌우대칭 정상, 긴장도 정상 운동 시 : 이마 – 양호 또는 약함 　　　　　눈 – 보통 노력으로 잘 감김 　　　　　입 – 최대 운동 시 약간 비대칭
IV	중등고도 마비	얼굴 외관 : 이상함, 일그러짐 또는 일그러지지 않음 정지 시 : 좌우 대칭 정상, 긴장도 정상 운동 시 : 이마 – 불가능 　　　　　눈 – 감을 수 없음 　　　　　입 – 최대 운동 시 비대칭
V	고도 마비	얼굴 외관 : 미세한 정도의 움직임 정지 시 : 비대칭 운동 시 : 이마 – 불가능 　　　　　눈 – 감을 수 없음 　　　　　입 – 약한 움직임
VI	완전 마비	완전 마비

개월 이상 지속되는 안면마비, 편측에 반복되는 안면마비, 감각신경성 난청이 동반된 안면마비, 다발성 뇌신경마비와 함께 발생한 안면마비, 악성 종양의 기왕력이 있으면 종양으로 인한 안면신경마비를 의심해야 한다.

(5) 기타질환에 의한 안면신경마비

Melkersson-Rosenthal증후군은 재발성 구강안면부종, 재발성 안면신경마비, 균열설 3가지를 특징으로 한다. 구강안면부종이 모든 환자에서 발생하나 안면신경마비와 균열설은 약 반수에서만 나타난다. 구강안면부종은 주로 구순, 협부에 많으나 경구개, 연구개에도 발생하며 부종은 일시적이기는 하나 일정한 주기를 가지면서 반복된다. 지속적인 구순부종의 재발은 영구적 구순기형을 초래한다. 원인은 잘 모르며 안면신경마비는 50~90%에서 발생하고 Bell마비 같이 갑자기 시작되며 회복되는 시기를 거치나 자주 재발하는 특성이 있다[표 2-4-4].

6) 評價方法 및 檢査

여러 가지 안면신경마비 평가방법 중 안면 전체의 마비 정도에 따라 등급을 나누어 평가하는 총체적 평가법인 House-Brackmann 방법이 가장 널리 사용되고 있다.

(1) House-Brackmann 안면신경마비 평가법

Ⅰ등급은 정상 상태이며, Ⅵ등급은 안면 운동기능이 완전히 없는 상태이다. 안면신경 회복 시 Ⅰ, Ⅱ등급은 만족할 만한 단계이며, Ⅲ, Ⅳ등급은 불만족스러운 단계이다. Ⅳ, Ⅴ등급은 마비된 측의 눈썹을 올릴 수 없거나 심각한 동조 운동이 있는 경우이다[표 2-4-5].

(2) 안면신경검사

① 국소진단과 예후 검사

국소 진단 검사의 목적은 안면신경의 여러 분지에 대한 기능 검사를 시행하여 신경손상 부위를 확인하고 안면신경 손상의 예후를 판정하는 것이다. 그 종류로 누액분비검사, 타액분비검사, 등골반사검사 등이 있다.

• **누액분비검사(Shirmer's test)**
대천추체신경 기능에 대한 검사로 양측 결막 끝에 여과지를 5분 동안 위치시키고 양측의 차이를 확인한다. 눈물 분비에 따라 여과지에 확인된 환측의 결과가 양측 결과 합의 30% 이상으로 감소되어 있거나 10 mm 이하 혹은 5분에 5 mm 이하일 때 양성으로 판단한다.

• **등골반사검사**
귀에 큰 자극음을 주면 등골근이 반사적으로 수축하여 고막긴장도가 변화된다. 임피던스청력검사의 등골반사검사로 이를 확인할 수 있다. 등골반사검사는 등골신경 분지 근위부에 병변이 있을 때 등골 반사 소실 또는 건측의 50% 이하로 나타나며 이로써 안면신경 병변의 위치를 확인할 수 있다.

• **타액분비검사**
악하선관에 삽관을 시행하여 타액 분비를 유발하여 타액 분비량을 측정하는 것으로 건측에 비하여 25% 이상 감소되었을 때 유의하나, 시행하기가 어렵고 불편하며 정확도가 낮다.

7) 辨證施治

祛風散寒, 逐痰通絡, 溫陽筋脈, 舒筋止瘈 등의 방법이 사용되고, "治風先治血, 血行風自減"의 학설에 근거하여 活血養血하는 약재가 사용된다. 임상에서는 주로 牽正散加減으로 치료하여 만족할 만한 효과를 거두고 있다. 초기 염증기에는 金銀花 黃芩, 板藍根 등의 淸熱解毒 약재를 추가하고 병세가 안정된 수에는 化瘀通絡하는 丹蔘, 威靈仙 등을 가미하여 사용한다. 風藥이 대부분 燥하므로 滋潤하는 麥門冬 등을 추가하여 사용하기도 한다.

(1) 風邪外襲

突然 口眼喎斜, 面部感覺異常, 耳後隱痛, 或伴惡寒發熱, 頭痛骨楚, 舌淡紅, 苔薄白或 薄黃, 脈浮數或浮緊, 亦有見弦細脈象者 : 선풍기나 찬바람 등에 감촉되어 발병하니 祛風通絡한다. 牽正散加味을 사용한다.

(2) 虛風內動

喎斜, 面部痲木或有板緊之感, 面肌瘈動, 每干情緒激動或 說話時發生口眼抽動 或閉目難睜, 舌質淡, 苔薄白或少苔, 脈弦細한다. 養血熄風하는 四物湯合牽正散加減을 사용한다.

(3) 氣血瘀阻

口眼喎斜, 面部抽搐, 病側額紋變淺或消失, 眼裂擴大, 鼻脣溝變淺, 流口水, 日久不愈, 舌質暗, 苔薄白或薄黃, 脈弦한다. 行氣活血, 祛風通絡하는 當歸補血湯合 桃紅四物湯加減을 사용한다.

참고문헌

- 원색 안이비인후과학 노석선, 일중사, 2007
- 신한방 임상이비인후과, 이상곤, 정담, 2007
- 경혈학총서 안영기. 성보사, 2002
- 동의생리학, 대한동의생리학회. 일중사, 2005
- 東醫眼耳鼻咽喉科:蔡炳允 編著, 집문당, 1994
- 耳鼻咽喉科診斷治療의 大系:李起榮 譯, 서광의학서적, 2001
- 耳鼻咽喉科學:盧寬澤 編著, 일조각, 2004
- 原色人體解剖學:최인장 譯, 일중사, 1994
- 原色解剖學:金寅相 譯, 일중사, 1987
- 개정판 이비인후과학 대한이비인후과학회, 일조각, 2005
- 만병회춘, 진주표 역, 법인문화사, 2007)
- 본초강목, 이시진, 의성당. 1994)
- 황제내경 소문, 최형주 역, 자유문고, 2004)
- 황제내경 영추, 김달호, 의성당, 2002)
- 주해 한글 침구갑을경, 황보밀 저, 의성당, 2012
- 주해 완역 침구대성, 홍도현 역, 일취월장, 2016)
- 太平聖惠方, 王懷隱, 의성당, 2007
- 備急千金要方, 孫思邈, 일중사, 1988)
- 맥경, 왕숙화, 현대침구원, 1988
- 경악전서, 장개빈, 정담, 1999
- 鍼灸治療手帖
- 太平惠民和劑局方
- 證治準繩.:王肯堂
- 醫學輯要:吳燁
- 脈訣:崔嘉彦

제1장

鼻科 總論

構造와 機能

코는 해부학적으로 크게 외비(外鼻), 비강(鼻腔), 부비동(副鼻洞)으로 구성되어 있고, 비중격에 의하여 좌우로 나눌 수 있다.

1. 外鼻

능형으로 안면의 중앙부에 돌출되어 있는 외비는 골, 연골 및 그를 덮고 있는 피하조직과 피부로 구성되어 있고, 외비를 3등분으로 나누면 위의 1/3을 구성하는 골부, 약간의 유동성을 가지는 연골로 된 1/3과 가동성 있는 연골로 된 아래 1/3로 나눌 수 있다.

외비는 전두에서 시작하여 鼻根部에서 함몰되었다가 안면중앙에서 융기하여 鼻梁 또는 鼻背라는 丘陵을 만들고, 鼻尖이 끝나는 곳에서 좌우로 나뉘어져 鼻翼이 되며, 그 중앙에는 鼻橋 혹은 비중격 가동부가 있어 외비공이 이에 의하여 좌우로 나누어진다.

鼻橋와 口脣을 연결하는 선을 人中이라 하고, 鼻翼上緣으로부터 口角에 이르는 선을 鼻脣溝, 혹은 法令이라 한다.

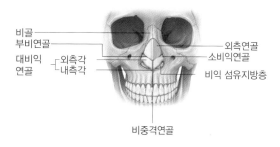

비골
부비연골
대비익
연골
외측각
내측각
외측연골
소비익연골
비익 섬유지방층
비중격연골

그림 1-1-1 골부 및 연골부

1) 骨部와 軟骨部

비골부는 주로 상부에 딱딱하게 고정되어 있으며, 좌우의 비골, 전두골 비돌기와 상악골 전두돌기 등으로 구성되어 있다. 연골부는 하부에서 부드럽게 움직이는 부분으로 외측비연골과 비익연골이 각각 좌우로 있으며 주변의 여러 조직들과 연결되어 있다[그림 1-1-1].

2) 皮下組織과 皮膚

비첨부위의 피부는 피지선이 풍부하게 분포되어 있고 두꺼우나, 나머지 부분은 얇다.

3) 血管 및 神經

외비의 지각신경은 삼차신경의 제1지인 안신경이 담당하고 있으며, 動脈은 안면동맥 및 眼動脈의 분지가 분포하여 비첨에서 비배에 이르기까지 풍부하다.

2. 鼻腔

비강은 비중격에 의하여 좌우로 나누어지며 전방 입구는 外鼻孔이라 하고, 후방은 後鼻孔이라 하여 鼻咽腔으로 연결된다[그림 1-1-2].

1) 鼻前庭

비강 내 전방부위로, 외비공으로부터 약 1 cm의 부위에 위치하며 코의 앞뜰에 해당한다. 표면은 피부로 덮여 있어 한선, 피지선, 鼻毛 등이 있으며, 비전정 뒤로는 고유비강과 연결되는 비역이 위치하고 있다.

2) 鼻腔上壁

상벽 또는 天蓋는 대단히 좁아 그 폭이 1-3 mm의 아치형을 만들고 있으며, 골부는 비골부, 사골부, 접형골부로 구분된다. 이 부위는 후점막(嗅粘膜)으로 이루어져 있으며, 후신경이 사판의 사골공을 통하여 분포한다.

3) 鼻中膈

비강을 좌우로 구분 짓는 중간 판으로 鼻橋와 鼻尖의 지지에 도움을 주며, 고정부인 골판과 가동부인

연골이 서로 단단하게 접합하고 있다.

일반적으로 유아에서는 직선 모양으로 나타나며, 성인이 되어서도 정도의 차이가 있을 뿐 약간 굽어지는 것 외에는 큰 차이가 없다.

비중격 연골과 코를 형성하는 외부 연골의 하단부 사이에 위치한 비판막은, 비강 내에서 단면적이 가장 좁은 부위인데, 전체 기도의 저항의 50%를 차지하며 비중격 연골의 만곡이 심할 때 코막힘 증상을 일으키는 중요한 부위이다.

비중격 연골 부위의 전하방에는 비강에 분포하는 동맥혈관이 군을 형성하고 있으며, 여기를 Kisselbach's plexus 또는 Little area라 하는데, 코피는 대부분 여기에서 발생한다[그림 1-1-3].

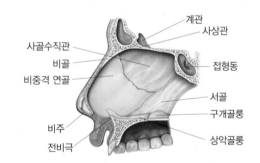

그림 1-1-2 비강의 구조

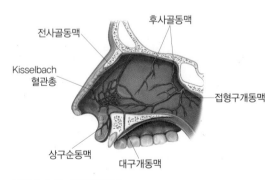

그림 1-1-3 비강의 혈관

4) 鼻腔側壁

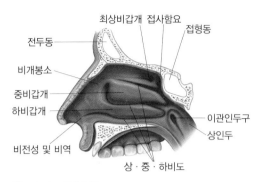

그림 1-1-4 비강측벽

비의 생리기능과 밀접한 관계가 있으며, 해부학적으로 가장 복잡한 구조를 보이고 있다.

　전상부는 淚骨, 전하부의 4/5는 下鼻甲介骨의 돌기, 후하부의 1/5는 口蓋骨上顎板 및 口蓋骨의 상연, 전상부에는 篩骨의 구상돌기 및 篩骨胞가 돌출되어 있다.

　또한 측벽에는 3-4개의 棚狀의 돌기가 하방을 향하여 돌출하고 있는데, 이것을 상비갑개(superior turbinate), 중비갑개(middle turbinate), 하비갑개(inferior turbinate)라 하며, 그 상부에 최상비갑개(supreme turbinate)가 있을 수 있다.

　또, 비갑개에 의하여 비강측벽에는 전후로 연결되는 좁은 통로인 상비도, 중비도, 하비도 등 3개의 비도와 각 부비동의 자연 개구부가 존재하여 임상적으로 중요한 의의를 가지고 있다[그림 1-1-4].

(1) 상비갑개 및 최상비갑개

상비갑개는 비교적 작아서 길이가 0.7-2.7 mm, 폭이 0.1-0.9 mm로 점막이 얇고 후각상피가 존재하는 것이 특징이며, 최상비갑개는 매우 작아서 보기 힘들며 사골의 흔적기관으로 약 20-60%의 사람에서만 편측 혹은 양측에서 발견된다.

(2) 중비갑개

사골의 일부로서 길이가 3.0-5.4 mm, 폭이 0.4-2.1 mm로서 중비갑개의 전상방 부착부위는 상악골의 사골릉과 연접해 있다.

(3) 하비갑개

독립된 뼈로 구성되어 있으며, 길이가 3.5-5.8 mm, 폭이 0.5-1.5 mm로서 점막은 두껍고 혈관이 풍부하며 발기조직으로 되어 있어 주기적으로 수축과 이완을 하며, 온도와 습도를 일부 조절한다.

(4) 상비도

상비갑개와 중비갑개 사이의 좁은 통로로서 대부분의 후사골봉소가 여기에 개구하며, 그 작용은 극히 미세하다.

(5) 중비도

임상에서도 가장 중요한 부위로서 상악동, 전두동 및 전사골봉소군이 개구하여, 부비동과의 통로가 된다. 육안으로는 확인할 수 없고, 중비갑개를 절제하여야만 볼 수 있지만, 근래 비내시경의 발달로 자세한 구조를 확인할 수 있게 되었다.

(6) 하비도

하비갑개, 비강측벽과 비강저에 의해 이루어지며 비도 중 가장 크고, 하비도의 앞쪽에는 비루관이 연결되어 있어 눈물이 흘러나오기도 한다.

5) 鼻腔底

전방의 3/4은 좌우로 약간 오목하며 전후로 수평을 이루고, 상악골 구개돌기로 형성되어 있으며, 구개돌기 전단부의 절치관을 통하여 비구개신경, 대구개동맥의 분지 등이 통과한다. 후방의 1/4은 구개골

의 수평판으로 구성되며, 그 뒤로는 연구개와 이어
진다.

6) 鼻腔粘膜

비강 내는 대부분의 표면이 점막으로 덮여져 있으
며, 크게 呼吸部와 嗅部로 나뉜다.

(1) 嗅部

코에만 존재하는 조직으로, 후부는 嗅絲의 분포구
역으로서 상비갑개와 비중격 사이의 후열에서 중비
갑개 하연의 높이에 이르는 부분에 존재하며, 다소
황갈색을 띤다. 점막은 상피층, 중간층, 골막층으로
되어 있는데, 상피에는 표면의 嗅小毛를 가진 감각
세포인 嗅細胞가 있어 후각을 중추로 전달한다.

(2) 呼吸部

호흡부는 후부를 제외한 비강의 下部를 말하는 것
으로서 점막은 鮮紅色으로 보이며, 3층으로 형성된
다. 上皮는 섬모원주상피이지만 비갑개 전단에서
는 주사위 모양(骰子狀) 혹은 편평상피로 변화하며,
중간층은 포도상선이나 점액선이 많을 뿐만 아니라
해면체가 있기 때문에 대단히 두터우며, 최하층은
연골막 혹은 골막층이다.

3. 副鼻洞

비강점막의 팽출외번으로 발생되는 부비동은 갓 태
어났을 때에는 아주 작거나 발달이 되어 있지 않지
만, 7세까지는 완만하게 발육하고, 그 후는 급속하
게 성장하여 사춘기에 성인과 거의 같은 크기가 된
다. 부비동은 비강주위의 강(cavity)으로 개인에 따
라 위치, 형태 등의 차이가 있고, 코를 중심으로 크

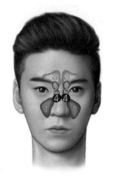

그림 1-1-5 부비동
1. 상악동, 2. 사골동, 3. 전두동, 4. 접형동

게 4쌍의 부비동이 있는데, 전두동, 사골동, 상악동,
접형동으로 나눈다. 나시 이것을 전부비동과 후부
비동 二群으로 구분하는데, 前群에 속하는 것은 전
두동, 전사골동, 상악동으로 배설구가 중비도에 있
으며, 後群에 속하는 것은 후사골동, 접형동으로 배
설구가 상비도에 있다[그림 1-1-5].

부비동의 점막은 비강과 마찬가지로 모두 점막
으로 덮여 있으나 점막하 조직은 엷어서 洞壁의 골
막과 융합되어 있다. 상피는 섬모중층원주세포로
형성되어 그 섬모운동의 방향은 各洞의 자연개구부
로 향하고 있어 점막위에 퍼져 있는 점막성 분비물
이 비공 내로 배설된다. 이러한 비강과의 교통은 상
중비도의 자연개구부를 통하여 이루어지는데, 그
관계가 마치 고실과 유양돌기봉소와 유사하여 비강
의 염증은 쉽게 동내로 확대되어 부비동염을 일으
킨다.

1) 상악동

부비동 중 가장 큰 洞空인 상악동은 대략 육면체를
이루고 있으며, 상악골의 함기화에 의해 형성되는
데, 측면으로는 협골(zygoma)의 체부까지, 후방으
로는 구개골까지 다양한 정도로 확장하며 평균용적

15 ㎖ 정도이다.

위치는 상악골체 및 협골돌기 내에 있고, 상벽은 상악골 안와부로, 하벽은 상악골 치조돌기에 존재하며, 외관상으로 볼 때 위쪽은 눈 부위에 붙어 있고, 안쪽은 비강과 접해있으며, 아래쪽은 잇몸부위와 연결되어 있다.

자연개구부는 비강의 측면인 중비도의 사골누두 중간과 연결되어 있으며, 어릴 때는 상악동의 개구부위가 중비도와 수평하게 열려 있어 쉽게 감염되는데, 성인이 되면서 점점 기울어져 감염을 막을 수 있다.

상악동의 바닥부분이 비강바닥보다 1 cm 낮기 때문에 염증이 생기면 쉽게 개구부로 빠져 나가기 힘들어 농즙이 동내에 잘 고이므로 부비동염의 호발부위가 된다.

2) 전두동

불규칙한 추체형 모양을 가진 전두동은 전두골이 함기화된 것으로 출생 직후에는 없지만 20세 전후에 완성되고, 크기는 1 cm³에서부터 전체 전두골을 차지하는 것까지 다양하다.

위치는 전두골의 내외골판 중간에 위치하며, 하벽의 대부분이 안와상벽으로 구성되며, 비강의 전상방, 사골동의 상방에 해당된다. 전두동으로부터 중비도로 점액이 배출되는 경로는 자연개구부인 전두동구로 직접 비강에 배설되거나 사골누두 및 측동을 통한 다양한 경로가 있다.

3) 사골동

부비동 염증질환의 중심 부비동이며, 출생 때부터 존재하고, 4-17개의 벌집으로 복잡하게 이루어저 사골미로라 한다. 위치는 비강측벽의 상벽과 안와내벽 사이에 있으며, 얇은 격벽에 의해 여러 개의 동공으로 나뉜다.

후방으로 갈수록 높이와 폭이 증가하는 피라미드 모양으로, 자연개구부의 위치에 따라 중비도에 개구하는 전사골동과 상비도 및 최상비도에 개구하는 후사골동으로 구분된다.

4) 접형동

접형골이 함기화된 공간으로, 출생 후 3세부터 후사골동에서 형성되며 대부분 비대칭적인 쌍으로 존재한다. 자연개구부는 상비갑개 또는 최상비갑개의 내상방에 위치하는 접형사골함요로 개구된다.

生理

정상적으로 비강과 부비동은 호흡기로서의 기능과 감각기로서의 기능을 수행하고 있다. 비강은 호흡기도로서의 역할을 수행하면서 온도 및 습도의 조절작용을 하며, 비강점막의 점막층과 섬모운동으로 공기를 깨끗이 정화하는 작용이 있고, 비강점막에 유해물질이 들어왔을 때 재채기와 같은 반사작용으로 침입을 막아내는 방어작용이 있다. 감각기로서의 기능은 코를 통하여 냄새를 맡는 후각기능과 비강내 삼차신경을 통하여 시원한 감각, 뜨끔뜨끔한 감각, 얼얼한 감각, 타는 감각 등으로 표현되는 화학직 감각기능이 있다.

1. 嗅覺作用

鼻는 肺의 外候이며 肺는 소리를 주관한다. 肺는 五行 중 金에, 心은 五行 중 火에 속한다. 소리는 金에서 발생하기 때문에 肺가 소리를 주관한다 할 수 있고, 心火에 의해 모든 物質이 변화하여 五臭가 나타나기 때문에 心이 냄새를 주관한다 할 수 있다. 肺가 主聲하고 鼻가 肺에 屬하였으나 소리를 듣지 못하

고 香臭를 아는 것은 肺는 金으로 말미암은 것이니 12陣法에 의하면 金이 巳에서 長生하고 南方 巳午未에서 巳가 正火로서 臨官의 地이다. 火가 臟에 있어서는 心이 되고, 心은 냄새를 주관한다(難經). 그러므로 鼻가 비록 肺에 속하였으나 肺金이 心火의 位에서 발생하기 때문에 鼻가 香臭를 아는 것이다.

비강 내의 嗅部는 상비갑개의 대부분과 중비갑개의 일부 및 비중격의 위 1/3 부위를 차지하고 있는 약 500 mm^2 넓이의 점막이며, 이 후각점막의 점액은 고유층에 분포하는 보우만선으로부터 나오며, 이 장액선이 嗅素를 융해해서 후각을 조장한다.

기관으로 보면 냄새분자가 콧속에 위치한 후상피에 도달하게 되고, 그 내부의 후세포로 전달된다. 후세포가 잡은 냄새분자는 전기신호로 바뀌어 후세포를 통과한 후 嗅球에 도달하며, 후구에는 각 냄새에 반응하는 후사구체가 준비되어 있어, 냄새의 종류에 따라 후사구체로 들어간다. 이러한 냄새정보는 계속 이동해서 이상엽으로 향하고 그런 다음 시상이나 시상하부를 경유하여 대뇌피질의 후각중추로 진행하며, 후각 중추에서는 들어간 냄새정보가 어떤 종류의 냄새인가를 판단하게 된다.

2. 呼吸作用

西方은 金의 位이며 白色은 金色이며 肺는 金臟에 속하고 鼻는 肺에 開竅하며 氣를 主管한다. 그러므로 口鼻는 氣의 門戶이며(口問篇), 鼻는 淸氣가 出入하는 길이며 淸氣는 胃中의 生發하는 氣이다. 五氣가 鼻로 들어와서 心肺에 간직된다. 또한 呼하는 것은 心肺이며 吸하는 것은 肝腎의 氣이다(入門). 宗氣란 胃內에서 發生하는 大氣로서 胸中에 蓄積되었다가 肺로 上出하여 呼吸을 管掌한다(靈樞 邪氣臟腑病形篇). 그 외에 異物이나 細菌을 防禦하는 作用을 한다. 즉, 五疫이 相染하게 되는 것은 鼻로 통하여 들어간다. 그러나 正氣를 간직하였을 때 이것이 防禦되어 侵犯하지 못한다(刺法論).

1) 호흡기도

비강은 체내로 흡입되는 공기가 제일 처음 거쳐야 하는 기관으로 온도와 습도를 증가시키며, 폐에서의 산소-이산화탄소 교환이 잘 이루어지도록 만들어준다.

(1) 비강 내 호흡기류

비강 내 공기의 흐름이 층류를 형성하고 움직이고 있는데, 비강단면상 중심부의 속도가 제일 빠르고, 변연부가 가장 느리며, 특히 비강벽에 접근한 부위는 최소의 속도가 된다. 일반적으로 흡기는 전비공을 통하여 상후방으로 높이 올라가고, 그 대부분이 고유비강의 전부에서 수직으로 올라가 넓은 곡선을 그리다가 후비공 쪽으로 빠져 나간다. 호기 시에는 흡기 시보다 더 심한 와상운동을 일으키면서 비강의 전정부로 움직이게 된다.

(2) 비주기(nasal cycle)

양쪽 비강이 번갈아 가면서 비강 내 기도저항이 순환적으로 증감하는 현상을 말한다. 일반적으로는 의식하지 못하며, 평균 4-12시간을 주기로 반복하는데, 한쪽 비강의 저항이 증가되면 반대쪽 비강의 저항은 감소된다.

2) 온도 조절

외부에서 유입된 공기는 비강을 통과하면서 접형구개동맥을 통한 동맥혈의 기능을 통하여 비인강의 공기온도를 약 35℃로 항상 유지하게 해 준다. 이 혈관은 공기의 흐름과는 반대의 방향으로 혈액이 흘러 효율적인 역할을 수행하고 있으며, 마치 자동차의 라디에이터처럼 더운 물이 순환하듯이 비강의 정상체온에 가까운 공기가 순환되어서 조절된다.

3) 습도 조절

비점막의 섬모운동에 의해서 생리적인 수양성 비루가 하루에 약 1,000 cc 정도 배출되어 비강 내의 습도를 유지하며, 또한 흡기 시의 습도조절을 위해 비강점막 고유층의 모세혈관으로부터 나오는 수분이 증발된다.

4) 방어 기능

비전정에는 수많은 鼻毛가 있어서 비교적 큰 물질들은 물리적으로 여과되며, 작은 크기의 이물질은 비점막 표면에 존재하는 점액 및 섬모운동에 의하여 배출된다. 섬모운동은 점액이 항상 일정한 방향으로 흘러 후비강으로 흘러내리게 하며, 인두를 거쳐 식도, 위로 가서 위액에 의해 이물질, 세균 등과 함께 파괴된다.

3. 聲音共鳴

성대가 발성하여 생긴 공기가 후두와 인두, 그리고 구강을 거쳐서 만들어지며, 이때 비강은 성음의 개방공명기로서 역할을 한다. 따라서 후두에서 발생된 음은 확성되고 음색을 變更한다.

한의학적 이론으로 볼 때 肺가 鼻에 開竅하며, 肺氣가 鼻로 통하고 있는 반면 肺가 소리를 主管하므로 共鳴하게 되며, 鼻共鳴의 缺乏을 鼻聲이라 한다. 알레르기 비염, 비후성 비염, 부비동염, 아데노이드 증식증 등으로 인하여 鼻腔이 閉鎖되었을 때의 鼻聲은 閉鎖性 鼻聲으로, 心火가 亢極하여 鼻閉되었거나 異物에 의하여 閉鎖되었을 때 정확한 소리를 내지 못하는 狀態를 말한다. 구개파열, 연구개마비 등으로 鼻腔이 開放되었을 때의 鼻聲은 開放性 鼻聲으로, 鼻의 外部的 損傷 및 肺氣能의 喪失에서 나타난다고 본다.

4. 鼻와 經絡

鼻竅는 多血한 竅道이며, 7개의 經脈이 循行하면서 전신의 經絡과 다 通하여 五臟六腑도 긴밀한 관계를 이룬다. 臟腑의 經氣는 鼻竅를 溫煦하는데 필요하고 臟腑의 陰液도 鼻竅를 滋潤하는데 중요하며, 經絡의 通暢에 똑같이 의존하고 있어 經絡 通暢 여부가 鼻科의 生理活動과 病理變化에 중요하다. <靈樞·邪氣臟腑病形>에 "十二經脈, 三白六十五絡, 其血氣皆上于面而走空竅… 其宗氣上出于鼻而爲臭."라 하여 十二經이 鼻竅로 經脈이 순행한다고 하였다.

手陽明大腸經은 코, 입술의 中央인 人中穴의 左右에서 나온 경맥과 交叉하고 다시 口鼻를 挾하고 迎香穴에서 胃經과 만난다. 足陽明胃經은 大腸經의 終點인 迎香穴에서 起始하여 鼻莖을 上行하여 그 上端인 山根에서 左右로 交叉하고 다시 相離하여 膀胱經의 目內眥인 睛明穴을 지나 直上하여 髮際部에 到達하고 通天에서 百會와 사귀고 다시 胸中으로 들어와서 腦와 연결된다. 그러므로 督脈經과도 關係가 있으며, 西方白色이 肺로 들어가서 통하고 鼻에 開竅하므로 手太陰肺經과 生理的인 機轉이 이루어지며, 香臭를 알고 肺의 長生하는 곳인 心과 關連하므로 手少陰心經이 여기에 作用하고 巨髎穴에서 足陽明胃經과 陰蹻脈이 모임이므로 陰蹻脈과도 相連되고 있다. 또한 五行的인 關係로는 脾는 中央土이며 鼻 역시 中央土이기 때문에 反應이 나타난다(證治準繩). 12經脈과 365絡의 血氣가 얼굴로 上走하여 空竅로 連絡되므로 淸한 陽氣가 눈으로 가서 睛이 되고 귀로 가서 들을 수 있고 宗氣가 鼻로 나와서 냄새를 맡을 수 있다.

5. 鼻와 臟腑

審平의 紀는 그 臟이 肺로서 鼻를 主管하며(五常政大論), 五氣가 鼻로 들어가면 心肺에 간직된다. 鼻는 肺의 竅이며 宗氣는 胃에서 生發하는 기로서 呼吸에 관계하고 있는 동시에 모든 人體의 氣를 관장한다. 脾는 中央土로서 상호작용하나 肺氣能을 조화시키는 장기는 心이다. 肺大腸의 關係에서 鼻는 大腸을 관찰할 수 있으나 또한 膀胱은 鼻涕와 相關하고 있다.

1) 鼻와 肺의 關係

肺는 最高位에 있어 華蓋라 한다. 肺主氣하고 司呼吸하며 또한 宣發肅降, 通調水道, 開竅于鼻한다. 肺의 경기는 鼻로 통하고, 鼻竅는 呼吸과 香臭를 분별한다. <靈樞·脈度>에서는 "肺氣通于鼻, 肺和則鼻能知臭香矣."라 하였다. 肺가 陰液을 鼻에게 上濡하여야 鼻竅가 건조함을 피해서 衄血하지 않을 수 있다.

肺臟이 허손하면 청기가 鼻로 상승하지 못하고 기가 鼻를 溫煦하지 못하여 鼻失溫養하게 되고 臭覺機能에 장애가 와서 香臭를 판별하기가 어렵게 된다. <靈樞·本神>에서는 "肺氣虛則鼻塞不利."라고 하였다. 혹 鼻涕가 淸希하고 噴涕가 때때로 나면서 鼻甲이 腫大되고 粘膜이 淡白하고 舌淡, 胎薄, 脈弱하다.

肺臟陰虛하면 鼻竅가 濡養되지 못하여 鼻竅가 乾燥하여 鼻涕가 稠粘하고 양이 적으며, 攢出하기가 어렵고, 涕 中에 帶血이 섞일 수 있다. 鼻內粘膜이 潮紅하거나 건조하여 少津하고 혹 鼻甲이 萎縮되거나 舌紅, 苔少, 脈細하다.

外邪犯肺의 경우 肺氣가 閉郁되어 肺氣失宣하여 鼻塞不通하고 鼻諦增多하며 頭昏頭痛, 惡寒發熱, 鼻甲腫大, 粘膜充血, 分泌物增多, 舌苔薄, 脈浮의 증상이 나타난다.

肺臟溫熱, 邪熱熾盛, 上炎鼻竅하면 鼻孔이 煤黑하고 鼻腔이 乾燥하며 鼻前庭이 充血腫脹되고 疼痛拒按, 鼻腔粘膜紅赤, 혹 充血赤爛, 혹 滲出, 콧물이 끈적하고 舌紅, 脈數한 증상이 나타난다.

燥邪傷肺하면 津液을 燔灼하여 鼻孔이 乾燥해진다. 皮膚皸裂疼痛이 생기고 粘膜이 充血되거나 乾燥하여 津液이 不足한 증상이 나타난다. 充血, 赤爛하기도 하고 血痂, 舌紅도 나타난다.

2) 鼻와 肝膽의 關系

肝主疏泄, 調暢氣机하는데, 肝과 膽은 相互 表裏關係를 이룬다. 氣의 運動變化, 昇降出入은 전적으로 肝의 疏泄作用에 의지하고 있고 膽은 중정지부로

안으로 精汁을 藏하는데 그 性이 極烈하다. 腦는 精水之海로 아래로는 頏과 더 아래쪽의 鼻까지 통한다. 膽의 溫熱 邪熱은 上炎하여 移熱于腦하여 壅遏淸竅하여 各種鼻病을 일으킨다.

膽腑溫熱의 경우, 邪熱內熾하여 頭面의 熱이 上炎하여 惱로 가서 燔灼鼻竅하고 津液을 졸려 鼻涕가 稠濁量多하고 頭昏頭悶하고 嗅覺障碍가 나타나며 鼻內粘膜은 充血腫脹된다. 舌紅, 苔黃, 脈弦數하다.

肝經火盛한 경우 火熱上炎하여 薰灼鼻竅하면 陽絡을 상하여 血이 火를 따라 動하여 鼻竅出血이 일어난다. 量이 많고 勢가 맹렬하니, 血色이 深紅하고 鼻腔이 아프며 粘膜이 充血, 赤爛, 舌紅, 苔黃, 脈弦數의 증상이 나타난다.

3) 鼻와 脾胃의 關係

脾胃는 서로 表裏를 이루면서 後天之本이고 受納, 腐熟, 水穀精微收布의 공능이 있다. 脾胃는 水穀精微를 化生하여 鼻竅를 滋潤, 濡養한다. <醫學正傳> 5권에, "面爲陽中之陽, 鼻居正中, 一身之血動致面鼻, 皆爲致淸至精之血."이라 하였다.

脾胃虛弱한 경우, 氣血生化가 不足하여 鼻竅失養하고 鼻竅가 乾燥하여 鼻粘膜이 蒼白하거나 鼻甲蓋가 萎縮하고 혹 鼻塞淸涕, 噴嚔 등의 증상이 나타난다. 舌淡, 苔薄, 脈弱하다. 脾虛不通血하면 鼻血이 滲滲하게 나오면서 鼻粘膜의 色이 淡하면서 緩慢한 出血을 보이는데 반복발작하고 낫기가 어렵다.

脾胃濕熱上烝하면, 濕濁痰熱이 鼻竅에 壅遏되어 鼻涕가 稠粘하고 量多하면서 頭昏頭悶하고 嗅覺障碍, 鼻粘膜充血, 鼻甲腫大, 鼻沮大量膿性分泌物, 鼻前庭皸裂 舌紅, 苔黃膩, 脈滑數한 證侯가 나타난다.

胃火上炙하면 毒火가 鼻竅에 壅遏되어 鼻尖을 燔灼하고 鼻翼이나 鼻前庭이 充血腫脹, 疼痛拒按하게 된다. 充血, 赤爛이나 鼻竅出血이 量이 많고 勢가 맹렬하게 계속되며 대변은 燥結하고 舌紅, 苔黃, 脈數하다.

4) 鼻와 腎의 關係

腎은 先天之本으로 五臟六腑의 精을 받아서 臟한다. 腎의 陰液이 四肢百骸, 五官九竅를 滋潤, 濡養한다.

腎陰이 위로 가서 鼻竅를 濡養하면 鼻竅가 正常的 呼吸, 嗅覺機能을 유지할 수 있다. 腎陽은 一身陽氣의 근본으로 形體를 溫煦시키면 水液을 蒸化하는 공이 있는데 鼻竅는 腎陽의 溫煦作用에 의지하고 있어 정상적 呼吸, 嗅覺活動에는 腎陽이 반드시 필요하다.

腎陽이 허손되면 陰液이 鼻竅로 上濡하지 못하여 건조해지고 粘膜이 潮紅少津하며 鼻涕少, 鼻內

灼烈, 舌紅, 苔薄, 脈細數한 등의 증상이 나타난다.

腎陽이 부족하면 鼻竅는 瘟煦작용을 잃고 鼻塞鼻痒, 噴涕가 잦고, 淸涕가 물처럼 흐르고 비갑개가 腫大되고 粘膜淡白, 舌淡, 苔白, 脈弱한 증상이 나타난다.

5) 鼻와 心의 關系

心은 君主之官으로 主血脈, 藏神明하며 鼻는 心肺의 門戶이다. <景岳全書> 卷 27에 말하길 "脾胃肺竅, 又曰天牝, 內宗氣之道, 而實心肺之門戶."라 하였다. 心主臭하여 鼻의 嗅覺은 心臟과 밀접한 관계가 있다. <難經·四十難>에 "心主臭, 故令鼻知香臭."란 문구가 있다.

心血이 不足하면 血虛하여 鼻竅를 적시지 못하고 鼻竅가 건조해지면 嗅覺 기능에 장애가 생기면서 鼻甲이 축소되고 粘膜이 건조하고 津液이 적으면서 舌紅, 脈細弱하다.

病因病理

鼻는 頭面淸竅이며 肺系에 속하고 頭面 正中央에 위치하고 있다. 五臟精華之血, 六腑淸陽之氣가 모두 頭面淸竅로 가서 정상적 呼吸, 嗅覺機能을 유지시킨다. 만약 臟腑功能이 失調되고 氣血失和 鼻竅失養하게 되면 각종 鼻病이 생긴다. 鼻는 기체출입의 통로이고 鼻竅는 脾胃가 水穀을 運化하여 氣와 결합시켜 宗氣가 되는 과정에서 淸氣를 흡입하는 역할을 하여 정상적 생명활동을 유지시킨다. <靈樞·邪客>에서 "宗氣積于胸中, 出于喉嚨, 以貫心脈, 而行呼吸焉."이라 하였다. 이런 고로, 鼻竅의 呼吸功能은 晝夜를 가리지 않고 시속되며 外邪가 口鼻를 통하여 쉽게 從하므로 각종 鼻病에 걸린다.

1. 外感時邪

몸이 허약하였을 때 風, 寒, 暑, 濕, 燥, 火에 침범되어 발병하나, 주로 風, 寒이 많이 작용한다. 飮酒를 太過하게 한 후 風邪가 侵入하여 膽內로 들어가거나 혹은 鼻에 침입하여 正氣와 相搏하므로 鼻塞이 되거나, 風寒邪가 동시에 침범하여 鼻塞, 聲重, 流

涕, 噴嚏한다. 風寒外感으로 발병될 때 惡寒發熱이 일어나면서 咳嗽, 痰盛, 鼻塞, 鼻乾 등의 鼻疾患이 나타나고, 寒病에 있어서도 太陽, 陽明, 少陽 等症으로 傳變하면서 鼻疾患을 유발한다. 時邪는 天時의 不正之氣의 總稱으로 六淫과 疫癘를 포괄한다.

1) 六淫

六淫은 정상 情況下에서는 六氣라고 한다. 六氣의 太過不及으로 그 적절한 時가 아닌데 그 氣가 존재하게 되면 대개 各種 鼻病이 생긴다.

(1) 風邪

① "風者, 百病之時也"라고 하여 風이 六淫外邪에서 先導해서 病을 일으킨다. 그 性質이 開泄, 走竄, 善行而數變한다. 그런고로, 항상 其他 外邪와 合해서 害가 되어 人體에 侵入하여 肺氣가 막혀서 肺鬱에 이르게 하며, 宣暢하는 성질을 잃어 각종 鼻病에 이르게 된다. 風邪가 鼻病에서 항상 發病이 快速하고 變化가 快하며 鼻塞涕多, 噴嚏突發, 鼻痒, 頭昏頭痛 등에 이르게 만든다.

② 臨床表現

• 風熱

壅遏肺系, 肺氣失宣, 邪客淸竅하면 즉 鼻塞, 涕稠이다, 鼻乾, 嗅覺障碍, 鼻粘膜充血, 鼻甲腫大, 혹 充血, 赤爛, 鼻衄 등이 그 대표적 증상이다.

• 風寒

風邪와 寒邪가 侵犯하여 肺氣를 막으면 鼻竅에 壅滯되어 鼻塞, 淸涕, 噴涕頻發, 鼻痒, 頭昏頭痛, 身痛惡寒, 鼻粘膜蒼白, 鼻甲蓋腫大등이 나타난다.

• 風濕熱

風邪와 濕邪, 熱邪가 합하여 침범하여 鼻竅를 薰蒸하면 鼻尖과 鼻翼이나 鼻前庭痒痛, 局部潮紅濕爛, 或黃水浸淫, 或皮膚皸裂, 鼻甲腫大, 鼻涕膿粘한다.

(2) 寒邪

① 寒은 冬令主氣로 陰邪에 속하고 陽氣를 쉽게 상하게 하는데 寒의 성질은 收引하여 寒邪가 人體를 侵犯하면 肺氣가 閉郁하여 鼻竅가 壅塞한 즉 各種鼻病이 생긴다.

② 臨床表現

寒邪가 侵入하여 陽氣를 상하면 淸竅를 막아서 鼻塞難通에 이르러 鼻涕淸稀하거나 淸涕如水하고 噴涕頻作, 鼻甲腫大, 粘膜淡白, 鼻內贅生息肉 등이 대표적이다.

(3) 燥邪

① 燥라는 것은 秋令主氣로 그 氣는 燥이고 津液을 잘 상한다. 그 邪가 口鼻로 들어가 肺臟을 侵犯하여 肺系(咽喉, 鼻 등)를 乾燥, 少津하게 하고 鼻孔, 鼻前庭에 疼痛을 유발하거나 찢어지게 하며 鼻出血을 일으키거나 한다.

② 臨床表現

肺開竅於鼻하여, 肺氣는 鼻로 통한다. 燥邪가 口鼻를 따라 들어오면 肺臟, 鼻竅를 쉽게 상하게 하여 鼻腔이 乾燥疼痛하게 되고 鼻粘膜도 乾燥少津해지고, 鼻涕稠濁, 혹은 鼻前庭皮膚皸裂, 혹은 鼻內肌膜萎縮, 痂皮增多, 充血赤爛, 滲血 등의 증상이 생긴다.

(4) 濕邪

① 濕은 長夏의 기운으로 그 性質이 水와 같아 重濁粘泥하고 陰邪로 陽邪를 쉽게 상하게 한다. 항상 鼻病에서 鼻涕增多, 頭重如裏, 身重乏力 등의 증상이 이어진다.

② 臨床表現

濕邪는 重濁粘滯해서 항상 熱邪와 合하여서 侵入한다. 鼻塞, 涕黃稠量多, 嗅覺障碍, 頭昏頭悶, 身重乏力, 鼻粘膜充血, 鼻甲腫大, 鼻前庭潮紅糜爛, 黃水浸淫, 鼻內息肉 등이 나타난다.

(5) 火邪

① 火와 熱은 같은 陽邪로 炎上하는 性質이 있고 津液을 쉽게 상하며 鼻竅疼痛이 비교적 극렬하고 心煩口渴, 혹은 陽絡을 상하여 鼻衄에 이르게 하기도 한다. 出血量이 많으면 氣勢가 猛烈하다.

② 臨床表現

火熱耗氣傷津의 경우 항상 鼻乾疼痛, 鼻涕膿稠, 鼻尖, 鼻翼, 鼻前庭의 腫起充血, 疼痛拒按, 혹 鼻粘膜充血, 赤爛, 鼻竅充血 등이 나타난다.

(6) 六氣病

歲木이 不及할 때 母讐되어 있는 중에 子復하게 되면 喘嗽와 衄의 疾患이 있게 되고 歲金이 不及할 때나 少陰司天에 客勝할 때나 陽明이 이를 때 衄嚏가 되기 쉬우며, 太陽이 司天을 하였을 때나 少陽이 司天을 하여 심할 때나 少陰이 司天을 하였을 때나 熱이 盛할 때는 衄衄이 발생하고, 少陰이 復하였을 때는 煩燥, 衄嚏하게 되고, 심하면 肺로 들어가 咳嗽하고 鼻淵이 있게 되며, 少陽이 司天하여 火氣가 下臨하면 肺氣가 上從하여 咳嚏, 衄衄, 鼻窒이 발생한다. 太陽이 司天하여 寒氣가 下臨하면 心氣가 上從하여 衄嚏善悲하게 되고 少陰이 司天하여 熱氣가 下臨하면 肺氣가 上從하여 역시 咳嚏, 衄衄, 鼻窒이 있게 되고, 陽明이 司天하여 初氣일 때나 少陽이 司天하여 三氣일 때 衄衄, 嚏欠, 嘔逆이 있게 된다.

2) 疫癘

疫癘 癘氣, 溫病, 異氣 등과 유사한 전염병이다. 人體에 침범하여 각종 鼻病을 일으키는데 鼻塞有涕, 鼻痒, 局部潰瘍糜爛, 膿痂, 衄衄 反復發作 등이 그 예이다.

(1) 楊梅疫毒

楊梅疫毒이 侵襲하면 鼻塞鼻乾이 항상 보이고, 膿痂에서 穢한 냄새가 나거나 涕中帶血한다. 혹 鼻中隔 穿孔이나 鼻梁이 崩壞, 陷沒되어 鞍鼻가 될 수도 있으며 혈청양성반응이 나타나기도 한다.

(2) 鼻部結核

結核疫毒異氣가 侵襲하면 鼻塞頭痛, 鼻乾涕多, 粘膜潰瘍, 혹 鼻中隔 穿孔이 나타난다. 鼻翼이 缺損되거나 세균배양에서 결핵간균이 발견되기도 한다.

(3) 鼻部麻風

麻風疫毒이 侵襲하면 鼻毛脫落, 鼻衄, 粘膜潰瘍, 鼻中隔 穿孔, 鼻尖, 鼻翼塌陷이 되어 鞍鼻가 되는 증상, 鼻孔狹窄이 심해져서 閉鎖가 되는 증상이 나타난다.

2. 七情內傷

七情內傷으로 鼻科疾病이 생기는 것에서 怒傷肝이 중요한데 肝氣不流하면 肝氣鬱結하여 氣機不利하고 氣滯血瘀, 血行不暢, 瘀滯鼻竅하여 鼻竅失養등에 이르러 결국 鼻粘膜色이 紫暗하고 鼻甲肥大, 鼻塞難通, 鼻內贅生新生物이 생기는 등에 이른다. 憤怒가 과도하면 氣가 有餘하여 다시 火가 되어 氣化가 上逆하여 鼻竅를 薰灼하면 鼻竅에 痛症이 생기고 鼻衄이 때때로 있으면서 鼻粘膜充血이 발생한다.

만약 思慮가 過渡하여 心脾를 손상하여 陰血이 손상되면 脾臟이 受損하여 生化不足해져서 血不上濡鼻竅하여 鼻竅失養한 즉 鼻粘膜色이 淡白하여 鼻甲萎縮이 생겨 鼻腔은 寬大해지고, 점막은 乾燥하고 少津 하여 嗅覺障碍, 鼻涕膿稠結痂나 涕中帶血등이 나타난다.

<東垣十書>에서 말하길 "損脾胃, 生發之氣旣弱, 其营運之氣不能上升, 邪客空竅, 故鼻不利."라 하였다.

3. 飮食不節

飮食不節은 過飢, 過飽 혹 偏食에서 引起한 各種 鼻病을 이른다.

1) 過飢 攝入過少, 腸胃空虛, 氣血生化之元不足, 日
久氣血不足, 鼻竅失養한 즉 鼻腔于燥, 或 噴嚏頻
頻, 淸涕如水, 嗅覺障碍, 鼻衄時作, 鼻粘膜色淡
白, 或 鼻甲萎縮 등이 나타난다.

2) 過飽 및 偏食 過飽하거나 暴飮暴食하여 음식량
이 지나치거나(飮食過量), 辛辣醇酒厚味를 과식
하여 運化기능이 失調되어 飮食停聚하면 內釀
濕熱하여 濕熱上烝鼻竅하면 鼻塞, 膿涕增多, 嗅
覺障碍, 鼻內粘膜充血, 鼻甲腫大, 鼻內膿涕多,
鼻內息肉增生, 鼻痒痛, 鼻前庭充血糜爛, 黃水浸
淫, 鼻前庭生疔瘡癰腫 등이 발생한다. 만약 濕熱
이 面鼻를 上烝하면 鼻尖이 紅赤하고 오래되면
酒齇鼻가 된다. 또한 濕熱薰灼, 損傷陽絡하면 則
充血, 赤爛, 鼻衄時作 등이 생긴다.

4. 痰飮瘀血

1) 痰飮 外感六淫, 飮食失調, 七情內傷 등의 이유로
肺, 脾, 腎, 三焦 등 臟腑氣化機能活動이 실조되
어 水液代謝가 失常하고 水津이 停滯되어 형성
된다. 鼻竅에 작용하면 鼻塞, 鼻涕增多, 臭覺障
碍, 鼻甲腫大를 나타낸다. 痰熱이 鼻竅를 熏蒸하
면 鼻腔이 紅腫疼痛하면서 濕痒糜爛하거나 黃
水浸淫, 結痂, 粘膜充血, 鼻涕稠濁 등의 증상이
생긴다. 痰濁停聚하여 壅滯鼻竅하면 鼻塞이 지

속되면서 嗅覺機能障碍, 鼻內息肉 등이 동반된
다. 頑痰積聚가 日久하면, 肌膜이 부패하여 鼻塞,
鼻氣臭穢, 鼻衄或涕中帶血, 鼻內贅生腫瘤, 頸部
淋巴結腫大, 頭痛, 乏力, 嘔惡, 便溏 등의 증상이
생긴다.

2) 瘀血이 鼻竅에 停聚하면 鼻塞이 지속되고 嗅覺
障碍가 생기며 涕多頭痛하고, 鼻粘膜의 색이 紫
暗하면서 鼻甲이 肥大해서 表面이 桑椹狀을 띠
게 된다. 瘀血이 鼻竅에 沮滯되어 鼻竅失養하면
항상 鼻塞鼻乾하고, 鼻涕淸稀하거나 涕少하고,
嗅覺障碍가 나타나면서 鼻粘膜色이 淡白하고 鼻
甲萎縮, 鼻腔寬大 등의 증상이 나타난다. 瘀血痰
濁이 鼻竅에 停聚되면 鼻內肌膜이 부패하여 鼻
塞이 지속되고 嗅覺障碍 혹은 喪失이 생기고 鼻
氣臭穢, 鼻內贅生腫瘤나 鼻內에 菜花와 같은 균
이 생기기도 하며 鼻涕帶血도 생긴다. 瘀血痰濁
이 頑顙에 있으면 腫瘤, 頸部淋巴結腫大에 이른
다.

5. 外傷

外部의 暴力, 打頭跌仆, 手術 등으로 인해 각종 鼻
病이 생기는데 鼻竅의 局部 靑紫腫脹, 皮肉破損, 鼻
骨骨折, 鼻腔有血 등이 그것이다.

診斷 및 檢查法

코 질환은 望聞問切의 四診을 통하여 그 원인을 찾아내고, 陰陽·寒熱·虛實·表裏를 감별해내며, 어느 臟腑와 연관이 있는지 일아내어 종합적으로 분석을 하고, 필요한 경우 좀 더 자세한 검사를 통하여 진단에 도움이 되도록 한다.

1. 診斷

1) 望診

望診은 의사가 시각을 통하여 환자의 정신상태, 面色, 形體, 動態, 局所症狀, 舌象 및 분비물과 배설물의 色·質·量 등의 변화를 관찰함으로써 질병을 診察하는 방법을 말하며, 본 장에서는 望型, 察色, 視診으로 분류하고, 부위에 따라 外鼻와 鼻腔으로 나누어 色, 形態, 分泌物을 살피는 것을 위주로 하였다.

(1) 外鼻의 望診

① 望型

코는 얼굴의 중앙에 위치함으로써 관상에서도 中岳이라고 하였고, 생김새로 성격을 판단하기도 한다. 코가 휘어있는지 여부, 크기의 대소, 낭종 유무 등을 관찰한다.

② 察色

鼻에 靑色을 띠면 腹中이 疼痛하고, 寒冷하면 위험하며, 微黑色을 띠면 痰飮이나 水氣가 있고, 黃色을 띠면 濕熱이나 脾風이 있고, 혹은 小便이 곤란하며, 白色을 띠면 氣虛하며, 赤色을 띠면 肺熱이나 脾熱이며, 鮮明하면 병이 없고 鼻尖만이 靑黃色을 띨 때는 淋病이 있고, 鼻尖이 輕微한 白色을 띠게 되면 혈액손실이 된 것이고, 赤色을 띨 때는 血熱한 것이다.

③ 視診

鼻孔이 건조하면 邪熱이 陽明의 肌肉내에 있는 것이니 오래 경과하면 衄血이 있게 되고, 鼻色이 烟煤와 같이 燥할 때는 陽毒熱極이며, 鼻孔이 冷滑하고 黑色을 띨 때는 陰毒冷極이다. 鼻汁이 濁涕가 흐르는 것은 風熱에 속하고, 鼻汁이 淸涕한 것은 肺寒이며, 鼻孔이 癖脹한 것은 肺熱인 동시에 風이 있는 것이고, 환자가 재채기를 하려고 하여도 할 수 없는 것은 寒이며, 鼻隧의 長短으로 大腸을 觀察한다.

外鼻의 局部가 靑紫腫脹, 疼痛拒按한 것은 打頭跌朴外傷의 所致이고, 소아의 鼻梁色이 푸르면 肝風上擾일 때가 많다. 鼻準이 紅赤하고 皮湊粗糙한 것은 濕熱이 上蒸하여 酒齄鼻가 된 것이고, 鼻準이나 鼻翼이 紅赤腫脹, 疼痛較劇하여 拒按한 것은 陽明火毒이 外鼻로 上炎한 것으로 鼻疔 등이 이에 속한다. 만약 鼻翼이 煽動하고 呼吸氣促한 것은 肺胃熱毒이 上炎한 것이고, 鼻準, 鼻翼이 潮紅하면 局部濕痒糜爛이고 만약 黃水浸淫한 것은 濕熱痰濁이 外鼻로 上炎한 것이다. 鼻準의 색이 푸른 것은 肝風上搖한 경우가 많고, 鼻準色이 흰 것은 血虛로 上送하지 못한 것이고, 鼻準의 색이 黃한 것은 水濕內停하여 運化가 실조된 것이다. 鼻孔의 煤黑하여 燥하면서 호흡이 促하고 灼熱한 것은 肺熱上炎에 기인한다. 만약 鼻前庭이 充血되고 濕痒糜爛하거나 혹은 黃水浸淫한 것은 濕熱上炎하여 鼻竅를 薰蒸한 경우가 많으며, 鼻前庭充血腫脹, 疼痛拒按한 것은 陽明火毒上炎한 것이 많고, 鼻前庭部潰하여 오래 안 낫는 것은 氣血虛弱하여 托毒이 되지 않은 것이다.

(2) 鼻腔의 望診

鼻腔粘膜이 充血되고 鼻甲이 腫大된 것은 肺氣不宣, 風邪壅阻肺한 것이고, 粘膜이 充血되면서 鼻內에 대량의 농성분비물이 저류된 것은 脾胃濕熱熏蒸인 경우가 많다. 鼻道贅生物이 있어 표면이 광활하고 色淡하고 荔枝肉처럼 반투명한 형태인 것은 濕濁積聚가 鼻竅에 쌓여 鼻息肉과 같이 된 것이고, 鼻竅贅生物이 瘜肉으로 나타나 茱花와 같으면서 涕中帶血한 것은 正虛邪實하고 기혈이 衰敗한 것이다. 鼻甲이 充血, 腫大하면서 鼻腔分泌物이 많은 것은 肺熱上炎이 많은데 鼻竅를 壅遏한 것이고, 鼻甲腫大되면서 粘膜 充血되고 鼻道나 嗅部에 농성분비

물이 있는 것은 痰熱이 腦로 가서 上炎鼻竅하였기 때문이다. 鼻甲이 종대되고 粘膜이 창백한 것은 肺氣虛寒이나 脾胃虛弱으로 鼻竅失養한 것이고, 鼻甲肥大하면서 粘膜이 紫暗하고 表面이 오동나무 열매의 모양과 같은 것은 氣滯血瘀로 瘀血이 鼻竅內를 막은 것이다. 鼻甲이 위축되고 肌膜이 枯槁하지만 오히려 비강이 넓은 것은 脾胃虛弱, 生化不足, 精微不能上送滋潤鼻竅하거나 肺腎陰虛, 肌膜失養하기 때문이다. 만약 비강이 건조하면서 점막이 潮紅少津하거나 비갑축소된 것은 肺陰虛損에 속하는 경우가 많은데, 鼻竅를 濡하지 못해서이다. 鼻中膈 전하방에 천공이 있으면서 穿孔에 痂皮나 糜爛出血이 있는 것은 대부분 楊梅邪毒, 結核, 外傷, 화학약물부식에 의한다.

2) 聞診

聞診은 환자로부터 나타나는 여러 가지 소리와 냄새의 이상한 변화를 듣고 맡음으로써 질병을 診察하는 방법을 말하는데, 본 장에서는 呼吸時 鼻氣와 비강 내 분비물의 냄새로 판단하는 것, 그리고 氣息과 鼻音의 상태를 살피는 것을 위주로 한다.

(1) 鼻氣과 分泌物

鼻氣와 分泌物의 氣味가 臭穢하고 鼻涕膿稠한 것은 濕熱熏蒸한 것이다. 鼻氣가 臭穢難聞하고 鼻涕膿稠하여 膿痂를 배출하는 것이 어렵고 鼻甲萎縮한데 오히려 鼻腔이 넓은 것은 燥熱傷肺, 熱灼津傷, 혹은 肺鼻虛弱, 生化不足, 鼻竅失養에 속한다. 鼻氣가 血腥腐臭하고 涕中帶血, 經久不息, 反復發作하는 것은 氣血衰敗의 惡候이다. 만약 鼻氣臭穢, 鼻涕膿稠量多하면서 病情이 짧은 것은 鼻腔內 異物일 가능성이 높다. 또한, 鼻氣惡臭가 나면서 呼吸不利하고 鼻中隔 穿孔이 있거나 涕中帶血한 것은 楊梅

邪毒 薰蒸鼻竅일 가능성이 높다.

(2) 鼻音과 氣息

코 막힌 소리가 나면서 重濁한 기운이 비음 초기에 들리는 것은 風寒邪가 침범한 外感에서 肺氣不利 되어 邪滯鼻竅한 것이다. 鼻音이 오래 지속되면 氣血瘀滯, 痰濕停聚, 혹은 鼻內에 贅生物이 있을 가능성이 높다. 만약 때때로 鼻音이 중탁하면서 開放性 鼻音을 동반한다면 선천적 기형이나 외상으로 인한 변형일 가능성이 높다. 氣息이란 콧숨을 지칭하는데, 氣粗하면서 呼吸이 促迫한 것은 外感邪氣가 有餘한 實證이고, 氣微하면서 호흡이 완만한 것은 內傷으로 氣가 부족한 것이다.

(3) 噴嚔聲

噴嚔가 돌발적이면서 聲音이 높은 것은 外邪侵襲하여 邪壅鼻竅하기 때문이다. 噴嚔가 돌발적이면서 聲音이 높은데 잘 낫지 않거나, 코 한쪽만 지속적으로 막히는 증세가 있다면 비강 내 이물이 있을 확률이 높다. 噴嚔가 돌연히, 빈번히 생기면서 聲音이 低微하고 새벽마다 발작하여 잘 낫지 않는 것은 肺脾氣虛나 肺腎虛損에 속한다.

3) 問診

問診이란 의사가 환자 또는 그 보호자에게 질병의 발생, 발전, 치료경과와 현재의 증상 및 기타 질병과 관련된 여러 가지 정황을 물어봄으로써 질병을 診察하는 방법을 말하며, 본 장에서는 鼻疾患이 발생한 時間, 病因, 經過, 主要局部症狀, 全身症狀 등을 주로 問診하며, 이와 동시에 원인이 될 만한 조건이나 직업과의 관계, 다른 臟器의 질환, 가족력에 관한 것도 필요에 따라 물어본다.

(1) 病程

鼻病 初發 時나 병정이 길지 않았을 때는 外邪侵襲, 臟腑失調인 경우가 많고 대개 實證, 熱證이다. 만약 병정이 비교적 길거나 반복발작하면 臟腑가 虛하거나 氣滯血瘀가 된다. 그러나 임상에서 항상 虛實과 寒熱은 섞여 있고 초기에 虛證, 후기에 實證일 경우도 간혹 있다.

(2) 問鼻塞

鼻塞은 환자의 주관적인 감각으로 表情, 呼吸, 聲音 등을 살핀 뒤, 問診을 통하여 발병 時間, 性質, 病因 등을 파악하여야 한다.

鼻塞이 發病이 급하고 병정이 비교적 짧으면서 發熱惡寒, 頭昏痛, 鼻涕增多한 것은 風熱外邪나 風寒外邪侵犯의 경우가 많다. 小兒가 한쪽만 鼻塞이 지속되면서 때때로 噴嚔하고 병정이 길지 않으면서 鼻氣臭濊, 鼻涕膿稠한 것은 코에 이물이 있을 가능성이 많다. 급히 鼻塞 증세가 나타나면서 鼻痒, 噴嚔頻頻, 淸涕如水한 것은 表虛不固, 寒邪外侵, 臟腑虛寒한 경우이다. 鼻塞이 寒이나 冷을 만나면 反復發作하고 鼻涕粘白하면서 병정이 비교적 긴 것은 肺氣虛寒인 경우가 많다. 鼻塞하면서 鼻涕膿稠, 頭昏頭痛, 口乾口苦, 心煩易怒하면서 병정이 비교적 길지 않은 것은 痰熱上炎하여 腦로 熱이 옮겨갔을 가능성이 크다. 鼻塞이 심하지 않고 鼻涕膿稠而量多하면서 頭悶脹하고 身疲, 納呆, 胸脘痞悶한 것은 脾胃濕熱이 顔面으로 薰蒸되기 때문이다. 또한 鼻塞이 지속되면서 嗅覺障碍, 鼻涕가 배출이 잘 안되고 病情이 비교적 긴 것은 濕熱痰濁이 鼻竅에 凝聚되기 때문이고, 鼻塞이 지속되고 病情이 길면서 嗅覺障碍, 呼吸不利, 鼻涕不多, 頭痛이 있는 것은 氣血瘀滯의 증후이다.

(3) 問嗅覺障碍

嗅覺障碍는 여러 가지 原因으로 인하여 嗅覺機能

이 떨어지거나 상실된 것을 말한다. 嗅覺障碍의 병정이 길지 않고 鼻塞, 鼻涕增多, 時有噴涕, 頭昏頭痛 發熱惡風 등의 증상이 있는 것은 風寒이나 風熱外邪가 침범하였기 때문이다. 嗅覺障碍가 때때로 輕하고 때때로 重하면서 반복 발생하고, 반복해서 鼻塞鼻痒, 때때로 噴涕, 鼻流淸涕한 것은 肺氣虛寒이나 脾胃虛弱일 경우가 많다. 一側 鼻竅의 嗅覺障碍가 돌발적으로 생기고 鼻涕膿稠, 鼻氣臭滅한 것은 비강이물일 가능성이 크다. 嗅覺障碍가 오래되어 지속적으로 鼻塞, 頭昏痛이 있는 것은 氣滯血瘀에 많이 속하며 혹은 痰濁凝聚가 鼻內贅生物에 이른 것이기도 하다. 嗅覺障碍가 오래되어 鼻內가 乾燥하고 鼻涕가 膿痂를 結成하여 배출이 어려우며 鼻氣가 腥臭가 나는 것은 肺脾虛損하여 鼻竅가 제 기능을 상실한 경우이다.

(4) 問鼻涕
鼻腔內 分泌物 有無, 鼻涕의 性質, 糧, 色 등을 파악하여 이해한다.

① 분비물의 性質과 量
비강 내 분비물의 量이 많은 것은 濕과 熱이 幷重하여 脾胃濕熱上乘하거나 肝膽濕熱薰蒸한 것이며, 鼻涕膿稠하면서 臭穢한데 排出이 어려운 것은 熱이 濕보다 重하기 때문이고, 濕熱痰火蒸灼한 것이다. 鼻涕膿稠하면서 結痂를 排出하기 어려운 것은 火熱積盛이나 陰虛, 鼻竅失養에 속하는 경우가 많고, 鼻涕粘液量多한 것은 濕이 熱보다 重한 것으로 濕邪가 鼻竅로 上犯한 것이다. 鼻涕淸稀한 것은 肺鼻氣虛, 寒水上犯의 경우가 많고 鼻涕膿稠而臭하면서 鼻塞이 지속되는 것은 대개 소아 환자에서 異物이 코에 들어간 경우가 많다.

② 분비물의 色

鼻涕가 黃色粘稠한 것은 濕熱熏蒸이 원인인 경우가 많다. 鼻涕가 黃紅색이면서 粘稠한 것은 濕熱上乘에 血分遺烈이 겸했을 가능성이 높다. 또 鼻涕色이 黃綠色이면서 粘稠한 것은 濕熱上乘해서 肝膽火積하여 발생했을 가능성이 높고, 鼻涕色이 白色이면서 粘한 것은 濕邪가 上犯했을 가능성이 높다. 鼻涕色이 淡紅하면서 물과 같아 저절로 흐르면서 반복하고, 그치지 않는 것은 脾虛로 統攝不能하여 발생한 것이다. 涕中帶血, 色甚紅한 것은 胃熱上炎이나 肝火灼鼻의 경우이다.

(5) 생활환경이나 직업에 대한 問診
비질환은 생활환경과 밀접한 관계가 있는데 거실내의 공기, 양탄자, 애완동물, 화분 등이 모두 鼻病을 발생시킬 수 있다. 일단 접촉하거나 흡입, 혹은 먹게 되면 즉시 발병하거나 혹 병정이 중해진다. 또한, 일부 鼻病 환자는 직업 환경이나 직업의 종류가 잘 맞지 않아서 발병하기도 하는 데, 업무환경에 粉塵이 많아 규정을 초과하는 경우, 장기적으로 노출된 환경에 의하여 發病이 되거나 병정이 가중된다.

4) 切診

切診은 脈診과 觸診으로 나누어지는데, 이 두 가지 모두 의사가 손을 이용하여 환자의 체표에 대해 만져보고 더듬어보고 눌러봄으로써 辨證上 필요한 자료를 얻어내고자 하는 진단방법의 일종이다. 脈診은 脈搏을 짚어보는 것이고, 觸診은 환자의 肌膚, 手足, 胸腹, 및 기타부위를 觸摸按壓하는 것으로, 본 장에서는 外鼻, 鼻竅, 鼻腔의 觸診을 위주로 한다.

(1) 脈診

① 浮脈

外邪가 침범하여 邪壅肺系하면 淸竅가 不通한 경우에 나타나는 데, 鼻塞, 鼻涕增多, 頭昏頭痛, 嗅覺障碍, 或 鼻出血 등의 증상을 동반한다. 脈浮數은 風熱外邪가 侵犯하여 邪熱이 表에 있고 아직 裏로 入하지 못한 경우, 혹은 外邪가 풀리지 않아 裏熱이 안으로 타오른 경우이며, 鼻塞, 鼻涕量多而稠, 嗅覺障碍, 或 鼻出血, 鼻甲充血腫大 등의 증상이 나타난다. 脈浮而緊한 것은 風寒外邪가 束表한 것으로 鼻塞鼻痒, 噴涕淸涕, 頭痛項强, 鼻甲腫大, 粘膜蒼白 등의 증상을 동반한다.

② 弦脈

肝膽實熱이 鼻竅로 上炎하거나 濕熱淡濁이 鼻竅를 薰蒸한 때문이며, 鼻涕膿稠하면서 양이 많고, 鼻塞, 頭痛頭昏, 鼻涕帶血, 鼻前庭皮膚 潮紅糜爛, 黃水浸淫 등의 증상이 나타난다. 脈弦而滑한 것은 濕熱痰濁이 鼻竅를 上烝한 것으로 鼻塞, 鼻涕膿稠糧多, 鼻甲充血, 腫大, 鼻道에 膿滯沮流한 등의 증상을 동반한다. 脈弦而數한 것은 肝膽火熱이 鼻竅로 上炎한 것으로 鼻塞鼻痛, 心煩易怒, 口苦口乾, 鼻準紅赤腫脹, 疼痛, 鼻涕膿少而臭, 或鼻涕帶血, 鼻甲充血이 나타난다.

③ 洪數脈

火毒內熾, 邪毒上炎鼻竅한 경우가 많으며, 鼻痛, 外鼻腫脹充血, 疼痛極烈, 拒按, 鼻準이나 鼻翼, 鼻前庭 腫脹, 疼痛, 혹은 鼻腫散漫, 面鼻漫腫, 혹 鼻衄 등의 증상이 나타난다.

④ 細數脈

臟腑陰虛, 虛火上炎의 所致인 경우가 많으며, 鼻에 疼痛이 있어 灼하는 듯하고 鼻涕는 少하고 結痂가 있으며 鼻衄이 때때로 있어 鼻粘膜은 潮紅하거나 乾燥하다.

⑤ 澁脈

邪毒久留, 혹 肝氣郁結, 氣血瘀滯한 경우에 나타나며, 鼻塞이 지속되고 嗅覺障碍가 있으면서 鼻準에서 그 주위조직의 皮膚가 肥厚되고 粗糙하여 橘皮나 瘤의 모양과 같다. 또한 비점막이 深暗한 색이고, 비갑이 비대되면서 표면에 凹凸이 있어 편평하지 않은 것이 桑椹子와 같고, 鼻內에 贅生物이 있다.

(2) 鼻部 局部觸診

局部觸診은 鼻竅局部를 觸診하여 局部形態의 변화, 新生物, 腫塊를 진찰하여 그 形態, 大小, 硬度, 壓痛등을 살핀다. 주로 손을 사용하여 鼻梁, 鼻尖, 鼻翼등의 부위를 觸診하는 데, 鼻梁이 靑紫腫脹, 疼痛拒按, 鼻梁奇形인 것은 鼻의 外傷이나 骨折일 가능성이 높다. 鼻尖이나 鼻翼이 못처럼 腫起되거나 豆와 같아 拒按한 것은 邪毒積聚한 것이 많은데 鼻疔, 鼻瘡과 같다. 만약 鼻尖, 鼻前庭 瘙痒이 있고 만졌을 때 피부가 거칠고 局部의 黃水가 浸淫한 것은 濕熱上烝일 때가 많다.

2. 檢査法

1) 鼻鏡檢査

비강은 주로 비경을 사용하여 검사하며, 비경검사에는 반사경과 비경이 필요하다.

(1) 전비경검사

전비경검사는 비경으로 鼻前庭을 넓혀 반사광선을 비강 내로 들여보내어 검사하는 방법으로 100-150 watt의 백열등을 구비하고, 액면요대경을 착용해야 정확한 검사를 할 수 있다. 우선 의사는 환자와 비슷한 높이로 편하게 앉아 자세를 취한 다음, 비경은 항

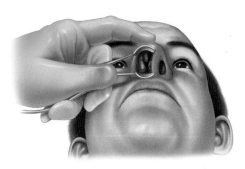
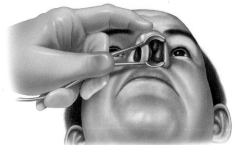

그림 1-4-1 전비경검사

상 왼손으로 쥐고 嘴端을 수평으로 하여 鼻前庭에 삽입하며, 수직방향으로 조작하고 嘴端이 鼻闔을 넘지 않게 해야 한다. 오른손의 엄지를 환자의 턱밑에, 다른 4指를 뺨에 대고 환자의 頭位를 여러 방향으로 변하게 하고, 鼻尖을 오른손 엄지 끝으로 밀어 올리면 鼻前庭이 잘 보인다. 주로 하비갑개, 중비갑개 전단과 중비도, 하비도의 앞쪽 일부, 비강 중반부까지의 비중격 등에 대한 관찰이 가능하다[그림 1-4-1].

(2) 후비경검사

후비경검사는 광원과 액면요대경외에 후비경과 설압자가 필요하다. 환자의 頭位는 수평위 혹은 전면을 바라보는 상태에서 혀를 자연스럽게 내밀게 하여 코와 입으로 호흡하라고 하면서 광선을 口蓋垂에 비춘다. 다음으로 설압자를 쥐고 혀의 전 2/3에 대어 그 첨단을 전하방으로 누른다. 그러면 舌根部는 口蓋垂에서 멀어지므로 오른손에 쥐어진 후비경의 鏡面을 상방으로 향하게 하고, 口蓋垂의 오른쪽 방향을 돌아 후인두벽에 닿지 않을 정도로 될 수 있는 데로 깊이 삽입한다. 이런 경우 설압자를 가진 왼손 示指를 頤部에 대고 후비경을 가진 오른손의 環指를 환자의 뺨에 대어 고정시킨다. 이때에 鏡面이 흐릴 때는 후비경을 가열하거나 알코올에 적시며, 매우 과민한 환자에겐 코카인을 바른 후 시행한다. 이 검사는 주로 비인강의 병변을 확인하거나 비인강의 병

변에 관한 조직검사의 목적으로 사용하며, 관찰대상은 비중격, 그 측방에 있는 상·중·하갑개 및 상·중·하비도, 후비공연, 그리고 측방에 있어서는 이관개구부, 상방에 있어서는 咽腔天蓋, 인두편도, 하방에 있어서는 口蓋垂後面 등이다[그림 1-4-2].

2) 鼻內視鏡檢査

비내시경검사는 비내시경을 비강 내로 들여보내 검사하는 방법으로, 팁에 따라 경성(경직형)과 연성(굴곡형) 내시경, 성인용(4 mm)과 소아용(2.7 mm) 내시경으로 구분된다. 경성은 다른 기구를 동시에 삽입하여 조작이 가능하고, 연성은 인후부까지 동

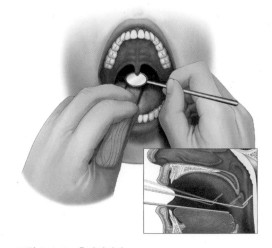

그림 1-4-2 후비경검사

시에 관찰이 가능한 장점이 있다.

일반적으로 경성 내시경을 사용하는데 환자의 머리를 고정하게 하고 왼손 3-5지 등으로 환자의 턱을 가볍게 받치고 좌측 엄지손가락 위에 비내시경 팁을 받치면서 오른손으로 내시경 몸체를 가볍게 잡아 수평으로 鼻前庭으로 삽입하여 모니터에 나타나는 영상을 통하여 비강을 살피는데, 먼저 하비갑개와 비중격 사이를 살피고 전후좌우로 이동하면서 비강 내를 살펴 볼 수 있다. 이때 환자는 口呼吸을 하도록 하여 비내시경에 김이 서리는 것을 방지하도록 한다. 비내시경은 비강 내를 아주 자세히 관찰할 수 있고, 수술과 각종 처치도 동시에 시행 가능하며, 사진이나 비디오 등의 자료를 쉽게 얻을 수 있는 장점이 있다[그림 1-4-3].

3) 副鼻洞 X-ray檢査

X선검사는 부비동 질환의 진단뿐만 아니라, 부비동의 종합적인 관찰, 연부조직, 저류액의 유무, 종양의 발육, 침윤 상태 및 골벽의 이상 유무를 관찰하는 데 중요하다. 크게 후두비부촬영법, 후두전두촬영법, 좌우촬영법으로 나누며, 이외에 이하수직촬영법, 사위방향촬영법 등이 있다.[그림 1-4-4]

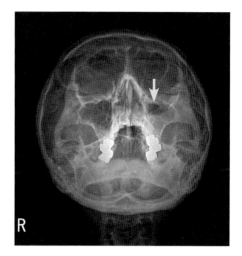

그림 1-4-4 X-ray (Water's View)

(1) 後頭鼻部撮影法(Water's view; occipitonasal view)
상악동과 전사골동을 가장 잘 관찰할 수 있는 검사법이며, 턱을 필름에 붙이고 코끝을 필름에서 1-1.5 cm 정도 뗀 다음 후두융기 3 cm 상방에서 코끝으로 향하는 방사선 중심선이 필름과 수직이 되게 하여 촬영한다[그림 1-4-4].

(2) 後頭前頭撮影法(Caldwell's view; occipitofrontal view)
전두동을 가장 명확하게 관찰할 수 있으며, 상악동

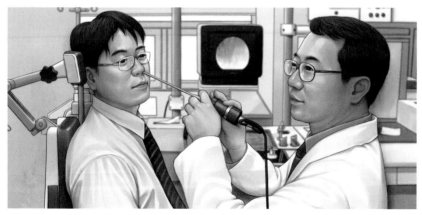

그림 1-4-3 비내시경검사

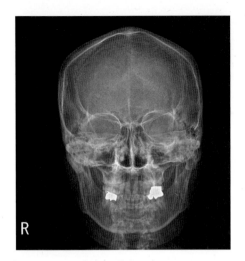

그림 1-4-5 X-ray(Caldwell's View)

그림 1-4-6 철조법

의 외벽 및 하벽과 전부비동 모두가 나타난다. 전두부와 코끝을 필름에 부착시키고 이주와 안각을 연결하는 가상선이 필름에 수직이 되게 한 다음 방사선 중심선은 후두융기로부터 3 cm 상방에서 미간을 지나 코끝을 향하도록 한 뒤 촬영한다[그림 1-4-5].

(3) 左右撮影法(lateral view; bitemporal view)

전두동의 크기, 깊이, 전·후벽의 두께와 접형동의 함기화 정도를 관찰할 수 있으며, 측두부 안면을 필름에 붙이고 두부의 정중선을 필름과 평행하게 하여 촬영한다.

4) 徹照法

광선을 투시하여 주로 상악동과 전두동의 상태를 관찰하는 방법으로 불빛의 폭이 좁고 강한 빛을 내는 철조등을 이용한다.

상악동 검사는 철조등을 입에 물고 입을 다문 상태에서 상악동이 붉게 빛나면서 하안검에 반월형의 투과광선이 보이면 정상이고, 빛이 나타나지 않으면 병변이 있는 것이다. 전두동 검사는 철조등을 눈

썹 내측 바로 밑에 깊이 대고 검진자의 손으로 불빛을 가리게 뇌면 환사의 이마 전두동 부위에 붉게 빛나게 되는 것이 정상이고 빛이 차단되면 병변이 있는 것이다[그림 1-4-6].

5) 鼻閉塞檢査

비폐색의 심한 정도를 파악하기 위한 검사로 통기검사라고도 한다. 환자에게 고의로 강한 鼻呼吸을 시켰을 때 호기중의 수증기 양에 의해서 호흡량을 보는 비습도 측정법과 호기 및 흡기압을 측정하는 비압 측정법이 있다.

6) 嗅覺檢査

후각장애는 환자가 자각하는 증상의 하나로, 대부분 후각감퇴를 많이 호소하게 된다. 후각감퇴는 비강 내 병변에서 나타나는 비폐색에 의한 경우가 많으며, 이외 嗅部의 후세포 기능장애나 외상, 대뇌질환 등에 의해 나타난다.

후각검사는 부탄올 및 한국인에 익숙한 16가지 냄새를 맡게 하여 후각점수를 매기는 검사로 후각기능검사라고도 한다.

鼻疾患의 일반증상

1. 鼻塞

鼻塞은 기의 모든 비질환에서 나타나는 증상으로, 해부학적으로 볼 때 비전정(nasal vestibule), 비판(nasal valve), 비강 상부, 하비갑개 전방부, 비갑개 후방부 및 후비공 등 다섯 곳이 유발부위이다. 크게 3가지 원인으로 나눌 수 있는 데, 첫째는 비강외의 원인으로 외비의 기형 또는 외상으로 인한 것이고, 둘째는 비강 내의 원인 즉 비중격이나 비강측면의 병변으로 인한 것이고, 셋째는 인두의 상부에서 오는 병변으로 상인두의 협착으로 인한 것으로 볼 수 있다.

지속적으로는 비용, 종양, 만성 비후성 비염 등에서 나타날 수 있고, 일시적으로는 급성 비염과 같이 점막이 붓거나 분비물이 과다하여 나타날 수 있으며, 좌우 교대로 나타나는 것은 비중격의 만곡이나 비후성 비염에서 볼 수 있다. 음주, 혈압강하제나 혈관확장제의 복용, 월경 등의 이유로 비점막이 생리적으로 종창되어 비폐색이 생길 수도 있다. 위축성 비염에서 비강이 넓어져 있는 경우인데도 비폐색을 호소하는 것은 비강을 통과하는 기류의 이상

이 발생하기 때문이다.

한의학적으로 鼻塞은 氣가 鼻를 통하여 출입하지 못하는 임상적 증후로, 크게 4가지로 분류한다. 첫째, 鼻塞의 초기에 콧물양이 많아지고, 후각장애가 나타나며, 身熱, 惡風, 비점막이 充血되고, 舌苔白, 脈浮한 것은 外邪侵入에 의한 것이고, 갑작스러운 鼻塞, 鼻痒, 噴嚔가 빈번하고, 콧물이 물처럼 흐르며, 비점막이 회백색이라면 傷寒鼻塞이라 한다. 둘째, 초기에 발작적인 噴嚔와 濁涕, 口苦心煩, 舌紅苔黃, 脈滑하다면 痰熱에 의한 것이고, 鼻塞이 오래되어 콧물이 나오지 못하고 막혀 있고, 頭痛, 眩暈, 비강점막이 暗紅色이라면 瘀血이 정체된 것이다. 셋째, 鼻塞이 오래되어 반복적으로 발생을 하면서 호전과 악화를 반복하는 것은 肺氣虛弱하여 발생한 것이고, 여기에 음식 먹기를 싫어하고 便溏, 舌淡, 脈弱하다면 脾胃虛弱을 겸한 것이다. 넷째, 鼻塞이 오래되어 지속적으로 막히고, 때때로 가중되며, 코 안에 용종이 있다면 濕熱과 痰에 의한 것이다.

초기에 일어나는 鼻塞은 風熱한 증상이나 外感風邪로 일어나기 때문에 傷風鼻塞이라 하며, 만성

적인 비색은 裏證으로 肺氣虛寒 혹은 脾氣虛弱으로 발생된다. 鼻塞, 聲音重濁, 鼻流淸涕 등은 外感風寒이며, 비색이 지속되면서 후각이 감퇴되고 鼻痔가 倂發되는 것은 濕熱 혹은 氣滯血瘀에서 나타난다. 비색이 간헐적으로 있고 鼻流濁涕, 惡臭, 頭痛이 있으면 膽經火熱이며, 鼻塞, 鼻流淸涕, 鼻痒, 噴嚔 등이 있으면 肺寒이고 鼻竅內가 건조하고 鼻痛, 痂皮가 나타나면 脾肺가 虛해서 津液이 부족하게 된 것이다.

2. 鼻漏

정상적인 비점막은 비선(nasal gland)을 통하여 점액이 적절히 분비되어 습기를 보존하고 있으나, 병적으로 진행되면 분비과다나 분비감퇴가 일어난다. 이런 상태가 바로 질병이 되는 데, 분비되는 비루의 양상은 각각의 원인에 따라 장액성, 점액성, 농성, 출혈성, 악취성 등의 특징을 나타낸다. 한의학적으로 콧물은 五液중의 하나로 臟腑의 작용에 의하여 津液이 轉化된 것이며, 淸涕와 濁涕로 구분한다.

표 1-5-1. **비루의 감별**

장액성	급성 비염(초기), 알레르기성 비염
점액성	급성 비염(말기), 만성 비염, 만성 부비동염
농성	만성 부비동염, 비강이물, 결핵
출혈성	비 디프테리아, 상악암, 건성 전비염, 선천성 비매독
악취성	상악암, 치성 상악동염, 비강이물, 취비증
분비의 부족	급성 비염(초기), 급성 감염, 당뇨, 신장염, 동맥경화증, 기생충 감염

1) 淸涕

맑은 콧물은 수양성 비루라 하며 감기 또는 급성 비염의 초기, 알레르기성 비염, 혈관 운동성 비염에서 잘 나타난다. 또한, 정상인에 있어서 점막이 약하거나 점막이 얇아져서 종말신경이 예민해질 경우 사소한 온도변화나 습도변화에 반응하게 된다. 예를 들면, 국물이나 음식의 열기에 콧물이 나는 경우이다. 淸涕는 鼻鼽 또는 噴嚔에서 일어난다. 病因으로는 外感風寒이 皮毛나 腠理에 鬱滯되어 肺衛虛弱으로 肺氣不宣하여서 발생하거나, 또는 肺氣虛寒, 腦冷에서 발생된다.

2) 濁涕

점액성 비루라 하며 급성 비염의 말기나 만성 비염에서 나타난다. 희거나 약간 누런색을 띠며 코가 잘 풀리지 않는 경우가 많다. 濁涕는 稠粘, 黃水 또는 膿血, 腥臭가 있는 鼻涕가 흐르는 것으로 鼻淵 혹은 腦漏에서 발생된다. 病因은 風熱이나 膽熱이 腦에 移하거나, 또는 脾胃濕熱, 肺熱燥盛에서 나타난다.

3. 嗅覺障碍

후각장애의 원인으로는 여러 가지가 있지만, 크게 호흡성 후각탈출과 진성 후각탈출의 두 가지로 나눌 수 있다. 호흡성 후각탈출은 알레르기성 비염, 혈관신경성 비염, 비용, 종양 등으로 인해 비강이 막혀 냄새를 유발하는 물질들이 냄새를 맡는 신경세포에 닿을 수 없는 상태가 되어 나타나는 질환이다. 냄새는 기체상태의 물질들이 후각세포의 점막에 용해되어 일으키는 감각이다. 그러므로 점액이 줄어들면 건조해지고 물질들은 녹아들 수 없으므로 후각이 둔해진다. 호흡을 할 때는 공기가 5-10%, 최대 20%는 후부를 통과해야 하는 데 코막힘이 생기면 입자가 들어갈 수 없게 된다. 이때는 공기가 들어갈 수 있도록 공간을 확보해주는 것이 치료의 초점이 된다.

진성 후각탈출은 사골동염이나, 바이러스가 후각신경을 침범하여 후각신경이 영구히 손상된 상태에 이르게 되어 발생한다. 냄새를 수용하는 신경세포가 손상을 입어 냄새를 맡지 못하는 것이다. 화학약품이나 위축성 비염, 비타민A 결핍증은 냄새를 맡는 말단부 신경의 질환을 일으켜 후각을 감퇴시킨다. 전뇌동맥의 동맥경화증이 원인이 되는 혈관성의 후각손실도 있는데, 이것은 냄새를 맡지 못하며 치매와도 관련 있을 것으로 짐작되는 질환이다.

이외에도 대뇌피질의 손상이나 두개 내 종양으로 후신경이나 후구 자체가 파괴되는 중추성 후각탈출이 있으며 악성빈혈, 당뇨, 히스테리 등으로 인하여 후각장애가 발생되기도 한다.

그 밖에 특이한 후각을 나타내는 질환이 있는데, 후각이 과민해지는 후각 과민과 냄새를 서로 다르게 느끼는 錯嗅覺, 냄새 나는 물질이 없는 데도 냄새를 느끼는 幻嗅覺, 색맹처럼 어떤 특정한 냄새를 맡지 못하는 嗅盲 등이 있다.

후각과민은 신경쇠약이나 임신, 월경, 히스테리 등에서 중추 신경계가 이상흥분되어 나타난다. 기억력, 사고력을 관장하는 전두엽의 종양, 애디슨병 등에서도 일어나는데 이때는 오심 구토를 동반하기도 한다. 錯嗅覺은 모든 냄새를 서로 다르게 느끼는데 모든 냄새를 악취로 느끼거나 주위의 악취를 느끼지 못하는 수가 있다. 幻嗅覺은 냄새나는 물질이 전혀 없는데도 환자들이 강한 냄새나 구린 냄새를 느낀다고 호소하는 것인데, 정신분열증이나 강박관념환자, 히스테리, 약물중독 등에서 볼 수 있다.

嗅覺은 한의학으로 볼 때 肺와 心의 상관관계에서 肺金이 心火에서 발생하여 원활하게 작용하는 것으로 설명이 가능하다. 이것은 心主臭라 언급한 것과 같이 心火가 金鑠하게 되므로 有用의 작용을 하여 냄새를 맡을 수 있다고 한 것이다. 그러나 火가 지나치게 熾盛하든가 肺金의 기능이 약화되었을 때는 냄새를 맡지 못하며, 또한 心肺가 病이 있으면 鼻不利하여 不聞香臭한다.

임상적 증후에 따라 크게 3가지로 분류할 수 있다. 첫째, 초기에 鼻塞과 淸涕量多, 頭痛發熱, 舌紅苔白, 脈浮하면서 不聞香臭를 동반하면 外邪侵襲에 의한 것이고, 둘째, 후각장애가 반복적으로 발생하면서 鼻塞, 濁涕量多, 頭痛, 口苦咽乾, 舌紅苔黃, 脈弦數하면 痰熱에 의한 것이다. 셋째, 후각장애가 지속되면서 鼻內乾燥하고, 濁涕粘稠하여 덩어리가 배출되지 아니하며, 하비갑개가 위축된 것은 臟腑의 機能이 虛損되어 鼻竅가 제 기능을 못하는 것이다.

4. 噴嚏

재채기는 비강 내의 이물을 배제하려는 반사작용으로 비점막의 자극, 즉 三叉神經枝의 자극에 의해 유발되며, 예비적으로 깊이 숨을 들이마신 후 강하게 숨을 내쉴 때 생기는 성문하의 압력의 급격한 증가로 생기는 것이다. 비점막의 분비과다를 동반하는 알레르기비염에서 빈번하게 발생되며, 이물·한기·악취 등이 주 자극원이 된다. 돌연한 강한 빛의 자극으로 눈물이 분비되어 이것이 누관을 지나 비강으로 들어가서 비점막을 자극하는 수도 있어서, 코로 이물이 들어갔을 때는 태양이나 환한 전등불을 갑자기 응시하거나 하여 재채기를 유발시켜서 이물을 제거하는 응급처치를 시행하기도 있다.

한의학적으로 太陽의 氣(陽氣)가 調和되고 원활하여 心臟에 충만 되었다가 鼻孔으로 나올 때 噴嚏가 일어난다(靈樞). 肺의 外症은 面白하면서 噴嚏가 일어난다(難經). 噴嚏란 鼻孔內가 가려우면서 氣가 噴出할 때 소리 내는 것을 말한다. 鼻는 肺竅가 되고 가려운 것은 火가 변한 것이니, 이것은 즉 火가 金을 乘하여 病이 된 것이다. 바꾸어 말하면 心火와 邪熱이 陽明經에 관계해서 鼻에서 발생하고 가려우면 噴嚏한다. 또한 日光을 보게 되면 噴嚏하는 경우가 있다. 이는 눈이 五臟의 精華이므로 太陽眞火인 日光이 눈에 비춰지게 되면 心神이 躁亂하여 上部가 發熱하고, 鼻孔이 가려우면서 噴嚏하고, 傷寒病에 再經이 되면 衰弱하여져 噴嚏하는 것은 火熱이 이미 退去하였기 때문에 虛熱이 가려움으로 변한 것이다. 風熱 上攻으로 頭鼻가 壅滯되고 脈이 浮하면서 다른 증상이 없는 것은 吹鼻藥을 넣어 鼻腔內에서 噴嚏를 하게 되면 壅滯된 것이 開通되면서 治癒된다. 혹은 疼痛部位가 噴嚏로 인하여 疼痛을 참을 수 없는 것은 噴嚏로 인한 氣가 鬱結된 疼痛部位를 공격하였으나 通利치 못하기 때문이다(劉完素六書).

5. 頭痛

두통은 독립된 병이 아니라 여러 가지 병으로 일어나는 하나의 증세이다. 일반적으로 발열질환에 따르는 경우가 많은데, 특히 頭部에 가까운 눈·코·귀 등의 병 때문일 경우가 많다. 즉, 근시·원시·난시·안정피로·녹내장·비염·부비강염·중이염·내이염 등의 경우에 흔히 두통을 수반하며, 이 중 鼻源性 頭痛은 전체 두통의 약 10% 미만을 차지한다.

鼻源性 頭痛은 두부의 특정부위보다는 머리전체의 頭重感과 눈의 중간에 중압감이 나타나는 것이 일반적이고, 양측두골, 두정부에 누르는 것 같은 충만한 둔통은 접형동·후사골동 병변을 의심하며,

미간·내안각의 통증은 전사골동 또는 전두동 병변이 있을 때이다.

한의학적으로 鼻源性 頭痛은 寒熱虛實에 따라 크게 4가지의 임상유형이 있다. 첫째, 眩暈頭痛의 초기에 있어서 鼻涕의 량이 많고 비점막이 충혈되어 있으며 鼻甲介가 부어 있고 畏寒發熱, 苔白, 脈浮한 것은 대개 外邪犯肺의 유형이다. 둘째, 두통이 太陽穴 근처까지 아프고, 鼻塞濁涕, 口苦咽乾하며 鼻甲介가 충혈되어 있고, 舌紅苔黃, 脈弦數한 것은 痰熱이 腦로 轉移되었기 때문이다. 셋째, 두통이 은은하게 반복적으로 발생하고, 鼻塞과 후각장애가 생기며, 비강의 점막이 淡白하고, 鼻甲介가 腫大되어 있으며, 風寒邪를 만나면 더 심해지고, 舌淡苔白, 脈弱한것은 肺氣虛寒하여 鼻竅가 제 기능을 상실한 것이다. 넷째, 두통이 찌르는 듯이 아프고, 후각장애와 함께 코가 지속적으로 막히며, 鼻粘膜이 暗紅하고, 鼻甲介가 커져서 뽕나무열매처럼 되어있으면 대체로 瘀血에 의한 것이다.

이 밖에 비중격이 휘거나 코 안에 신생물이 생겼을 때, 종양이 생겼을 때도 두통이 생길 수 있다.

6. 鼻聲

정상인은 구개인두폐쇄가 정상이면 비음이 생기지 않으나, 비강에 질환이 생기면 음성의 변화가 생겨 鼻聲이 나타난다. 위축성 비염, 구개열과 같은 선천이상, 외상으로 인한 구개천공, 매독으로 인한 구개파열 등은 발성시 비강으로의 공기배출량의 증가로 開放性 鼻聲이 생기며, 아데노이드 증식증, 후비공폐쇄증, 후비공 용종, 비인강 종양, 비용, 비후성 비염 등은 비강과 비인강의 폐쇄로 인하여 비인강으로 빠져나가는 공기량이 적을 때 공명이 없는 소리를 내며, 이를 閉鎖性 鼻聲이라 한다.

7. 聯關痛

비갑개와 부비동에서 발생하는 동통은 주로 삼차신경의 1, 2분지에 의해 연관통을 유발한다. 중비갑개의 앞쪽이 자극되면 삼차신경의 제1 분지에 의하여 전두부 및 눈의 내외측, 코의 외측부에 연관통이 나타나며, 중비갑개의 뒤쪽이 자극되면 삼차신경의 제2분지에 의하여 협부, 측두부에 동통이 유발된다.

8. 顔面痛

안면통은 종양, 신경통, 부비동염의 염증, 혈관의 폐색 등 여러 가지 원인이 있어 검사를 통한 정확한 진단이 필요하다. 부비동염에 의한 안면통은 주로 편측성이고, 주로 부비동의 부위에 따라 특정부위의 압통이 동반되는데, 상악동염의 통증은 대개 상악동 부위에 있고, 사골동염의 통증은 안와통, 눈의 내안각통이며, 전두동염의 통증은 전두동에 국한되고, 접형동염은 눈의 후방에 심한 통증이 있다.

治療 및 調護法

1. 治療法

鼻科疾病의 치료는 內治法, 外治法, 鍼灸療法, 기타 導引按摩法 및 豫防法 등이 있다.

1) 內治法

(1) 疏風宣肺法

疏風宣肺法은 疏風解表, 宣肺通竅 작용을 모두 가지고 있다. 입과 코를 통하여 外邪가 침입하여 邪氣가 肺系에 滯하고, 鼻竅를 막아서 발생하는 鼻病이다. 鼻竅가 막혀서 통하기 힘들고, 목소리가 무거워지며, 후각이 감퇴하여 냄새를 구별하기 힘들어지고, 콧물이 증가하거나 惡寒, 發熱, 頭痛, 舌苔薄白, 脈浮의 증상이 있으면 葱豉湯을 상용하는데, 蔥白, 葛根, 藿香, 薄荷, 蒼耳子, 淡豆豉, 升麻 등의 약물을 상용한다.

만약 鼻塞하고 콧물이 점도가 높아서 코풀기가 힘들고, 鼻粘膜이 紅赤하고, 頭痛, 身熱, 汗出, 脈浮數한 경우는 風熱 邪氣에 속하는데, 金銀花 菊花, 連翹, 荊芥 등의 辛凉宣散藥을 사용해야 한다.

만약 鼻塞頭痛, 鼻齆, 淸涕, 惡寒, 舌苔薄白, 脈浮緊하면 風寒에 속하는데, 麻黃, 紫蘇葉, 生薑, 細辛 등의 辛溫散寒藥을 사용해야 한다. 만약 鼻塞頭悶, 膿濁한 콧물의 양이 많고, 濕痰이 끓어오르는 경우는 黃芩, 半夏, 陳皮, 瓜蔞仁 등의 淸熱祛痰藥을 써야한다. 만약 鼻塞頭痛, 코피의 양이 많고 止血이 어려우며, 熱이 모세혈관을 상한 경우엔 生地黃, 牧丹皮, 白茅根, 仙鶴草 등의 淸熱凉血止血藥을 써야 한다. 만약 鼻塞頭暈, 재채기가 자주 있고, 물같이 콧물이 흐르고, 表虛不固한 경우엔 防風, 白朮, 黃芪, 黨蔘 등의 衛表를 固密하게 하는 약을 써야한다.

(2) 芳香通竅法

芳香通竅法은 芳香宣散, 祛邪通竅작용을 가지고 있다. 邪氣가 肺系를 침입하고 鼻竅에 留滯하여 鼻病이 생긴 경우인데, 鼻竅가 막히고, 호흡이 불편하고, 머리가 무겁고, 후각이 감퇴하여 냄새를 구별하기 힘들고, 혹은 鼻齆, 귀속이 물체에 막힌 것처럼 붓고 답답하고, 鼻甲介가 腫脹, 舌苔薄白, 脈弦한 증상이 있다. 蒼耳子散 같은 방제를 사용하고, 蒼耳

子, 辛夷, 薄荷, 白芷 등의 약물을 상용한다.

만약 鼻塞, 鼻粘膜腫脹, 머리가 무겁고, 피곤하면 藿香, 佩蘭, 藁本, 菊花 등의 芳香通竅藥을 사용한다. 만약 鼻塞頭脹, 膿濁한 콧물의 양이 많고, 口苦, 心煩, 痰熱이 치솟는 경우엔 黃芩, 枳殼, 龍膽草, 瓜蔞仁 등의 淸熱祛痰藥을 사용한다. 만약 鼻塞頭暈, 재채기, 물처럼 맑은 콧물, 비점막의 蒼白, 衛表不固한 경우엔 防風, 白朮, 黃芪 등의 衛表를 보호하고 固密하게 하는 약을 사용한다. 만약 鼻竅가 막히고, 頭暈, 耳鳴, 聽力減退, 鼻粘膜 紅赤腫脹하면, 얼굴의 淸竅를 邪氣가 막은 것이니, 荊芥穗, 石菖蒲, 牧丹皮, 柴胡 등의 疏風通竅藥을 사용한다. 만약 鼻塞하고 콧물이 많고, 頭暈目眩, 耳鳴耳聾, 惡心乾嘔하면, 淸竅를 濕邪가 막은 것으로 半夏, 陳皮, 白朮, 竹茹 등의 燥濕祛痰藥을 쓴다.

(3) 淸熱解毒法

淸熱解毒法은 淸熱瀉火, 解毒消腫작용을 가지고 있다. 火熱內熾, 邪毒上炎하여 鼻竅에 뭉쳐서 콧속의 癰疽瘡癤이 생기는 경우에 사용하는데, 鼻尖, 鼻翼, 鼻前庭이 빨갛게 붓고 동통하여 만지는 것을 꺼리게 된다. 銀花解毒湯 같은 방제를 쓰고, 金銀花, 黃連, 連翹, 夏枯草 등의 약재를 상용한다.

만약 코가 빨갛게 붓고, 疼痛하며 만지는 것을 싫어하며, 心煩, 口渴, 頭痛 身熱이 있으며, 邪毒이 熾盛하는 경우엔 蒲公英, 野菊花 등의 瀉火解毒藥을 쓴다. 만약 코가 붓고 심하게 紅赤하고, 頭暈, 心煩, 面赤, 舌紅絳 한 경우엔 玄蔘, 生地黃 등의 淸熱凉血藥을 쓴다. 만약 코가 부어 瓶같고, 눈꺼풀이 짓물러서 붙고, 정신이 혼미하고 煩燥, 欲嘔, 舌紅絳하고 舌苔가 黃燥한 경우에는 玄蔘, 竹葉, 生地黃 등의 淸熱凉血藥을 쓴다. 만약 코가 붓고 동통하고 만져보면 딱딱하고 邪毒이 結聚되어 있는 경우에는 皂角刺, 天山甲, 乳香, 沒藥 등의 軟堅散結藥을 쓴

다. 만약 코가 붓고 동통하고 입냄새가 나고 心煩하고 大便燥結한 경우에 大黃, 玄明粉 등의 瀉熱通便藥을 쓴다.

(4) 排膿除涕法

排膿除涕法은 排膿除涕하고 濕邪를 제거하는 효능을 가지고 있다. 濕濁이 停聚하여 鼻竅에 壅遏하여 생기는 鼻病이며 膿濁한 콧물이 색이 노랗고 양이 많으며, 코가 막히고 鼻粘膜이 腫脹하고 鼻腔에 膿이 쌓여있고 혹은 淸涕量多하고, 頭暈頭脹하고 胸悶納呆하고 四肢에 힘이 없고, 舌苔가 기름기가 흐르고 脈弦 등의 증상이 있다. 溫膽湯 같은 방제를 상용하고 半夏, 陳皮, 枳實, 竹茹 등의 약재를 상용한다.

만약 콧물이 膿稠하고 노랗고 양이 많고, 頭脹頭暈하고 鼻粘膜이 紅赤하고 종창한 경우엔 藿香正氣散 加 黃芩, 黃連 등을 써서 升淸降濁하고 芳香化濕해야한다. 만약 콧물이 많고 鼻塞頭暈, 食小納呆하고 얼굴이 하얗고, 정신이 피로하며 氣가 딸리고 말하기를 싫어하고 대변이 稀溏한 경우엔 六君子湯 加減을 써서 益氣溫中하고 健脾除濕해야 한다. 鼻塞, 鼻涕가 점점 많아지고 흰색이고 묽으며, 재채기가 있고 四肢가 차갑고 추위를 싫어하며 舌淡苔白하고 脈沈細無力하고 兩尺脈이 더욱 심하면 金匱腎氣丸이나 右歸飮加減을 써서 補益肝腎하고 溫陽利濕해야한다.

(5) 理氣活血法

理氣活血法은 舒肝解鬱, 行氣活血작용을 가지고 있다. 憂思鬱怒, 七情氣鬱로 인하여 肝氣가 鬱結하여 氣滯血瘀한 결과로 생긴 鼻病이다. 鼻竅가 막히고 通하기 어려우며 鼻粘膜이 腫脹하고 표면이 굴곡이 있어 편평하지 않고 桑椹의 모양을 나타내며 紫赤色이고 頭暈頭痛, 心煩易怒, 脈弦數 등의 증상

을 나타낸다. 丹梔逍遙散이나 杞菊丸 加 桃仁, 紅花, 蒼朮, 梔子 등의 방제를 상용하고, 柴胡, 香附子, 鬱金, 枳殼 등의 약재를 상용한다.

만약 鼻塞頭痛, 鼻涕가 많아지고, 황색이며 점도가 높아지면, 半夏, 枳殼, 瓜蔞仁 등의 清熱除濕, 化痰利竅藥을 써야한다. 만약 鼻塞難通하고 頭暈한 경우엔 蒼耳子, 藿香, 薄荷 등의 芳香通竅藥을 써야한다. 만약 鼻塞頭痛, 胸肋脹痛, 心煩易怒, 胸悶하면 枳殼, 香櫞(레몬), 佛手 등의 理氣解鬱藥을 써야한다. 만약 鼻塞이 오래되고 귓구멍에 물체가 막힌 듯 蒙蔽하며, 소리가 울리며, 청력이 감퇴되면 石菖蒲, 細辛, 葛根 등의 祛邪通竅藥을 써야한다.

(6) 補肺固表法

補肺固表法은 溫補肺氣, 固護衛表작용을 모두 가지고 있다. 肺氣虛寒으로 인하여 腠理疏松해시고 衛表不固하여 邪氣가 虛함을 틈타 鼻에 침입한 결과 발생하며, 鼻塞鼻痒, 噴嚏頻發, 鼻流清涕, 鼻粘膜은 灰白色이며, 身疲乏力하고 舌淡, 脈弱 등이 나타난다. 玉屏風散, 四君子湯 등을 상용하고 黃芪, 白朮, 人蔘, 防風 등의 약재를 상용한다.

만약 鼻塞鼻痒하고 재채기가 많고 清稀한 콧물鼻粘膜이 창백하며, 면색이 하얗고, 舌淡, 脈弱한 경우엔 茯笭, 大棗, 山藥 등의 補脾益氣藥을 쓴다. 만약 鼻痒, 재채기, 맑은 콧물이 저절로 떨어지고, 추위를 타고 따뜻한 것을 좋아하고 四肢가 차가우면서 추운 곳에 가면 심해지는 경우엔 乾薑, 高良薑, 胡椒 등의 溫補脾陽藥을 상용한다. 만약 鼻痒, 재채기, 清涕, 頭暈乏力, 腰膝이 차가우면서 아프고 사지가 차갑고 면색이 광백하고, 舌淡苔白, 脈沈細無力하고 兩尺脈이 더욱 심한 경우엔 附子, 細辛, 肉桂 등의 溫補脾腎藥을 사용한다.

(7) 涼血止血法

涼血止血法은 清火瀉熱, 涼血止血작용을 가지고 있다. 臟腑에 蘊熱되어 있다가 血分으로 들어가서 血熱이 鼻竅를 침범하여 鼻竅의 脈絡을 傷하게 한 결과로 생긴 것이며, 코피, 코에서 나오는 공기가 뜨겁고, 혹은 코가 건조하고 疼痛하며 鼻粘膜이 紅赤糜爛, 舌紅, 脈數有力한 증상이 있다. 十炭散을 상용하고, 大薊, 小薊, 白茅根, 茜草根, 大黃 등의 약재를 사용한다.

만약 鼻孔에 선홍색 출혈이 방울지어 나오며 咳嗽痰少, 苔白, 脈浮한 경우엔 菊花, 金銀花, 黃芩, 連翹 등의 清熱宣肺藥을 사용한다. 만약 코에서 심홍색출혈이 다량으로 맹렬히 나오고 코가 건조하고 입냄새가 나고, 心煩, 口渴하여 냉수를 마시고 싶어하고 大便燥結한 경우엔 知母, 大黃, 石膏, 梔子 등의 清胃瀉熱藥을 쓴다. 만약 코에서 심홍색출혈이 다량 나오고 面紅目赤, 口苦脇痛, 心煩易怒한 경우엔 龍膽草, 梔子, 黃連, 竹茹 등의 清肝瀉火藥을 사용한다. 만약 코피가 조금씩 배어나오면서 담홍색이면서 面白身疲, 舌淡, 苔薄한 경우엔 人蔘, 黃芪, 茯笭, 白朮 등의 益氣攝血藥을 써야한다.

(8) 補脾益氣法

補脾益氣法은 溫胃健脾, 補中益氣작용을 지니고 있다. 脾氣虛弱, 中氣不足하여 鼻竅가 따뜻한 기운과 영양을 받지 못하여 발생한다. 鼻涕清稀 色白量多, 鼻塞頭暈, 嗅覺減退, 鼻甲腫大, 深紅色을 띄고 小氣하여 말하기 싫어 하고, 四肢倦怠하고 舌淡, 苔白, 脈弱한 경우엔 蔘苓白朮散을 상용하고, 黨蔘, 茯笭, 蓮子肉, 山藥 등의 약을 쓴다.

만약 鼻塞鼻痒, 두통, 재채기, 맑은 콧물이 흐르고, 비점막이 창백하고 腹脹便溏, 苔白하고 胖, 脈弱한 경우엔 黃芪, 山藥, 防風, 大棗 등의 益氣固表藥을 써야한다. 만약 鼻塞, 鼻涕膿稠하며 色黃量多

하고, 腹脹納呆, 舌黃膩, 脈弦數한 경우엔 黃芩, 滑石, 藿香, 茵蔯 등의 淸熱利濕藥을 써야 한다.

만약 鼻塞鼻乾, 鼻涕膿稠, 膿涕가 덩어리져서 딱지를 만들고 鼻孔이 커지고 鼻甲萎縮된 경우엔 黃芪, 白芍藥, 大棗, 當歸 등의 補脾益氣, 凉血潤燥藥을 써야한다. 만약 鼻塞이 오래되고 頭暈頭痛 鼻甲肥大하고 紫暗色을 띠며 요철로 편평하지 않은 경우엔 紅花, 丹蔘, 桃仁, 赤芍藥 등의 活血通竅藥을 쓴다.

(9) 滋補肺腎法

滋補肺腎法은 潤肺補腎, 滋陰降火작용을 가지고 있다. 肺腎陰虛하고 鼻竅失養한 결과로 발생한 鼻病에 사용하는데, 鼻塞, 鼻孔乾燥, 灼熱感, 疼痛, 鼻涕膿稠, 후각감퇴, 코에서 비린내가 나고, 비강이 커지고, 粘膜萎縮, 乾燥少津, 舌紅, 脈細數 등의 증상이 보인다. 百合固金湯같은 방제를 상용하고 百合, 熟地黃, 生地黃, 麥門冬, 白芍藥, 當歸 등을 常用한다.

만약 鼻腔이 건조하고 灼熱感, 疼痛, 鼻內出血, 咽乾口燥, 潮熱盜汗한 경우는 知母, 黃柏, 仙鶴草, 白茅根 등의 滋陰淸熱藥을 쓴다. 만약 鼻腔乾燥, 鼻涕膿稠, 色黃量多한 경우엔 半夏, 薏苡仁, 麥門冬, 石膏, 枳殼, 瓜蔞仁 등의 淸化痰濁약을 쓴다. 만약 鼻塞頭暈, 후각감퇴, 비강건조, 鼻粘膜 紫暗하고 표면이 편평하지 않고 요철이 있으며, 舌尖瘀點이 있고, 苔薄한 경우엔 丹蔘, 紅花, 赤芍藥, 桃仁 등의 行血活血의 약을 쓴다. 만약 鼻塞, 鼻涕淸稀, 風寒을 접하게 되면 發作하고, 面色㿠白, 氣短乏力, 舌淡, 苔薄, 脈細弱한 경우엔 黃芪, 黨蔘, 白朮 등의 補脾益氣藥을 쓴다.

2) 外治法

外治法은 병의 상태에 따라서 瀉火解毒, 淸熱消腫, 芳香通竅, 淸熱凉血, 瀉熱止血, 祛痰排膿 등의 작용을 하는 약물이 있으며, 코의 국소부에 주로 사용한다.

외치법 중 국소용 약의 방법은 매우 많은데, 疏風宣肺, 芳香通竅藥 煎湯液의 증기를 코에 씌어 鼻竅를 潤氣를 주고 통하게 하거나, 淸熱消腫, 芳香通竅藥을 煎湯液으로 콧속에 떨어뜨려서 鼻竅를 통하게도 하며, 淸熱瀉火, 凉血止血藥을 가루 내어 코에 불어넣어 코피를 멈추게 하는 방법도 있다. 또한 瀉火解毒, 消腫定痛藥을 가루 내어 환부에 빌라서 鼻腫을 삭히는 방법도 있다. 치료 시에 병정에 따라서 한두 가지 외치방법을 써보고 내복약을 같이 복용하며, 그 치료효과가 비교적 단순한 방법을 다시 쓰면 유효하다.

(1) 滴鼻法

鼻甲腫大하여 嗅覺障碍, 頭暈頭痛, 혹은 鼻塞, 鼻涕가 증가하고, 鼻粘膜紅腫, 혹은 鼻涕膿稠하여 딱지를 만들고 코 속에 膿痂를 만드는 鼻病에 쓴다.

이 방법은 疏風宣肺, 芳香通竅작용을 가진 辛夷花, 薄荷, 荊芥, 蒼耳子 등의 약물로 적당한 농도의 藥液(水液, 乳劑, 油劑)으로 콧속에 매일 3-5회 떨어뜨린다. 만약 鼻涕가 비교적 많으면 먼저 콧물을 모두 제거하거나 혹은 약물을 떨어뜨린 후 머리를 患側으로 기울여서 몇 분후에 콧물을 제거하고 다시 약물을 떨어뜨리고 이런 방법으로 몇 번 반복한다. 만약 비강이 건조하고 膿濁粘燥한 콧물이 말라서 딱지를 이루고, 비점막이 위축된 경우엔 芝麻油 같은 油劑을 떨어뜨리거나 꿀을 떨어뜨리는 것을 할 수 있다.

(2) 蒸氣吸入法

鼻竅室塞, 嗅覺減退, 頭暈頭痛, 혹은 코에서 나쁜 냄새가 나서 맡기 어려울 정도이고, 콧물이 膿稠한 경우 등에 사용한다.

이 방법은 芳香避穢, 宣肺利竅 작용의 약으로 薄荷, 藿香, 白芷 등의 약물을 煎湯液으로 약물의 증기를 코로 흡입하거나, 혹은 煎湯液을 가습기로 흡입하는 것으로 사용할 수 있다. 만약 코에 膿涕가 비교적 많으면 모두 제거한 후 흡입하는데 매일 1-2회, 매회 5-10분 정도 시행한다. 흡입할 때는 증기가 과열로 인하여 화상을 당하지 않도록 주의해야한다.

(3) 吹藥法

鼻塞, 嗅覺障碍, 鼻涕淸稀, 콧물의 양이 많을 때 사용한다.

이 방법은 疏風宣肺, 祛痰利竅작용의 약으로 薄荷, 藿香, 細辛, 牙皂, 防風 등의 약재를 극세말로 만들어 噴粉器 혹은 깨끗한 보리줄기, 종이로 관을 만들어 콧속에 매일 3-4회 불어넣는다. 약가루는 마땅히 극세말하여 자극되지 말게 해야 하고, 불어넣을 때 환자는 마땅히 호흡을 잠시 멈추어 약가루가 기도로 흡입되어 사래에 걸리는 일이 없도록 해야 한다.

이외에 고대에는 細辛, 牙皂 등을 극세말로 만들어서 코에 불어넣어 재채기를 유발하여 牙關緊急, 開合不利 등을 치료하는데 사용하였다. 喉癰에 膿이 이미 잡혀 있을 때 재채기의 진동하는 힘을 빌어 瘡癰을 破潰하여 배농하도록 하거나, 만약 콧속에 瘜肉이 있으면 硇砂散을 糊狀으로 만들어서 瘜肉에 바르기도 했다.

(4) 塞鼻法

비강출혈에 쓴다. 이 방법은 淸熱瀉火, 凉血止血작용의 生地黃, 牧丹皮, 炒蒲黃 등의 약재를 극세말해

서 환측의 鼻中隔 전하방, 혹은 출혈부위에 막아 두거나 示指로 鼻翼을 압박하여 치료를 한다.

(5) 外敷法

外鼻의 癰疽瘡癤에 사용한다. 이 방법은 淸熱瀉火, 消腫解毒작용을 지닌 黃連膏, 金黃散 등을 물로 糊狀으로 만들어 외비의 환측에 도포한다. 도포하기 전에 환부를 청결이 하고, 환부에 부드럽게 바르며 절대 환부에 압력을 주어서는 안 된다.

3) 鍼灸療法

鼻部에 흐르는 經絡은 手·足陽明經, 手·足太陽經, 任·督 二脈과 陽蹻脈 등이다. 鼻病의 침구치료는 刺針과 뜸을 몇 개 脈穴을 이용하는데, "虛者補之", "實者瀉之"의 원칙에 근거해서 近位取穴 하거나 遠位取穴 하거나 隨證取穴 치료한다. 상용하는 방법은 體針과 耳針, 藥針, 뜸 등이 있다.

(1) 體針

穴位를 병정에 근거하여 매회 3-5穴을 선택하여 補法 혹은 瀉法을 採用하고 留針하거나 강자극을 하며, 뜸을 배합하여 치료한다.

주요 상용혈위는 手陽明大腸經에 二間, 合谷, 偏歷, 曲池, 禾髎, 迎香이며, 手太陰肺經에는 天府, 尺澤, 孔最, 列缺, 太淵이고, 足陽明胃經에는 足三里, 巨髎이며, 足少陽膽經에는 目窓, 承靈, 風池이고, 足太陽膀胱經에는 攢竹, 眉衝, 曲差, 承光, 玉枕, 肺俞, 飛揚, 崑崙, 通谷, 至陰이며, 奇穴에는 印堂, 太陽, 鼻通이 있고, 督脈에는 風府, 百會, 前頂, 顖會, 上星, 神庭, 素髎穴을 善用한다.

(2) 耳針

병정에 근거하여 耳廓의 상응하는 穴位를 선택하여

耳針으로 치료하며, 상용하는 穴의 위치는 다음과 같다.

內鼻는 耳屛상 측면의 아래 1/2, 인후의 하방에 위치하며, 傷風鼻塞, 噴嚏淸涕, 鼻腔出血, 鼻乾燥, 鼻涕膿濁 등을 치료한다. 刺針하거나 埋針 1-2일 한다.

腎上腺은 下屛尖旁에 위치하며 鼻塞, 鼻乾, 鼻甲介萎縮, 鼻腔出血, 噴嚏淸涕 등을 치료하고, 자침하고 捻轉하거나 피내에 埋針을 3-7일 한다.

內分泌는 耳甲腔底部, 屛間切痕內에 위치하며, 噴嚏頻作, 鼻痒, 淸涕, 鼻乾, 鼻甲萎縮, 鼻出血, 鼻塞 등을 치료하고, 자침하거나 피내에 埋針한다.

(3) 藥針

病情에 근거하여 한약 單味 혹은 處方 藥針液을 사용하여 자침하고, 상응 穴位에 주사한다. 상용하는 穴位는 禾髎, 迎香, 鼻通, 印堂, 太陽, 眉冲, 內庭, 足三里, 風池 등이다.

상용하는 약물로는 熱症인 경우엔 黃連解毒湯, 消炎, 熊膽, 麝香 藥針液 등을 주사할 수 있고, 虛症, 寒症인 경우엔 鹿茸, 紫河車 藥針液 등을 쓸 수 있다. 每回 1종의 藥針液을 1-2穴을 선택하여 매 穴마다 0.05-0.5 ml 藥液을 주사한다. 매일 혹은 격일로 1회 시행하고, 5회를 1개의 치료과정으로 한다.

(4) 灸法

쑥뜸은 溫通經絡, 行氣活血, 祛寒除濕, 强壯保健 등의 작용을 한다. "藥之不及, 針之不到, 必須灸之"라 했으며, 虛寒性 鼻病의 치료에 많이 쓴다. 상용하는 방법은 直接灸, 隔薑灸, 懸灸 등이 있다. 直接灸, 隔薑灸는 환자피부의 참을 수 있는 기준에 따라 7-15壯을 뜨고, 懸灸는 환자피부의 참을 수 있는 기준으로 15-20분 정도 시행한다.

常用하는 穴位는 肺兪, 膈兪, 百會, 上星, 顖會,

懸鐘, 丘墟, 太白, 公孫, 三陰交 등이다.

4) 其他療法

鼻疾患의 임상 중에서 병의 기간이 비교적 긴 虛寒性 鼻科疾病에 대해서는 내치법, 외치법, 침구요법 외에 안마도인법치료를 같이 시행하여야 한다.

按摩法은 鼻塞, 頭痛頭暈, 嗅覺障碍, 噴嚏, 淸涕 등에 많이 사용하는데, 안마의 상용하는 穴位는 迎香, 太陽, 攢竹, 風池 등이다. 먼저 양쪽의 魚際穴을 비벼서 열을 내고 양손의 엄지손가락으로 風池穴을 안마한다. 매회 5-10분 정도 한다. 환자가 스스로 안마를 매일 2-3회 할 수 있다. "항상 중시로 鼻梁의 양측을 20-30번 닦아주면 표리가 모두 열이 나고 소위 灌漑中岳하여 폐에 윤기를 준다."고 하였다(雜病原流犀燭).

導引法은 신체운동(몸통의 仰俯와 수족의 屈伸 등), 호흡기식의 자아조절(深呼吸, 淺呼吸, 意念호흡 등), 자아안마와 서로 결합된 疏通經絡, 氣血流暢, 自我保健 효능이 있는 일종의 치료법이다. "歸元念滌하여 命門을 지나게 하고, 腎水가 혼탁한 것은 상승시키고 혼탁한 것은 배꼽 아래로 내리고 다음에 좌측 유방아래경락으로 가고, 용천에 이르러서 숨을 내불고 들이마시게 된다." 즉, 잡념을 없애고 사려함을 없애고, 神을 응시하고 意를 단련하는 가운데 "腎水"를 두정까지 상승시키고, 연후에 두정으로부터 하강하여 배꼽까지 이르며 左乳下에 이르러 우회하여 다시 아래로 내려가 발바닥의 湧泉穴까지 내려간다. 氣를 가볍게 내뿜은 후에 다시 거두어지는 것을 흡입한다. 혹은 "鼻端에 定神하고 점차 안으로 들이마시고 逆上頂門하고 등으로 전달한 후 元海에 이르고, 용천에 거슬러 올라가 定神한다."(保生秘要). 아울러 호흡기식을 조절하면 經絡이 通暢하여 기혈이 조화롭고, 鼻질환의 치료와 예방의 효과가 크다.

2. 豫防

鼻疾患의 예방법을 통하여 발생을 피하거나 발전을
방지할 수 있으며, 다음과 같은 방법이 있다.

1) 음식을 조절하고, 생활을 관리하면 체질을 증강
   하여 신체의 면역능력을 제고할 수 있고, 鼻病
   의 발생을 방지할 수 있다. 만약 음식을 과식하
   고, 폭음폭식하거나 매운 음식, 독한 술과 膏梁厚
   味를 많이 먹으면 濕熱이 만들어지고, 습열이 熏
   蒸하여 鼻竅를 공격하여 鼻腫, 鼻痛, 膿性 콧물
   이 증가하는 등의 증상이 많아진다. 鼻病이 발생
   한 후의 음식을 먹을 때는 병의 상황을 보고 식사
   를 해야 하는데, 鼻의 癰疽瘡癤, 코피 등이 있으
   면 淸淡한 음식을 먹어야 하며, 맵고 뜨겁거나 볶
   은 음식은 피해야 한다. 만약 膿濁한 콧물이 흐르
   고, 노란 콧물이 많은 경우는 기름지고 독한 술을
   피해야 한다. 만약 鼻塞하고 맑은 콧물이 흐르며,
   추위를 타고 손발이 차가운 경우는 生冷物을 피
   해야 한다.
2) 먼지가 많고, 연기가 가득하거나, 공기가 오염되
   어 있는 등 불결한 환경에서 생활하는 사람들은
   마스크를 하도록 노력을 해서 먼지를 피하도록
   해서, 邪毒이 콧구멍으로 침입하여 鼻粘膜을 손
   상하여 鼻衄, 鼻塞, 재채기, 심하면 鼻粘膜 위축
   을 가져오지 않도록 해야 한다. 재채기가 빈발하
   는 鼻衄환자는 봄, 가을의 꽃이 피고 지는 계절에
   꽃가루에 민감한 사람은 마스크를 착용해야 한
   다.
3) 鼻粘膜이 연약하고 혈관이 풍부한 경우엔 외상
   후에 쉽게 출혈되기 때문에 불결한 손가락으로
   코를 후비지 말아야 한다.
4) 소아가 완구, 콩, 음식, 종이가루, 곤충에 이르기
   까지 鼻孔에 넣지 않게 주의시켜서 鼻孔이 이
   물질에 의해 막히지 않게 해야 한다. 만약 소아
   가 갑자기 鼻竅가 막혀서 호흡이 불편하고 코에
   서 악취가 나거나 濁한 농이 있는 콧물이 증가하
   는 경우는 비공에 이물질이 있을 가능성이 높으
   니 병원에 가서 검사를 받도록 한다. 절대로 이물
   질의 성질이나 위치를 모르고 맹목적으로 칼이나
   송곳 등을 사용하여 의외의 결과를 야기해서는
   안된다. 만약 동물성의 이물질(水蛭 등)일 경우에
   는 에틸알코올이나 에틸에테르로 곤충을 죽게 하
   거나 마취한 후 꺼낸다. 이외에 비공 수술 후에는
   솜뭉치, 기름실이나 기타 작은 수술품 등이 鼻孔
   내에 남겨지지 않도록 해야 한다.

제2장

鼻科 各論

韓醫
鼻科

外鼻疾患

1. 기형 및 변형

1) 선천성 기형 및 변형

대개는 원인을 알 수 없는 것이 많으며, 두개 안면 구조를 형성하는 과정에서 태아의 발육부전이나 불완전 융합의 결과로 나타난다.

원두증(cebocephalia)은 한 개의 비공을 가진 미완성의 코이며, 무비증(arhinia, nasal aplasia)은 비강이 불완전하거나 존재하지 않고 안면부는 접시형 얼굴을 동반하며, 다비증(polyrrhinia)는 복비의 형태가 독립된 형태보다 3배가량 많고 안와격리증이 동반된다.

코끝기형(proboscis deformity)은 내측, 외측 비골돌기와 구형돌기가 없는 상태이며, 정중비열(median nasal cleft)은 비배부 단순구가 비골의 확장과 동반되어 다비증과 유사하다.

외측비열(lateral nasal cleft)은 여러 형태로 나타나며, 외측 비익의 절흔 또는 심한 경우 누관부위와 내안각까지 침범한다.

이외에 경미한 변형으로 曲鼻(hump nose), 廣鼻 (broad nose), 長鼻(long nose), 鞍鼻(saddle nose) 등이 있으며, 兎脣(hare lip), 구개파열(cleft palate) 등을 합병한다.

2) 후천성 기형 및 변형

외상과 질환에 의하여 발생한다. 鞍鼻는 비골골절, 비중격 수술 또는 매독, 결핵 등에 의하여 골부의 지주가 없어짐으로써 생긴다. 斜鼻는 골성, 연골성 비배의 외상으로 발생한다. 전비공 폐색증은 외상, 화상, 부식, 매독, 디프테리아 등의 궤양으로 반흔성 폐쇄를 일으켜서 생긴다.

2. 외상

1) 槪要

鼻外傷은 "鼻損傷", "鼻外傷骨折"이라고도 하며, 외부로부터의 폭력, 습격 혹은 跌撲으로 인해 발생한다. 주요 증상으로는 瘀斑, 浮腫, 疼痛, 皮肉破損, 鼻

梁骨折, 鼻腔出血 등이 나타난다. 한의학 문헌에서
는 "鼻外傷"이라는 부분은 없지만, 단지 외부의 폭
력적 작용에 의해 발생되는 "鼻傷腫痛", "皮肉破
損", "鼻傷出血", "鼻梁骨折" 등의 설명이 本病과 유
사하다.

2) 病因

鼻는 안면부의 중앙에 돌출되어 있어 타격 및 손상
을 받기 쉽기 때문에, 跌撲, 撞擊, 拳擊, 棍打, 金刀
彈爆 등의 원인으로 인해 흔히 손상된다. 특히, 최근
에는 교통사고로 인한 비골골절, 좌상이 제일 많다.

3) 症狀

鼻外傷의 정도가 일정하지 않아 나타나는 증상이
각기 다른데 鼻腫脹, 皮下靑紫 및 顔面部 靑腫, 局
所疼痛이 나타날 수 있으며, 혹은 外鼻 表皮의 擦傷
과 出血, 皮肉의 破損, 鼻出血, 鼻梁의 歪斜, 塌陷,
鼻塞 등의 증상이 나타날 수 있다. 비골의 골절에는
편측비골의 단순한 함몰골절이 제일 많고, 안비로
인한 비중격 만곡도 나타난다.

4) 辨證 및 治法

(1) 內治

① 局部靑紫, 瘀腫疼痛
鼻部의 腫脹, 疼痛, 皮下靑紫 등의 증상이 나타나
며, 眼瞼, 面頰에까지 증상이 나타날 수 있으며 만지
면 痛症이 甚하다. 活血祛瘀, 消腫止痛하는 桃紅四
物湯을 사용한다. 局部의 疼痛이 비교적 甚하면 香
附子, 玄胡索을 加하며, 靑紫가 뚜렷하면 乳香, 沒
藥을 加한다.

② 皮肉破損, 疼痛出血
輕한 것은 表皮의 擦傷과 滲血, 혹은 鼻出血이 나타
난다. 重한 것은 皮肉이 破損되고 開裂되며, 甚하면
部分脫落, 缺損, 局部出血이 비교적 심하며, 疼痛이
極烈하다. 活血祛瘀, 行氣止痛하는 桃紅四物湯을
사용한다. 出血에는 仙鶴草, 梔子炭, 三七根, 白芨
을 加하며, 傷口가 紅腫하면 金銀花, 野菊花, 蒲公
英을 加한다.

③ 鼻骨骨折, 瘀腫疼痛
鼻骨 骨折에서 轉位가 없으면 外鼻의 腫脹, 皮下靑
紫가 나타나며, 轉位가 있으면 鼻梁의 塌陷 혹은 歪
斜가 나타난다. 국소에 壓痛 있거나 骨擦音이 있으
며, 만약 皮下에 공기가 들어가면 皮下에 氣腫이 생
길 수 있는데 이런 경우 촉진 시 捻發音이 나타난다.
鼻骨 骨折이 심할 경우 眼眶, 鼻竇, 顱底의 骨折 및
심지어 顱腦의 損傷도 동반될 수 있다. 初期에는 活
血祛瘀, 消腫止痛하며, 中期에는 行氣活血, 化營生
新하고, 後期에는 補氣養血, 堅骨壯筋한다. 초기에
는 活血止痛湯, 중기에는 正骨紫金丹, 후기에는 人
蔘紫金丹을 투여한다.

④ 鼻傷衄血, 鼻部疼痛
外鼻의 腫脹, 靑紫가 나타나며 혹은 皮肉이 破損되
거나 鼻骨 骨折로 鼻竅의 肌膜이 撕裂되어 鼻出血
이 다량 湧出되거나 소량 滲出된다. 出血量이 많으
면 面色이 蒼白하고, 脈微欲絶, 血壓下降 등의 증상
이 나타난다. 斂血止血, 消瘀止痛하는 桃紅四物湯
을 사용한다. 出血量이 많으면 白茅根, 仙鶴草, 茜
草, 梔子炭, 側柏葉, 藕節, 蒲黃 등을 加하고, 瘀腫痛
이 심하면 牧丹皮, 香附子, 玄胡索을 가한다. 失血
量이 많으면 何首烏, 熟地黃, 黃精, 桑椹子, 鷄血藤
을 가하고, 出血過多에 止血이 되지 않아 面色이 蒼
白하고 血壓下降이 나타나면 즉 生脈飮 혹은 獨蔘

湯을 복용시킨다.

⑤ 鼻隔血腫, 鼻竅堵塞

鼻塞, 鼻部의 腫脹, 疼痛, 皮下에 靑紫가 나타나며, 손가락을 사용하여 코끝을 치켜세우면 鼻中隔 부위에 표면이 光滑하고 粘膜色이 정상이며, 만지면 유연한 半圓形의 隆起가 일측 또는 양측으로 관찰된다. 活血祛瘀, 行氣止痛하는 桃紅四物湯을 사용하고 局所의 疼痛이 비교적 甚하면 牧丹皮, 香附子, 玄胡索을 加하며, 血腫染毒이 있으면 金銀花, 野菊花, 黃芩, 蒲公英을 加한다.

(2) 外治法

損傷 후 24시간 이내에는 냉찜질을 하는데 이는 止血을 돕고 瘀血의 擴散을 防止하는 효과가 있다. 24시간 이후에는 온찜질을 하는데 이는 活血散瘀, 消腫止痛 효과가 있다. 當歸膏, 消毒定痛散, 補肉膏 등을 敷貼하고, 비출혈이 있으면 烏賊骨, 三七根 등이나 塞鼻丹으로 塞鼻한다.

3. 외비종양

1) 槪要

鼻疔에 해당한다. 초기에 鼻柱가 腫大되고 發熱疼痛하며, 심해지면 堅硬하고 紫色을 띠며, 때로는 鈍痛을 느끼는 질환으로 심하면 糜爛과 潰瘍이 되어 外鼻變形이 나타난다. 양성과 악성으로 구분하며 양성은 囊胞, 纖維腫, 乳嘴腫으로 발생하는 것이며, 악성은 편평상피암, 기저세포암이 鼻翼에서 발생하는 경우이다.

2) 病因

(1) 手太陰肺經의 風熱 및 上焦鬱火로 발생한다.
(2) 憂愁와 思慮過多로 脾肺를 손상하여 발생한다.
(3) 飮食物, 五辛菜, 술, 燻製肉 등을 과다 섭취하여 脾胃濕熱이 鼻에 熏蒸하여 발생한다.

3) 症狀

주요 발생부위는 鼻柱이며, 手太陰肺經과 督脈經에 속한다. 초기에 鼻柱 혹은 鼻梁骨이 紫色을 띠며 發熱疼痛腫大하며, 진행하면 腫脹堅硬鈍痛하고, 더 심해지면 糜爛潰瘍하면서 外鼻에 변형이 나타난다.

4) 辨證 및 治法

(1) 술에 의한 것이나 熱이 축적되었을 때는 銀花甘草湯에 麥門冬, 天花粉, 貝母, 赤芍藥, 當歸를 加하여 투여한다.
(2) 악화되었을 때는 五味消毒飮, 黃連解毒湯과 仙方活命飮에 梔子, 木通, 薄荷, 桔梗을 加하여 투여한다[그림 2-1-1].

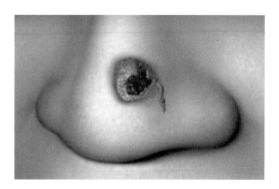

그림 2-1-1 외비종양

4. 비전정피부염

1) 槪要

鼻疳에 해당하는 질환으로 鼻竅의 下部 兩傍에서 심하면 上脣에 이르기까지 皮膚發赤, 腫脹, 糜爛浸淫, 黃色痂皮, 혹은 皮膚增厚, 粗糙, 皸裂 등이 나타난다. 鼻𤷍瘡, 䘌鼻, 疳鼻, 疳蟲蝕鼻生瘡, 鼻疳蝕, 赤鼻, 鼻疳瘡 등 다양한 이름이 붙어져 있으며 특히 소아에서는 鼻䘌瘡이라고 한다. 반복적으로 재발하기 쉬워 치료가 쉽지 않고, 소아에게 다발하는데 慢性鼻炎에서 흔히 동반된다.

2) 病因

(1) 肺經蘊熱, 邪毒侵襲
肺經蘊熱이 있는 경우 다시 風熱濕邪를 感受하거나, 鼻의 前孔 부근의 皮膚가 損傷되거나, 혹은 鼻病으로 인한 膿涕가 浸漬하여, 邪毒이 侵襲하면 外邪는 肺熱을 引動하고 風은 熱의 勢를 도와 鼻竅를 上灼하고 皮膚를 熏蒸한다.

(2) 脾胃失調, 濕熱郁蒸
飮食不節하여 肥甘厚味를 過食하면, 脾胃를 損傷하고 運化가 失調되어, 濕은 停滯하고 熱은 蘊積하여 濕熱邪毒이 經을 따라 鼻竅의 皮膚를 上蒸하여 鼻疳이 된다. 小兒는 臟腑가 嬌嫩하여 食積이 쉽게 化熱하여 疳病이 되는 고로 本病에 쉽게 罹患된다.

(3) 邪毒久留, 陰虛血燥
本病은 치료를 잘못하거나 오랫동안 낫지 않고 반복해서 재발하여, 肺脾鬱熱이 오래되고 陰血이 耗損되어, 血虛生風하고 風腥化燥하여 皮膚가 失養한다.

3) 症狀

小兒에게 흔히 발생한다. 急性은 급속히 발병하여 病勢가 빠르며, 鼻前庭에서 上脣에 이르기까지의 皮膚가 瘙痒, 疼痛, 潮紅, 微腫하며 다수의 小丘疹 혹은 小水疱가 나타나는데 搔爬한 후에는 脂水가 滲出되고 脂水가 經을 따라 흘러 患處가 擴大되고 이후 黃色의 痂皮가 형성된다. 慢性은 病程이 길고 病勢가 완만하며 鼻前孔 부위의 瘙痒이 심하지 않은 것이 주증상이다. 患兒는 수시로 손으로 코를 긁어 피부가 增厚, 粗糙, 皸裂되며 혹은 痂皮가 형성된다.

4) 辨證 및 治法

(1) 內治

① 肺經蘊熱, 邪毒侵襲
初起에 前鼻孔의 皮膚가 灼熱하며 燉하며, 微痒, 微痛하며, 鼻前庭에서부터 上脣에 이르기까지 皮膚가 潮紅腫脹하며 粟粒狀의 小顆粒 및 水疱가 발생한다. 表淺部는 糜爛되며 黃色 脂水가 소량 流出되며 혹은 黃色 痂皮가 형성되고, 舌紅 苔薄, 脈浮數한다. 淸熱瀉肺, 疏風解毒하는 萬金湯을 사용하고 黃芩 梔子 連翹 赤芍藥 麥門冬 桔梗 桑白皮 薄荷 荊芥穗 甘草를 가한다. 灼熱痛이 甚하면 黃連, 野菊花, 玄蔘을 加하고, 脂水가 많으면 冬瓜仁, 薏苡仁을 加하며, 瘙痒이 甚하면 白鮮皮, 蟬退, 防風을 加한다.

② 脾胃失調, 濕熱郁蒸
患處의 皮膚가 瘙痒, 灼熱, 微痛하며 항상 脂水가 流出되며, 鼻前庭 및 부근의 皮膚가 潮紅, 微腫하며 小米狀의 顆粒과 水疱가 나타난다. 搔爬하면 滲出液이 나오고 혹은 痂皮가 형성되며, 鼻竅를 막게 되는데 묽으나 맑지 않다. 小兒는 發熱과 煩燥 및 睡眠不安 등이 나타날 수 있고 舌紅 苔黃膩, 脈滑數한다. 健脾化濕, 淸熱解毒하는 除濕湯에 連翹 滑石 車前子 枳殼 黃芩 黃連 木通 甘草 陳皮 荊芥 茯苓 防風을 가한다. 熱毒熾盛하면 梔子 龍膽草를 加하고, 濕中하면 冬瓜仁, 薏苡仁을 加한다. 또, 瘙痒이 甚하면 白鮮皮, 地膚子를 加하며, 小兒에게 蟲積이 있어 疳熱하면 檳榔, 使君子를 加한다

③ 邪毒久留, 陰虛血燥

病程이 길고, 반복해서 재발하며, 鼻前庭 및 인근 부위의 皮膚가 瘙痒, 增厚하고 닿는 부위는 비교적 硬하며, 表面은 粗糙, 皸裂, 脫屑, 혹은 灼熱과 乾燥, 異物感 등의 증상이 나타난다. 小兒는 啼哭하고, 鼻部를 搔爬하며, 舌紅 苔少, 脈細數한다. 滋陰潤燥, 養血消風하는 四物消風飮에 生地黃 當歸 川芎 赤芍藥 防風 柴胡 黃芩 薄荷 甘草 荊芥穗 蟬退를 加한다. 邪熱壅盛하면 金銀花, 菊花, 蒲公英을 加하고, 瘙痒이 참기 힘들면 白鮮皮, 地膚子를 加하며, 小便이 黃色이면 車前子, 澤瀉, 茯苓을 加한다.

(2) 外治法

① 淸洗·苦蔘, 蒼朮, 白鮮皮 各 15 g을 달인 물로 씻는다.· 濕盛하고 脂水가 많으면 明礬 3 g, 生甘草 10 g을 달인 물로 씻는다.· 菊花, 蒲公英 各 60 g을 달인 물로 씻으면 淸熱解毒, 除濕止痒의 효과가 있다.

② 敷藥
- 苦蔘, 枯礬 각 15 g을 갈아서 生地黃汁 적당량과 섞어 붙인다.
- 濕熱證에 紅腫, 焮痛, 出水가 있으면 25% 黃連油 懸液을 患處에 뿌린다. 淸熱解毒, 除濕止痒의 효과가 있다.
- 黃水가 淋漓하면 栢石散, 靑黛散을 患處에 붙

그림 2-1-2 비전정피부염

이는데 이는 淸熱除濕의 효과가 있다.
- 脂水가 많으면 五倍子 5 g을 태워 곱게 가루내어 환처에 붙인다.
- 膿痂가 있으면 黃連粉末 혹은 黃連膏를 사용하는데 이는 淸熱解毒의 효과가 있다.
- 生黃柏을 갈아 곱게 가루 내어 蛋黃油를 사용하여 患處에 붙이는데 이는 淸熱燥濕 효과가 있다.
- 피부가 粗糙, 增厚, 皸裂하면 玉露膏나 紫連膏를 붙인다. 이는 肌膚를 潤케 하고 解毒止痒의 효과가 있다.

(3) 鍼灸療法
合谷, 外官, 少商, 曲池穴에 刺鍼하고 15분간 留鍼하는데, 매일 혹은 격일에 1回, 총 15回 자침한다 [그림 2-1-2].

5. 주사비

1) 槪要

酒齄鼻, 肺風瘡, 糟鼻子, 赤鼻, 鼻齄, 鼻赤, 査鼻疱,

酒皶, 鼻皶 등으로 부르기도 한다. 嗜酒者의 비첨, 비익, 안면피부가 潮紅하고 기름기가 있으며, 진행되면 자홍색의 丘疹이나 膿疱가 생기며 표피가 점점 두터워지고 울퉁불퉁해서 편평하지 않으며 결절상의 腫瘤가 발생하는 질환으로 臟腑濕熱이 上攻하거나 血瘀阻滯 등으로 발생한다. 주사비(rosacea), 주사좌창(acne rosacea), 비류(rhinophyma)의 증상에 해당하며, 남자가 여자보다 12:1 혹은 20:1의 비율로 50대 이상의 성인 남자에서 많이 발생한다.

2) 病因

(1) 脾胃積熱, 熏蒸鼻竅
음주를 즐기고, 辛辣한 음식과 구운 고기와 肥甘油膩한 음식을 즐기면 脾胃積熱하게 되어 火로 변화하고 경락을 순환하여 鼻竅를 上蒸하고 鼻尖에 울결되어 발생한다.

(2) 肺經蘊熱, 上蒸鼻竅
肺는 鼻에 開竅하는데, 風邪犯肺로 울결하여 熱로 변하면 鼻竅를 上蒸하고 피부막을 熏灼하여 코가 점차 빨개지게 된다. 혹은 五志가 化火하여 肺經을 上炎하여 熱을 저장하였다가 火로 변하여 鼻竅를 上蒸하여 발생한다.

(3) 血熱遇寒, 血瘀阻滯
코는 얼굴의 중앙에 있어서 陽中之陽이 되고 淸陽交會하고 血脈이 크게 모이는 곳이다. 음주하는 사람이 술기운이 증증해서 코가 술의 영향을 받고 혈이 극히 열 받게 된 상태에서 寒을 만나면 血瘀凝結하게 되어 滯하여 움직이지 않게 된다.

3) 症狀

코 중앙의 鼻準, 鼻翼 위주로 병변이 나타나며, 심해지면 협부에도 발생한다. 병정은 3기로 나뉜다.

1기: 鼻準, 鼻翼 피부의 홍조가 있고, 표면에 기름기가 있어 번지르르 하고 피지선의 입구가 커지는데, 음주, 辛辣熱食이나 정서가 긴장되었을 때 심해진다.

2기: 鼻部에 紅斑이 생기고, 지속적으로 없어지지 않고, 紅斑중에 丘疹이나 심하면 膿疱가 출현한다. 모세혈관의 확장이 樹枝狀이나 細絲網狀의 모습을 보인다.

3기: 鼻部 피부가 비후되고 거칠어서 편평하지 않고, 光亮油潤, 귤껍질 같은 모양이며, 심하면 결절상의 승식뒨 보양을 갖추는데 크기가 일징치 않은 결절의 융기가 보이면 鼻贅라 부른다.

4) 辨證 및 治法

(1) 內治

① 脾胃積熱, 熏蒸鼻竅
鼻部가 紅赤하고 紫暗色이며 지속적이고, 비첨이 血絲를 두른 듯한 것이 樹枝狀이며, 口臭, 便秘, 或은 齒齦腫痛, 舌紅, 苔黃膩, 脈數有力하다. 淸瀉胃熱, 凉血解毒하는 三黃梔子湯에 大黃 黃連 生地黃 葛根 紅花 赤芍藥 梔子 甘草을 가하고 熱毒이 심한 경우엔 野菊花, 金銀花, 蒲公英을 가한다.

② 肺經蘊熱, 上蒸鼻竅
鼻準의 피부가 潮紅하고 홍반이 있으며, 표면이 油膩하고 평소에는 색이 옅으나 熱을 만나거나 정서가 격동할 때 紅色이 명현해지고, 때때로 面頰이 홍색이 되고 鼻腔이 건조하거나 鼻孔이 건조해서 갈라진다. 舌紅, 苔薄黃, 脈浮數하다. 疏風淸肺, 凉血活血하는 黃芩淸肺飮에 黃芩 川芎 赤芍藥 防風 生

地黃 乾葛 天花粉 連翹 紅花 薄荷을 가하고 肺熱이
심한 경우엔 石膏, 梔子를 加하고, 丘疹紅赤한 경
우엔 紫草, 牧丹皮를 加하며, 丘疹이 가려운 경우엔
白鮮皮, 蟬退를 加하고, 咳嗽가 심한 경우엔 枇杷
葉, 桑白皮를 加한다.

③ 血熱遇寒, 血瘀阻滯

病變이 오래되어 혈관이 퍼져있는 것이 낫지 않고
피부색이 暗紫色이 되고 피부가 두터워지고 거칠어
져 편평하지 않고 굴껍질 모양이며 결절상으로 증
식된다. 舌暗紫하거나 紫斑, 瘀点이 있고, 苔厚膩,
脈細澁하다. 活血散瘀, 清熱涼血하는 涼血四物湯
에 當歸 生地黃 川芎 赤芍藥 黃芩 茯苓 陳皮 紅花
甘草 生薑 朮 五靈脂를 加하고 瘀滯한 경우엔 三稜,
蓬朮, 桃仁을 加하고, 苔厚膩한 경우엔 蒼朮, 藿香
을 加한다.

(2) 外治法

① 早期에 硫黃膏를 환부에 바른다.

② 顚倒散(硫黃 大黃 각 등분하고 細末)을 물에 개
  어 환부에 바르면 清熱散瘀의 효과가 있다.

③ 密陀僧 30 g, 紅粉, 硫黃 각 6 g, 輕粉 3 g, 각각 따
  로 갈아서 균일하게 섞어서 麻油에 개어 차갑게
  하여 환부에 매일 1회 바른다.

④ 桃仁核 30 g, 硫黃 15 g, 輕粉 6 g을 빻아 진흙처
  럼 만들어 환부에 매일 1회 바른다.

⑤ 白附子 팅크제를 도포하기를 매일 2-3회 1개월
  시행한다.

⑥ 杏仁 30 g, 硫黃 10 g, 輕粉 6 g, 진흙처럼 같이 빻
  아서 코에 도포하기를 하루 2-3회 1개월 치료한
  다.

⑦ 眞君妙貼散(硫黃末, 교면, 백면, 물로 균등하게
  섞어서 말린 다음, 片으로 만들어 종이로 싸서 바
  람이 잘 통하는 곳에서 陰乾한 후에 가루를 냄)

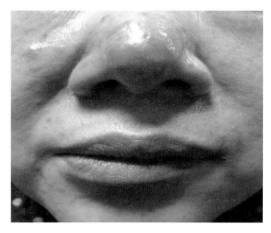

그림 2-1-3 주사비

을 식초로 개어서 환부에 바른다.

⑧ 蛤粉膏(蛤粉, 煆石膏 각 15 g, 輕粉, 川黃柏 각
  7.5 g, 青黛 4.5 g)를 물로 개어 환부에 바르고 朝
  夕으로 1회씩 하면 清熱解毒, 潤膚殺蟲의 효과
  가 있다.

(3) 鍼灸治療

① 體針 : 관료, 영향, 인당, 승장, 지창, 소료를 취하
  고 곡지, 상성, 합곡, 대영, 화료혈을 배합하여 격
  일로 1회씩 매회 3-4혈을 瀉法을 이용하여 20-30
  분 留針한다.

② 耳針 : 屛間 腦, 肺, 胃, 神門, 外鼻穴을 매회 2-3
  穴을 선택하여 20-30분 유침한다.

③ 打刺 : 梅花針을 이용하여 국부를 打刺하여 泄熱
  行滯, 疏通經脈 하기를 격일로 1회 자침 후에는
  약물을 다시 도포한다.

④ 藥針 : 迎香穴을 취하며 당귀, 단삼, 어성초, 황련
  해독탕, 소염 약침액 등을 매 혈당 0.05-0.1 ml씩
  격일로 1회 10회 치료한다[그림 2-1-3].

鼻中隔疾患

1. 건성 전비염

1) 槪要

비중격전단의 상피결손으로 인해 건조해지고 가피가 생기는 질환으로 덥고 건조하며 먼지가 많은 작업환경에서 잘 생긴다. 鼻疳과 유사한 측면이 있다.

2) 病因

肺經蘊熱에 邪毒이 외습하거나 飮食不調로 上焦에 열이 축적되기 때문이다. 일반적으로 알코올중독, 빈혈, 영양결핍, 만성 소모성 질환자에게서 보이고, 직업적으로 뜨겁고 건조하고 먼지가 많이 일어나는 곳에서 근무하는 사람에게 호발한다. 병리학적으로 위축성 비염의 초기와 비슷하다.

3) 症狀

비강이 건조하고 가피가 형성되며 가피를 제거하고 자 하면 출혈이 있다. 소양감과 이물감 및 통증 등이 미약하게 있으며 비폐색 및 비출혈이 반복적으로 발생한다. 때로는 鼻前庭에 피부염이 합병하여 장기간 계속되어 색소가 침착되면 비강전부의 점막이 암적색으로 변한다. 전형적인 위축성 비염의 임상양상을 보이나 증상이 경하며, 얇고 건조한 가피가 비강 전방부에만 있고 비인강이나 인두까지 이르지 않으며, 악취가 나지 않는 점이 차이점이다.

4) 辨證 및 治法

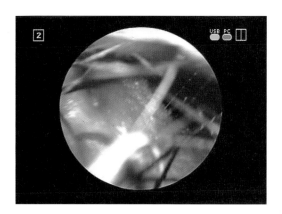

그림 2-2-1 건성전비염

(1) 肺經에 蘊熱: 黃芩湯, 銀翹散, 瀉白散

(2) 脾胃失調로 인해 濕熱이 축적: 淸熱燥濕, 解毒
和中; 萆薢滲濕湯

(3) 外用: 淸熱解毒, 收斂; 靑蛤散[그림 2-2-1]

2. 비중격 농양

1) 槪要

비중격 혈종(hematoma of the nasal septum)이 화농
되어 일어나는 경우가 대부분이며 그 밖에 비전정,
윗입술의 농가진 또는 급성 전염병에서 혈관성으로
감염되어 생기는데 농양은 점막하에 형성된다.

2) 異名

鼻內癰

3) 病因

(1) 원인균 : 주로 포도상구균이나 기타 연쇄상구균.

(2) 肺經鬱火가 凝結.

(3) 鼻中隔血腫의 化膿.

(4) 鼻前庭, 上脣의 뾰루지 또는 급성전염병 시 혈관
성으로 감염되어 발생.

4) 症狀

비중격 농양의 형성은 대개 수상 후 수일 내지 10일
이내에 발생하며 농양은 점막하에서 형성된다. 발
열, 오한을 동반하고 비폐색, 전두통, 비배부의 동통
및 압통, 전신위화, 비루 등의 증상이 있으며 국소적
으로는 한쪽 또는 양쪽의 비중격 연골부에 종창과

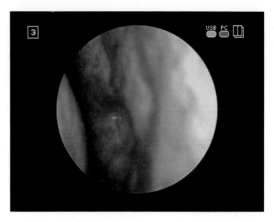

그림 2-2-2 비중격농양

파동을 볼 수 있다. 이차 세균감염 시 광범위한 연골
괴사가 초래된다. 비배부의 발적 및 압통이 진단기
준이 되며 비강소견은 비중격이 반원형으로 부풀어
오르는 것이 보이며 천자했을 때 농이 있으면 확진
할 수 있다.

일반적으로 예후는 양호하지만 아주 드물게 해
면상정맥동혈전증, 뇌막염, 패혈증 등의 합병증으
로 사망한 보고 예도 있다. 비중격연골의 괴사로 안
비(saddle nose)가 생기는 수도 있다.

5) 辨證 및 治法

보통 절개배농(incision and drainage)을 시행한다.

(1) 仙方活命飮, 千金漏蘆湯 加 梔子, 木通, 薄荷, 桔
梗

(2) 종대되고 통증이 감소하지 않으며 화농되려고
할 때 : 托裏透膿湯

(3) 潰瘍이 되었을 때 : 癰疽潰瘍部 참조[그림 2-2-2]

3. 비중격 궤양

1) 槪要

화학약품의 흡입이 가장 큰 원인이 되고, 나병이나 루푸스, 매독에서도 발생하는데 천공을 유발하는 경우가 많다. 루푸스에 의한 것은 비중격전단부에 많고 비전정, 구순, 안면 등에 파급된다.

2)病因

화학약품을 취급하는 직업의 종사자에 있어서의 염산, 초산, 황산, 크롬산 등 화학약품 흡입, 나병, 루푸스, 매독, 건성 전비염 등에서 발생한다.

3) 症狀

비출혈이 반복적으로 나타나고 가피를 형성하며 골의 괴사로 인해 특유의 악취가 나타나기도 한다.

4) 辨證 및 治法

(1) 외용제: 백반수나 생리식염수를 사용.
(2) 五味消毒飮, 消風敗毒散, 托裏消毒飮 등을 선용.
(3) 궤양이 오래되거나 正氣가 부족할 때: 十全大補湯, 補中益氣湯 加減.

4. 비중격 천공

1) 槪要

어떤 원인에 의해 비중격연골 또는 골부의 양측 비중격점막이 동일한 부위에서 결손되면 천공(perfo-ration)이 발생한다.

2) 病因

가장 흔한 원인은 외상성으로 특히 비중격 점막하절제술 후나 반복해서 코를 풀어 생긴 만성 염증 때이다. 매독 · 결핵 · 나병일 때에도 천공을 일으킬 수 있으나 최근에는 극히 드물다. 이외에 디프테리아 · 성홍열 같은 급성 전염성 질환, 비중격의 궤양성 질환, 코카인 중독 및 산성물질의 흡입 등을 들 수 있다.

3) 症狀

외상에 의한 경우를 제외하고 보통 비중격 천공은 궤양이 먼저 나타나고, 완고한 가피가 생기는데 이는 괴사과정이 진행 중임을 의미한다. 비중격 천공은 보통 무증상인 경우가 대부분이나, 가피가 큰 경우 비폐색이 있고 가피를 제거하면 출혈이 일어난다. 천공이 클수록 가피형성이 많고 증상이 심한데 이는 위축성 비염과 비슷하다. 천공이 작을 경우는 천공을 통해 호흡 시에 휘파람 소리(whistling sound)가 난다. 매독에서는 말안장 모양의 안비 형태로 변하고 비출혈, 비배부의 둔통이 있고 악취가 발생한다. 천공은 대개 연골부에 있는 것이 보통이나 골부를 침범하기도 하며 골부에 발생할수록 무증상인 경우가 많다.

4) 辨證 및 治法

원인 질환이나 유발요인을 찾아내 제거하는 것이 중요하며, 일반적으로 무증상이면 특별한 치료를 요하지 않는다. 비수술적 방법으로는 심하게 코를 푼다거나 코를 후비는 것을 금하고, 적절한 습도를

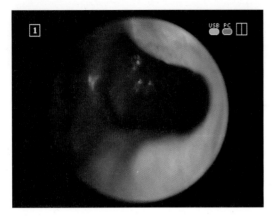

그림 2-2-3 비중격천공

비중격은 정상인에 있어서도 반듯한 것은 드물고 대체로 약간의 기형을 보인다. 병적이라고 말할 때에는 그 기형으로 인하여 비강 속에 어떠한 기능적 장애를 일으킬 때를 말한다. 비중격 기형의 형태는 만곡(deviation)이 가장 흔하고, 이외 비중격에 돌기가 생겨 길게 돌출된 것을 능(ridge)이라 하며, 부분적으로 돌출된 것을 극(spine)이라 한다.비중격 만곡의 발현도는 좌측 만곡이 80% 정도로 우측에 비해 더 많다.

2) 病因

(1) 선천성
(2) 발육이상: 안면골의 발육에 비해 비중격의 발육이 왕성할 때.
(3) 외상: 흔히 외비의 형태 이상을 동반.
(4) 압박: 비강 내 비용, 이물, 종양 등에 의한 만성적인 압박에 의해 초래.

유지시켜준다. 그리고 비강 내에 유성약제 또는 연고를 도포하거나 생리식염수를 사용하여 비강세척을 하여 가피를 제거한다[그림 2-2-3].

5. 비중격 종양(septal tumor)

1) 槪要

비중격의 주요 종양에는 良性 腫瘍(benign tumor)으로 出血性 鼻茸, 粘液性 鼻茸이 있고 악성종양으로는 흑색육종, 흑색암종, 내피세포종 등이 있다.

2) 辨證 및 治法

염증에 의한 것은 防風通聖散, 普濟消毒飮 등을 이용하여 염증을 치료하고 암종은 수술로 제거한다.

6. 비중격 기형

1) 槪要

3) 症狀

비중격 전반부의 만곡으로 비판 부위가 좁아져 뚜렷한 비폐색을 보이는 경우를 제외하고는 만곡에 의한 증상은 뚜렷하지 않은 경우가 많으며, 동반된 다른 비질환이 있을 때는 더욱 구별이 어렵다.

만곡으로 인해 반대편 중비갑개나 하비갑개의 보상성 비대를 보이는 경우가 대부분이며 이로 인해 비폐색, 구호흡, 후비루, 두중감, 수면장애, 기억력감퇴, 주의산만, 신경통, 비성, 후각장애 등이 발생한다.

비중격기형의 볼록면측의 앞쪽은 충혈되기 쉬우며 자극받기 쉬워 비출혈이 자주 생긴다. 이관, 중이, 인두 및 후두 등 주위조직에까지 영향을 미치는 수가 있으며, 부비동의 분비를 방해하므로 부비동

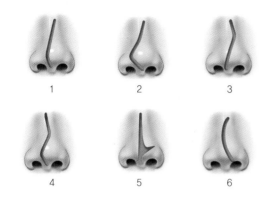

1   2   3

4   5   6

그림 2-2-4 　비중격기형

염을 일으키기 쉽다. 만곡된 비중격에 의해서 주위의 지각신경을 압박함으로써 동통을 유발할 수가 있고, 만곡이 심하면 外鼻背의 기형까지 생긴다.

4) 辨證 및 治法
만곡에 의해 대상성 비염이 있을 때에는 비후성 비염의 치료에 준하고 수술을 고려할 경우에는 17세 이후 비중격의 성장이 완료된 후에 시행한다[그림 2-2-4].

鼻腔疾患

1. 비절(nasal furunculosis)

1) 概要

鼻腔 내에 瘡瘍이 발생하여 코 안이 허는 것으로, 鼻瘡이라고 하였다. 비전정 모낭의 괴사성, 화농성 질환이다.

2) 病因

(1) 肺熱이 많이 있거나 辛辣한 음식의 섭취로 인해 胃熱이 축적되어 발생하거나 血熱로 인해 발생.
(2) 포도상구균, 연쇄상구균 등에 의한 감염이 원인이 되며, 코털을 뽑거나 코를 자주 후비거나 파는 경우, 감기 등 비강 내 질환이 원인이 되기도 한다.

3) 症狀

비강은 폐색되지 않고 疼痛하며 홍적색을 띤다. 비강 내가 건조하면서 동통을 느끼고 粟粒狀을 형성하고 發熱하며 다소 붓는다. 모낭의 괴사성, 화농성 삼염인 경우 비전정의 동통, 발적, 압통, 농포 등과 함께 발열, 오한, 권태 등의 전신증상이 나타날 수 있다.

4) 辨證 및 治法

(1) 內治
① 肺熱 : 黃芩湯, 洗肺散, 四白散 加 黃芩, 梔子, 桔梗, 薄荷
② 血熱, 胃熱 : 生地黃四物湯 加 黃芩, 紅花, 甘草, 麥門冬, 天門冬
③ 肺腎陰虛 : 六味地黃湯 加 麥門冬

(2) 外治
① 비강 내가 건조할 때는 黃連膏를 바른다.
② 杏仁을 짓찧어서 人乳에 조제하여 바르거나 혹은 官粉, 血丹, 松香 각 3.75 g, 艾葉 18.75 g을 분말하여 종이에 분말약을 넣고 말아서 香油를 침투시킨 다음 불을 붙여서 비강 내로 기름이 떨어

171

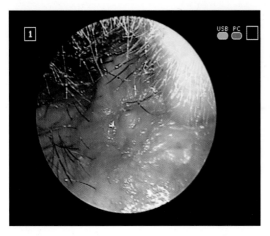

그림 2-3-1　비절

지게 한다[그림 2-3-1].

2. 鼻疔

1) 槪要

비강이나 비첨, 비익, 비전정 부위에 발생하는 疔
瘡癤腫을 가리킨다. 鼻瘡과 비슷하나 증상이 더 重
한 것이다. 肺胃積熱로 인하거나 火毒이 結聚하여
형성되고 코를 문지르거나 비모를 뽑는 과정에서
도 유발된다. 악화되어 疔瘡走黃이 발생할 수 있으
므로 조기치료가 중요한 질환이다. 서양의학에서는
비전정의 염증 또는 鼻癤의 심한 증상으로 볼 수 있
으며 전정 부위의 모낭염에서 기인된다. 이러한 감
염증의 적절한 치료는 두개내로의 감염의 파급 가
능성을 차단하는 데 의미가 있다. 감염의 역행성 파
급이 우려되는 주요 원인은 이 부위의 정맥에 판막
이 없는 구조적 특징을 갖기 때문이다.

2) 異名

鼻癤, 白疔, 鼻尖疔, 白刃疔

3) 病因

(1) 風熱邪毒이 外襲하여 肺經에 火毒이 응결하여
　　鼻를 熏蒸하기 때문이다.
(2) 辛辣한 음식을 과다 섭취하여 火毒이 응결되어
　　鼻로 상충되어 발생한다.

4) 症狀

초기에는 鼻瘡과 비슷하게 鼻尖이나 鼻前孔 부위
가 紅腫發脹하면서 동통 내지 둔마감을 호소하다
가 동통이 심해지면 뇌부까지 견인통이 있다. 전신
증상으로 오한, 발열, 두통, 변비, 뇨적 등이 있을 수
있다. 심할 경우 입술이나 뺨 부위까지 붓는데, 증세
가 심할 경우에는 外鼻가 견인하면서 腫大되고 삼
출물이 흐르기도 한다. 2-3일이 지나면 피로감과 함
께 정신이 不淸하고 4-5일이 지나면 寒熱往來와 함
께 頭面이 종대되고 8-9일이 지나면 정신이 혼미하
고 위험한 疔瘡走黃 형태로 발전하게 된다.

5) 辨證 및 治法

(1) 風熱外襲, 火毒上攻 : 仙方活命飮, 五味消毒飮,
　　黃連解毒湯 등에 加減.
(2) 火毒入營 : 犀角地黃湯 合 黃連解毒湯.
(3) 外治 : 玉露膏, 金黃散, 四黃散

3. 비내용종

1) 槪要

鼻瘜肉이라고도 하며 비강 내에 군살이 나타나는 것으로 비과 영역 중에서는 흔히 볼 수 있는 질환이며 비강이나 부비동의 만성염증이 있을 때 생기는 경우가 많다. 대개 瘜肉으로 인해 鼻閉塞이 발생하게 된다.

2) 異名

鼻茸, 鼻瘜肉, 鼻痔

3) 病因

(1) 肺氣가 원래 虛寒한 상태에서 風寒의 侵襲으로 인해 津液이 鼻竅에 積聚되고 瘜肉을 형성한다.
(2) 濕熱로 인해 肺熱이 盛하여 肺經燥熱이 鼻竅 內에서 鬱滯되어 발생하기도 한다.
(3) 辛辣한 음식의 과다섭취로 胃에 食積이 있는 상태에서 熱痰으로 化하여 발생한다.
(4) 비점막의 국소적 원인이나 비강이나 부비동의 만성 염증 혹은 알레르기로 인해 비강 내에 식육이 발생한다. 호발부위는 주로 중비도, 특히 사골동 개구부와 상악동 개구부 그리고 비강의 측벽이다.

4) 症狀

비강 내의 식육이 초기에는 반투명의 맑은 색으로 석류 형태를 띠지만 점차 커지면서 여러 가지 형태를 가지고 외비공으로 돌출하게 된다. 대개 담홍색을 띠지만 점차 커지면서 암홍색이나 회백색을 띤

다. 심한 경우에는 미간 동통을 호소하고 외비의 변형이 초래되기도 한다. 비폐색과 함께 후각장애, 鼻漏, 두통, 流淚, 코골이와 함께 폐색성 비성이 나타난다. 비용이 작을 때에는 증상이 없지만 커지면 비폐색이 되고 수양성 비루와 함께 頭重痛을 호소하고 후각이 떨어지게 된다. 남녀간의 발병률은 비슷하고 유아보다는 성인에서 많이 발생한다.

5) 辨證 및 治法

수술요법이 주로 행해지나 재발이 잘되며, 크기가 작은 경우 항히스타민제, 스테로이드, ephedrine 분무 등의 치료가 행해진다.

(1) 內治

① 脾氣虛弱 : 蒼耳子散 合 補中益氣湯, 溫肺止流丹
② 脾濕犯肺 : 蒼耳子散 合 二陳湯
③ 肺經鬱熱 : 蒼耳子散 合 桃紅四物湯, 辛夷淸肺飮, 瀉白散, 防風通聖散, 荊芥連翹湯
④ 食積熱痰 : 星夏湯, 鬱金散

(2) 外治

① 收斂化濕, 消腫散結하는 瓜丁散 등의 분말을 瘜

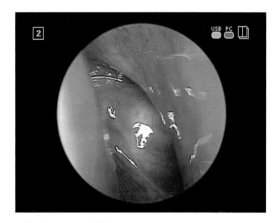

그림 2-3-2 비내용종

肉의 표면, 혹은 뿌리에 바른다. 매일 1회씩 총 7-14회 시행한다.

② 芳香通竅, 活血去瘀, 혹은 去風通絡하는 약물을 끓여 증기를 흡입한다.

③ 淸肺熱하는 辛夷淸肺飮을 내복하고 外用으로 辛夷膏를 바르거나, 防風通聖散 加 三稜, 海藻하여 복용하고 外用으로 辛夷膏를 바른다[그림 2-3-2].

4. 비강이물

1) 槪要

이물질이 비강 내에 들어가 비폐색과 악취, 두통 등을 유발한다. 대부분 아이들이 장난하다가 발생하며, 성인의 경우에는 비질환을 치료하는 도중 미처 제거되지 않았던 거즈 등이 이물이 되기도 한다. 또는 음식물을 삼키다가 재채기를 했을 때 음식물이 후비공으로부터 침입하여 발생하는 경우도 간혹 있으며 곤충이 비강 내에서 잔류하는 경우도 있다.

2) 病因

이물이 작고 매끈한 것은 큰 문제가 없으나 커다란 이물이나 날카로운 것은 부비동이나 상기도에 염증을 유발하게 되고 주변에 육아조직을 발생시킨다. 혹은 칼슘이나 마그네슘이 침착된 鼻石을 형성하기도 한다.

3) 症狀

농성 분비물과 함께 동통 및 비폐색을 발생시킨다. 소아에 있어서 편측으로만 악취와 함께 농성 분비물이 나오면 이물이 의심된다. 이물이 오랫동안 머물러 있으면 주변 조직에 육아종을 발생시키기도 하기 때문에 되도록 조기 제거하는 것이 좋다.

4) 辨證 및 治法

작은 이물은 通關散을 이용하여 재채기를 유발한 후 제거한다. 단 소아의 경우에는 이물이 인후에 걸릴 수 있으므로 금기한다. 작고 매끈한 이물은 윤활유를 바른 후에 건측 비강을 지압함으로써 배출할 수 있다. 형태가 일정하지 않은 이물은 겸자를 이용하거나 특수한 기구를 이용해 배출하도록 하고 비강을 통해 배출이 어려운 경우에는 환자를 앙와위로 하고 두위를 아래로 한 후 이물을 비인두로 나오도록 해야 한다.

5. 비출혈

1) 槪要

비강내에서 出血되는 것으로 각종의 질병에 수반하여 나타나는 증후로서 혈우병, 백혈병, 빈혈 등의 혈액질환과 고혈압, 동맥경화 등의 순환장애 그리고 비질환이나 외상, 인플루엔자에 수반하여 나타나는 경우가 대부분이다. 비강으로 출혈이 될 때에는 그 원인을 분석하고 출혈부위를 확인한 다음 적절한 조치를 취해야 하는데 임상에서 비출혈의 實證은 血熱氣盛으로 인한 迫血妄行이 원인이고 虛證은 陰虛나 氣虛로 인한다.

2) 異名

鼻洪, 腦衄, 紅汗, 倒經

3) 病因

(1) 實證

① 七情不和로 心火上炎하여 迫血妄行하거나 肝氣 鬱結되어 肝火上逆하여 발생.

② 外感風熱 또는 燥熱로 인해 肺經熱盛하여 발생.

③ 膏粱厚味, 辛熱한 음식, 飮酒過多로 胃熱熾盛하 여 발생.

(2) 虛證

① 勞役過度, 大病 또는 久病으로 肝腎陰虛하여 虛 火上炎하여 발생.

② 脾胃가 허약하여 氣不攝血, 즉 脾不統血하여 발생.

(3) 국소원인

심한 습도 및 온도변화, 외상이나 Kisselbach`s plexus 부위의 출혈, 염증(급, 만성 비염, 비인두염, 부비동 염, 위축성비염, 알레르기, 선천성 매독 등), 종양(출 혈성 비용, 상악암, 비인강 혈관섬유종), 기타(비중 격 만곡증, 유전성 출혈성 모세혈관 확장증, 선후천 적 비결손) 등이 있다.

(4) 전신원인

고혈압 및 동맥경화승, 심장질환 등의 순환장애, 혈 액질환(혈우병, 백혈병, 빈혈, 자반병), 간·신장질 환, 알코올중독, 항응고제 투여, Vit. C, K의 결핍, 급 성열성전염병, 기생충, 중금속중독, 급격한 기압변 동, 대상성 출혈 등이 있다.

4) 症狀

외상에 의한 경우가 많으며 뚜렷한 원인 없이도 비 점막 손상으로 비출혈이 일어날 수 있는데, 이 경우 출혈부위는 Little`s area (Kisselbach`s plexus)가 대부

분이다. 혈액질환이나 간·신장질환, 순환장애에서 의 출혈 등과 같은 전신질환이 동반된 출혈은 대부 분 출혈량이 많으며 비강 후방부에서의 출혈은 고 혈압이나 동맥경화를 가진 경우에서 많이 발생하는 데 하비도내 하비갑개 후단부에서 자주 볼 수 있다. 외상 등의 전방부 출혈은 주로 젊은 층에서 발생하 고, 비강 후단부의 출혈은 동맥경화나 고혈압을 가 진 고연령층에서 많이 발생하며 지혈이 어렵고 재 발이 잦기 때문에 사망에 이르기도 한다. 중비갑개 상단에서의 출혈은 고혈압 환자에게 간혹 볼 수 있 으며 중비도에서 나오는 출혈은 종양을 의심할 수 있다. 비출혈은 비골의 골절이나 일부 혈액질환을 제외하고는 대부분 일측에서 발생한다.

5) 辨證 및 治法

(1) 心火亢盛 : 淸心瀉火, 凉血止血하는 瀉心湯에 白茅根이나 旱蓮草를 加한다.

(2) 肺經熱盛 : 桑菊飮을 위주로 牧丹皮, 白茅根, 旱 蓮草를 加하여 淸熱凉血한다.

(3) 胃熱熾盛 : 淸胃降火, 凉血止血하는 犀角地黃湯 을 위주로 한다.

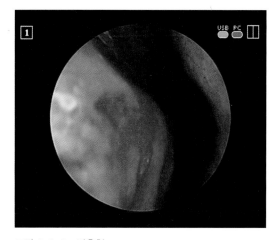

그림 2-3-3 비출혈

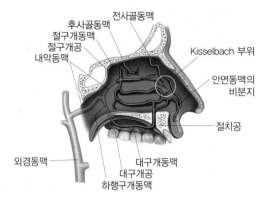

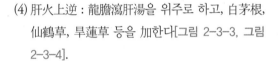

그림 2-3-4 비출혈

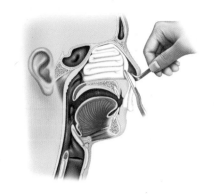

그림 2-3-5 전비공팩킹

(4) 肝火上逆 : 龍膽瀉肝湯을 위주로 하고, 白茅根, 仙鶴草, 旱蓮草 등을 加한다[그림 2-3-3, 그림 2-3-4].

(5) 外治 : 三七根을 분말로 하여 도포하고 百草霜 등으로 吹鼻하거나 塞鼻한다.

(6) 비출혈이 발생하면 환자를 앉히고 안정시켜야 하며 혈액은 삼키지 않도록 해야 하고 비익부위를 압박하면서 얼음이나 찬물을 이용한 마사지를 코 주변이나 上星穴, 印堂穴, 風池穴 등에 하는 것이 도움이 된다. 위의 방법으로 출혈이 멎지 않을 경우 바세린 거즈에 三七根末을 도포한 후 전비공 팩킹, 후비공 팩킹을 시행하여 2-3일간 유지하도록 한다. 예방을 위해 湧泉穴에 뜸치료 등을 시행하여 따뜻하게 한다[그림 2-3-5].

6. 알레르기 비염

1) 槪要

鼻噴은 재채기를 말하며 鼻噴症은 鼻鼽, 鼻嚔, 鼻痒, 鼽水, 鼻涕, 鼻流清涕 등과 함께 과민성 비염, 즉 알레르기 비염을 의미한다. 1247년 쓰어진 <內外傷辨惑論>에서는 "元陽이 원래 虛한 가운데 겨울철의 냉기가 그 虛함을 더하면 병이 되어 재채기를 잘하고 맑은 콧물이 흐르며 재채기가 그치지 않는다" 하였고, <古今醫統>에서는 "맑은 콧물이 흐르거나 가려워하면서 재채기를 한다" 하였다.

알레르기 비염의 유병률은 최근 환경오염의 증가 및 생활습관의 서구화와 더불어 크게 증가하고 있다. 비염은 어린 나이일수록 알레르기 비염의 비율이 높으나, 나이가 들어가면서 알레르기 비염의 비율이 감소한다.

알레르기 반응은 Gell과 Coombs가 4가지로 분류하였고 Roitt가 Ⅴ형을 추가하였다. Ⅰ형은 anaphylaxis type 또는 IgE 의존형(IgE dependent type)이라고 하며, Ⅱ형은 세포용해성(cytolytic) 또는 세포독성(cytotoxic) 또는 조직특이성형(tissue specific)이라고 하고, Ⅲ형은 Arthus type 또는 면역복합체형(immune complex type)이라고 한다. Ⅰ형, Ⅱ형 및 Ⅲ형은 체액성 항체에 의한 것으로 항원 노출 후 발현하는 반응이 비교적 빠르기 때문에 30분 이내에 시작되고 1-2시간 후에 소실되는 즉시형 알레르기 반응이라고 부르고 Ⅳ형은 지연형(delayed type)

또는 세포성(cell mediated) 또는 tuberculin형이라고 하는데 세포성 항체로 T임파구를 중심으로 일어나는 반응이며 반응이 일어날 때까지 8-48시간을 요하고 지속시간도 수일에서 수주에 걸쳐 지속되므로 지연형 알레르기 반응이라고 부른다. 최근 Ⅴ형 알레르기 반응이 지적되고 있으나 이것은 항원항체 반응에 의하여 세포를 자극하여 분열을 촉진시키는 반응으로 자극형(stimulatory type)이라고 불리고 있으며 아직까지는 Ⅱ형에 포함시키고 있다.

알레르기 비염은 비만세포 표면의 IgE와 항원의 결합으로 화학적 매개물질이 유리되어 일어나는 즉시형 알레르기 반응에 초점을 두어 설명한다. 조기 반응은 감작 후 1시간 이내에 나타나며, 비만세포와 호염구가 IgE-항원반응에 의하여 histamine, prosta-glandin, leukotrien 등의 화학물질을 분비하여 비점막의 혈관 확장과 부종, 점액선과 배세포의 충혈 등의 증상이 나타나게 된다. 이러한 반응이 나타난 환자들 중 일부가 4-24시간 이내에 후기 반응이 나타난다. 후기반응으로는 T-cell, 호산구 등 백혈구의 침윤과 호산구에서 분비된 MBP (major basic protein)와 ECP (eosinophil cationic protein) 등이 호흡기 점막을 손상시켜 항원의 침입을 용이하게 하고, 각종 cytokine, 효소, 지질대사물질 등을 분비하여 평활근 수축과 점액분비를 촉신시키고 알레르기성 염증반응과 기도의 과민성을 증가시켜, 혈관 및 기도내피세포 등이 관여하는 만성염증반응을 시작하게 한다. 이와 같이 알레르기 비염의 특징은 호산구, 림프구 등의 출현과 더불어 cytokine, 효소, 유착분자 등 여러 종류의 염증성 단백질의 발현 증가이다.

알레르기 비염의 진단은 병력 청취, 진찰 소견, 임상 검사 등에 의해 이루어진다. 병력 청취 시에는 알레르기 질환에 대한 병력 및 가족력을 확인하고, 알레르기의 원인을 찾기 위한 집안 환경에 대한 청취가 필요하다. 환자의 30%에서 유전적 요인이 작

용하므로 가족력, 과거력, 현재력 등을 상세하게 문진해야 하며, 다른 알레르기 질환(이토피 피부염, 카타르성 결막염, 담마진, 천식, 고초열 등)의 과거력 여부에 대한 문진이 반드시 필요하다. 비경 검사상 보통 창백한 비점막과 부종성 종창을 볼 수 있고, 손바닥으로 코를 밀어 올리는 행동(allergic salute), 콧잔등에 있는 주름(transverse nasal crease), 눈 밑에 있는 보랏빛착색(allergic shiner) 및 눈 밑에 여러 겹의 주름(Dennie's line)과 같은 특징적인 모습을 볼 수 있다. 임상 검사는 혈청 총 IgE 및 특이 IgE 측정, 알레르기 피부시험과 혈액 내 총 호산구수, 비즙 도말검사, 비 유발시험 등의 여러 검사를 시행하게 된다.

알레르기 비염 중 급성이면서 식물의 화분이 날아다니는 계절과 관련이 있는 것을 계절성으로 분류하고, 만성이면서 연중 계속되고 계절과 관련이 없는 것을 통년성으로 분류하며, 통년성은 1년에 9개월 이상 증상을 호소하는 경우를 말한다.

2) 病因

알레르기 반응은 흡입성 항원과 식이성 항원에 대한 과민반응으로 나타나고, 온도나 습도 등 외부의 기후 조건, 비강 내의 해부학적 구조 및 정신적 스트레스 등이 중요한 유발인자로 작용하고 있다. 항원을 살펴보면 꽃가루, 집먼지, 깃털, 가축의 털, 가구 속의 곰팡이 포자, 페인트, 가솔린, 담배연기, 공업용 화학물질, 찬 공기, 우유, 달걀, 견과류, 초콜릿, 패류, 딸기, 토마토, 온도 변화, 육체적인 피로, 고민, 불안, 충격, 아스피린, 페니실린, 백신 등이 있다. 우리나라에서는 집먼지 진드기가 원인의 80-90%인 것으로 파악되고 있다.

알레르기 비염의 과민반응은 다양한 항원과 그들에 대한 특이 IgE 항체 때문에 발생한다. 발작적인 재채기, 코막힘, 콧물 등의 증상이 나타나는 것은

비점막 내의 비만세포 표면에 있는 특이 IgE 항체와 외부로부터 침입한 항원과의 작용으로 비만세포로부터 각종의 염증성 매개물질이 유리됨으로써 나타난다. 일단 급성적인 증상이 발생한 후 약 반수의 사람에게서는 약 6-12시간이 경과한 후 재채기나 소양감은 줄어드는 대신 비폐색이나 후비루 등의 후기 반응이 나타난다. 이러한 후기반응에 관여하는 주된 세포와 매개물질로는 호염기구, 호산구, 비만세포 등과 그들로부터 유리되는 여러 물질이 거론되고 있다.

<素問·五藏別論>에 "五氣入鼻, 藏於心肺, 心肺有病而鼻爲之不利", <素問·五常政大論>에 "少陽司天, 火氣何臨, 肺氣上從, 欬嚏, 鼻衄, 鼻塞..." 이라 하여 오래 전부터 鼻와 肺의 밀접한 관계에 대해 인식하였으며 <靈樞·脈度篇>에 "肺於鼻, 肺和則鼻能知香臭矣", <靈樞·本神篇>에 "肺藏氣, 氣舍魂, 肺氣虛則鼻塞不利少氣, 實則喘喝胸盈仰息" 이라 하여 鼻가 정상적인 通氣와 嗅覺의 기능을 발휘하려면 肺氣가 調和되고 호흡이 원활하여야 함을 언급하였다. 이에 근거하여 비염의 치료는 肺를 중심으로 하여 肺氣虛寒, 脾肺氣虛, 陽明熱 혹은 脾胃濕熱, 腎氣不足으로 구분되어 이뤄지며, 이는 비염 및 부비동염, 하기도의 천식을 단일 기도 질환으로 간주하는 최근의 흐름과 유사한 관점을 보인다.

衛氣는 현대의학의 면역기능에 해당하는 것으로, 위기의 허약이 면역기능의 저하 및 과민반응의 원인이라고 할 수 있다. 내적으로는 肺, 脾, 腎의 허약으로 인해 외사를 방어하는 인체의 능력이 떨어져 나타나게 되고, 외적으로는 風寒과 風熱 등의 사기의 침입을 받아 발생하게 된다. 그 외에도 七情氣鬱로 인해 기혈 순환이 원활하지 못하여 발생하기도 하고, 상한 음식 섭취, 과로 또한 그 원인으로 작용한다.

(1) 肺氣虛寒으로 인해 衛表不固하고 □理가 치밀하지 못한 상태에서 風寒이 침범하고 肺가 感受해서 발생한다.

(2) 脾肺氣虛로 인해 寒濕이 鼻로 응결하여 발생한다.

(3) 心火나 邪熱이 陽明經에 入하여 축적되거나 脾胃濕熱이 정체되어서 발생한다.

(4) 腎氣不足으로 肺를 溫照하지 못해서 발생한다.

3) 症狀

재채기, 맑은 콧물, 코막힘을 알레르기 비염의 3대 주 증상이라 하고, 이 중 2가지 이상의 증상을 갖고 있는 경우 알레르기 비염을 의심할 수 있다. 그 외에도 눈이나 코의 소양감, 후각감퇴, 두통, 청력장애 등의 증상이 나타날 수 있다. 코막힘은 좌우측이 교대로 막히는 경우가 대부분이지만, 심할 경우에는 양측이 동시에 막혀서 입으로 호흡을 하는 구호흡을 하게 된다.

콧물은 대개 맑은 콧물이지만 세균감염의 정도에 따라서는 화농성의 황록색 콧물로 변하기도 한다. 또 한 가지 특징적 증상은 후비루로서 콧속의 분비물이 코 뒤쪽의 후비공을 따라서 목 쪽으로 흘러내리는 것으로 만성 비염 환자에서는 비교적 흔하게 보인다.

만성 부비동염을 비롯한 편도 및 아데노이드의 비대, 천식, 수면호흡곤란, 유스타키오관의 폐쇄, 삼출성중이염 등과 같은 합병증을 유발하기도 한다. 또한 사회생활에 있어 업무장애나 밤의 수면장애, 학습장애 유발 등으로 인한 삶의 질 저하를 초래할 수 있다. 알레르기 비염의 비강소견은 창백하거나 회홍색의 부종상이며 수양성 비루가 특징적이지만 발작이 없을 때는 거의 정상소견을 나타내는 경우도 많이 볼 수 있으며 농성분비물이 있으면 2차 감염을 의심해야 한다. 증상이 심하고 오래된 환자에게서 폴립도 종종 관찰된다.

혈관운동성 비염과의 감별이 필요한데, 혈관운동성 비염은 심리적 인자, 정서적 요인, 피로 등으로 비혈관의 정상적인 운동에 불안정 상태를 일으키는 알레르기의 일종으로, 사무직종에 근무하는 청장년층에서 다발한다. 증상은 교대성 비폐색, 과도한 수양성 비루, 유루를 주로 보이며 발작적 재채기, 후비루, 안면신경통, 두통, 심한 피로감 등이 나타난다. 비강소견은 하비갑개가 핑크색에서 매우 짙은 적색까지 다양하게 나타난다. 1년 내내 지속과 악화를 반복하여 통년성 알레르기 비염과 유사하나 정신적, 신체적 인자에 영향을 많이 받고 자율신경증상도 병발되는 것이 특징이다.

4) 辨證 및 治法

(1) 일반적인 치료

알레르기 비염의 치료는 회피요법, 약물요법, 면역요법, 수술요법 등이 있다. 회피요법은 알레르기 질환의 치료에 있어 가장 기본적이고 중요한 치료법으로, 대부분의 알레르기 비염 환자들은 환경 변화나 약제의 사용 여부, 계절적 요인 등에 따라 증상이 호전 또는 악화되는 과정을 반복하는 경우가 많다. 이에 어느 정도 환자를 호전시킨 후 반드시 환경관리가 제대로 이루어지도록 하여야 한다. 집먼지 진드기의 경우 가구류, 침구류 등을 규칙적으로 세탁하고 집안의 습도를 낮추어 제어하고, 동물 항원이나 바퀴벌레 항원은 모두 제거하는 것이 좋으며, 곰팡이 항원도 청소와 습기 제거를 통해 제어하도록 한다. 약물요법으로는 비점막수축제, 항히스타민제, 항알레르기 약제(크로몰린 계통), 스테로이드제 등이 있고, 면역요법은 현재까지 논란이 많으며 그 작용기전 및 효과에 관해 정확히 밝혀진 바가 없으나 일부 사용되고 있다. 수술요법은 만성 비염 환자에서의 비폐색 해결을 위하여 사용되는데 주로 하비갑개의 부피를 줄여줌으로써 비강의 환기를 개선하는데 중점을 둔다. 그러나 이러한 많은 양방적 치료도 모든 알레르기 비염 환자에게 만족할 만한 효과를 거두지 못하여 최근 서구에서는 대체의학으로 알레르기 질환 및 알레르기 비염의 치료에 접근하고 있는 시도가 늘어나고 있는 실정이다.

(2) 內治法

① 外感風寒 : 小靑龍湯, 蔘蘇飮, 葛根湯, 桂枝湯, 香葛湯, 加味通竅湯, 蒼耳子散 등
② 脾肺氣虛 : 溫肺止流丹, 麥門冬湯加減, 補中益氣湯加減, 當歸四逆加吳茱萸生薑湯, 淸上補下丸, 百合固金湯 등
③ 脾胃濕熱 : 葛根解肌湯, 淸脾湯, 荊芥蓮翹湯, 辛夷淸肺飮, 麗澤通氣湯 등
④ 腎氣不足 : 六味地黃湯, 腎氣丸合蒼耳子散
⑤ 小兒 肺氣虛弱 : 葛根湯, 補中益氣湯合小靑龍湯, 加味通竅湯, 荊芥蓮翹湯, 六味地黃湯 등에 가감한다.

(3) 外治法

瓜礬散, 瓜蒂散 등 약물의 분말을 면봉이나 솜에 묻혀 비강 내에 삽입하거나 辛夷花, 細辛, 蒼耳子, 瓜蒂, 白礬, 白鹽 등을 전탕하여 비점막에 點滴한다.

(4) 침구요법

① 體針 : 百會, 上星, 前頂, 頭維, 印堂, 迎香, 顴髎, 人中, 風池, 風府, 大椎, 風門, 中府, 曲池, 外關(灸), 太淵, 魚際(灸), 合谷 등
② 藥針 : 자하거 약침액을 禾髎, 迎香, 鼻通, 肺兪, 脾兪 등의 경혈 중에 선택하여 各 穴에 0.05-0.1cc씩 주사한다.

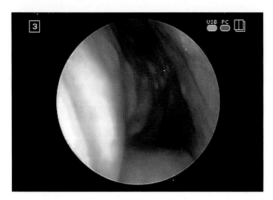

그림 2-3-6　알레르기비염

(5) 섭생법

① 아침 일찍 일어나 공복에 냉수를 마시는 습관을 버린다. 공복에 냉수를 마시면 가슴과 배가 차갑게 되므로 肺脾虛寒이 되기 쉽다.

② 항상 아랫배를 따뜻하게 하는 습관을 길러야 한다. 재채기가 심할 때 腎陽이 발동하는 부위인 단전을 따뜻하게 하면 재채기가 멈춘다.

③ 평소에 적당한 유산소 운동을 하여 심폐 기능을 강하게 만들어야 한다.

④ 돼지고기, 닭고기, 밀가루 음식, 냉한 음식, 비린내 나는 생선 등의 음식은 주의한다[그림 2-3-6].

7. 급성 비염

1) 槪要

鼻鼽에서 鼽는 원래 鼻塞을 의미하며, 비폐색, 수양성 비루, 재채기, 후각장애 등의 증상이 공통적으로 나타나는 급성 비염에 해당하며 한의학적으로는 傷寒의 범주에 속한다. 비폐색 및 비루를 일으키는 가장 흔한 원인질환인 급성 비염은 비강 내 점막에 박테리아나 바이러스 또는 원인을 알 수 없는 외부자극에 의하여 갑자기 염증이 일어난 상태로 비강 내의 급성 염증성 질환인 감기가 대표적이다. 5세 이하의 어린이가 이환빈도가 가장 높지만 성인에서도 연간 2-3회 정도 발병할 만큼 흔한 질환이다.

2) 異名

鼻涕, 鼻嚏, 鼽水, 傷風鼻塞, 感冒, 傷風

3) 病因

(1) 대부분 리노바이러스를 비롯한 바이러스에 의해 발병하며 대표적인 원인균으로는 rhinovirus, parainfluenza, influenza, enterovirus, adenovirus 등이 있다. 감기의 유발요인으로는 기온이나 습도의 급격한 변화, 피로, 과음 등에 의한 전신의 면역력 감퇴와 비점막의 섬모운동 저하 등이 있고 그 외에 연령, 춥고 건조한 기후, 영양이나 위생불량, 정신적인 스트레스 등이 복합적으로 관련되어 있다.

(2) 肺氣虛弱하여 衛氣가 不固한 상태에서 風寒邪가 侵襲하여 肺氣의 宣發作用이 失調되어 발생한다.

(3) 肺熱이 있는 상황에서 風熱邪가 侵襲하여 上犯鼻竅하여 나타난다.

(4) 腸胃에 積熱이 있는 상태에서 風寒이나 風熱이 침범하여 발생한다.

4) 症狀

(1) 外感風寒

鼻塞, 鼻流淸涕, 噴嚏, 咳嗽, 痰稀, 惡寒發熱, 頭痛, 筋肉痛, 無汗, 口不渴, 舌質紅, 苔薄白, 脈浮 혹 浮緊하고 鼻粘膜은 腫脹, 色은 淡紅, 鼻涕는 淸稀하다.

(2) 外感風熱

鼻塞, 鼻流黃涕 및 粘稠, 鼻痒噴嚏, 鼻氣烘熱, 發熱, 頭痛, 微惡風하며 口渴, 咽痛, 咳嗽, 痰黃粘稠, 舌質紅, 苔薄黃, 脈浮數하며 鼻粘膜은 紅腫하고 黃色의 끈끈한 콧물이 있다.

(3) 감기의 증상은 감염 후 약 1-3일간의 잠복기간이 경과한 후 본격적으로 나타나는데 전구증상으로는 전신위화감, 미열과 오한, 식욕저하, 근육통, 두통이 있으며 재채기나 인두이물감이 나타난다. 이후 코가 막히고 수양성 비루가 나타나고 전신증상이 악화된다. 이러한 상태가 4-5일 지속되면 세균에 의한 2차적인 감염이 없는 한 대부분의 증상이 소실되지만, 세균에 의한 2차 감염이 있으면 화농성 비루와 함께 비폐색이 지속된다.급성 비염의 증상을 시기별로 분류해보면 다음과 같다.

① 전구기

수일간(약 1-3일)의 잠복기를 거친 후 처음에는 전신적인 불쾌감, 미열과 오한, 근육통, 식욕감퇴, 두통이 발생하며 갑자기 재채기를 하기도 한다.

② 발적기

카타르기라고도 하며 주로 코에 대한 증상이 나타나는 시기로 지속적인 콧물, 코막힘, 후각 기능의 감퇴 등이 나타난다. 1기에서 나타났던 여러 증상들은 일부 사라지기도 하나 계속 지속되기도 한다.

③ 이차 감염기

가장 심한 상태이며 화농성 비루가 심해지며 세균에 의한 2차 감염으로 합병증이 생길 수 있다. 합병증으로는 급성 부비동염, 급성 인두염, 급성 기관지염, 폐렴, 중이염, 이관염 등이 있다.

④ 해소기

점액기라고도 하며 이차적 세균감염이 되지 않으면 이 시기에서 증세가 호전되며 증상이 정상화되는데 5-10일이 소요된다.

5) 辨證 및 治法

(1) 通治方 : 桂枝湯, 葛根湯, 蔘蘇飮, 九味羌活湯 등.

(2) 外感風寒 : 辛溫解表해야 하며 蔥豉湯에 杏仁, 蘇葉, 防風, 荊芥를 加한다.

(3) 風寒의 重症 : 荊防敗毒散, 麻黃湯을 응용한다.

(4) 外感風熱 : 銀翹散에 加減하여 응용하는데 頭痛이 심하면 桑葉, 甘菊을 加味하고, 咳嗽와 喀痰이 많으면 杏仁, 貝母, 瓜蔞仁 등을 加한다. 鼻塞, 流涕가 되었을 때는 通關散, 通竅湯을 사용한다. 냄새를 맡지 못할 때는 麗澤通氣湯을 투여하거나 白蒺藜를 煎湯하여 입에 한 입 물고 鼻腔內에 滴入한다.

(5) 급성 비염의 예방법으로 손을 깨끗이 씻는 것이 중요하다. 특별한 치료법이나 예방이 없으며 나타나는 증상에 따라 적절한 대증요법으로 증상을 완화시키고 이차적인 합병증을 피하면 대개 1-2주일 내에 급성 비염은 저절로 사라진다. 미열과 통증을 가라앉히기 위해 해열 진통제가 사용되거나 콧물을 줄이기 위해 항히스타민제가 사용되며 코막힘을 완화하기 위해 비점막 수축제가 사용되기도 한다. 항생제는 바이러스가 원인인 경우에는 효과가 없지만 대개의 경우 2차 감염이 생길 경우에 폐렴이나 뇌막염 등의 심각한 합병증이 발생할 수 있으므로 예방적으로 일차적인 항생제를 사용하게 된다. 약물 요법 외에도 충분한 수분공급과 휴식, 온도 및 습도조절이 필요하며 합병증이 발생하지 않도록 조기에 적절한 치료를 받아야 한다[그림 2-3-7].

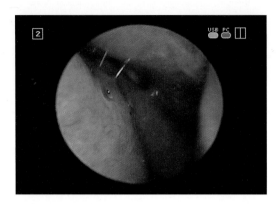

그림 2-3-7 급성비염

8. 만성 비염

鼻窒은 鼻塞不通의 의미를 가지고 있는 것으로 內經의 素問 五常政大論에 최초로 언급되었고, 鼻閉塞이 반복적으로 발생하고 오랫동안 낫지 않으며 후각장애를 주증으로 하는 증상을 보이며, 서양의학의 만성 비염과 유사한 개념으로 해석된다. 만성 비염에는 만성 단순성 비염, 만성 비후성 비염, 위축성 비염이 있다. 한의학의 鼻齆, 鼻塞, 鼻壅塞, 鼻塞不利 등이 이 질환에 해당한다고 볼 수 있다.

1) 만성 비후성 비염

(1) 槪要
鼻齆에 해당하니 鼻竅 내가 閉塞되어 通氣가 되지 않는 것이다.

(2) 病因
① 감염성으로 일반적인 세균, 바이러스 감염으로 인한 급성 비염에 대한 치료가 불충분하여 반복적으로 발생하거나 만성적으로 진행한다. 비감염성으로는 비강 구조의 변형, 비강의 종양, 자율신경의 불균형, 정서불안, 약물 등에 의해 발생하기도 한다. 부비동염이나 편도선염에서 기인하는 경우도 있으며, 전체적인 영양상태가 불량하고 면역력이 저하된 상태에서 호발한다.
② 肺經熱盛
③ 肺脾氣虛
④ 邪毒久留로 인한 氣滯血瘀

(3) 症狀

① 일반적인 증상
- 鼻閉塞: 좌우 교대성 노는 양측성 비폐색. 낮보다 밤에 더 막히고 하비갑개의 종창으로 인한 중력방향의 비폐색이 특징적이다. 심하면 구강호흡이 어려워진다.
- 鼻漏: 수양성이거나 세균감염에 의한 濁涕가 모두 나타날 수 있다. 後鼻漏가 일반적으로 나타나며 밤에 고여 있다가 아침에 喀出되는 경우가 많다.
- 후각장애: 심한 경우 미각저하까지 초래한다.
- 건조감, 두통, 두중감, 비성주의불능증, 수면장애, 호흡성 후각장애 등이 같이 나타날 수 있다.
- 비강소견: 하비갑개, 중비갑개 및 비중격 하부 점막의 이완 및 종대가 나타난다.
- 합병증: 중이염, 인후두염, 이관염, 누낭염 등.

② 辨證에 따른 증상
- 肺經熱盛: 교대성의 비폐색과 함께 비체가 있으나 그 양은 많지 않고 鼻腔炘熱, 비강의 腫脹 및 充血이 특징적이며 전신증상으로 口乾이 나타난다.
- 肺脾氣虛: 鼻涕의 색은 백색이며 점도가 있으며 寒冷한 상태에서 鼻塞이 심해진다. 비강에 담홍색의 유연한 腫脹이 있다. 전신증상으로 咳嗽, 묽은 喀痰, 倦怠 등이 있다.

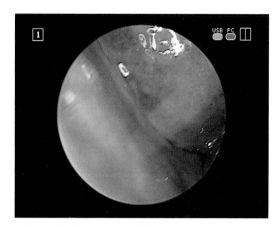

그림 2-3-8 만성 비후성 비염

- 邪毒久留: 鼻塞이 지속적이며, 鼻涕는 점도가 높고 양이 많다. 후각장애가 있으며 비강의 腫脹은 색깔이 어둡고 딱딱한 편이다. 인후두에도 이물감이 나타난다.

(4) 辨證 및 治法

① 肺經熱盛: 辛夷淸肺飮
② 肺脾氣虛: 溫肺止流丹(加 五味子, 白朮, 黃芪)
③ 脾氣虛弱: 蔘苓白朮散
④ 邪毒久留: 當歸芍藥湯
⑤ 外治: 石菖蒲, 皂角을 등분분말해서 솜에 싸서 삽입한다.
⑥ 藥針: 黃連解毒湯, 消炎, 熊膽, 牛黃 약침액 등을 활용하여 禾髎, 迎香, 鼻通, 內庭 등의 경혈 중에 선택하여 各 穴에 0.05-0.1 cc씩 주사한다[그림 2-3-8].

2) 만성 위축성 비염

(1) 槪要

鼻腔 내에서 특유의 惡臭가 발생하며 鼻竅가 건조해지는 질환으로 鼻槁라 한다. 비교적 드문 질환으로 비점막과 비갑개골의 점진적인 위축을 동반하는 만성 비질환이다. 진성취비증, 단순취비증, 후두취비증, 기관취비증 등 4종류로 분류할 수 있다. 진성취비증은 가피가 형성되고 악취가 극심하며, 단순취비증은 부비동염으로 생기는 가피가 생긴다. 후두취비증은 점막과 뼈의 위축이 있고 가피가 목에 생기며, 기관취비증은 점막과 뼈의 위축 및 가피가 기관까지 미친다.

(2) 異名

鼻臭, 鼻乾燥, 臭鼻症, 鼻出臭氣

(3) 病因

① 유전설, 비강 및 부비동의 감염설, 외상설, 내분비 장애설, 비타민 결핍설, 자율신경장애 등에 의한다는 설이 있다.
② 만성 단순성 비염이나 만성 비후성 비염에서 하비갑개를 과도하게 절제하여 발생하는 術後性 또는 이차성 위축성 비염에 의해 발생하기도 한다.
③ 肺經燥熱
④ 肺腎陰虛
⑤ 肺脾氣虛

(4) 症狀

① 일반적인 증상

- 악취, 가피, 비갑개 점막 및 골조직의 위축이 나타난다.
- 주로 사춘기 이후에 鼻閉塞과 함께 나타난다.
- 두통이나 후각장애도 있을 수 있다.
- 여성이 남성에 비해 많이 발생하며, 체격이 마르고 위약한 경우, 여름보다는 겨울에 발생빈도가 높아진다.
- 여성의 경우 생리시기에 악취가 심해진다.
- 환자 자신은 후각장애로 악취를 느끼지 못하

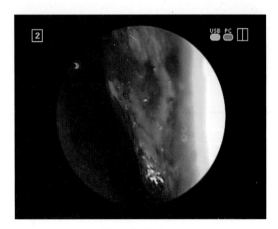

그림 2-3-9　만성 위축성 비염

나 주변인들이 느낄 정도의 심한 악취를 동반하며 환자가 있던 실내에 인상적인 고약한 악취가 있다.

• 이차적으로 위축성 인두염이나 후두염을 유발하며 이로 인해 쉰 목소리, 인두건조감, 이물감, 해수 등이 발생할 수 있다.

• 가피는 거무죽죽한 녹색을 나타내며, 제거 시가벼운 출혈이 있을 수 있다.

• 비강 소견상 비갑개 위축, 넓어진 비강이 보이고, 위축이 골부까지 파급될 경우 안비(鞍鼻, saddle nose)와 같은 외비의 변화가 발생하기도 한다.

② 변증에 따른 증상

• 肺經燥熱 : 鼻腔의 乾燥感, 灼熱感 및 疼痛이 심한 편이며, 咽痛이 동반된다.

• 肺腎陰虛 : 찬 기운을 만날 때 두통이 발생하며 인두의 乾燥感이나 미약한 통증이 있다.

• 肺脾氣虛 : 少氣, 便糖 등의 전신증상이 동반된다.

(5) 辨證 및 治法

① 肺經燥熱 : 清燥救肺湯, 養陰清肺湯

② 肺腎陰虛 : 百合固金湯, 地柏地黃湯

③ 肺脾氣虛 : 補中益氣湯(加 地膚子, 靑皮, 鬱金)

④ 外治

• 肉蓗蓉이나 蜂蜜을 適鼻.

• 따뜻한 생리식염수로 鼻腔을 세척.

⑤ 藥針 : 鹿茸, 紫河車 약침액 등을 禾膠, 迎香, 鼻通, 肺俞 등의 경혈 중에 선택하여 各 穴에 0.05-0.1 cc 씩 주사한다[그림 2-3-9].

9. 鼻梅毒

선천매독인 初生兒 鼻梅毒은 생후 피부발진에 선행하여 비점막에 발생한다. 대다수가 2주일 이내에 나타나나 생후 즉시 또는 2주-3개월 이내에 발생하는 경우도 있다.

후천매독의 경과는 초기매독은 손가락, 의료기구에 의한 無睾梅毒의 경우가 많고 감염 3일 후에 발생한다. 2기 매독은 감염 후 6-9주에서부터 약 2-3년 계속되는데 전신에 매독진이 나타나는 시기이며 비점막에도 점막반이 나타난다. 3기 매독은 초기, 2기보다 많으며 약 10% 정도에서 本證을 초래한다.

鼻閉塞이 가장 먼저 나타나며 비점막에도 粘膜斑이 나타난다. 시간이 흐르면서 점차적으로 鼻塞이 심하고 前頭痛이 생긴다. 潰瘍이 생기면 惡臭가 있는 분비물이 있고 痂皮를 형성하며 결국에는 膿性乾酪樣이나 壞疽性 苔, 血性分泌物이 있은 후에 鼻中隔이 穿孔되고 外鼻의 畸形을 초래한다.

1) 초기: 加減通聖散, 加減通聖丸, 化毒散, 消風敗毒散, 仙遺糧湯

2) 만성: 通聖五寶丹, 換骨散, 回生保命丹, 茯答湯

3) 鼻崩壞되고 膿血이 淋漓할 때: 活魂丹

4) 通治方: 三黃敗毒散

副鼻洞疾患

1. 부비동염

1) 概要

부비동염(paranasal sinusitis)은 부비동내 감염으로 인해 발생하며 한의학적으로는 鼻淵이라 불린다. 부비동염은 흔히 蓄膿症이라 불리는데 그 임상경과에 따라 급성과 만성으로 나뉘고 침범된 부비동의 해부학적인 위치에 따라 상악동염(maxillary sinusitis), 사골동염(ethmoid sinusitis), 전두동염(frontal sinusitis) 및 접형동염(sphenoidal sinusitis)으로 불리며 이들 부비동에 모두 염증이 있을 때 汎副鼻洞炎이라 칭한다. 전사골동, 상악동, 전두동은 이환 빈도가 높은 편이고 후사골동이나 접형동의 이환빈도는 많지 않은 편이다.

한의학적으로 鼻淵은 鼻流腥臭, 鼻塞, 嗅覺減退를 主症으로 鼻流濁涕가 멈추지 않는 증상을 말하며 一側 혹은 兩側 鼻孔으로 濁涕가 흐르며 痰이 많은 것을 호소하고, 鼻塞하게 되면 비린 냄새가 나면서 심하면 眩暈과 頭重, 頭痛, 健忘症 등을 일으키고 嗅覺이 減退된다.

鼻淵은 <內經 素問>의 氣厥論에서 "膽移熱于腦 則辛頞鼻淵 鼻淵者 濁涕下不止也"로 처음 그 의미기 언급되었으며 후세 의가들도 이를 기초로 하여 鼻淵에 대한 연구를 진행하였다.

2) 異名

腦漏, 腦砂, 腦滲, 腦崩, 控腦砂, 腦瀉, 腦滲爲涕

3) 病因

부비동염은 부비동 자연개구부의 폐쇄와 점액섬모 기능의 저하로 인한 환기장애가 원인이 되며 소아로부터 노인층에 걸쳐 발병하지만 특히 저항력이 약한 아동에게서 많이 볼 수 있다. 생활환경 또한 코의 기능을 저하시키는 요인이 되는데 온도나 습도의 변화, 대기오염 등이 비강질환이나 부비동염을 유발하는 요인으로 작용하고 비중격 만곡증, 중비갑개의 비후, 거대 구상돌기와 같은 구조적 이상, 알레르기 비염, 비용(nasal polyp)이 부비동의 자연개구부를 폐쇄함으로써 부비동염 발병의 선행요인으로 작용한다.

부비동염의 발병기전은 부비동 자연개구부의 폐쇄와 점액섬모기능의 저하로, 이러한 환경에서 부비동내 저산소증과 점액의 저류가 일어나고 이차적으로 세균이 감염됨으로 인해 부비동염이 발생하게 된다. 부비동 자연개구부의 배설과 환기는 중비갑개, 사골포, 구상돌기 등 해부학적으로 돌출된 구조물에 의해 형성되는 좁은 공간을 통해 이루어지는데 점막의 부종이나 종창이 일어나면 이들 공간이 쉽게 폐쇄되고 이로 인해 부비동염이 발생하게 되는 것이다. 급성적인 鼻淵은 外感邪毒이 肺, 脾, 膽에 침습하여 발병하는데 기온, 습도의 변화가 심하거나 오염된 민지와 공기 그리고 체질적인 소인이 유발요인으로 작용한다.

만성적인 鼻淵은 급성 鼻淵에 대한 치료를 제대로 하지 않았거나 반복적으로 발생한 후 형성되는데 체질이 허약하고 면역력이 저하되어 있는 상태에서 호발한다.급성 부비동염은 外感邪毒에 의한 肺經熱盛, 肝膽의 火熱 혹은 濕熱困脾가 주요한 발병원인으로 작용하고, 만성 부비동염은 脾虛肺弱, 腎陰虧虛, 腎陽不足이 원인이 된다.

4) 症狀

부비동염은 병기에 따라 급성과 만성으로 구분하는데 급성 부비동염(acute paranasal sinusitis)은 전신증상으로 주로 권태감, 두통, 미열 등을 호소하는데, 이 중 권태감의 호소가 가장 많고 특징적인 증상으로 농성 분비물이 나오기 전에 심하고 분비물이 배설되기 시작하면 차차 호전된다. 오한발열이 있을 수 있으며 미열이 보통이나 고열이 있으면 합병증이 의심되므로 주의하여야 한다. 국소 증상으로는 鼻塞이 비교적 심하고 황색의 탁한 鼻涕가 다량으로 흐르며 안면 및 침범된 부비동 부위의 동통과

압통이 있다. 급성 상악동염에서는 협부의 압통이나 어금니 주변의 통증이 많이 유발되고 이때 치통은 기침이나 머리를 움직일 때 더 심해진다. 급성 전두동염에서는 이마에 국한된 동통과 두통을 호소하는데 동통은 아침 기상 시에 시작해서 정오경에 가장 심하고 오후에는 소실되며, 이는 일어서서 활동하는 시간에 분비물이 배설되기 때문이다. 급성 사골동염에서는 비근부와 안와 깊숙이 동통을 호소하고 안구를 움직일 때 동통이 심해진다. 급성 접형동염은 범부비동염의 형태로 오며, 특히 후사골동에서 병발되므로 앞서 열거한 여러 증상과 함께 안와 깊숙한 부위, 후두부 혹은 두정부에 동통이 있고 때로는 유양동에 방사통을 호소하기도 한다.

만성 부비동염(chronic paranasal sinusitis)은 부비동의 반복적인 감염으로 인해 초래된 만성적인 염증으로, 화농성 혹은 점액성 비루, 기침을 주 증상으로 하여 12주 이상 지속되는 상태로서 비폐색과 함께 후각의 저하가 있으며 동통은 없고 두통이 심하게 나타나지는 않는다. 환자는 후비루(postnasal drip)와 함께 두중감이 있으며 평상시에 정신적인 피로감과 건망 등을 호소하며 단순 방사선 검사상 침범된 부비동의 혼탁, 수평면, 혹은 동점막의 비후소견이 관찰된다.

소아의 경우 해부학적으로 부비동의 자연개구부가 상대적으로 넓어서 증상의 발현이 비특이적인데, 감기에 잘 걸리며 후비루와 반복되는 기침이 일반적으로 나타나고 편도비대와 중이염이 동반되어 있는 경우가 많다. 급성적으로 부비동염이 발생한 경우에도 발열이나 동통은 경미하게 나타나며 대부분은 성장과 더불어 면역력이 향상되면서 염증이 자연적으로 소실된다. 치성 상악동염은 대구치의 치근염이 인접한 상악동에 염증을 유발하여 급성적으로 발병하는데 편측에 나타나고 악취가 있는 농성의 비루가 특징적으로 나타난다.

부비동염의 합병증으로는 안와와 두개내로의 파급된 염증이 대표적이다.

안와내 염증은 인접한 사골동 및 전두동에서 기인한 경우인데, 부비동염의 이환기간 중 안면부의 발적 및 종창, 안근마비, 안구돌출, 시력의 저하 등이 나타나면 안와로의 합병증을 의심해야 하며 그 염증의 파급정도에 따라 안와주위염, 골막하 농양, 안와봉와직염, 안와농양 및 해면정맥동 혈전으로 분류된다.두개내로의 합병증은 부비동염의 급성 악화기에 발열 및 오한과 함께 두통, 구토, 경부강직 등의 뇌막자극 증상이 나타날 때 의심해야 하며 뇌막염, 경막외 농양, 경막하 농양, 뇌농양으로 분류된다.

5) 診斷

부비동염은 일상생활 및 학습, 성장이나 성격형성에 심각한 장애를 초래하는 질환으로 환자의 증상과 병력, 가족력 등과 이학적 검사를 통하여 진단하는데, 비폐색, 두중통, 후비루와 같은 증상이 동반되고 비강 내에서 화농성 비루가 있으면 진단의 중요한 단서가 된다. 최근에는 비내시경을 이용해 화농성 비루가 부비동의 자연개구부를 통해 중비도(middle meatus)에서 배설되는 것을 확인함으로써 알 수 있다.

단순 방사선 검사상에서는 침범된 부비동에 혼탁이 나타나고 수평면이나 동점막에 비후된 소견이 나타나고 부비동 내 수평면(air-fluid level)이 관찰되기도 한다.

비강이나 부비동에 대한 방사선 검사는 일반적으로 Water's view, Caldwell's view, Skull lateral view를 시행한다. 후두비부방향촬영법(Water's view)은 상악동의 형태가 가장 잘 관찰되며 상악동의 전상부 및 전사골동부와 전두동의 저부가 잘 관찰되는 포지션이며, 후두전두향촬영법(Caldwell's view)은 전체의 부비동이 모두 보이며 특히 전두동과 사골동이 선명하게 보인다.

6) 辨證 및 治法

① 肺經熱盛: 銀翹散 合 蒼耳子散, 荊芥連翹湯, 防風湯, 蔘蘇飮加減
② 肝膽火熱: 龍膽瀉肝湯加減, 黃連通聖散
③ 脾胃濕熱: 甘露消毒飮, 升麻石膏湯, 黃芩滑石湯加減
④ 脾虛肺弱: 補中益氣湯加減, 十全大補湯加減
⑤ 腎陽虧虛: 腎氣丸加減, 八味地黃湯
⑥ 腎陰不足: 左歸飮加減, 六味地黃湯, 雙和湯
⑦ 通治: 古拜散(荊芥穗를 粉末하여 每回 11.24 g씩 生薑湯에 調下)
⑧ 咳吐膿血할 때: 桔梗湯, 人蔘平肺散
⑨ 外治: 辛溫通竅, 行氣活血의 효능이 있는 蒼耳子散을 粉末로 도포하여 吹鼻法으로 이용하고 通竅作用이 있는 약물을 鼻腔 내에 滴入하여 치료한다.
⑩ 藥針: 黃連解毒湯, 消炎, 熊膽, 牛黃 약침액 등을

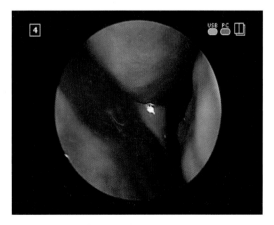

그림 2-4-1 급성 부비동염

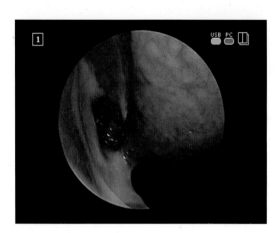

그림 2-4-2 만성 부비동염

木膠, 迎香, 鼻通, 內庭 등의 경혈 중에 선택하여 各 穴에 0.05-0.1 cc씩 주사한다[그림 2-4-1, 그림 2-4-2].

2. 부비동종양

1) 양성종양(Benign tumor)

(1) 槪要
부비동의 양성종양은 골종(Osteoma), 유두종(Papilloma), 섬유이형성증(Fibrous dysplasia), 모세혈관성 혈관종 등이 있다.

(2) 症狀
부비동의 양성종양(Benign tumor) 중 가장 흔한 것은 전두동에 호발하는 골종(Osteoma)으로 외상이나 염증에 의해 발생하는 것으로 생각된다. 종괴가 커지면서 안면에 종창이 발생하여 삼차신경통이나 토안(lagophthalamus)을 유발하며 두개내로 침범하기도 하는데 젊은 연령에서 재발 가능성이 높으므로 유의해야 한다. 유두종(Papilloma)은 상피층에서

기원하여 발생하며 비강 측벽에 호발하는데 병리적 소견으로 도립유두종(inverted papilloma)과 폴립상 유두종(fungiform papilloma)으로 구별한다. 도립유두종은 상피층이 내부의 기질내로 손가락 모양으로 자라는 특징을 갖고 있으며 비강 측벽에 잘 발생하는데 약 13%에서 악성종양과 함께 발견된다. 폴립상 유두종은 배추꽃 모양을 하고 비중격에서 발견되며 약 5%에서 악성종양과 연관되어 있다. 40세 이상에서 호발하며 그 증상으로 비폐색이나 비출혈과 함께 통증이 있을 수 있다. 비강에 생기는 유두종은 주변 골조직으로 파급성이 강하므로 완전한 절제를 원칙으로 한다. 모세혈관성 혈관종은 주로 사춘기 이후에 비중격에 발생하여 비출혈을 일으키는데 양성종양 중 흔하게 볼 수 있다. 섬유이형성증(Fibrous dysplasia)은 정상적인 골조직이 교원질이나 섬유아세포 및 유골조직(osteoid tissue)으로 대치된 상태이며 상악골이나 하악골에 호발하며 10-20대에서 활발하게 진행한다. 발생부위에 따라 범발성 섬유이형성증과 국소성 섬유이형성증으로 나누는데 전자는 안면골과 두개골에, 후자는 상악골이나 사골동에 잘 나타난다. 초기에는 특별한 것은 없으나 점차 커지면 안면종창으로 인한 기형이 생기며 그밖에 두통, 비만증, 정신적 불안이 오기도 한다. 대부분의 경우 서서히 자라다가 사춘기를 지나게 되면 종괴의 발육도 정지된다.

(3) 診斷
골종은 외부에서 촉진할 수 있으며 X선으로 확인되나 섬유종은 X선 검사나 수술 후 확인 등을 통해서 진단한다. 유두종은 생검 등을 통해서 확인할 수 있다.

(4) 辨證 및 治法
癭疽 및 疔瘡의 치료법을 활용하고 仙方活命飮, 托

裏消毒飮, 十六味流氣飮 등을 選用한다.

2) 악성종양(Malignant tumor)

(1) 槪要
癌腫, 肉腫, 黑色上皮腫 등이 있으며 대부분 상악동에서 발생하며 전두동, 접형동, 사골동의 암 또는 육종이 발생하나 극히 드물다.

(2) 症狀
발생부위에 따라 다르나 초기에는 증상을 잘 느끼지 못하며 점차 진행됨에 따라서 다음과 같은 증상을 보이게 된다. 초기에 잘 나타나는 증상은 비폐색, 동통, 화농성 비루의 순이나 점차 진행되면 동통, 비폐색 및 암자색 출혈, 악취, 협부종창의 증상이 보인다. 단, 악성흑색종의 경우 폴립 모양의 흑색 종괴가 비중격에 나타나 급속히 자라서 일측성 비폐색과 비출혈 등의 증상을 보인다. 따라서 중년 이후에서 편측성 비폐색이 있고 출혈이 잘되며 분비물이 있을 때는 악성종양을 의심하여야 한다.

(3) 診斷
부비동 내에 국한되어 있는 경우 확실한 진단이 어려우며, 진행이 되어서나 또는 부비동염 수술 시에 발견되는 수가 많다. 일반적으로 40대 이후에 폴립과 부비동염 그리고 출혈이 있으면서 완고한 두통, 치통이 있으면 일단 본증을 의심하고 X선이나 그 밖의 검사를 받도록 해야 한다. 최근에는 부비동내시경(sinoscope)을 이용하여 동내의 병변을 직접 관찰할 뿐 아니라 생검도 가능하여 조기진단에 큰 도움

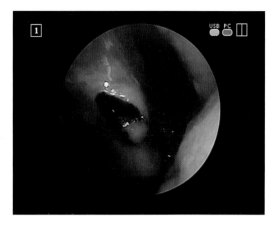

그림 2-4-3 부비동 종양

을 주고 있다. 한편, 동외침범의 정도를 파악하는 데는 전산화단층촬영이 유용하다.

(4) 辨證 및 治法
양성종양에 준해서 치료하며 仙方活命飮, 托裏消毒飮, 十六味流氣飮 등을 選用한다[그림 2-4-3].

참고문헌

- 동의안이비인후과학. 채병윤. 집문당. 1994.
- 원색안이비인후과학. 노석선, (주)아이비씨기획. 2007
- 중의이비인후구강과학. 왕영흠. 인민위생출판사. 2006.
- 안과여이비후과전병. 장매방. 이운영. 인민위생출판사. 2001.
- 한방전문의총서4 이비인후과. 동의과학연구소, 해동의학사. 1996.
- 중의이비인후과학. 남경중의약대학. 상해중의약대학출판사. 2004.
- 이비인후과학. 대한이비인후과학회, 일조각. 2010.
- 사진으로 보는 이비인후과학. 이호기 역, 정담. 2002.

證候性鼻疾患

1. 鼻痛

風邪와 正氣가 相搏하여 鼻道가 不通하거나 또는 痰火가 肺를 上衝할 때 발생하는데 비강 내가 疼痛하거나 또는 痰火로 기인된 것은 鼻隔이 은은하게 疼痛한다.

1) 風邪가 침범하였을 때: 人蔘順氣散, 通氣驅風湯, 藿香正氣散, 祛風通氣散

2) 痰火가 衝肺하였을 때: 二陳湯 加 黃芩, 梔子, 麥門冬, 桔梗

2. 鼻焦乾

血氣가 內損되었거나 風熱이 상승하였거나 肺에 火가 鬱結되기 때문에 나타나는 질환으로 비강이 건조하면서 두통과 肌肉의 熱을 겸한다. 傷寒에 있어서 頭頂이 疼痛하고 腰脊이 뻣뻣하며 신체가 救急하고 表熱이 있고 惡寒하며, 또는 두통과 肌熱이 있고 鼻乾하거나 胸滿하면서 喘息이 있다. 酒黃疸로서 熱이 없고 鼻燥하게 되는 경우도 있다.

1) 表熱을 겸하였을 때: 麻黃湯에 天水散을 합하여 사용한다.

2) 血熱할 때: 生地黃, 麥門冬, 茅根, 前胡, 杏仁 등을 사용한다.

3) 酒黃疸로 鼻가 건조할 때: 脈이 浮하면 먼저 吐를 시키고 緊弦하면 먼저 下를 시킨다.

3. 鼻內瘙痒

肺經의 風熱이 있거나 또는 小兒疳症에 蟲이 있을 때 발생한다. 비강 내가 瘙痒하며 搔爬하여도 참기 어렵다. 防風通聖散에 白附子, 白殭蠶 등을 加한다.

4. 鼻瘥

肺內에 痰火가 鼻로 상승하기 때문이다. 비강 내가 痠感을 느끼며 약간의 鈍痛이 있다.

1) 熱이 심할 때: 凉隔散에 荊芥와 桔梗 등을 加한다.

2) 鼻痛에 준하여 치료한다.

5. 鼻䘌瘡

肺內에 熱이 있는 중에 風邪가 침범하여 鬱結되기 때문에 발생한다. 瘡가 발생하고 左鼻나 혹은 右鼻가 막히거나 혹은 兩鼻가 모두 막힌다.

1) 外治: 燈心草로 鼻를 자극하여 噴嚔를 하게 한다.
2) 鍼灸治療: 水溝, 迎香, 厲兌, 前谷 등을 刺針한다.

6. 鼻出臭氣(臭鼻症)

비강 내 점막의 위축과 가피, 악취를 주 증상으로 하는 질환으로 서양의학에서는 진성취비증, 단순취비증, 후두취비증, 기관취비증 등 4종류로 분류할 수 있다. 진성취비증은 가피가 형성되고 악취가 극심하며, 단순취비증은 부비동염으로 생기는 가피가 생긴다. 후두취비증은 점막과 뼈의 위축이 있고 가피가 목에 생기며, 기관취비증은 점막과 뼈의 위축 및 가피가 기관까지 미친다.

　風寒이나 火熱의 病邪가 肺에 오랫동안 鬱滯되었다가 鼻를 熏蒸하기 때문이거나 유전설, 병소설, 감염설, 외상설, 내분비설, 자율신경장애설 등이 있으나 확실치 않다. 또한 위축성비염에 의해서도 발생할 수 있다.

　비강 내에서 臭氣가 있고 때때로 濁涕가 흐른다. 비강 내의 점막 특히 하비갑개의 점막과 골의 위축이 오며 膿性鼻漏와 痂皮가 나타난다. 이것은 유소아기 때부터 痂皮가 부착되어 있다가 사춘기 이후에 증상이 나타난다.

1) 痂皮나 鼻漏를 감소시키는 치료를 하는 것이 좋다.
2) 黃芩, 石菖蒲, 生地黃, 遠志, 藁本, 黃連, 赤芍藥, 甘草 등을 煎湯하여 투여한다.

7. 鼻冷

臟腑가 寒冷하고 陽氣가 부족하기 때문에 발생한다. 안면이 黃, 白色을 띠고 鼻部 전체나 혹은 鼻孔, 鼻尖에 寒冷感이 있고 滑利하다. 鼻部가 靑色을 띠었을 때는 복부가 疼痛하고 寒冷하다.

1) 溫中 하는 약물을 투여하여야 한다.
2) 人蔘, 附子, 黃芪 등의 약물을 투여한다.
3) 大病後에 鼻部가 갑자기 寒冷하면 不治의 症이다.
4) 大病後에 鼻靑, 面靑, 腹痛, 寒冷感이 있으면 陽氣를 회복하기 어렵다.

8. 鼻如烟煤

臟腑에 陽毒의 病邪가 왕성하기 때문에 발생한다. 鼻部가 烟煤와 같으니 淸熱하는 약물을 투여하여야 한다.

9. 肺風粉刺

酒刺, 面疱, 紛疵, 酒齇鼻 등으로 불리는 질환으로 肺經血熱로 발생한다. 面鼻部에 面疱와 같은 모양의 발진과 인설이 있고, 적색을 띠며 腫痛하다. 壞破되면 白粉汁이 배출되고 오랫동안 경과되면 白屑을 형성한다.

1) 枇杷淸肺飮을 투여하고 外用으로 顚倒散을 敷貼한다.
2) 桑白皮, 天花粉, 生地黃, 赤芍藥, 牧丹皮 등을 투여하고 鹿茸尖을 無灰酒에 짙게 갈아서 환부에 바른다.
3) 硫黃 등을 사용하기도 한다.

10. 嗅覺障碍

후각감퇴나 후각과민, 이상후각 등을 나타내는 증상으로 肺와 心의 상관관계에서 肺金이 心火에서 발생하여 냄새를 맡을 수 있다. 이것은 心主臭라 언급한 것과 같이 心火가 金鑠하게 되므로 有用의 작용을 하여 냄새를 맡을 수 있는 것으로 火가 지나치게 치성하던가 肺金의 기능이 약화되었을 때, 心肺에 병이 있으면 不問香臭한다.

1) 원인을 제거하고 嗅裂을 확대시키면 경쾌해진다.

2) 심인성: 歸脾湯, 天王補心丹

3) 히스테리: 半夏厚朴湯

4) 鼻塞不問香臭: 麗澤通氣湯, 溫衛湯, 溫肺湯

5) 부비동염, 비염: 防風通聖散, 荊防地黃湯, 荊防敗毒散 加味

6) 錯嗅나 幻嗅: 증상에 따라 몸의 기능을 강화한다.
十全大補湯, 歸脾湯, 六味地黃湯, 人蔘養榮湯

참고문헌

- 동의안이비인후과학. 채병윤. 집문당. 1994.
- 원색안이비인후과학. 노석선. (주)아이비씨기획. 2007
- 중의이비인후구강과학. 왕영흠. 인민위생출판사. 2006.
- 안과여이비후과전병. 장매방, 이운영. 인민위생출판사. 2001.
- 한방전문의총서4 이비인후과. 동의과학연구소, 해동의학사. 1996.
- 중의이비후과학. 남경중의약대학. 상해중의약대학출판사. 2004.
- 이비인후과학. 대한이비인후과학회. 일조각. 2010.
- 사진으로 보는 이비인후과학. 이호기 역. 정담. 2002.

제1장

咽喉科 總論

韓醫

咽喉科

構造와 機能

咽喉는 음식을 섭취하고 호흡하며 발성에 관여하는 기관으로 위로는 구강과 아래로는 肺胃와 연결되어 신경과 혈관이 순행하는 중요한 부위이다. 이 중에서 喉는 앞에 위치하여 肺와 통하고 咽은 뒤에 위치하여 식도와 접하며 胃로 이어진다.

《靈樞 · 憂恚無言篇》의 "咽喉者 水穀之道也; 喉嚨者 氣之所以上下者也; 會厭者, 聲音之戶也;……懸雍垂者, 音聲之關也; …"는 인후 각 부분의 생리적 기능을 설명하고 있는 것이다.

1. 咽頭

1) 構造(그림 1-1-1)

咽頭는 頭蓋底에서 시작해서 식도 입구에 이르는 불규칙적인 관상 구조물이다. 위로는 두개저에 부착되어 있고, 아래로는 윤상연골 하연 높이에서 식도로 이어져 있다. 보통 상 · 중 · 하의 3개 부분으로 구분되나 이는 엄밀하게 구분되는 해부학적 구조물

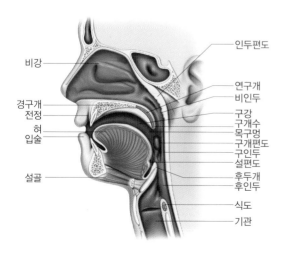

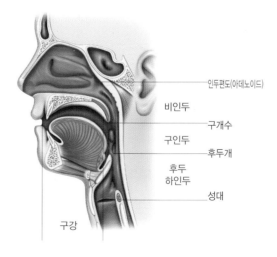

그림 1-1-1 인후두의 구조

이나 경계가 있는 것이 아니며 상인두와 중인두는 연구개의 하연으로, 중인두와 하인두는 후두개의 상연으로 경계를 이루고 있다.

(1) 上咽頭

상인두는 鼻咽頭로 앞쪽으로 후비공에 의하여 鼻腔과 통하며 연구개의 상부에 해당한다. 아래쪽은 연구개와 경계를 이루며 중인두와 통한다. 여기에서 鼻咽腔의 상벽이 후벽으로 이행하는 곳을 後鼻管이라 하는데 이 부분은 좁고 길기 때문에 염증이 생기면 비폐색을 일으키기 쉽다. 아데노이드와 耳管의 개구부가 위치하므로 유소아기에는 아데노이드 비대에 의한 중이염의 원인이 되는 부위이기도 하다.

(2) 中咽頭

구강에 일치되는 부분이기 때문에 口咽頭라고 한다. 연구개의 하연에서 후두개의 상연 사이를 말하고 설 기저부, 연구개, 편도 및 편도와, 후인두벽 등의 4개의 부속기로 구성되어 있다.

(3) 下咽頭

인두의 가장 아랫부분으로 후두개 상연으로부터 윤상연골부 또는 식도입구까지의 공간을 말한다. 후두 양쪽에서 식도로 이행하는 함몰부를 梨狀窩라고 하며 이 속에 이물이 잘 들어간다.

(4) 粘膜

비인강의 점막은 섬모상피로 되어 있으며 중, 하인두는 중층편평상피로 되어 있다.

(5) 筋肉

인두의 근육은 내층과 외층으로 되어 있다. 내층은 인두를 위로 끌어올리는 작용을 하며 외층은 인두를 수축시키는 작용을 하여 서로 보완적으로 작용

한다.

(6) 신경, 혈관

운동신경은 설인신경(glossopharyngeal n.), 미주신경(vagus n.), 부신경(accessory n.)이 있으며 지각신경은 설인신경(glossopharyngeal n.), 상악신경(maxillary n.), 상후두신경(sup. laryngeal n.)이 관여한다. 혈관은 외경동맥의 분지인 설동맥, 안면동맥, 상악동맥의 분지에서 혈류를 공급받는다.

2) 機能

인두는 소화관의 일부로서 언하 작용에 관여하고, 호흡기의 일부로 발성할 때 공명작용을 한다. 또한 편도조직에 의한 항체 생성으로 감염에 대한 방어 기능도 가지고 있다.

(1) 연하작용

음식물이 통하는 것이 인두의 가장 중요한 기능이라고 할 수 있다. 중인두 및 하인두는 소화관의 일부로써 저작된 음식물을 식도로 보내는 역할을 한다. 인두의 연하 기능에 문제가 생기면 음식물을 삼킬 수 없게 된다. 연하는 2단계를 거쳐서 진행되는데, 1단계는 음식물이 구강에서 인두로 운반되는 과정이며 이때 혀의 도움이 반드시 필요하다. 혀가 후상방으로 올라가서 경구개쪽으로 밀려 붙어야만 1단계 연하 작용이 가능해진다. 2단계는 음식물이 인두에서 식도입구로 운반되는 과정으로, 음식물이 구개인두궁의 뒤쪽에 도달하면 중인두와 구강 및 중인두와 상인두와의 통로가 차단되어 구강에서 인두로 운반된 음식물이 다시 구강으로 역류하는 것을 방지하고 아울러 연하물이 비강으로 역류하지 못하게 한다. 2단계에서 후두구의 폐쇄가 매우 중요한데 이는 연하할 때 후두 입구가 폐쇄되어 연하물이 기관

으로 잘못 삼켜지는 것을 방지하기 때문이다.

(2) 보호작용
외부 감염물질에 대한 생체의 방어작용을 하는데, 인두 점막에 이물이 붙으면 인두점막의 반사 작용에 의해 객출하게 된다. 이러한 인두 점막의 기능에 이상이 생겨서 마비가 되면 이물과 음식물이 쉽게 후두를 통해서 폐에 침입하게 된다.

(3) 공명작용
비강, 구강, 인두는 모두 공명작용을 하며 특히 구개 수운동으로 비강을 차단 혹은 개방함으로써 콧소리와 관계가 깊다.

(4) 호흡 통로
상인두는 기도의 역할을, 중인두는 기도와 음식물의 통로 역할을 동시에 한다. 특히 구강을 통해서 들어오는 공기의 온도와 습도 조절을 인두점막이 하게 된다.

2. 扁桃

1) 構造(그림 1-1-2)

인두점막에 림프여포가 모여 있는 상태를 편도라고 한다. 대표적으로 인두편도, 구개편도, 설편도, 이관편도 등이 있으며 이들과 이외의 작은 편도나 고립된 림프여포가 인두를 마치 고리모양으로 둘러싸고 있는데 이를 Waldeyer 편도환이라고 한다(그림 1-1-3).

편도는 유출림프관만 있고 유입림프관이 없다는 점을 제외하고는 림프선과 비슷한 구조를 가지고 있다. 연령에 따라서 비대해지며 특히 咽頭扁桃(Adenoid)는 소아에서 병적으로 비대하여 아데노이

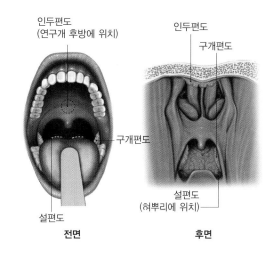
그림 1-1-2 편도

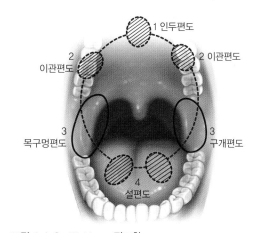
그림 1-1-3 Waldeyer 편도환

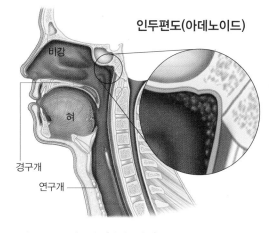
그림 1-1-4 인두편도(아데노이드)

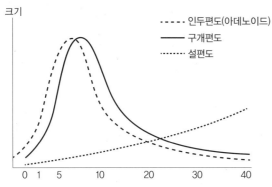

그림 1-1-5　연령 변화에 따른 편도의 크기 변화

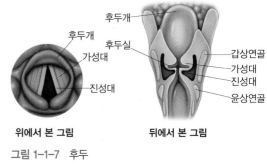

위에서 본 그림　　　뒤에서 본 그림

그림 1-1-7　후두

드 증식증을 이루기도 한다. 대체로 咽頭扁桃는 5세, 口蓋扁桃는 7세에 가장 커지며 사춘기에 늘면 위축된다(그림 1-1-4, 5).

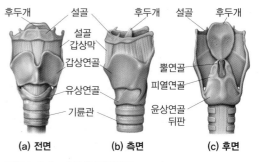

(a) 전면　　　(b) 측면　　　(c) 후면

그림 1-1-8　후두의 골격구조

2) 機能

편도는 각종 효소와 비타민A, C를 다량으로 함유하고 있으며 면역글로블린을 생산할 뿐 아니라 인체의 다른 장소로 이동하는 B림프구도 생산하여 감염에 대한 방어기능과 항체 생산에 참여한다.

3. 喉頭

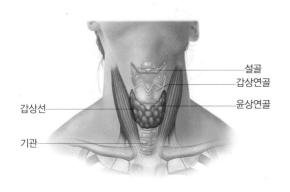

그림 1-1-6　전경부의 구조

1) 構造(그림 1-1-6, 1-1-7)

喉頭는 위로는 咽頭, 아래로는 氣管에 연결되어 있으며 대부분이 연골로 구성되어 있다. 평상시에 후두 상부는 제4 경추 상단, 하부는 제6 경추의 하단에 해당하는 위치에 있다.

(1) 골격구조(그림 1-1-8)

舌骨과 6개의 軟骨로 되어 있다. 舌骨은 일반적으로는 喉頭의 일부는 아니지만 임상적으로 중요하다. 연골에는 甲狀軟骨, 輪狀軟骨, 被裂軟骨, 喉頭蓋軟骨, 小角軟骨, 楔狀軟骨이 있으며 이 중 甲狀軟骨은 喉頭軟骨 중 가장 크고 輪狀軟骨은 완전한 指輪狀을 나타내어 喉頭腔을 유지하는데 중요한 역할을 한다.

(2) 후두인대

喉頭에는 여러 인대들이 있어 연골과 연골 사이를 연결하고 지지한다. 대표적 인대로는 정중갑상설골인대(medical thyrohyoid lig.), 측부갑상설골인대(lateral thyrohyoid lig.), 윤상갑상인대(cricothyroid lig.), 성대인대(vocal lig.), 윤상기관인대(cricotracheal lig.), 실인대(ventricular lig.), 후윤상피열인대(posterior cricoarytenoid lig.)가 있다.

(3) 후두근

후두근은 外 및 內喉頭筋으로 구분된다.

① 외후두근

喉頭 주위조직에 부착되어 있으면서 喉頭를 전체적으로 이동시키는데 관여하며 喉頭를 하강시키는 근육(흉골갑상근, 흉골설골근, 견갑설골근)과 喉頭를 상승시키는 근육(이복근, 경돌설골근, 이설골근, 악설골근)으로 나뉜다.

② 내후두근

喉頭에 국한되어 부착되어 있으면서 후두전정과 성문열의 크기를 변화시키고 또 성대의 위치와 길이를 변화시킨다. 내전근, 외전근, 긴장근이 있으며 피열근 이외에는 쌍으로 이루어져 있다.

(4) 신경, 혈관

신경은 미주신경의 분지인 상후두신경과 하후두신경의 지배를 받고 혈관은 상후두동맥과 하후두동맥이 있다.

2) 聲帶構造

성대는 점막상피와 천층, 중간층, 심층으로 이루어진 점막고유층 그리고 성대근으로 구성되어 있다. 점막고유층은 염증이나 기타 자극으로 쉽게 부종이 생겨 폴립 등이 생길 수 있다. 성대는 喉頭筋의 조절에 의하여 여러 가지 진동양상을 나타낼 수 있다.

3) 機能

喉頭는 경부의 중앙에 위치하는 구조물로 기도의 역할뿐 아니라 이물질이 기도로 들어가는 것을 방지하여 기도를 보호하며 발성기관으로서 의사소통을 가능하게 한다.

(1) 호흡작용

후두는 인두로부터 기관에 이르는 공기의 통로다.

(2) 방어작용

후두는 下氣道에 대해서 폐쇄관으로 작용하여 기관, 기관지로 음식물이 들어가는 것을 방지하거나 또는 들어간 이물을 배출하게 한다. 음식물을 삼키거나 혹은 구토를 할 때 후두수축근의 반사적 수축으로 양측 피열연골을 앞쪽으로 경사지게 하고 후두개는 설근과 설골에 의해 뒤쪽으로 압박되어 후면에 있는 피열연골과 밀착되게 한다. 이렇게 함으로써 후두구가 폐쇄된다.

성대, 성문하부 등의 점막은 극히 예민해서 이부위에 이물이 접촉하게 되면 급격한 공기 유출이 나타나는데 이는 발작성 기침으로 나타나게 된다. 이렇게 함으로써 이물질 및 분비물을 배출하는 것이다.

(3) 발성작용

후두에서 음성을 발생하는데 있어서는 성대가 적당히 긴장하고 접근하고 있을 때 호기를 하면 공기는 아래쪽에서 위쪽으로 압출되어 성대의 자유연을 진동시키게 되고 그것이 음파가 되어 공명기로 전달된다.

성대는 진동을 일으켜 소리를 만들어 내는데 성대가 진동을 하는 데에는 다음의 세 가지 조건이 있다.

① 성대는 양단에서 접촉하는 이외에는 어떤 조직과도 접촉해서는 안 된다.
② 성대는 좌우측이 서로 밀접해야 한다.
③ 성대는 긴장하고 단단해야 한다.

성음에 관여하는 기관에 대해 한의학에서는 다음과 같이 기술하고 있다.

① 喉嚨
"氣之所以上下"라 하며 肺의 上管을 喉嚨이라고 한다. 喉嚨은 咽의 앞쪽에 위치하여 氣의 呼吸에 주관한다. 喉嚨에 이상이 생기면 聲音이 바로 不利해진다.

② 會厭
"音聲之戶"라 하며 喉嚨 兩傍에 있으며 開張하고 收縮한다. 즉 음식이 들어가면 咽頭를 가리고 소리를 내면 開張한다.

③ 口脣
"音聲之扇"라 하며 입술이 벌어져야 語句가 분명해

지고 입술이 늘어지면 失音이 된다.

④ 舌
"音聲之機"라 하며 舌은 心의 苗이고 言은 心聲이고 舌이 音을 分別하기 때문이다.

⑤ 懸雍垂
"音聲之關"라 하며 喉의 上顎에 懸雍垂가 있으며 다른 말로 帝丁이라고 칭하는데 이곳에서 音이 나온다.

⑥ 頏顙
"氣分之所洩"이라 하며 頏顙은 上顎의 다른 이름으로 氣가 여기에서부터 口鼻로 分別하여 나온다.

⑦ 橫骨
"神氣所使 主發舌者"로 舌本에 있으며 心이 神을 간직하고 舌에 開竅하기 때문에 橫骨이 心의 작용이 되고 發舌하는 機가 된다.

(4) 연하작용
연하작용을 할 때 후두는 기계적으로 보조 역할을 한다.

生理

1. 五臟과의 관계

《內經》에서 말하기를 喉는 天氣를 주관하고 咽은 地氣를 주관한다고 하였다. 또한 地氣는 嗌에 통하니 嗌이란 咽의 낮은 부위를 말한다.

喉는 候와 상통하고 咽은 嚥과 同義이며 咽은 三脘을 접해서 연결하는 입구로 胃에 통하는 고로 사물을 삼킬 수 있고 喉는 五臟을 통해서 肺에 통하는 고로 氣를 同候한다. 따라서 咽은 胃의 系로 水穀의 길이며 咽으로 사물을 삼키고, 喉는 肺氣가 통하는 곳으로 氣가 上下하는 이동통로의 역할을 하는 곳이다.

足太陰脾의 經脈이 위로 인후를 걸쳐 舌本을 돌고 脾와 胃가 서로 표리관계에 있으므로 脾 또한 咽喉와 밀접한 관계에 있다.

腎은 藏精의 장부로서 精이 충만하면 인후가 능히 정기를 얻어서 건강하지만 精이 부족하면 인후의 생리기능이 약해져서 병이 된다.

五臟은 각기 聲音과도 밀접한 관계를 갖고 있다. 五臟은 각각 고유의 聲을 가지고 있으니 肝은 呼의 소리로 角에 應하여 음성이 고르고 바르며, 心은 笑의 소리로 徵에 應하여 和하면서 길고, 脾는 歌의 소리로 宮에 應하여 크고 웅장하고, 肺는 哭의 소리로 商에 應하어 가벼운 듯 굳세고, 腎은 呻의 소리로 羽에 應하여 잠긴 듯 깊다. 이렇듯 五臟에서 聲音이 발하나 그 根本의 氣는 반드시 腎에 歸納된다.

1) 肺

喉는 아래로 氣道와 접해 있고 바로 肺와 상통하게 되니 肺에 속하는 기관이다. 따라서 肺系에 속해서 호흡과 성음을 주관하게 된다. 병리적으로도 肺病은 實熱, 虛弱을 가리지 않고 바로 咽喉에 영향을 주게 된다. 肺와 氣道, 喉, 鼻는 모두 肺의 기능계로서 소속이 명확하고 생리적, 병리적으로 밀접하게 연관되어 있다.

2) 胃

咽은 아래로 식도와 연결되고 바로 胃에 相通하니 胃系에 속하게 된다. 그 생리 기능은 음식물의 섭취와 관련되며,《醫林改錯》의 "咽者嚥也, 咽飮食入胃

即胃管上口是也"에서 매우 명확하게 설명하고 있다. 병리적으로도 胃기능이 정상이면 咽의 기능이 원활히 작용하고 咽의 기능이 정상이면 胃의 기능 또한 정상적이 된다. 만약에 胃에 熱이 쌓이게 되면 咽에 병이 발병하게 된다. 《血證論》에 "咽喉痛而飮食不利者, 胃火也"라 하고 《諸病源候論》에 "脾胃有熱 熱氣上衝 則喉咽腫痛"이 이를 설명하고 있다.

　　胃, 食道, 咽, 口는 모두 胃系에 속하며 생리적 병리적으로 밀접하게 연관되어 있다.

3) 脾

足太陰脾의 經脈이 위로 咽喉를 놀아 舌本으로 가고 脾는 胃와 표리관계이므로 그 생리기능에서 脾는 咽과 밀접한 관계가 있다.

4) 腎

《諸病源候論》에 "咽喉者 心, 肺, 肝, 腎 呼吸之門"이라고 한 것과 같이 腎과 咽喉의 관계는 腎이 호흡의 근본이라는 점에서 찾을 수 있다. 腎은 藏精의 기관이고 陰을 주관하므로 腎陰이 衰하면 虛火上炎하고, 腎陽이 虛하면 虛陽이 上越해서 咽喉에 병이 생기게 된다. 肺陰은 腎의 충족이 없이는 메마르기 쉽다. 咽喉는 腎의 精氣를 받아서 滋養해야 생리기능이 정상이 되니 腎虛하면 咽喉가 滋養을 상실해 外感의 침입 혹은 虛火上炎으로 쉽게 발병하게 되며 실제 임상에서 上虛로 인해서 나타나는 咽喉의 병은 腎虛가 많다.

2. 經絡과의 관계

1) 咽頭

手太陽小腸經, 手少陰心經, 足太陰脾經 그리고 足厥陰肝經의 會合處에 속하고 足少陰腎經, 足陽明胃經 그리고 足少陽膽經이 속해있으며 手少陰心經과 足太陰脾經의 會合處가 咽部에 인접해 있다.

2) 喉頭

手太陰肺經, 足陽明胃經, 足少陰腎經, 足厥陰肝經, 그리고 任脈의 會合處에 속하고 手少陰心經과 手少陽三焦經에 속한다.

　　喉嚨後는 手厥陰心包經, 結喉兩方은 足陽明胃經에 그리고 人迎後는 手陽明大腸經에 속한다.

　　咽喉部와 관계하는 각 經絡을 간단히 살펴보면 다음과 같다.

手太陰肺經	入肺臟 上循咽中 橫出腋下
手陽明大腸經	從缺盆上走頸部 挾口入下齒中
足陽明胃經	其支者 從大迎前下人迎 循喉嚨入缺盆
足太陰脾經	從脾臟上絡于胃 橫透膈 上行挾于食道雙方 循經咽喉連于舌根
手少陰心經	其支者從心系 挾食道上循咽喉 連于目系
手太陽小腸經	其支者 從缺盆 循頸 經咽喉上頰
足少陰腎經	其直者 從腎上貫肝膈 入肺中 循喉嚨 挾舌本
手少陽三焦經	從肩上走頸 透咽喉 經耳上角致頰部
足少陽膽經	從耳後 循經透咽 下肩至缺盆
足厥陰肝經	上貫膈 分布于脇肋 循喉嚨之後 上入頏顙

病理

咽喉는 아래로 肺胃에 연결되고 위로는 호흡과 음식의 통로가 되므로 外邪의 침입을 쉽게 받게 되고, 經絡이 순행하고 회합하는 요충지이므로 臟腑, 經絡, 氣血盛衰의 변화에 의해 쉽게 질병이 발생하는 부위 중 하나이다.

1. 外因

風, 熱, 寒, 濕, 溫疫邪의 침입이 모두 咽喉病의 원인이 된다. 外因은 咽喉의 病因 중 가장 중요한 원인이 된다.

1) 咽喉病과 火

少陰의 君火와 少陽의 相火 二脈이 모두 咽喉에 連絡되어 있으니 君火의 勢가 緩하면 熱이 맺혀 疼과 腫이 되고 相火의 勢가 速하면 腫이 심하고 不仁해서 痺가 되고 痺가 심하면 通하지 않고 痰이 壅塞하여 죽게 된다.

咽喉의 病은 모두 火熱에 속하는 證인데 비록 여

러 가지 다른 상태의 證이 있으나 이는 火의 가볍고 심한 차이가 있을 뿐이다.

2) 咽喉病과 六氣 변화

風, 寒, 暑, 濕, 燥, 火의 六氣 중 咽喉病과 가장 관계가 깊은 것은 風寒과 燥이다.

外感의 邪毒인 風寒이 鼻口를 침입하여 熱盛化火 하거나 혹은 寒邪로 인하여 肺의 衛氣 기능과 皮毛 기능이 정상적으로 발휘되지 못하면 肺氣가 울체되고 寒邪가 壅滯되어서 咳嗽, 喀痰이 생기면서 咽喉病이 생기게 된다.

또한 肺는 惡燥하므로 肺系인 喉 또한 惡燥하니 건조한 환경은 咽喉病을 쉽게 일으키게 한다.

2. 內因

五臟六腑 중 특히 脾胃, 肺, 腎의 기능실조가 咽喉에 나타나게 된다. 이 중에서 脾胃와 肺의 기능실조로 인한 것은 주로 實證으로 나타나며 腎의 기능실

조로 인한 것은 주로 虛證으로 나타난다.

3. 不內外因

과도한 勞倦으로 氣血이 상하거나 혹은 氣血이 부족하면 咽喉가 불리하게 되고 이러한 상태에서 外感邪氣에 노출되면 咽喉病에 걸리게 된다. 혹은 膏粱厚味, 구운 음식, 飮酒 등을 과다하게 섭취하여 脾胃積熱이 발생하고 積熱이 咽喉를 공격하여 발병하게 된다. 혹은 寒濕, 寒涼한 음식을 과다하게 섭취하여 脾胃의 손상을 일으켜서 발병하기도 한다. 성생활 과다 등으로 인하여 腎陰이 손상되거나 思慮傷心으로 心火亢炎에서 발병하기도 한다.

診斷 및 檢査法

1. 檢査

1) 望診

환자의 咽喉 상태를 눈으로 확인하는 것은 의사에게 많은 정보를 제공한다. 인두 점막 상태에 따른 색깔의 선명함과 탁함, 浮腫, 乾燥 및 濕潤, 화농여부, 궤양여부 등을 확인한다. 특히 아이들의 경우 구개편도의 크기를 확인한다. 기본적으로 설압자가 필요하고 喉頭의 경우는 喉頭鏡 사용이 필요하다.

(1) 咽頭檢査

① 진찰을 통한 검사
咽頭는 口腔처럼 설압자를 사용한다. 검사 전 틀니 등을 제거하여 기도 및 식도부위에 이물이 되지 않도록 주의하고 오른손으로 기구를 사용하고 왼손으로 설압자를 든다. 설압자를 사용할 때에는 구역반사가 생기지 않도록 누르는 위치가 혀의 중간 2/3를 넘지 않도록 한다. 上咽頭부위는 후비경을 통하여 검사한다.

환자는 긴장을 풀게 하고 턱을 가볍게 들어 올려 인두를 검사한다. 경부림프절을 촉진할 경우는 턱을 내리고 한다. 이외에 피부 색소, 압통, 침윤, 종창, 이상박동 등의 여부를 확인한다.

② 방사선학적 검사
단순방사선검사, 인두조영촬영, 전산화단층촬영, 자기공명영상 등으로 인두의 형태적 변화 및 기능적 변화, 주위기관 및 이물의 진단을 할 수 있다.

(2) 喉頭檢査

① 진찰을 통한 검사
문진을 하면서 호흡과 음성의 이상 여부를 먼저 파악한다. 특히 갑상선 수술, 임파선 절제 등 주변부 수술의 과거력이 있는지도 확인한다.

연하운동을 시키면서 목의 앞부분을 촉진하여 후두의 가동성 및 림프절 종대 등을 확인한다.

② 후두경 및 방사선 검사(그림 1-4-1)
간접 후두경 검사, 직접 후두경 검사, 후두내시경,

경부와 흉부 방사선 검사, 후두조영촬영, 단층촬영, 전산화 단층촬영, 자기공명영상 등이 있으며 이런 검사들을 통해서 하인두, 이상와, 가성대, 성대 및 경부기관 등의 해부학적 구조 변화를 확인한다.

그림 1-4-1 상·중인두 검사법. 설압자와 후비경을 잡는 법

2) 聞診

환자의 음성 및 호흡 상태를 들어 환자의 상태를 확인한다. 특히 인두 질환과 후두 질환의 경우 호흡 상태의 차이가 발생함으로 환자에게 깊은 호흡을 시키면서 비교 확인해야 한다. 그리고 환자의 음성이 고르게 나오는 지 다양한 크기의 목소리를 내도록 한다. 환자가 기침을 할 경우 기침 소리 또한 주의 깊게 관찰해야 한다.

3) 問診

咽喉病에서 問診은 매우 중요하다. 평상시의 생활 습관과 음성 남용이 질환의 가장 큰 원인이 될 수 있으므로 반드시 올바른 問診을 통해서 이를 확인하고 개선시켜야만 한다.

아래와 같은 사항에 대해서는 반드시 알아야 한다.

(1) 직업

평상시에 말을 많이 하는 직업인 교사, 학원강사, 가수, 아나운서 등에서는 음성 남용에 의한 후두결절 등의 발생빈도가 매우 높고, 먼지가 많은 작업환경(예: 화학공장, 지하철상가 근무, 역무원, 운전기사, 노점, 바 등)에 종사하는 사람들은 후두염에 걸리는 경향이 매우 높다.

(2) 성별

남자는 음주와 흡연이 후두질환에 많은 영향을 미치며 특히 후두암은 여자보다 남자에게서 훨씬 더 높은 비율로 발생한다. 여자의 경우 월경, 임신 등이 후두 점막 질환의 원인이 되기도 한다. 그러므로 음주, 흡연 여부, 생리 주기와의 관계 등에 대해서 확인해야 한다.

(3) 연령

같은 정도의 후두질환도 연령에 따라 증상의 경중에 차이가 있을 수 있다. 소아는 급성 후두개염, 급성 성문하후두염 등에 의해 호흡장애가 잘 나타나고 성인의 경우는 만성 인후두염, 후두결절 등의 질환이 잘 나타난다. 어린 아이의 경우 선천성 기형을 배제할 수 없다.

(4) 과거력

유소아는 예방접종 여부를 확인하고 성인은 결핵, 매독, 루프스, 베체트 등의 질환을 확인한다.

(5) 가족력

가족 중에 후두나 인두의 암 등으로 사망한 사람이 있는지를 확인 한다. 특히 매핵기를 호소하는 환자들은 암공포증을 가지고 있는 경우가 많으므로 확인이 필요하며 유전적 소인에 대해서도 주의를 기울여야 한다.

4) 切診

단순히 맥을 보는 것이 아니고 후두 및 인두의 외부에서 시진 및 촉진을 해야 한다. 환자에게 침을 삼키게 하거나 목소리를 내게 하고 손을 후두 연골에 대고 그 움직임을 관찰한다. 후두를 외부에서 촉진하면서 발성시켜 그 진전 정도를 좌우 비교하면 종창이나 마비가 있는 쪽은 진전이 감소 혹은 소실되어 있는 것을 확인할 수 있다. 경부림프절은 후두질환과 밀접한 관계가 있으므로 철저히 검사한다.

2. 診斷

1) 輕重診斷

초기에 咽喉가 紅色을 띠고 疼痛하나 말과 음성은 맑고 裏證을 겸하고 있지 않은 것은 輕證이고 유행성으로 瘡이 생성된 이후에 咽喉 간에 毒이 鬱結되어 腫痛, 腐爛되고 음식섭취가 곤란하며 음성이 나오지 않는 것은 重證의 상태이다.

2) 順危死證診斷

咽喉가 부어서 막히면서 腫痛하고 痰涎을 뱉기는 하지만 음식의 섭취는 가능하면 順證이고, 咽喉가 부어서 완전히 막히고 牙關緊急하며 언어가 맑지 못하고 痰으로 마쳐 氣急하면 危證이다. 咽喉가 완전히 폐쇄되어 痰涎이 가득하며 口噤되어 입을 열 수 없고 吐하려고 해도 할 수 없으며 喘息이 있거나 오랜 기침을 하면서 아프고 聲嘶가 되면서 紅色으로 바뀌면 사망하게 된다.

3) 咽喉 형태와 색상에 따른 감별진단

(1) 喉痧 - 咽痛이 있으면서 身熱과 함께 痧瘢이 나타나는 것
(2) 白喉 - 咽喉사이에 白點, 白塊가 있는 것
(3) 喉風 - 喉內가 紅腫하면서 外項으로 파급되는 것
(4) 乳蛾 - 咽喉側傍에 蠶蛾狀, 栗狀, 棗狀과 같은 것이 있는 것
(5) 喉痺 - 喉內가 폐쇄되어 不通하는 것
(6) 喉癰 - 喉間이 紅腫하며 疼痛하는 것
(7) 喉疳 - 喉內가 潰爛되고 腐蝕되어 痂皮를 형성하는 것
(8) 喉瘡 - 喉中에 瘡이 생기는 것
(9) 喉毒 - 耳前 聽會穴에 瘰癧狀과 같은 것이 생기는 것
(10) 喉癬 - 喉間에 苔癬이 생기는 것
(11) 喉疔 - 喉間에 靴釘과 같은 형태가 발생하는 것

咽喉頭에 나타나는 일반증상

1. 咽喉腫痛

가장 흔하게 나타나는 증상이다. 일측성, 양측성, 급성, 만성 등으로 나뉠 수 있다. 염증, 종양, 외상, 이물 등 다양한 원인에 의해서 나타난다. 外感에 의해서 혹은 지나친 과음, 성생활 과다 등으로 인한 陰虛火旺, 분노로 인한 肝膽實熱, 혹은 음식물 섭취로 인한 胃火熾盛 등이 모두 원인이 될 수 있다. 기본은 火熱로 인한 것이며 크게는 虛火에 의한 통증인지 實火에 의한 통증인지를 가려서 환자의 상태에 따라 적절하게 대처해야 한다. 虛火인 경우는 六味湯, 淸火補陰湯 등이 주가 되고 實火인 경우는 凉膈散, 淸咽利膈湯 등에 적절하게 가감한다.

2. 發熱

인후두 질환 중 특히 편도염은 고열을 나타낼 수 있다. 특별한 원인이 없는 발열이 소아에게 나타날 경우 아데노이드의 염증을 의심할 수 있다. 치료는 咽喉腫痛에 준하여 치료한다

3. 嚥下痛

연하통은 음식을 삼킬 때 동증을 수반하는 것으로 음식을 삼키는 것 자체에 어려움을 느끼는 연하장애와는 다르다. 연하장애와 연하통은 동반되기도 하고 개별적으로 나타나기도 한다. 연하통은 咽喉頭의 염증, 급성편도선염, 인두농양뿐 아니라 舌根의 병변에서도 나타날 수 있다.

4. 嚥下障碍

구강에서 식도까지 여러 단계의 이상에 의해 발생할 수 있다. 동통이 있는 것은 연하통과 동반되어 나타나고 동통이 없는 것은 미주신경 및 설인신경 마비로 연구개 마비에 의해서 나타날 수 있다. 연하장애가 있을 경우 신경 손상의 확인을 위해서 중추 및 말초 신경에 대한 검사가 필요하고 영양결핍에 대한 주의가 필요하다. 특히 상인두 신경 마비의 경우는 기침반사가 소실되기 때문에 음식물이 기도로 잘못 넘어가 흡입성 폐렴을 일으킬 수 있으므로 매

우 주의가 요구된다.

5. 潰瘍(咽瘡風)

통증이 있는 경우도 있고, 통증이 없는 경우도 있다. 특히 만성화된 무통성 궤양의 경우는 암과의 감별이 필요하다. 암의 경우 대부분의 환자는 흡연, 음주의 병력이 있고 궤양부위는 무통성이며 돌출성이거나 회복되지 않는 궤양을 형성하게 된다. 국소림프절의 종대를 동반하는 경우는 악성종양의 가능성이 높다. 인두결핵 또한 궤양을 형성하게 되며 매독성 궤양도 나타날 수 있다. 통증성 급성 궤양의 경우는 염증 치료에 준하여 利膈湯, 牛蒡子湯 등을 사용하지만, 무통성 만성 궤양의 경우는 內傷에는 歸脾湯, 陽虛에는 補中益氣湯, 人參養榮湯, 陰虛에는 六味地黃丸 혹은 八味元 등을 사용한다.

6. 梅核氣(咽頭異物感, 신경인두염)

막연하게 목안에 무언가가 있다고 느끼는 상태이다. 대체로 중년 여성에게 많으며 피로, 스트레스, 근심 등이 원인이 된다. 정확한 원인을 찾기는 힘들고 최근에는 역류성 인후염의 한 증상으로 설명하기도 한다. 다수의 환자가 인후두암의 가족력이 있거나 암에 대한 공포증을 가지고 있다. 스트레스도 하나의 원인이 되므로 七情氣의 울결을 해소해야 한다. 스트레스성인 경우에는 加味四七湯, 半夏厚朴湯 등의 처방이 사용되며 무엇보다도 환자의 상태를 안심시켜주는 것이 필요하다.

7. 口音障碍

폐색성 비성은 상인두의 염증이나 종양에 의해서 나타날 수 있고 개방성 비성은 연구개마비, 구개천공 등에 의해서 나타날 수 있다.

8. 咽頭腫物

양성종양 및 악성종양이 모두 나타날 수 있다. 구인두에서는 90% 이상에서 편평상피암이 나타나고 만성적인 과도한 음주가 원인이 된다. 양성종양은 특히 젊은 남자에게서 호발한다.

9. 코골이와 수면무호흡

코골이는 수면 중 상기도의 협착으로 호흡하려는 노력이 강해질 때 공기의 흐름이 방해를 받아 만들어지는 이상호흡을 말하며 인두편도비대, 인두종양, 비만, 연구개마비 등의 환자에서 볼 수 있다. 수면무호흡은 수면 중 무호흡의 발현과 혈액내 산소분압의 변화를 확인해야한다.

10. 音聲障碍

후두질환에서 가장 흔한 증상으로 성대표면, 긴장도, 운동성의 변화에 따라 음성장애의 성질 및 정도가 달라진다. 가장 먼저 쉰목소리가 나타나고 다양한 원인에 의해 나타날 수 있다. 단순 증상만으로는 원인을 찾기 어려우며 반드시 후두검사를 시행해야 한다.

11. 呼吸障碍

후두 질환에서 가장 심각한 증상이다. 흡기성 호흡곤란과 천명, 심한 경우 늑간함몰, 후두호흡성이동 등이 나타나며 호흡을 하면서 식은땀을 흘리기도 한다. 후두마비, 성대마비, 후두종물, 염증성 질환 등에서 나타날 수 있다. 아데노이드 증식이 있는 유아는 비호흡이 곤란해서 수유장애를 일으키며 편도비대, 편도주위염, 인두농양이 있을 때에도 호흡곤란을 일으키게 된다. 특히 수면 시에 코를 심하게 골거나 호흡시 천명이 나타나게 된다.

 인두성 호흡곤란과 후두성 호흡곤란은 감별이 필요한데, 인두성의 경우는 흡기 시 후두의 하강이 없고 주로 호기성 호흡곤란이 나타나고, 후두성의 경우는 흡기성이 나타나며 흡기 시 후두의 하강이 있다. 따라서 환자의 몸의 위치도 인두성은 전굴 상태이고 후두성은 후굴상태이다. 특히 후두성 호흡곤란의 경우는 음성의 변화를 나타내며 흉골상하와 (supra-and infrasternal fossa)의 함몰이 뚜렷하다.

12. 聽覺器證狀

아데노이드, 이관편도의 비대 등 上咽頭의 질환이 주된 원인이 된다. 때로는 이내의 통증을 유발하기도 하고 심한 경우 耳管炎으로 인한 이관폐쇄로 耳重聽, 耳鳴, 청력저하 등이 나타나기도 한다.

13. 苔, 斑點, 僞膜

디프테리아, 매독, 진균증, 급성백혈병, 전염성 단핵세포증 등 다양한 질환이 인두에 위막 혹은 반점을 형성할 수 있다. 대부분은 백색 혹은 회백색을 띄게 되며 아주 드물게 흑갈색의 막을 띠기도 한다.

14. 咳嗽

점막의 염증, 분비물 등에 의해서 기침이 생긴다. 기침은 그 종류에 따라서 객담이 묽고 다량인 濕性咳嗽, 객담이 점조하고 적은 乾性咳嗽, 그리고 犬吠性咳嗽(barking cough)로 나뉜다. 특히 犬吠性咳嗽는 후두디프테리아, 성문하 점막종창, 혹은 크루프 등에서 나타난다.

15. 喀痰

咳嗽와 함께 咽喉頭 질환에서 흔히 볼 수 있다. 특히 후두의 염증에서는 다양한 양상의 객담이 나타난다. 후두결핵, 후두농양 같은 경우는 백혈구가 많은 점액농성 분비물이 나오고 악성종양의 경우는 혈액이 섞이며 괴저성 병변에서는 심한 악취를 동반한다.

治療 및 管理

1. 治療

1) 일반적 치료

咽喉는 呼吸과 飮食 섭취의 출입구에 해당하는 기관으로 많은 신경과 혈관이 이곳에서 교차순행하고 肺, 胃, 肝, 腎 등 각종 臟腑와 밀접한 관계를 가지고 있으며 유행성 질환이나 병독에 쉽게 감염된다. 그러므로 치료에 주의를 기울여야 한다. 특히 초기에는 붓고 통증이 심하며 痰이 많이 생기므로 消腫, 止痛, 祛痰을 주요 치료법으로 하게 된다.

대체로 風熱이 있으면 發散시키고, 火證으로 있으면 清熱하며 甚하면 下하고, 陰寒하면 溫하게 한다. 주의할 점은 초기에 寒冷藥을 과도하게 사용하면 上熱이 제거되지 않고 中寒이 재발하여 病毒이 침입해 병이 깊어지게 된다. 그러므로 寒冷藥을 사용할 경우는 신중하게 사용해야 한다. 風熱證이 10中 6-7이라면 火證은 2-3, 寒證은 1-2 정도의 비율로 나타나게 된다.

2) 內治法

(1) 解表祛風
대체로 外感이나 유행성 病毒에 의한 초기의 증상을 치료할 때에는 解表藥을 사용하여 病邪를 解散시킨다.

(2) 清熱解毒
熱毒이 熾盛하거나 병세가 급박할 때에는 초기에 辛凉清熱藥을 투여하여 解毒한다. 胃腸積熱, 혹은 高熱이 동반될 때에는 苦寒한 약물로 瀉下하거나 清熱凉血한다.

(3) 清熱化痰
咽喉疾患에는 痰涎이 많이 생기게 되는데 대부분 實熱證에서 많이 발생한다. 그러므로 清熱化痰하는 약물을 투여하게 된다.

(4) 散瘀排膿
咽喉에 腫脹이 심화되어 膿瘍이 발생하면 清熱解毒하는 중에 散瘀하는 약물을 사용하여 消散을 촉진하고 排膿하는 약물을 추가하여 消腫시킨다.

(5) 溫補益氣

咽喉病에서도 적지만 虛寒證이 있는데, 대부분 오래되고 통증이 심하지 않다. 대체로 말을 많이 하는 직업을 가진 사람, 혹은 寒涼藥을 지나치게 많이 사용한 경우에 나타난다. 이 경우에는 元氣를 補하고 따뜻하게 해주어야 한다.

(6) 滋陰養液

선천적으로 腎陰이 부족한 사람, 혹은 후천적 원인으로 肺陰, 혹은 腎陰이 손상된 사람에게 腎陰을 滋養하고 肺의 津液을 營養하여 虛火를 진정시켜야 한다.

3) 鍼灸治療

(1) 기본경혈

咽喉病에는 足陽明胃經의 頰車穴, 手太陰肺經의 少商穴, 手厥陰心包經의 右手中衝穴, 手太陽小腸經의 少衝穴, 手陽明大腸經의 左手商陽穴 그리고 手少陽三焦經의 關衝穴 이 6개의 穴자리를 기본적으로 사용한다.

(2) 咽喉急閉時 刺鍼法

咽喉急閉가 相火에 속하는 경우는 鍼으로 患部를 刺鍼하여 出血시키도록 한다.

4) 기타치료

(1) 開關法

雄黃解毒丸, 龍腦破毒散에 巴豆를 넣고 황색 油紙로 싼 후 그 油紙로 심지를 만들어 불을 붙여 연기를 코로 흡입하게 하면 일시적으로 鼻口에서 침이나 콧물이 흐르면서 牙關이 열린다. 혹은 巴豆를 솜에 싸서 이것으로 콧구멍을 막으면 코가 뚫린다. 走馬喉痺의 경우에 사용가능하다.

(2) 含咽法

丸이나 사탕과 같은 약으로 입안에 오래도록 머금었다 천천히 삼킴으로서 咽喉病의 患處에 消腫止痛, 淸熱解毒하는 방법으로 雄黃散, 神效散 등을 활용한다.

(3) 含漱法

湯液을 입에 머금었다가 뱉어내는 방법으로 患處를 씻어내는 효과가 있다. 대체로 자극성 약물이 들어가므로 삼키지 않도록 한다. 黃連, 雄黃, 白礬散, 硼砂散 등을 사용한다.

2. 管理

인후두를 안정시키기 위해서는 몇 가지 식이요법 및 생활관리가 필요하다.

1) 식생활

위산역류는 인후두 질환의 많은 원인이 되기도 한다. 그러므로 평상시 자극적인 음식, 매운 음식, 지나치게 뜨겁거나 찬 음식 등을 피하는 것이 좋다.

식사는 규칙적으로 일정한 시간에 하고 특히 저녁에 과식을 하지 않도록 하며 저녁 식사 후 적어도 3시간이 지나서 음식이 완전히 소화된 이후에 수면을 취하도록 한다.

아이들의 경우 단음식을 많이 먹으면 음식물 찌꺼기가 아데노이드 등에 붙어 있다가 구취를 유발하고 저녁에 아데노이드를 붓게 만들 수 있다. 그러므로 이런 음식의 섭취를 삼가한다.

2) 환경

지나치게 건조한 환경은 인후두 질환에 좋지 않다. 평상시 습도관리에 주의하도록 한다. 특히 난방을 하는 겨울철에는 습도에 특별히 주의를 기울이는 것이 좋다.

피로는 인후두병을 더욱 악화시킨다. 그러므로 규칙적인 생활을 통해서 피곤하지 않도록 해 준다.

3) 발성

지나치게 소리를 지르거나 목에 힘을 주고 말하는 발성습관은 쉽게 후두를 피곤하게 하고 만성적인 후두의 염증 및 성대부종을 유발한다. 그러므로 평상시 목에 힘을 주지 않고 말하는 습관을 기르고 소리를 지르지 않는다.

4) 수분섭취

인후두의 건조 및 부종을 막기 위해서는 규칙적인 수분섭취가 필요하다. 한 번에 많은 양의 수분을 섭취하기 보다는 수시로 적은 양의 수분을 계속해서 섭취해주는 것이 더 좋다.

제2장

咽喉科 各論

韓醫
咽喉科

咽頭 扁桃 질환

한의학의 咽痛, 咽乾, 乳蛾가 인두편도 질환에 해당한다. 인두 질환과 편도 질환은 대체로 함께 나타나며 바이러스 혹은 세균 침입에 의한 잦은 염증 및 통증이 문제가 된다. 그러므로 인두질환과 편도 질환을 함께 묶어 설명하도록 한다.

1. 인두염

1) 급성 인두염(그림 2-1-1)

(1) 概要

급성 인두염은 傷寒咽痛에 해당한다. 여기에 기침이 농반하면 咳嗽咽痛이라고도 한다.

(2) 病因病理

傷寒에 의해 나타나는데 傷寒을 下劑로 誤治하거나, 혹은 발한과다로 인해 亡陽이 되거나, 혹은 陽明症의 實熱에 의해 나타나게 된다.

風寒이 폐를 침범하면 기침을 하게 되고 기침에 의해 통증이 심화될 수 있다.

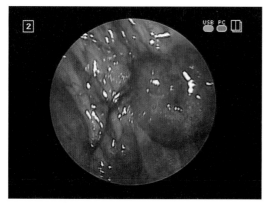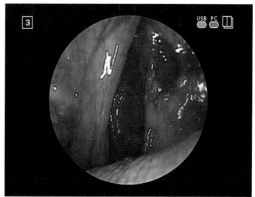

그림 2-1-1　급성 인두염

오늘날 감기, influenza, 과로, 한기에의 노출 등으로 인한 저항력 저하, 홍역·폐렴·성홍열·백일해 등의 전구증상으로 나타날 수 있고 심한 경우 세균, 바이러스 감염, 자극성 가스, 화학물질, 증기 흡입 등에 의해서 나타나게 된다.

(3) 臨床症狀

咽頭가 腫痛한다.

인두의 이물감, 건조감, 가벼운 기침, 미열에서부터 심한 통증, 연하곤란, 39℃ 이상의 고열, 두통 전신권태 식욕부진, 구취에 이르기까지 다양한 원인에 따라서 다양한 상태가 나타날 수 있다.

太陽熱로 기인한 것은 낮에 煩燥하고 밤에 안정되며 열이 나지 않는다.

陽明實熱은 두통, 변비 등의 증상을 동반하게 된다.

傷寒咳嗽로 인한 경우는 기침을 할 때 동통이 심해지며 비색, 身重, 두통, 오한, 발열하게 되며 때로는 야간발열, 氣短, 面赤 등의 증상이 나타나기도 한다.

염증이 후두까지 파급되면 嘎聲(hoarseness)이 생기고 이관인두부나 이관인두근에 파급되면 귀 밑부분으로 방사통이 발생하기도 한다.

(4) 合併症

급성 중이염, 급성 비염, 급성 부비동염, 급성 후두염, 급성 기관 및 기관지염, 폐렴, 급성 신염, 급성 류마티스관절염, 패혈증 등이 합병증으로 발병 할 수 있다.

(5) 辨證施治

자연 치유 경향 있으므로 정상적인 체온이 48시간 이상 계속될 때까지 안정하고 가벼운 음식을 섭취하여 목에 부담을 주지 않는다. 온수로 함수하고 충분한 수분을 공급한다.

일반적인 감기 치료에 준하여 치료한다.

대표적인 약물로는 麻杏甘石湯, 小靑龍湯, 荊防敗毒散, 人蔘敗毒散 등이 있다.

① 咳嗽咽痛: 초기에는 小靑龍湯, 荊防敗毒散 등에 金銀花, 桔梗, 連翹 등의 淸熱解毒藥을 가미하고, 기침이 오래 되며 시일이 경과하면 六味地黃湯에 桔梗, 杏仁, 金銀花 등을 가한다.

② 太陽病 誤治: 小建中湯에 桔梗을 가한다.

③ 亡陽證이 되었을 때: 乾薑附子湯을 활용한다.

2) 만성 인두염(그림 2-1-2)

(1) 槪要

虛火咽痛에 해당하며 급성기의 상태가 지나 아급성, 혹은 만성적 咽頭炎의 상태로 된 것을 말한다. 때로는 성생활 과다 혹은 체질적인 이유로 인하여 傷寒咽痛 혹은 咳嗽咽痛 없이 지속적인 陰虛咽痛만 나타나는 경우도 있다.

(2) 病因病理

성생활과다, 무절제한 생활 등으로 腎陰이 훼손되어 虛火上昇하거나, 선천적으로 腎陰이 부족한 사람이 傷寒咽痛을 적절히 치료하지 못했을 때, 항생제 등의 남용으로 인한 인두점막, 건조, 음성의 반복

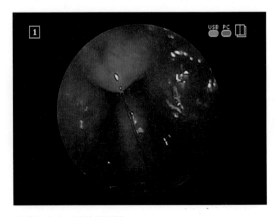

그림 2-1-2　만성 인두염

적 과다사용, 鼻塞으로 인한 구강호흡, 만성 비염으로 인한 후비루, 급성 인두염의 반복, 과도한 흡연과 음주, 자극성 있는 가스의 흡입이 모두 대표적 원인이 된다.

(3) 臨床症狀

목이 항상 건조하며, 때로는 간질간질하고 때때로 통증을 호소한다. 咽頭는 붉어지고 疼痛하나 붓지는 않는다. 인두분비물은 전도가 있어서 잘 삼켜지거나 뱉어지지 않아 심한 경우 구역감을 일으키기도 한다. 심해지면 인두 건조, 가피 형성, 악취, 애성, 음성피로, 난청, 급성 인두염 반복으로 이어지는 위축성 인두염으로 진행되기도 한다. 대체로 수분 섭취, 음식물 섭취 등에 의해 통증이 완화되고 말을 많이 하거나, 건조한 환경에서는 통증이 심해진다. 陰虛乳蛾와 병발하기도 하고, 심한 경우 후두를 침범하여 음성의 변화가 함께 나타나게 된다.

(4) 合倂症

심한 경우 2차적으로 난청과 후두염이 병발되고 표재성 임파선 발적 종창이 나타나기도 한다.

(5) 辨證施治

① 陰虛咽痛: 선천적으로 腎水가 부족하거나 성생활 과다로 腎水가 부족한 사람에게 나타난다. 六味地黃湯에 가감한다.

② 陽虛咽痛: 피곤하거나 음성남용이 심한 경우, 항생제 남용 등에서 나타난다. 人蔘養榮湯, 雙和湯에 가감한다.

③ 咽頭發赤과 痛症이 심할 때: 淸咽利膈湯에 麥門冬, 五味子 등을 가한다.

④ 粘稠한 분비물을 호소할 때: 淸咽潤燥湯, 淸火補陰湯 등을 투여한다.

2. 인두결핵

1) 槪要

火毒이 熾盛, 薰蒸하여 나타나는 것으로 痘疹이 처음 나타날 때 病毒이 인두에 침범하여 인두폐색, 궤양 등의 증상이 나타난 것을 말한다. 흔하지는 않지만 매우 위중한 경우이기 때문에 중요하다.

2) 異名

咽關癰

3) 病因病理

火毒이 薰蒸하여 발생한다.

4) 臨床症狀

초기에 인두가 乾燥疼痛하다 점차 음식이나 물을 삼킬 수 없게 된다. 극심하게 되면 인후가 종창되고 호흡이 촉급하며 물도 삼키지 못하게 되어 위험해진다. 때로는 痘瘡이 연이어 咽頭에 발생하기도 한다.

5) 辨證施治

(1) 초기에 건조, 동통할 때에는 甘桔湯에 玄蔘, 牛蒡子, 杏仁 등을 가한다.

(2) 腫痛이 심하거나 열이 극심하면 凉膈散 혹은 四順淸凉飮子를 투여 한다.

3. 異物硬痛

1) 槪要

생선 가시, 과일 껍데기, 곡식의 일부 등이 목에 걸리는 상태를 총괄한다.

2) 臨床症狀

미세한 물질이 인두 편도에 걸려서 고통을 겪는 것으로, 음식물을 섭취하거나 침을 삼킬 때 통증을 느끼며 심한 경우 구역질이 나기도 한다.

3) 合倂症

밥, 고구마 등 다른 음식을 삼켜서 내려 보내려고 하는 것은 매우 위험하다. 특히 가시류의 경우 눈에 보이는 것보다 깊게 박혀있는 경우가 대부분이어서 때때로 인두천공, 인두점막의 파열을 초래하기도 한다.

4) 辨證施治

외과적 방법으로 제거하여야 한다.

4. 편도질환

1) 급성 편도염(그림 2-1-3)

(1) 槪要
傷寒乳蛾에 해당한다. 급성 편도염은 일반적으로 구개편도의 급성 염증을 말하고 대부분 인두점막의 염증을 동반한다. 초기에 實熱이 원인이 되어 紅腫, 疼痛, 발열, 연하장애 등을 일으키는 시기이다. 傷寒咽痛과 함께, 혹은 단독으로 나타난다.

(2) 異名
單乳蛾, 雙乳蛾, 風熱乳蛾 등이 여기에 해당한다.

(3) 病因病理
肺經에 熱이 旺盛할 때 風邪가 침범하여 鬱結되어 발생한다. 肺胃經에 熱이 鬱結 혹은 風熱이 旺盛해져 발생한다. 風寒에 感觸되어 발생하거나, 熱毒이 鬱結되어 발생하기도 한다.

바이러스에 의한 상기도 감염(adenovirus 등), 혹

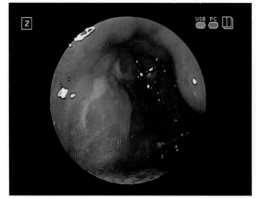
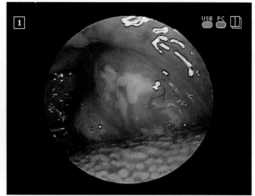

그림 2-1-3　급성 편도염-바이러스성

은 β-용혈성 연쇄상구균, 포도상구균, 폐렴균 등 세균의 2차 감염 혹은 직접 감염으로 발생한다.

(4) 臨床症狀

인두통과 다양한 정도의 연하통, 전신 권태 및 고열이 가장 흔하다. 이러한 증상들은 갑작스런 오한, 고열로 시작되어 두통, 耳痛, 사지통, 인두 건조감을 느끼게 되고 그 후 연하곤란 및 연하통을 느끼며, 때로는 언어장애를 일으키고 구취를 발산하는 수도 있다. 인두에는 점액성 분비물이 모여 있고 염증성 편도는 전, 후구개궁으로부터 중앙으로 돌출되며 구개수 또는 그 주위에 발적, 종창을 일으킨다.

(5) 合併症

합병증으로는 편도주위농양, 인후농양, 경부림프절 화농, 급성 후두기관지염, 급성 중이염, 급성 유양돌기염, 급성 부비동염 등을 일으킬 수 있고 때로는 원격 장기에 염증을 파급시키기도 한다.

(6) 辨證施治

합병증이 일어나지 않으면 대체로 약 1주일 이내에 좋아진다. 안정과 충분한 수분섭취, 가벼운 식사가 필요하다. 초기 발열과 통증이 심하지 않으면 傷寒咽痛에 준하여 치료한다.

초기에는 六味湯을 기본으로 하여 적절하게 加減 치료한다.

① 風이 심하면 葛根, 羌活, 蘇葉을, 熱이 심하면 玄蔘, 黃連, 黃芩 등을 加한다.
② 胃熱이 심하거나 大便秘結하면 大黃, 石膏 등을 加하기도 한다.
③ 熱이 旺盛하여 통증이 심하면 凉膈散, 淸咽利膈湯 등을 처방한다.
④ 針治療는 三稜鍼을 이용해서 少商穴을 출혈시킨다.

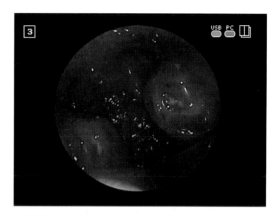

그림 2-1-4 만성 편도염

2) 만성 편도염(그림 2-1-4)

(1) 槪要

선천적으로 허약한 사람 혹은 傷寒에 感觸되기 쉬운 사람에게 나타나며 虛火乳蛾에 해당한다. 만성 편도선염은 인두질환 중에서 가장 흔한 질환으로, 소아에서는 계속되는 상기도 감염으로 아데노이드와 더불어 심한 증식을 보여 기계적 폐색으로 인해 귀나 코 등 주위 장기에 악영향을 미친다. 성인에서는 크기가 위축되는 섬유성 편도염을 보인다. 대체로 만성 인두염과 병발한다.

(2) 異名

陰虛乳蛾, 伏寒乳蛾에 해당된다.

(3) 病因病理

① 陰虛乳蛾

선천적으로 陰虛한 사람이 성생활을 과도하게 하여 陰液이 훼손, 혹은 辛凉한 飮食을 過多하게 섭취하여 발생한다.

② **伏寒乳蛾**

체내에 寒邪가 축적되어 있다가 外感에 罹患되면 발생한다.

(4) 臨床症狀

만성질환이기 때문에 그 증상은 가볍지만 상태에 따라서는 다시 급성화할 수도 있는데, 이런 경우 심한 통증 및 발열로 나타난다. 대체로 증상 간격 사이에는 가벼운 인두통, 이물감, 기침, 구취 등을 호소하게 된다. 구개편도의 비대가 심하면 수면 중 무호흡장애를 일으킬 수 있고, 어린 아이의 경우 연하곤란으로 인한 식욕부진이 나타나기도 한다. 드물기는 하지만 만성 염증이 있는 구개편도 속에 있는 세균이나 독소가 혈관으로 흡수되어서 여러 가지 전신증상 즉 영양불량이나 심장 등에 감염을 일으키는 소위 병소감염을 일으키는 수도 있다.

① **陰虛乳蛾**

咽喉腫大하여 아침에는 증상이 가볍다가 오후가 되면 통증이 심하고 밤에는 아주 심해진다. 口乾舌燥가 있고 얼굴은 달아오르고 붉어지나 足은 寒冷하다.

② **伏寒乳蛾**

咽喉痛이 있으나 咽喉가 紅腫하지 않고 紫色을 띄고 脈은 細數 혹은 沈遲하다.

(5) 辨證施治

① **陰虛乳蛾**

八味地黃湯을 투여하거나 養陰淸肺湯을 투여한다. 鹽附子를 찧어서 足底心에 붙이기도 한다.

② **伏寒乳蛾**

六味湯에 羌活, 葛根, 穿山甲, 赤芍藥, 當歸尾, 細辛 등을 사용한다.

5. 편도주위 농양

1) 槪要

爛乳蛾, 連珠蛾에 해당하고 喉間이 紅腫하고 腐爛, 斑疹을 형성하는 상태를 말한다. 대체로 風熱乳蛾에서 회복되지 않고 더 진행된 상태이다.

2) 病因病理

원인균은 급성 구개편도염과 같은데, 급성 구개편도염 또는 치아질환이 연발해서 염증이 구개편도의 피막주위에 파급되어 농양을 형성하며 편도상극에 호발한다. 胃와 肺의 鬱結된 熱로 인해서 발생한다.

3) 臨床症狀

대개는 일측성이나 때로는 양측성이다. 양측성인 경우는 일측이 선행한다. 자각적으로 연하통이 심하고 연하시의 동통은 耳部 혹은 頸部까지 전달된다. 염증이 직접 익상근에 미치거나 익상근의 경련이 일어나면 개구장애를 나타낸다. 고열, 구취, 두통, 타액분비과다, 식욕감퇴 등을 동반하고 언어가 불명료하게 된다. 양측성의 경우는 호흡장애로 수면에 지장을 준다. 구개편도 주위의 발적, 종창이 현저한데, 이 팽륭은 전구개궁부에서 나타나고 구개편도를 포용하는 것과 같이 보인다. 때로 농양이 구개편도의 후부에 발생하고 후구개궁의 종창, 발적이 심할 때도 있다. 환측의 연구개가 하수하고 구개수는 부종이 생기며 건측으로 압박된다. 농양이 완전히 형성되면 파동을 증명할 수 있다.

4) 辨證施治

熱毒이 심화된 것이니 六味湯, 淸咽利膈湯 등의 淸熱解毒 약물을 사용하고 少商과 商陽穴을 자침하여 출혈시킨다. 농양형성 전에는 대증요법을 실시하거나 항생제를 사용하고 농양이 형성되면 절개배농 시키면서 항생제를 사용하는 것이 치유에 용이하다.

6. 인두편도 비대증

1) 槪要

비인두의 림프조직이 과다하게 증식한 것으로 보통 인두측삭의 림프조직과 인두림프소포의 증식을 동반한다. 인두편도는 보통 3-5세에 가장 크고 7세 이후에 점차 퇴화한다.

2) 臨床症狀

인두편도가 증식하면 협소한 비인강을 막기 때문에 비호흡장애가 일어나고, 코 분비물의 배설이 장애되어서 더욱 비폐색이 심해지게 된다. 따라서 항상 입을 반쯤 벌리고 있는 우둔한 인상을 주며 상악전치가 돌출되어 특수한 "아데노이드 용모"를 보인다. 이관을 막으면 청력장애와 이명을 초래한다. 염증은 비강, 부비동, 중이, 유양돌기, 후두, 기관 및 기관지 등에 파급되기도 한다. 진단은 전비경 검사로 인두편도의 비대를 볼 수 있고, 후비경 검사 및 측경부 단순 방사선 검사를 통해서도 증식된 아데노이드를 볼 수 있다. 소아에서는 촉진으로도 가능하다. 림프육종과 감별하는 것이 필요하다.

3) 辨證施治

사춘기 이후에 수술로 제거한다. 인두편도 발육이 좋은 시기에 아이가 잦은 중이염이 걸리고 고열을 동반한 열성경련 등이 있으면 일찍 제거하기도 한다.

한의학에서는 鼻閉塞의 범주에서 접근할 수 있다.

喉頭疾患

기존의 한의학 문헌에서 후두질환은 인두질환과 구분되어 있지는 않다. 한의학 문헌의 경우 후두질환이 단독해서 언급되기 보다는 인두질환의 증상들이 후두질환에 혼재되어 있다. 다만 후두질환은 인두질환과 병발하여 음식물 연하 장애를 일으키기도 하고 호흡의 통로로서 기관지 질환과 병발하여 호흡이상을 나타내기도 한다. 또한 성대질환이 포함되어 있기 때문에 음성과 관련된 증상도 나타난다.

　喉痺, 喉風, 喉痧, 瘖啞 등의 질환이 있으나 이들이 서로 명확히 구분되지는 않는다. 대체적으로 喉痺, 喉風은 급성 인후두염의 상태를 말하고 있고, 喉痧는 전염성 질환, 인후두 디프테리아 등을 의미한다고 볼 수 있다. 瘖啞는 오늘날 성대에서 나타나는 다양한 음성 질환을 포괄한다.

1. 급성 후두염(그림 2-2-1)

1) 槪要

급성적인 후두의 염증으로 후두염 단독도 발생하나

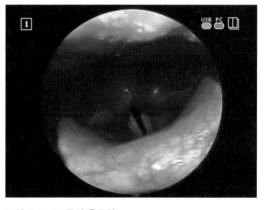

그림 2-2-1　급성 후두염

대체로 인두염에 동반되어 잘 나타난다.

2) 病因病理

상기도염증의 한 부분으로 나타나며 대체로 바이러스나 연쇄상구균, 폐렴균과 같은 세균감염에 의한다. 혹은 화학약품, 담배 등의 자극 혹은 건조한 공기 및 성대의 남용에 의해서 나타날 수도 있다.

3) 臨床症狀

애성(hoarseness)이 대표적인 증상이다. 성대 부종이 심해지면 실성, 흡기성 천명이 생기기도 한다. 기침, 인후부 건조감, 통증, 이물감이 있으며 말을 많이 하면 증상 더 심해진다. 체온은 38℃ 정도이고, 초기에는 후두의 분비물이 적은 양이나 분비물이 점차 많아지면 혈액이 묻어나오는 경우도 있다.

4) 辨證施治

증상이 심하지 않은 경우에는 특별한 치료가 필요하지 않고 발열, 기침, 통증이 있는 경우는 안정이 필요하다. 휴식과 충분한 수분섭취가 가장 중요하다. 성대 보호를 위해 음성남용을 막고 실내의 온도, 습도를 조절한다. 증상에 따라서 六味湯에 적절히 가감한다.

2. 급성 후두기관지염

1) 槪要

5세 이하의 남아에게 잘 발생하고 겨울철에 많다. 후두, 기관, 기관지에 심한 급성 염증을 일으키는 것으로 호흡곤란을 야기할 수 있으므로 매우 위험한 질환이다.

2) 病因病理

바이러스, 특히 parainfluenza virus가 대표적이다. 2차적으로 연쇄상구균, 포도상구균, 폐렴균이 감염을 일으키기도 한다. 성문 하부의 부종성 종창, 기관 기관지점막의 종창이 나타나며 점막의 염증성 변화로 농도 짙은 점액성 분비물 배출되고 심하면 기도가 폐쇄된다.

3) 臨床症狀

처음엔 단순한 상기도 감염처럼 경미하다가 2~3일 후 갑작스러운 흡기성 천명, 거친 기침(크루프)이 나타나고 호흡곤란, 권태감, 탈수증, 구토를 일으킨다. 적절한 치료가 이루어지지 않으면 저산소증으로 인한 청색증이 나타나기도 한다. 체온은 고열을 나타내어 39~40℃까지 오르기도 한다.

4) 辨證施治

어린아이의 급성적인 호흡곤란을 나타내는 질환이므로 입원 치료가 필요하다. 높은 습도조절이 중요하고 때로는 산소 공급이 필요할 수 있다. 특별한 경우 성문하부의 심한 부종으로 호흡곤란을 일으켜 기관절개술이 필요한 때도 있다.

3. 급성 후두개염(그림 2-2-2)

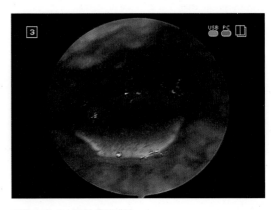

그림 2-2-2 　급성 후두개염

1) 槪要

후두개의 염증으로 6, 7세 이하의 소아에게 많고 심하면 호흡곤란, 연하장애를 일으키는 응급질환이다.

2) 病因病理

Haemophilus influenzae, 연쇄상구균, 포도상구균, 바이러스 감염 등이 원인이 된다.

3) 臨床症狀

갑작스런 40℃의 고열과 연하장애, 호흡곤란이 나타난다. 단시간 내에 악화되어 청색증을 일으키며 연하시 극심한 통증으로 침도 삼키지 못한다. 인두 부위는 약간의 발적이 있으니 설압자를 이용해 혀를 눌러 보면 발적, 종창된 후두개의 상부를 볼 수 있다.

4) 辨證施治

심한 경우 입원 치료가 필요하며 갑작스러운 호흡곤란에 대비하여 기관절개술 기구 준비도 필요하다. 16~20℃에서 90~95% 습도 유지가 필요하고 산소 공급이 필요하다.

4. 급성 경련성 후두염

1) 病因病理

확실한 원인은 모르고 최근에 가벼운 상기도염증을 앓았다거나 정신적 요인이 관여한다고 생각된다. 발작 직후 일과성으로 후두에 가벼운 조직의 변화가 있어 성문하부에 발적, 종창이 있는 경우가 있다.

2) 臨床症狀

4세 이하의 남아에서 잘 나타나는 것으로 야간 수면 중 발작적으로 거친 기침, 흡기성 천명, 호흡곤란을 일으켜 흥분, 불안, 공포에 빠진다. 증상이 심하면 의식을 잃고 청색증에 이르게 되지만 잠시 후 구토하면서 정상상태로 되어 수면을 취하고 나면 아침에 별다른 증상을 호소하지 않는다.

3) 辨證施治

특별한 치료가 필요하지 않는다. 평상시 습도를 높여주는 것이 좋다.

5. 후두 디프테리아

1) 槪要

디프테리아균에 의해 발생하는 질환으로 한의학에서는 白色喉痺, 혹은 白色喉風이라고 하였다. 과거에는 사망에 이를 수 있는 질환 중 하나로써 중히 다루어졌음을 짐작할 수 있다.

2) 病因病理

Corynebacterium diphtheriae가 원인균이다. 6세 이하 소아에게 잘 나타나고 인두디프테리아에 속발되어 후두로 진행되는 경우가 많다. 대개의 경우 환자의 타액이나 그 밖의 전염매개물질의 접촉에 의해서 전염된다.

3) 臨床症狀

잠복기는 2~7일로 서서히 발병하여 가벼운 정도의 인두통, 피로감, 미열 등 나타난다. 점차로 후두까지 파급되면서 애성, 기침, 천명, 기도폐쇄에 따른 호흡곤란, 경련, 청색증이 발생하여 질식으로 사망하는 경우도 생긴다. 특징적으로 인두벽, 편도, 후두 등에 밀착된 회백색의 위막을 형성하고 이것을 떼어내면 출혈이 된다. 흔히 경부림프절의 종창을 동반한다.

4) 辨證施治

인두나 후두의 위막에서 Corynebacterium diphtheriae를 확인한다. 디프테리아에 대한 치료를 한다.

6. 만성 단순성 후두염(그림 2-2-3)

1) 槪要

만성적인 후두의 염증은 외부 자극으로 음성의 남용, 먼지 자극, 매연, 담배연기 등이 문제가 되나 내부의 원인으로 흡연, 부비동염, 역류성 식도염 등 또한 대표적 원인이 된다. 그러므로 만성적인 후두염의 경우 치료와 더불어 생활 습관의 관리가 반드시 병행되어야 한다.

2) 病因病理

지속적인 후두 자극(음성 남용, 담배 매연, 부비동염), 혹은 코막힘으로 인해서 구호흡을 하는 경우, 특히 수면 중 구호흡을 하는 경우 습도가 적당하지 못하면 혈관이 확장되어 부종 및 점막하 출혈이 일어나 염증반응을 일으키기도 한다. 최근에는 위산의 억류 또한 원인의 하나로 대두되고 있다.

3) 臨床症狀

시간에 따르는 음성의 변화가 가장 특징적인 증상이다. 때때로 지나친 성대 피로로 인해 무성이 되기도 한다. 만성적인 후두 이물감과 건조감, 소양감을 호소하나 연하장애나 동통은 호소하지 않는다. 후두 이물감으로 인해 자주 객담배출을 시도하여 잔기침을 호소하기도 한다.

4) 辨證施治

후두점막 충혈(암적색, 핑크색), 성대 광택 소실, 작은 혈관들이 성대방향과 평행하게 주행하는 것을 볼 수 있다. 발성시 성대의 진동양상이 비동시성으로 보이기도 하고 병이 진행되면 점막이 과립 모양을 나타내며 점막의 미란 및 섬유화를 볼 수 있다. 증상과 후두경 소견으로 용이하게 진단가능하다. 치료는 무엇보다도 자극하는 원인을 제거하는 것이 중요하다. 생활 습관의 개선이 치료에 선행되어져야 한다. 음성을 남용하지 않고, 발성 재교육을 통하

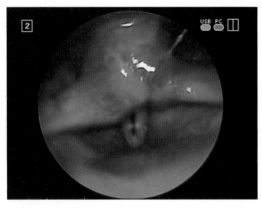

그림 2-2-3　만성 단순성 후두염

여 발성 시 후두에 지나친 힘을 가하지 않도록 한다. 적당한 습도를 유지하고 코에 이상이 있으면 코를 치료하여 비강호흡을 원활하게 해준다.

7. 위축성 후두염

1) 槪要

위축성 후두염은 한의학에서 찾아보기 힘들다. 다만 臭鼻症의 연장선상에서 생각하는 것이 옳고, 胃火熏肺에 의한 喉癬도 비슷한 증상을 보이니 참고할 수 있다.

2) 病因病理

특별한 원인을 찾을 수 없는 질환이다. 드물게 후두 부위에 방사선요법을 받거나 지속적인 만성 단순후두염 등이 원인이 될 수도 있다. 남자보다는 여자에게서 더 빈번하고 위축성 비염을 동반하는 경우가 많다. Sjörgen 증후군의 일부 또는 임신과 관련해서 증세를 나타내기도 한다.

3) 臨床症狀

점액성 분비 및 점막윤활이 감소하여 계속적인 목의 건조감을 호소한다. 가벼운 기침을 계속하고 구취가 심하게 난다. 기침을 하면서 목에 힘을 심하게 주면 후두 가피가 떨어지면서 객혈과 호흡곤란을 유발하기도 한다. 후두경 소견 상 후두점막은 건조, 거칠며 작고 진한 점액성 분비물이 붙어 있고 피열간부에 가피가 있고 가피를 떼면 삼출표면을 보이나 실질적인 미란은 없다.

4) 辨證施治

점액선은 부분적 혹은 완전히 파괴되어 있고 재생을 기대할 수 없으므로 완치는 어렵다. 대증적인 요법을 시행한다. 동반된 코와 인두의 질환을 함께 치료해야 한다.

8. 喉痺

1) 槪要

喉痺는 《內經》에 처음 나오는 표현으로 痺란 閉塞不通을 의미한다. 여러 醫家들이 喉痺疾患에 대해서 다양한 의견을 제시하였지만 의견이 분분한 실정이다. 痺가 閉塞不通이라는 점을 감안하여 가장 합리적인 의견은 喉痺는 喉中 호흡이 不通하고 言語가 不出하는 것은 天氣가 폐색한 것이고 咽痛 및 嗌痛은 咽喉로 침이나 음식을 넘기지 못하는 것으로 地氣가 폐색한 것이라는 것이다. 樓英은 喉痺疾患에는 반드시 咽嗌痛을 겸하나 咽嗌痛이 있을 때 반드시 喉痺를 겸하는 것은 아니라고 하였다. 결론적으로 喉痺는 인두의 급성 염증 혹은 종물, 인두편도비대 및 종대, 癌腫 능과 병발해서 나타나는 喉頭疾患, 즉 호흡 및 성음의 장애가 나타나는 상태를 의미한다고 이해할 수 있다.

2) 種類

다양한 이름의 喉痺 질환이 있다. 風熱喉痺, 風毒喉痺, 傷寒喉痺, 白色喉痺, 酒毒喉痺, 爛喉痺, 單喉痺, 雙喉痺, 陰毒喉痺, 走馬喉痺, 伏寒喉痺, 天行喉痺 등이 있다.

3) 辨證施治

(1) 外感에 의한 喉痺

風熱喉痺, 風毒喉痺, 傷寒喉痺, 白色喉痺, 天行喉痺 등이 이에 속한다. 특히 白色喉痺는 오늘날 디프테리아에 의한 인두위막 형성을 의미한다고 볼 수 있고, 天行喉痺는 급성 전염성 질환에서의 인후두염에 해당한다. 인두질환과 마찬가지로 증상이 가벼운 경우는 荊防敗毒散을, 증상이 심한 경우 淸咽利膈湯, 普濟消毒飮 등을 사용한다.

(2) 酒毒喉痺

과다한 음주로 인하여 心脾二經의 酒毒이 원인이 된다. 심한 발열 상태를 나타내며 인후는 열이 울결, 腫大되고 황색을 띠며 얼굴에 홍적색이 나타나고 眼睛이 위로 되며 發熱, 惡寒, 頭痛, 項强하게 된다. 먼저 桐油로 痰涎을 토하게 하고 鼠黏子湯을 투여한다.

(3) 陰毒喉痺

추운 겨울에 습기가 몸에 침입한 상태에서 火邪가 작용하여 나타나는 것으로 인후가 종대 되고 오한, 근육 떨림, 요통, 脚冷이 된다. 악화되면 환처의 혈색이 紫黑하면서 堅硬하게 된다. 먼저 五福化毒丹을 투여하고 蘇子降氣湯을 사용한다.

(4) 走馬喉痺

매우 급성적으로 진행을 보이는 상태로 肝과 脾의 火가 원인이 된다. 咽喉과 項强이 동시에 腫大되고 病毒이 왕성하여 병이 급진적으로 진행된다. 六味湯加味方을 사용하고 少商, 商陽, 關衝 등의 穴을 鍼刺出血 시킨다.

9. 喉風

1) 槪要

喉風이란 喉內가 紅腫하거나 혹은 頸項표면까지 紅腫하는 것이 매우 급속히 진행되어 마치 바람과 같은 상태를 말하는 것으로, 인후가 급속히 腫痛하거나 호흡곤란, 痰涎壅盛, 言語不出하며 심한 경우 牙關緊急, 精神昏迷 등으로 이어지는 상태를 말한다. 다양한 문헌에서 다양한 종류의 喉風에 대해서 설명하고 있으며 이들 중에는 인두질환, 설질환, 구강내질환 등이 모두 포함되어 있다. 실제로 인두구강질환이 한 환자에게 동시에 나다니는 경우가 많은 점을 감안할 때 오히려 환자를 이해하기에는 더 옳은 방법이라고 할 수 있다.

2) 種類

纏喉風, 啞喉風, 鎖喉風, 緊喉風, 慢喉風, 勞役喉風, 酒毒喉風, 腫爛喉風, 肺寒喉風, 白色喉風, 紫色喉風, 陰虛喉風, 弄舌喉風 등이 있다.

3) 辨證施治

(1) 急性 - 痰涎이 왕성할 때에는 먼저 구토하게 한 후 약물로 치료한다. 대표적인 약물로는 六味湯을 사용하고 증상에 따라서 가감한다.
(2) 慢性 - 苦蔘湯, 補中益氣湯에 麥門冬, 黑蔘, 牛蒡子, 桔梗 등을 가한다.
(3) 外感 - 六味湯에 羌活, 蘇葉, 當歸, 柴胡, 牛蒡子, 桂枝, 細辛 등을 가한다.
(4) 陰虛 - 滋補 및 해독해야 하므로 生地黃湯을 투여한다.

聲音疾患

성음질환에는 瘖啞, 失瘖, 失語, 語澁 등이 있다. 이는 음성장애에 속하고 후두의 병변, 전신질환에 의한 경우, 기능성 빌싱장애 등이 원인이 된다.

후두 병변은 후두염, 후두마비, 후두외상, 성대결절, 성대폴립 등이 원인이 된다. 전신질환에 의한 경우는 내분비 장애가 가장 많고, 기능성 발성장애는 심리적 원인과 잘못된 발성습관이 원인이 된다.

한의학에서 성음질환은 증상을 위주로 서술하고 있어 서양의학의 질환과 별도로 설명하도록 한다.

그림 2-3-1   성대결절

1. 성대결절(그림 2-3-1)

1) 槪要

가수, 소아, 말을 많이 하는 사람에서 호발하며 특히 지나치게 성대를 사용하는 여성에서 호발한다. 주로 양측성으로 성대 전방 1/3 부위에서 잘 생긴다. 특히 힘을 주어 소리를 내는 과긴장성 발음이 중요한 요인으로 작용하여 소프라노 가수에서 많이 나타난다. 소아성 결절은 3-10세에 호발한다.

2) 病因病理

막성성대의 자유연에서 성대의 남용으로 손상이 있을 경우 부종액이나 혈액의 축적이 나타난다. 이 부위에 속립상의 백색 혹은 담홍색의 결절이 양측 혹은 편측에 나타난다. 반복적으로 이환되면 후두 폴립이나 정맥류의 양상을 보이고 진행되면 섬유화나 초자변성이 될 수 있다.

3) 臨床症狀

주 증상은 사성이며 쉽게 음이 피로하고 고음에서 음성이 중복되는 음, 분열 및 파열음 등이 나타난다.

4) 辨證施治

초기에는 침묵요법을 실시한다. 결절이 작을 경우에는 6~8주간의 침묵요법으로 시실되나 증상이 심하면 후두미세수술을 시행한다. 수술 후에도 1~2개월 동안 성대사용을 최소화하고 건조하지 않도록 한다. 발성습관을 교정하여 재발을 방지한다.

어린이의 경우는 사춘기가 지나면 소실되는 경우도 있고, 재발이 많아 수술을 권장하지 않는다.

2. 성대폴립

1) 槪要

후두용(喉頭茸)이라고도 하며 섬유종으로 후두의 양성종양의 일종이다. 성대남용 등이 원인이 되고 한쪽 막성 성대의 전 1/3 부위에 나타나고, 양측에 발생되는 경우도 있다.

2) 病因病理

선천적 소인, 유전설, 후두점막의 염증성 종창, 점액선의 저류낭종, 말초혈관의 병리변화 등으로 발생한다는 가설이 있다. 후두의 결절, 성대남용 등의 만성적인 2차 손상에서 주로 발생한다.

3) 臨床症狀

주 증상은 무통성 사성이며 용종이 커지면 無聲, 천명, 호흡곤란 등이 발생한다.

4) 辨證施治

음성남용, 화학적 자극 등 원인 제거 및 침묵요법, 발성교육을 통해 호전되는 경우가 있다. 대부분 후두미세수술을 시행한다.

3. 성대마비(그림 2-3-2)

1) 槪要

후두의 신경성 질환에 속한다. 신경성 질환은 중추성과 말초성으로 구분되며 대부분 성대마비가 발생한다. 중추성 성대마비의 병변은 위치에 따라 뇌피질의 상핵병변, 핵병변과 핵하병변으로 나뉜다. 발성이나 구음장애 뿐만 아니라 다른 신경학적인 증상도 발생 된다. 말초성 성대마비는 일측 성대 마비의 대부분을 차지하며 원인에 따라 상후두신경마비와

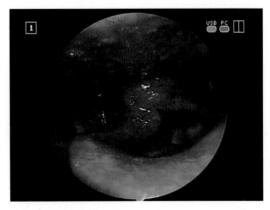

그림 2-3-2   성대마비

반회 후두신경마비가 각각 혹은 동시에 발생할 수 있다. 여기서는 말초성 성대마비에 대해 설명한다.

2) 病因病理

반회신경의 부분 혹은 불완전마비로 양측 혹은 편측성으로 발생된다. 반회신경은 해부학적으로 좌측이 더 긴 주행을 하기에 손상 받기 쉬워 반회신경마비는 좌측이 많다. 50% 이상이 원인불명이다. 국소적인 원인은 급·만성의 후두질환에서 흔히 나타나고 음성남용이 많은 교사, 가수 등에서 많이 나타난다. 전신적인 원인은 갑상선 수술, 경부 외상, 신경성 질환, 악성 종양의 침범 등에서 발생된다.

3) 臨床症狀

발성 시에 성문이 닫히지 않아 성대근육의 긴장도가 저하되어 사성이 나타난다. 발성 시 공기의 낭비도가 심하여 회화 도중에 언어가 가끔 중단되며 발성의 지속시간이 단축된다. 일측성의 내전근마비는 대부분이 사성이 나타나고, 외전근의 마비는 호흡곤란이 초래되기도 한다. 양측의 성대마비에서는 호흡 시에 성문이 열리지 않으면 심각한 호흡곤란을 초래해 위험하기도 한다. 후두경 소견에서 마비된 쪽의 성대는 고정되어 발성이나 호흡 시에 움직이지 않는다.

4) 辨證施治

신경의 손상이 완전하지 않거나 원인미상의 성대마비인 경우 60% 이상에서 발생 후 1년 내에 자연치유가 가능하고 사성은 호전되므로 언어치료 등 보존적 처치와 관찰을 하며 최소한 6개월은 기다려야 한다. 자연적으로 회복될 가능성이 없는 원인이

거나, 후두기능 저하로 인한 흡인과 기침 등이 문제가 되거나, 짧은 기간의 음성 손실이라도 직업적 또는 정신사회적 이유 때문에 조속한 음성회복을 요하는 경우에는 6개월 이내에 수술을 시행하기도 한다. 특히 언어치료는 일측 성대마비 환자에서 수술에 관계없이 시행하는 것이 좋고 수술 전후에 모두 적용할 수 있다. 양측성 성대마비는 호흡곤란을 초래하므로 기도확보를 위해 기관절개술이 필요하고 성대외전술을 시행하기도 한다.

4. 경련성(연축성) 발성장애

1) 槪要

후두에 국한하여 발생한 근긴장 이상으로, 후두근육의 불수의적인 수축으로 인하여 초래되는 발성장애이다. 성대의 불수의적인 과내전에 의해 나타나는 내전형과 과외전에 의해 나타내는 외전형으로 나뉜다. 내전형이 90%정도로 대부분을 차지한다.

2) 病因病理

예전에는 심리적 문제를 주요 원인으로 보았으나 경련성 발성장애 환자들이 다른 신경학적 이상이 동반된 경우가 많고, 다른 검사에서 이상 소견이 발생되어 중추신경계 이상에 의한 국소성 이긴장증의 한 종류라는 가설이 주목받고 있다.

3) 臨床症狀

내전형은 수시로 음성이 끊어지고 목을 조이는 듯한 거친 목소리가 나타난다. 외전형은 간헐적으로

바람이 새는 듯한 쉰 목소리가 나타난다.

4) 辨證施治

정신요법, 언어치료, 근이완제, 진정제, 항콜린제 등을 이용한 약물요법 그리고 수술적인 치료 등이 시행되었으나 큰 효과를 거두지 못했다. 최근에는 보톨리늄 독소 주입술이 가장 효과적인 것으로 보고되고 있다.

5. 急音瘂

1) 槪要

급성적으로 嘎聲 혹은 聲嘶가 되고 심하면 失音이 되는 金實無聲한 것으로 暴瘖, 暴瘂, 急喉瘖, 卒瘂, 聲嘶라고도 한다. 소아에게선 급성적으로 나타난 急喉風이 되기도한다. 급성 후두염 및 성대마비, 성대염의 증상과 유사하다.

2) 病因病理

風寒邪, 風熱邪의 침범으로 肺氣不淸하거나 사기가 會厭에 결취하여 발생한다. 胃熱로 肺胃熱盛하여 발생하기도 한다.

3) 臨床症狀

風寒-갑작스런 聲音不暢, 聲嘶하고 심하면 失音한다. 喉中이 乾燥不快하고 微痛, 瘙痒感, 異物感 등이 나타난다. 咳嗽, 發熱, 頭痛, 鼻塞등이 동반된다.

　　風熱이나 胃熱- 咽喉紅腫, 疼痛, 灼熱感 등으로 嚥下困難 한다. 심하면 失音하고 咳嗽, 痰盛粘稠,

發熱, 煩渴, 鼻塞, 口臭, 舌質紅, 苔黃膩, 脈浮 洪數하다.

4) 辨證施治

風寒-荊防敗毒散, 蔘蘇飮, 荊蘇湯, 三拗湯등과 甘桔湯 加訶子, 木通한다. 三拗湯에 半夏, 細辛, 生薑, 石菖蒲 등을 가하여 투약한다.

- 風熱: 消風淸熱湯, 麥門冬湯, 秘傳降氣湯, 淸咽利膈湯
- 胃熱: 竹葉石膏湯
- 聲嘶, 咽乾疼痛, 咳嗽, 痰黃粘稠: 淸咽寧肺湯, 二陳湯, 導痰湯 加減
　火熱로 肺陰傷津: 四陰煎, 桑杏湯 加減
- 久病 후의 失音: 生脈散合異功散, 六味地黃元, 八味地黃元, 大補元煎, 麻黃附子細辛湯
- 歌唱, 悲哭으로 인한 失音: 生脈散, 十全大補湯
- 喉痺로 인한 失音: 通關散, 通嗌散

6. 慢音瘂

1) 槪要

점차적으로 嘎聲, 혹은 聲嘶가 발생하고 심하면 失音이 되는 金破無聲한 것으로 久瘖, 聲瘂, 瘖瘂, 陰虛音瘂, 久病失音 또는 喉痺失音이라 한다. 서양의학의 만성 후두염, 성대결절, 성대마비, 성대폴립과 유사하다.

2) 病因病理

오래된 咳嗽로 肺陰이 손상되거나, 房勞및 勞役過多로 肺腎陰虛 하여 陰火가 咽喉를 熏蒸하여 발생한다. 勞倦, 思慮過多로 脾胃를 손상하여 肺脾氣虛로 발생한다. 發聲過多로 陰血이 손상되거나 氣血이 응체된 氣滯血瘀에서 발생한다.

3) 臨床症狀

肺腎陰虛로 因하면 聲嘶가 오래가고, 聲音이 갈라지고, 인후가 乾燥不快, 乾咳稠痰 기타 倦怠無力, 脈細數한다.

肺脾氣虛로 인한 경우는 勞倦, 한랭한 음식을 섭취하면 聲嘶가 더 심해지고 面萎黃, 倦怠無力, 口淡不渴 하다.

氣滯血瘀는 인후에 이물감, 소양감, 痰稠, 舌質紅, 苔少 脈細數하다.

4) 辨證施治

肺腎陰虛- 人蔘固本丸, 百合固金湯, 左歸飮, 右歸飮, 六味地黃丸, 瓊玉膏 등에 加減, 附桂八味丸 加 石菖蒲, 訶子, 生脈散 加減
- 肺火 및 肺燥한 경우: 百合丸, 一陰煎, 四陰煎 加減
- 肺脾氣虛: 歸脾湯, 補中益氣湯, 補陰益氣煎, 淸胃飮
- 氣滯血瘀: 桃紅四物湯合二陳湯 加 枳實, 牡蠣

2. 失音

1) 槪要

失音은 소리가 전혀 나오지 않는 상태를 말하며 오늘날의 급성 성대마비의 상태라고 볼 수 있다. 대체로 성대마비는 신경의 손상 혹은 기능적인 이상과 깊은 연관이 있으며 여러 가지 검사에서도 원인을 모르는 경우가 많다. 일측에 문제기 생기면 일시적인 失音 및 嗄聲을 호소하나 호흡곤란은 없게 되지만, 양측성의 문제이면 嗄聲보다는 喘鳴과 호흡곤란을 호소하게 된다. 일측성 성대마비의 경우는 일반적으로 시간이 지나면 자연 회복되기도 하고, 건강한 편측 성대의 보상작용으로 어느 정도의 음성은 회복하게 된다.

2) 種類

(1) 咳嗽失音
기침이 오랫동안 호전되지 않고 시간이 오래 경과되어 熱이 발생하여 肺痿가 되고 眞陰이 고갈되었기 때문에 나타나는 것으로, 咳嗽가 그치지 않으면서 말을 하고자 하여도 목소리가 나오지 않는다.

(2) 風寒失音
風寒이 갑자기 肺에 침범하여 肺氣가 鬱結되어 나타나는 상태로, 傷風으로 鼻塞, 身熱하고 聲嘶하면서 失音한다.

(3) 中風失音
中風으로 인해서 失音하는 것으로, 中風으로 음식이나 기거는 정상적이면서 失音과 不語만 나타나는 상태를 말한다. 다른 말로 瘂風이라고 한다.

(4) 卒然無音
寒邪가 會厭에 침범했거나, 혹은 음주 후에 風邪가 침입했거나, 感冒 後 風寒에 감촉되었을 때에 나타나는 상태로, 갑자기 언어가 不出하거나 咽乾, 鼻涕 등이 있다가 갑자기 聲嗄가 되거나 無音하면서 말을 하지 못하게 된다.

3) 辨證施治

(1) 咳嗽가 심할 때: 蔘蘇飮, 二陳湯, 小靑龍湯, 三拗
湯 등을 투여한다.

(2) 火邪가 肺를 침범: 四陰煎을 투여한다.

(3) 風寒에 감촉: 荊蘇湯, 人蔘荊芥散 등을 투여한
다.

(4) 중풍으로 왔을 때: 二瀝飮, 地黃飮子 등을 투여
한다.

참고도서 목록

- 中医耳鼻喉科学（王德槛,上海科学技术出版社,1985)_5
版教材
- 中医耳鼻喉科学习题集(第2版)（刘蓬,王士贞,上海中医
药大学出版社,2003)
- 眼耳鼻喉科临床实习指南（詹字坚,刘绍武,科学出版
社,2005)
- 中西医结合耳鼻咽喉科学（田道法,中国中医药出版社)
- 新世纪_中医耳鼻咽喉科学（2版）（王士贞,中国中医药
出版社)
- 中西医结合耳鼻咽喉口齿科学（李云英,廖月红,科学出
版社,2008)
- 中医耳鼻咽喉科学（熊大经,上海科学技术出版社,2008)
- 中医耳鼻咽喉科临床研究（王士贞,人民衛生出版
社,2009)
- 원색안이비인후과학(노석선, 주민출판사, 2003)
- 이비인후과힉 두경부외과힉(대한이비인후과힉회, 일조
각, 2009)

제**1**장

口腔科 總論

韓醫
口腔科

構造와 機能

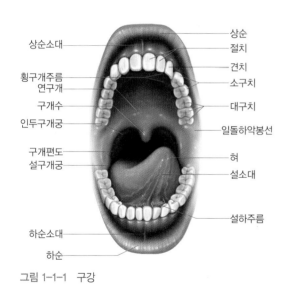

상순소대

상순
절치
견치
소구치
대구치
일돌하악봉선

횡구개주름
연구개
구개수
인두구개궁

구개편도
설구개궁

혀
설소대

하순소대
하순

설하주름

그림 1-1-1 구강

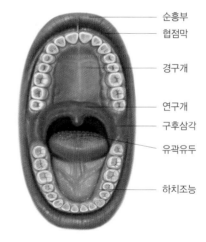

순흥부
협점막

경구개

연구개
구후삼각
유곽유두

하치조능

그림 1-1-2 구강의 구조. 구강은 구순, 구강저, 혀 전방 2/3 부위, 협점막, 경구개, 상·하치조능, 구후삼각 등의 부위를 포함한다.

1. 口腔

1) 해부학적 구조(그림 1-1-1, 1-1-2)

구순과 볼에 의해 외면이 이루어지며 뒤쪽은 구개설궁에 의해 인두와 경계를 이루고 경구개와 下顎體內面의 사이에 폐색되어 있는 점막으로 상하가

구성된다. 口腔前庭과 固有口腔으로 나뉘며 구순(ilps), 협부 점막(buccal mucosa), 상하치조능(upper & lower alveolar ridge), 구후삼각(retromolar trigone), 경구개(hard palate), 구강저(floor of mouth), 구강부 혀(oral tongue)로 세분될 수 있다.

(1) 口脣

구순은 피부와 순홍부(vermilion)의 경계에서 시작하여 구강전정의 전방경계를 이룬다. 구순의 외측은 피부이고 구강 쪽은 점막으로 되어 있으며 그 중간의 구열을 향하고 있는 부위를 순홍부라 한다. 이 부위는 이행상피로 되어 있고 털과 한선은 없으나 측방에는 피지선이 많이 분포되어 있다. 구륜근은 구강의 괄약근으로 작용하며 안면동맥의 분지인 상하구순동맥이 혈액공급을 담당한다. 전안면정맥이 안면동맥의 뒤쪽으로 지나가면서 구순의 정맥혈을 받는다.

상구순은 5번 뇌신경의 분지인 상악신경의 하안와신경(infraorbital n.), 하구순은 하악신경의 이신경(mental n.), 구각은 하악신경의 협신경(bucal n.)의 감각지배를 받는다. 운동감각은 7번 뇌신경의 안면신경이 담당하고 있으며 분지인 협신경이 교근의 표면에서 5번 뇌신경 하악신경의 협신경분지와 같은 방향으로 지나간다.

하구순의 내측부분은 이하림프절(submental lymph node), 외측부분은 악하림프절(submandibular lymph node)로 유입되고 중앙부위는 양쪽으로 유입되면서 서로 교차 유입된다. 반면에 상구순의 림프액은 전이개림프절(preauricular node), 이하선하림프절(infraparotid node), 이하림프절, 악하림프절 등으로 유입되고 교차 유입되지 않는다. 이렇게 유입된 림프액은 이어서 상심부정맥림프절(upper deep cervical node) 또는 중심부경정맥림프절로 유입된다.

(2) 협부 점막

협부 점막(buccal mucosa)은 협부와 구순의 내측점막을 이루고 동시에 구강전정의 외측벽을 구성한다. 협근은 상인두수축근의 연장으로서 상하구순에서 구륜근과 합쳐진다. 협부점막 제2 대구치의 상부에 이하선관의 개구부가 있는데 이를 이하선 유두(parotid papilla)라고 한다. 협부 점막의 점막하조직에는 림프관과 혈관 점액선이 풍부하게 분포되어 있다. 혈액은 안면동맥 및 정맥의 가지와 횡안면정맥으로부터 공급되며 지각은 하악신경의 턱밑신경분지, 협신경분지, 상악신경의 하안와신경분지가 담당한다. 협근의 운동감각은 안면신경의 협신경분지가 담당한다. 림프절은 이하림프절과 악하림프절로 유입된다.

(3) 상 · 하치조능

치조능(alveolar ridge)은 상악골과 하악골의 치조돌기와 그 섬막을 포함하며 후상지조동정맥과 대구개동정맥이 혈액공급을 담당하고 하치조능의 혈액공급은 주로 하치조동 · 정맥이 담당한다. 상악치아는 후상 및 전상치조신경이 지배하고 전상악골의 설측점막은 비구개신경, 전상악골 후방부의 설측점막은 설신경, 견치후방부의 구순측 점막은 협신경 등의 하악신경이 담당한다. 림프는 주로 상하치조능의 협측에서는 이악하림프절과 외측 후인두림프절, 이하선하림프절에서 유입된다.

(4) 구후삼각

구후삼각(retromolar trigone)은 하악골의 하악지를 덮고 있는 치은부착부를 말하는데 기저부는 하악 제3 대구치의 원위부, 첨부는 상악결절이 되며 관골돌기까지의 사선의 연장선이 외측경계가 되고 제3 대구치의 원위부와 관골돌기를 연결하는 선이 내측경계를 구성한다. 혈액은 안면동맥의 편도분지와 상행구개분지가 담당한다. 정맥혈은 편도와를 통해 인두정맥총과 총안면정맥으로 유입된다.

설인신경, 삼차신경의 소구개신경의 가지들이 신경을 담당하고 림프액 유출은 편도와 부위와 유사하게 이루어져 상심부경정맥림프절로부터 유입되며 간혹 이하선하림프절과 외측 후인두림프절로부터 유입되기도 한다.

(5) 경구개

경구개(hard plate)는 반월상으로 구개골의 수평판을 덮고 있는 점막으로 구성되어 있다. 상치조능이 부분적으로 경구개를 둘러싸고 있고 앞쪽으로는 상치조능의 내면이 경계를 이루고 뒷쪽으로는 구개골의 후방 모서리가 경계를 이루고 있다. 경구개와 연구개의 경계부위 근처의 후외방부위 양측에 대구개공과 소구개공이 있는데 이곳을 통해 신경과 혈관들이 지나가게 된다.

대구개동·정맥이 혈액을 담당하고 감각은 대구개신경이 대구개공을 통해 이차구개를 지배하고 비구개신경이 절치관을 통해 하강하여 일차구개를 지배한다. 림프액은 상심부경정맥림프절 또는 외측 후인두림프절로 유입된다.

(6) 구강저

구강저(floor of mouth)는 하악설골근(mylohyoid m.)과 설골설근(hyoglossus m.)을 덮는 반달모양의 점막으로 전방으로는 하치조능의 내측면이 경계가 되고 후방으로는 혀 전방 2/3 부위의 밑부분이 경계가 된나. 구상저는 뒤쪽으로 전구개궁의 기저부와 연속되며 앞쪽으로는 중앙에 설소대가 위치하고 있어 양쪽으로 구강저를 분리시킨다. 설소대(sublingual frenulum) 양쪽으로 악하선관의 입구를 나타내는 설하소구(sublingual caruncle)가 있으며 설하추벽이 이것의 외후방으로 능선을 이룬다. 설골설근의 외측으로는 설신경, 악하선관, 설하선, 설하신경이 지나가고 내측으로는 설동맥, 설인신경이 지나간다.

혈액은 외경동맥의 분지인 설동맥과 설정맥이 담당하고 있고 신경은 하악신경이 하악설골근을 지배하고 지각은 설신경의 가지가 담당한다. 림프는 점막하림프관총을 통해 이루어지며 표층과 심층 2개의 경로를 가지고 있다. 구강저 후방부의 림프액은 직접 경정맥이복근림프절(jugulodigastric lymph node)과 경정맥경동맥림프절(jugulocarotid lymph node)로 유입된다.

2) 구강의 근육

(1) 구순은 주로 구륜근(orbicularis m.)으로 구성되고, 이외의 여러 근육들이 구순운동을 도우며 안면신경의 지배를 받는다.

(2) 연구개의 기관은 구개거근(levator veli palatini m.), 구개범장근(tensor veli palatini m.), 인두구개근(pharyngopalatine m.) 등으로 구성된다.

(3) 하악설골근(mylohyoid m.)이 구강저의 대부분을 차지하고 구강저의 거상운동에 관여한다.

(4) 이설골근(geniohyoid m.)은 설골 거상작용을 하고 있으며 이설근(genioglossal m.)은 설근 속으로 방산하고 있는 주요 고유설근으로서 구강저 점막 아래에서 정중부분을 지주하고 있다.

(5) 교근(masseter m.)은 입을 다무는데 중요한 역할을 하는 근으로서 하악의 거상과 연동운동에 관여한다.

(6) 측두근은 하악의 거상과 후퇴운동을 담당하고 익상근(pterygoid m.)은 내근과 외근이 있어 두 근의 좌우 교대운동으로 하악의 분쇄상운동이 이루어진다.

2. 舌

1) 해부생리

혀는 가동부위인 전 2/3과 부동의 후 1/3으로 이루어져 있다. 舌根은 혀의 하부 표면이 구강저와 만나는 부위를 말한다. 크게 첨부, 측부, 배부, 하부의 4부분으로 나뉘는데 특히 배부는 암적색으로 수많은 미뢰로 덮여있고 용상유두 및 사상유두가 분포한다.

2) 근육, 혈관, 신경, 림프

(1) 근육
각각 3개의 내외근으로 구성되어 있다. 외근은 이설근, 설골설근, 경돌설근이고 혀의 형태와 운동에 관여한다. 내근은 상·하종설근, 수직설근, 횡설근으로 발성과 연하에 관여한다.

(2) 혈액
설동맥이 혈액 공급을 담당한다.

(3) 신경
혀의 운동은 설하신경이 담당하고 감각의 전부 2/3은 하악신경의 설분지와 고삭신경이 담당하며 기저부는 설인신경과 상후두신경이 담당한다.

(4) 림프
점막과 근층에서 개별 림프관망을 만들어 문합하여 악하림프절을 거쳐서 심경부림프절로 유입된다.

3. 睡液腺(그림 1-1-3)

타액선은 주타액선과 소타액선으로 분류되는데 주타액선에는 쌍으로 이루어진 이하선, 악하선, 설하선이 있고 소타액선에는 입술, 혀, 연구개, 경구개, 구강 협부 및 인두벽 등의 점막하에 위치한 타액선들이 있다.

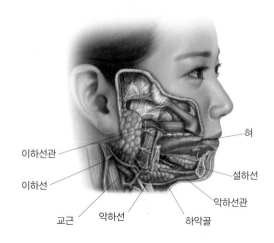

그림 1-1-3   타액선

1) 耳下腺(그림 1-1-4)

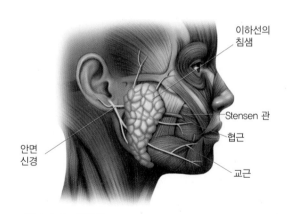

그림 1-1-4   이하선

(1) 개요
역삼각형 모양으로 성인은 중량이 14-28 g, 크기가 약 5.8×3.4 cm로 타액선 중에서 가장 크고 안면에 위치하며 크기는 개인차가 많으나 동일인의 좌우 이하선의 크기 차이는 거의 없다.

하악지와 외이도 및 유양돌기 전하방 사이에 만들어지는 이하선와(parotid space)에 위치하고 피부 가까이에 위치한다. 이하선의 상방에는 협골궁과 측두악관절이 있고 전방에는 저작근의 후면 위에까지 단단하게 부착되어 있다. 후방에는 외이도와 유양돌기가 있으며 흉쇄유돌근의 상방부 앞면과는 느슨하게 부착되어 있다. 이하선의 심부는 부인두공간에 매우 근접하여 있고 저부는 경상돌기와 부착근육인 경돌설근, 경돌설골근, 경돌인두근 등이 있으며 경동맥과 내경정맥, 제9, 10, 11 뇌신경, 환추골의 환돌기(transverse process of atlas) 등이 위치하고 있다.

(2) 이하선관(Stensen's duct)

성인에서 약 4-6 cm의 길이이며 협골 아래 1.5 cm에 위치한 천엽 전방에서부터 耳舟(tragus)와 上脣의 중간부를 연결하는 가상선과 거의 수평을 이루며 저작근 위를 주행하다 저작근의 전방부에 도달하면 내측으로 협근(buccinator m.)을 관통하여 상악 제2대구치의 반대편 구강 협부점막의 이하선유두에 개구한다.

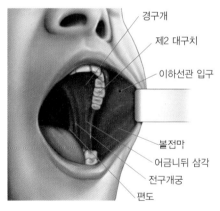

경구개
제2 대구치
이하선관 입구
볼점막
어금니뒤 삼각
전구개궁
편도

그림 1-1-5 구강내 구조(측면)

(3) 혈액공급

이하선의 주된 동맥은 외경동맥(external carotid a.)으로 이하선의 아래쪽에서 상방으로 주행하여 이하선의 후내방측으로 들어와서 우이개동맥을 분지하고 종말분지인 상악동맥과 천측두동맥으로 나뉜다.

(4) 림프절

이하선과 피막 사이에 있는 표재성 림프절과 실질 내에 존재하는 심부림프절의 두 층으로 구성되어 있으며 표재성 림프절이 심부림프절보다 많이 분포되고 있다.

(5) 신경

이하선의 지각신경과 분비운동(secertomotor) 신경섬유는 이개측두신경으로부터 받으나 지가신경섬유는 3차신경절에서 기원한다. 분비운동섬유는 부교감신경으로 설인신경으로부터 나온다. 설인신경은 측두하와와 측두골을 거쳐 이하선에 분포하여 분비운동기능을 한다. 교감신경은 흉부척추절의 상방에 있는 T1과 T2에서 나와 상경부신경절을 경유하여 경동맥 신경총에 이르며 여기서 나온 신경섬유가 이하선에 분포하는 큰 동맥 주위의 신경총을 통해 분포한다.

안면신경은 측두골 내를 주행한 후 경유골공을 통해서 두개저부를 나와서 경설골근, 후이개근, 이복근의 후복으로 가는 3개의 운동분지를 만든 후 이하선에 들어가 전외방으로 이하선의 실질 내로 들어간다. 이하선 내에 들어가서는 외경동맥과 후안면정맥 바깥쪽에 위치한다.

2) 顎下腺(그림 1-1-6)

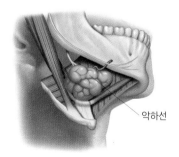

악하선

그림 1-1-6 악하선

(1) 개요

악하선은 무게가 10-15 g으로 타액선 중에서 두 번째로 크며 장액과 점액 분비세포를 함께 가지고 있다.

(2) 위치

이복근의 전후복과 하악의 하연이 만드는 악하삼각 내에 위치하고 하악지로부터 하내방에 자리하며 악설골근과 설골설근 위에 위치하고 있다. 천엽과 심엽으로 구분할 수 있는데 천엽은 악설골근에 표재성으로 놓여 있으며 측설하강에 위치한다. 심엽은 설골설근 위에 위치하고 악설골근의 후연 주위를 감싸고 있으며 가볍게 경부를 족진할 때는 만져지지 않으나 경부를 압박하면 구강저부에서 만져질 수 있다.

설신경이 악하선의 상방에 있고 설하신경과 심설정맥이 하방에 위치한다. 설하신경은 악하선의 내측과 설골설근 사이에 위치하고 앞쪽에서 시작하여 악설골근의 뒷면으로 들어간다.

(3) 악하선관(그림 1-1-7)

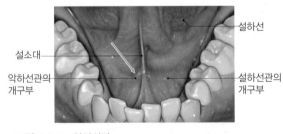

그림 1-1-7 악하선관

여러 개의 지류가 합해져 형성되며 길이는 약 15 cm로 주행이 불규칙하며 개구부가 관강보다 좁다. 악하선 심엽의 내측에서 기원하여 이설근 위에 있는 악설골근과 설골설근 사이를 주행하여 구강저의 앞쪽에 있는 설소대 측면의 유두에 개구한다. 때로는 악하선관의 앞부분이 설하선의 외측을 지나면서 설하선 내의 많은 관을 수용하기도 한다.

(4) 혈액공급

외경동맥의 주분지인 안면동맥과 설동맥으로부터 혈액을 공급받는다. 안면동맥은 이복근의 후복에서 상방으로 진행한 후 악하선의 후방에 도달하여 후연과 상연에 함입되어 있고 선내에 2-3개의 분지를 낸다. 정맥은 전안면정맥이 지배하는데 악하선의 표면 위를 주행하여 상방에서 안면동맥과 만나며 안면신경의 하악지가 이 정맥의 바깥쪽에 위치한다.

(5) 림프절

바깥쪽 피막의 근막 사이에 소수의 림프절이 존재하는데 림프절은 심경부림프절로 유출된다.

(6) 신경

교감신경계와 부교감신경계가 지배하여 자극을 받으면 점액성의 물 같은 타액을 생성한다.

3) 舌下腺

(1) 개요

구강 저부의 점막 하에 위치하며 주타액선 중에서 가장 작고 무게는 2 g 정도로 편도처럼 점액분비 소포세포를 가지고 있다. 하악, 측방의 이설근, 하방의 악설골근에 의해 만들어지는 설하와에 위치한다.

(2) 혈관

동맥은 설동맥의 설하분지와 안면동맥의 이하분지가 지배하고 정맥은 같은 이름의 정맥이 담당한다.

(3) 림프

이하림프절과 악하림프절로 유출된다.

(4) 신경

교감신경과 부교감신경의 지배를 받는다. 지각은 설신경이 담당한다.

4) 小唾液腺

작고 독립적이며 점액과 장액을 동시에 분비하는 혼합선이다. 600-1,000개로 구강과 인두내 대부분에 존재하고 특히 경구개에 많이 분포한다. 각 선은 각각 분리된 작은 관을 가지고 구강 내에 직접 개구한다. 대부분은 설신경으로부터 부교감신경의 지배를 받으나 구개에 위치한 타액선은 구개신경에 의한 접구개신경절의 지배를 받는다.

4. 口腔의 기능

1) 음식물의 섭취 및 소화작용

(1) 咀嚼: 하악의 운동, 치아의 작용 및 볼, 혀, 입술의 협동작용으로 이루어신다.
(2) 消化: 타액에 있는 전분소화효소가 녹말을 분해한다.
(3) 嚥下運動: 타액의 도움을 받아 연하를 용이하게 도와준다.

2) 미각작용

脾氣가 口腔을 통하고 脾가 조화되면 穀味를 알 수 있고, 心氣가 혀에 통하고 心이 조화되면 혀에서 五味를 알 수 있다. 또 혀에서 맛을 알 수 있는 것은 혀의 측방에 脾의 絡脈이 연결되어 脾氣가 작용하기 때문이다.

미각이란 음식물의 가용성 물질이 설유두에 있는 미각신경의 말초기관인 미뢰를 자극하여 생기는 감각을 말한다.

(1) 쓴맛은 유곽유두가 감수해서 설인신경을 통해 전달하고 나머지 맛은 그 밖의 유두가 감수하여 설신경을 통해 중추에 전달한다.
(2) 미각성 후각음식품 속에 포함되어 있는 嗅素가 발산되어 후비공에서 비강으로 들어가 嗅域을 흥분시켜 미각을 돕는다.
(3) 단맛은 혀의 전반부, 쓴맛은 설근부, 신맛은 설측부, 짠맛은 혀끝과 설측부에서 감지되는 것으로 알려져 있다.

3) 구음작용

구강은 혀, 연구개, 구순, 볼의 모양을 변화시켜 언어를 구성하는데 중요한 역할을 한다. 모음 발성시에는 공명강이 될 뿐 아니라 음색을 주며, 혀, 연구개, 입술, 볼 등의 운동으로 구강 속에 협착부를 형성하여 자음을 만든다.

4) 연하작용

입 안에 음식물이 들어와 인두를 거쳐 식도에 도달하기까지 호흡소화기 각 부위의 근육이 시간을 정확히 조절하여 상호 협조작용을 하여 고형식이나 유동식을 하부 소화기로 안전하게 보내게 하는 작용을 한다. 정상 연하의 단계는 일반적으로 수의적 조절이 가능한 구강준비기, 구강기와 불수의적 반사에 의한 인두기, 식도기로 분류된다.

구강준비기에는 고형식을 연하에 적절한 음식물의 형태로 변환한다. 이때 구순, 구협, 하악, 설운동, 구인두 괄약근 폐쇄 등의 적절한 협동운동이 일어난다.

구강기에는 음식물이 구강에서 인두로 이동시킬 때 입을 다물어 하악을 고정하고, 악설골근이 수축하여 혀를 구개로 밀어 올려 구강내압이 상승한다. 음식물이 인두로 이동하면 구개거근, 구개긴장근이 수축하여 연구개가 상승하여 긴장한다. 구강기 말기에는 구강내 음식 잔류물은 거의 없는데 이 과정은 보통 1초 이내에 이루어진다.

인두기는 인두파트의 연하작용을 참조한다.

식도기는 위장까지 음식물이 이동하는데 8-20초가 소요되며, 이때는 연하압과 중력, 식도의 연동운동이 관여한다.

5. 唾液腺 生理

1) 타액선 및 타액의 기능

주 기능은 타액의 생성이며, 타액은 연하 과정 중에 주 타액선인 이하선, 악하선, 설하선과 구강내 점막에 넓게 분포하는 소타액선에서 구강 내에 분비된다.

(1) 보호기능

음식을 부드럽게 만들고 음식찌꺼기나 상피조직, 세균, 백혈구 등을 희석시키고 삼키게 하여 위장에서 세균과 유해물질을 제거한다. 또한 윤활작용으로 구강점막이 건조하게 되는 것을 방지하며 구강점막과 치아의 말찰로 인한 외상 및 기계적 자극을 줄여주어 저작, 연하, 발음을 용이하게 함으로써 구강을 보호한다.

(2) 소화작용

타액속의 α-Amylase 등의 소화 효소가 초기 소화 작용에 관여하여 녹말 등의 다당류를 이당류로 만들고, 음식물을 타액에 녹여 미각작용을 돕는다.

(3) 항균작용

타액속의 Lysozyme, Secreating IgA, Peroxidase, Lactoferrin 등을 분비하여 항균작용을 하고, 타액속의 칼슘, 불소, 인산염 등이 pH의 감소로 유발되는 치아 사기질의 용해를 감소시켜 충치를 예방하는 광화기능이 있다.

(4) 혈액응고와 상처 치유 기능

혈소판 활성인자, 혈액응고인자 등이 구강내 손상이나 수술 후 혈액응고를 돕는다.

(5) 항상성 유지 기능

체내의 수분이 부족해지면 구강 내 건조 및 갈증을 유발하여 수분을 섭취하도록 유도한다.

2) 타액의 분비기전

뇌간에 위치한 타액 분비핵의 자발적인 활동으로 교감과 부교감 신경계를 자극하여 분비되고 구강점막의 물리적인 자극과 미각, 후각, 시각 및 심리적 자극에 의해 조절된다. 이하선은 소화효소가 풍부한 장액성의 타액을 분비하고 악하선, 설하선, 소타액선은 점액성 타액을 생산한다.

3) 타액선의 자율신경지배

교감신경섬유와 부교감신경섬유가 모두 분포되어 자극이 있을 때 타액 분비에 관여한다. 하지만 일반적으로 타액선에서는 부교감신경의 효과가 지배적이어서 부교감신경이 타액 생성에 일차적으로 작용하고 교감신경은 타액 구성성분의 조절에 주로 관여한다.

4) 타액 생산

(1) 분비단위
선포(acinus), 분비소관(secretory tubule), 집합관(collecting duct)으로 구성된다. 이하선은 장액성 선포세포만 가지고 있기 때문에 엷고 점액질이 없는 물 같은 타액을 분비한다. 설하선은 대부분 점액성 선포세포를 가지고 있어 점액성의 타액을 생산한다. 악하선 선포와 소타액선은 장액성과 점액성 선포세포를 모두 가지고 있어 혼합성 타액을 분비한다.

(2) 분비 과정
타액선 단위에서 호르몬과 신경조절의 복합적인 작용에 의해 일어나는 능동적 수송과정을 통해 생성되는 것으로 알려져 있다.

5) 타액(saliva)

(1) 분비량
정상인의 1일 분비량은 1,000-1,500 ㎖으로 분당 평균 1 ㎖(1 ㎖/min) 정도를 분비한다. 자율신경 자극에 따라 분비량이 달라진다.

(2) 구성
99.5%가 수분이고 이 외 sodium, potassium, chloride 등의 무기질과 protein, albumin, globulin 등의 유기질로 구성되어 있다.

(3) 산도
혈액의 이산화탄소 농도에 따라 변하며 pH 5.75-7.05 정도로 다양하다.

(4) 분비에 영향을 미치는 인자
약물, 기후, 섭취한 음식, 연령, 정신저 요인, 호르몬 등에 의해 영향을 받는다.

① 약물
중추신경 억제제와 말초자율신경차단제나 신경절차단제, 삼환계 항우울증 약물과 phenothiatine(r)계 약물은 타액선 기능을 저하시켜 타액 분비를 억제하고 구강건조증을 일으킬 수 있다. 일부의 항고혈압 제제에서도 구강건조가 나타날 수 있으며 중추신경에 작용하는 전신마취제나 일부의 수면제는 타액분비를 억제하는 반면 morphine과 apomorphine은 타액분비를 자극한다. 6%의 구연산이 타액분비를 촉진시킬 수 있는 것으로 보고되기도 한다.

② 호르몬
호르몬과 호르몬 유사 물질들의 작용은 타액선의 크기 및 기능에 영향을 가져올 수 있다.

③ 연령
20대까지는 타액의 생산이 증가하나 그 이후에는 인체의 지방화와 섬유화가 진행되면서 선포세포가 위축되어 감소하게 된다.

④ 음식
섭취한 음식에 따라 타액의 분비량과 구성 조성이 달라진다.

⑤ 정신적 요인
우울과 불안상태는 타액선에 분포하는 교감신경을 억제하여 구강건조증을 유발한다.

生理

1. 口脣舌의 構造

≪黃庭經≫玉池의 淸水가 靈根을 축여준다 하였는데 玉池란 입이고 淸水는 唾液, 즉 침을 말하며 靈根은 혀를 의미한다고 하였다. ≪靈樞·憂恚無言論≫口脣은 飛門으로 數動하는 作用이 있고 音聲의 익이며, 舌은 心의 苗이고 喉에서 聲이 響出되며 또한 音은 舌의 作用으로 宮商角微羽로 判別되기 때문에 音聲의 機라 하였다.

2. 臟腑와 關係

1) 心과 關係

≪素問·陰陽應象大論≫≪靈樞·脈度篇≫心은 舌의 苗로 心이 舌을 주관하고 舌로 開竅하므로 心氣가 通하며, 心氣가 和하면 舌이 五味로 감별하고 또한 心은 小腸과 表裏關係를 이루고 있으므로 心과 小腸에 熱이 있으면 心火가 上炎해서 口舌에 瘡이 나타나며 舌尖이 붉어지고 舌腫과 舌衄이 발생된다 하였다. ≪素問·脈要精微論≫心脈이 搏緊하고 長하면 舌卷이 되어 不能言이 나타난다 하였다. ≪諸病源候論≫心經은 舌과 通하고 脾經은 口와 通하고 있기 때문에 이들 臟腑에 熱이 있으면 熱이 心脾를 乘하고 氣沖이 되어서 口舌에 腫大와 瘡이 발생하며 또한 脾脈과 胃絡이 咽을 夾하고 舌本에 連結되며 舌下에 퍼져 있기에 心의 別脈이 되고 舌本과 聯關되어 있다. 만일 心脾에 風邪가 侵犯하면 舌强으로 不能言하게 되며, 心은 血脈을 主官하기 때문에 心臟에 熱이 있으면 마치 涌泉과 같이 舌上에서 出血이 나타난다 하였다. ≪世醫得效方≫心의 本脈이 舌根에 連繫되고 脾의 絡脈이 舌傍에 連結되며 脾의 絡脈이 舌緣에 連結되어 있고 또 肝의 經脈은 陰器를 돌아 올라와 舌下에 連結되어 있다. 또한 腎의 津液이 舌端에서 나와 五臟에 分布시키는데 이것을 心이 주관하는데 心, 肝, 腎의 三經脈에 風, 寒, 暑, 濕의 邪氣가 侵犯하면 舌卷이 되어 不能言이 나타나고, 七情으로 氣鬱이 되면 舌腫이 되어서 不能言하게 되며, 心熱이 있으면 破裂生瘡하고, 肝氣가 鬱結되면 舌衄이 오고, 脾氣가 鬱滯되면 白苔가 白雪狀을 띤다 하였다.

2) 脾와 關係

≪素問 · 陰陽應象大論≫≪金匱眞言論≫≪奇病論≫≪靈樞 · 經脈篇≫口脣은 脾의 官으로 中央의 黃色은 脾에 通하고 口에 開竅되어 脾에 精이 藏해지는데 病이 있으면 舌本에 나타나며, 脾氣가 口로 通하여 脾氣가 和하면 五谷을 알 수가 있다. 그리고 五味는 口로 들어가서 胃에 藏하고 脾는 精氣를 行하여 津液이 脾에 貯藏되며, 口에서는 甘味가 나타나는데 足太陰脾經이 絶하면 脈이 不榮해지고 또한 脣舌은 肌肉의 本이기 때문에 肌肉이 連해지고 人中이 滿하게 되어 脣反이 발생한다. 또한 足太陰脾經脈의 是動病으로 舌本의 강해짐이 발생한다고 하였다. ≪脈因證治≫≪證治彙補≫脣病은 脾에서 主로 발생되는데 脾冷이면 脣에 紫色, 脾敗이면 黑色, 脾寒이면 靑色, 脾虛이면 白色을 띠고 脾氣가 衰弱하면 黃色, 脾氣가 實하면 紅色을 보이며, 또한 脾熱은 虛熱로 滑苔를 보이고 舌强이 되며 脾氣가 鬱閉되면 白苔가 白雪狀을 띤다 하였다. ≪證治準繩≫風熱이 脾에 傳해지면 脣의 腫裂과 繭脣이 나타난다 하였다.

3) 胃와 關係

≪素問 · 奇病論≫≪三因極一病證方論≫≪濟生方≫五味가 口로 入하여 胃에 藏하고 脾는 精氣를 行하여 津液이 脾에 貯藏되어 人體 혹은 五味를 濡養시킨다 하였다. ≪太平聖惠方≫口齒는 臟腑의 門戶라 하였다. ≪醫學正傳≫口中에서 穢臭가 나는 것은 腸胃積熱이고 穢臭가 있으면서 憎寒惡熱하면 胃氣에 熱이 있는 것이라 하였다. ≪醫學心悟≫胃熱이 極甚하면 黃苔와 乾燥가 발생된다 하였다. ≪辨證錄≫舌本의 上은 足陽明胃經, 舌本의 下는 手陽明大腸經이 散하므로 胃經과 大腸經에 病이 있

으면 舌의 上 · 下에 病變이 나타난다 하였다.

4) 肝과 關係

≪靈樞 · 經脈篇≫厥陰은 肝脈이고 肝은 筋의 合이며 筋에는 陰氣가 聚合되어서 그 脈絡이 舌本에 있다 하였고, ≪素問 · 痿論≫肝氣에 熱이 있으면 膽泄이 되어 口苦하며, 肝熱이 脾를 犯하면 脣과 齒齦에 腫痛이 나타난다 하였다. ≪景岳全書≫肝熱이면 口酸이라 하였다. ≪證治彙補≫肝熱이면 舌卷縮된다 하였다.

5) 腎과 關係

≪素問 · 宣明五氣篇≫腎은 骨을 主官하며 齒는 骨의 餘라 하였다. ≪素問 · 痿論≫腎熱이 있으면 齒牙가 黑해지면서 乾槁해진다고 하였다. ≪諸病源候論≫牙齒는 骨의 所終이며 髓의 所養이라 하였다. ≪東垣十書≫齒齦에는 足陽明 및 手陽明經이 通하고 있는데 上齒齦은 坤土로 足陽明胃經과 貫通해 있고, 下齒齦은 쉴 사이 없이 飮食物을 씹어야 하므로 手陽明大腸經과 通하여 있다고 하였다. ≪證治準繩≫腎虛하면 脣繭이 되고 때때로 出血, 內熱, 口乾, 吐痰과 身體가 虛弱해지며, 腎熱이 있으면 口鹹이 발생된다 하였다. ≪類證治裁≫舌은 心의 苗이고 齒牙는 腎의 標이기에 모든 舌과 齒病은 心腎에서 나타난다 하였다. ≪證治彙補≫≪重樓玉鑰≫齒牙가 出血 혹은 不出血하거나 또는 疼痛이 甚하거나 혹은 不痛하면서 마치 脫落되는 듯한 動搖豁脫은 腎病이고, 腎熱이 있으면 津竭해지면서도 舌心도 乾焦해진다. 또한 腎精充足은 齒堅하고, 衰弱하면 齒豁이 나타나며, 虛熱이 있으면 齒動해지고, 骨髓가 充足하면 齒牙가 長하며, 腎虛가 되면 齒痛과 齒牙가 浮하게 된다 하였다.

6) 口脣舌의 經絡

구강은 脾가 주관하고 胃, 大腸의 脈이 순환한다. 口齒를 순환하는 것은 足陽明胃經, 手陽明大腸經 등이고, 脣 주위를 순환하는 것은 足陽明胃經, 足厥陰肝經, 督脈, 任脈등이다. 舌을 순환하는 경락은 足太陰脾經, 足少陰腎經, 足厥陰肝經 등이다.

病因病理

口는 足太陰脾經으로서 五味를 섭취하여 五氣를 영양하고 五氣는 五臟의 氣로서 五臟의 氣가 偏勝되면 병이 발생된다.

1. 外因

1) 六氣

주로 風, 冷, 寒, 濕, 熱邪 등에 의해 발생한다. 風邪는 肝火가 있을 경우에 쉽게 침입하여 舌卷, 舌强으로 언어가 不利하게 된다. 風寒邪는 대부분 氣血虛弱, 腎虛, 脾胃虛弱, 大腸虛弱한 상태에서 침입하여 齒間에 流注하여 齒齦腫痛, 치아탈락 등을 일으킨다. 寒濕邪는 脾胃가 虛弱한 상태에서 침입하여 口脣에서 瘡腫, 糜爛, 潰瘍 등이 나타난다.

2) 傷寒

少陰脈은 腎을 貫通하고 肺에 絡하고 舌本에 連繫되어 있으므로 傷寒五日에 少陰이 病이 들면 口苦,

舌乾, 口渴 하게 된다. 11일째 되면서 少陰病이 약해지면 갈증과 舌乾症이 없어지면서 嚔嚏한다. 寒에 손상되면 하루 만에 巨陽과 少陰이 함께 병이 들어 頭痛, 口乾하면서 煩滿한다.

2. 內因

본래 氣血虛弱 하거나, 大病, 久病, 熱病, 房勞, 勞倦 등으로 氣血, 陰精, 津液이 虛損되어 心陰虛, 脾胃虛弱, 腎精虧損 등이 되어 口, 脣, 舌, 齒病이 나타난다. 또는 七情不和로 肝氣鬱結, 脾胃氣機 阻滯되어 발병한다.

3. 不內外因

1) 飮食勞役

(1) 밥맛이 없고 消化가 잘 되지 않으며 말을 하려고 하지 않고 억지로 대답하게 되면 목소리에 힘이

없고 입에 침이 많이 생긴다. 맑은 콧물이 나오기도 한다. 口는 坤土로서 脾氣가 口에 통하므로 飮食이나 勞役에 損傷되면 穀味와 五味를 알지 못하게 된다.

(2) 口淡은 大勞, 大瀉, 大汗, 大病 後에도 발생한다.

(3) 飮食無味는 胃火뿐만 아니라 勞傷으로 內熱이 발생했을 때도 나타난다.

4. 病理

1) 外感邪毒

(1) 風熱

평소에 脾胃積熱이 있을 때 風熱이 侵襲해서 口脣舌齒에 熱이 鬱滯되어 氣血이 相搏하고 脈絡에 瘀阻하여 口舌이 紅腫, 潰爛하며 脣도 紅腫, 焮熱, 龜裂, 瘙痒하고 牙齒齦도 紅腫, 疼痛하게 된다. 또한 濕熱이 內盛하면 口脣이 破裂, 潰爛, 腐爛하고 膿汁이 流出된다.

(2) 風寒

脾氣虛弱, 腎陽虛 또는 氣血虛弱한 경우에 風寒이 침입해 寒邪가 鬱滯되어 口脣舌齒를 溫煦하지 못해 口脣에 淡紅腫, 瘙痒, 龜裂이 나타난다. 또한 舌短縮으로 運動不利되며 齒齦도 淡紅 或 不紅하면서 疼痛, 浮腫이 발생한다.

2) 脾胃溫熱

膏粱厚味나 肥甘, 炙煿한 음식이나 醇酒를 過多攝取하여 脾胃熱盛으로 火熱이 上炎해 氣血과 津液을 灼傷하여 발생된다. 胃火가 壅盛하면 口舌脣의 肌肉과 齒齦에 紅腫疼痛과 潰爛이 일어나고 齒衄

과 口臭도 나타난다. 熱로 因해 脾不化濕으로 濕熱이 薰蒸되면 口脣의 肌肉과 齒齦에 紅腫疼痛, 腫脹, 破裂, 膿汁 등이 나타나고 脣瘙痒, 脣瞤動이 발생한다.

3) 心脾積熱

七情鬱結로 心陽亢盛 또는 脾胃積熱이 전해져 心脾에 火熱이 上炎하거나 또는 氣滯血瘀로 인해 口舌生瘡과 紅腫, 潰爛이 발생된다.

4) 心火上炎

본래 虛弱하거나 또는 七情內傷, 熱病, 久病 後에 心陰血이 손상되어 口脣을 上榮하지 못하거나 또는 虛火가 上炎하여 口舌脣齒에 生瘡, 潰爛, 淡紅이 나타나며 경미한 疼痛과 舌尖이 紅赤해지는 虛證이 발생된다. 또한 心脾가 虛할 때에 風邪가 침입하면 風熱이 心에 鬱滯되어 氣滯血瘀가 일어나 舌이 돌연히 腫脹되고 舌强으로 言이 不能하게 되는 實證이 나타난다.

5) 肝鬱化火

情志不舒로 肝氣가 鬱結되어 肝膽에 熱이 鬱滯되면 口苦가 나타나고 또 肝風內動되며 또한 熱極生風, 風火相煽으로 舌脹, 舌强, 偏歪되어 言이 不能하게 되며 脣도 紅腫, 破裂하고 齒衄이 나타난다.

6) 腎陰虧損

久病, 大病으로 腎精을 傷하거나 또는 房勞, 勞倦, 失血過多 혹은 補陽 및 溫燥한 약물을 過多 服用하거나 또는 情志內傷으로 腎陰이 虧損되어 口脣을

滋養하지 못하거나 또는 腎陰不足으로 虛火가 上炎하여 牙齒痛, 齒齦, 齒槁가 나타난다. 또한 肝腎陰虛로 인하면 舌이 絳紅, 裂紋, 疼痛해지고, 心腎不交로 因하면 口中의 肌肉이 白色 및 片狀으로 瘡瘍이 일어나는 虛火口瘡이 발생된다. 이외 膀胱의 濕熱이 小腸에 전해져 口舌을 薰蒸해 口舌의 肌肉에 潰瘍, 糜爛, 腐肉 등이 나타난다.

診斷 및 檢査法

1. 診斷

1) 視診

(1) 구순의 색깔을 살펴 빈혈의 유무를 알 수 있다.

(2) 구륜근 및 협근의 운동상태를 관찰한다.

(3) 좌우 협점막에 있는 이하선 Stensen관의 개구부를 중심으로 마사지 하면서 타액의 상태를 관찰한다. 화농성 이하선염이 있을 때에는 농즙이 배출된다.

(4) 치열의 상하咬합의 상태, 좌우의 운동 상태, 치육 및 치아의 상태도 관찰한다. 치근부의 염증이 상악동염을 초래하기도 하며 치아의 병변이 없는데도 치통을 호소하면 삼차신경통이나 상악암도 생각해 볼 수 있다.

(5) 구강점막을 중심으로 홍반, 자반, 백반, 구진, 결절, 종물, 수포, 미란, 궤양, 위축, 부종 등의 유무를 관찰한다. 정상 점막은 점막 아래의 모세혈관이 옅게 비치므로 분홍색을 띠고 있으나 염증이 발생하면 혈관이 확장되고 혈류가 증가하여 붉게 변한다. 또한 백반증과 같이 점막 상피가 두꺼워지면 점막 아래의 혈류가 비치지 않아 희게 보이기도 한다.

(6) 舌小帶 短縮症의 유무를 살핀다.

(7) 舌苔의 色澤, 균열 궤양 및 硬結이 있는가를 관찰한다.

2) 問診

(1) 구강내 동통 및 섭식장애를 확인한다. 구강내 통증은 대부분 구내염, 구강궤양, 구강 결핵, 매독, 악성 종양, 설근 농양, 구강저 봉와직염 등에서 심하게 나타나며 개구장애를 동반하기도 한다.

(2) 연하장애를 확인한다. 염증에 의한 동통 및 구강의 국소조건, 즉 구개궁 결손, 연구개마비, 혀마비, 종양 등에서 연하장애가 나타날 수 있다.

(3) 구취를 확인한다. 구강내 염증, 충치, 농양 등의 구강내 질환이나 만성 편도선염, 만성 위장염 등의 구강외 질환에서 모두 구취가 나타날 수 있다.

(4) 미각이상을 확인한다. 미각과민, 미각감퇴, 미각결여 등을 확인하는데, 약물의 내복이나 바이러

스 감염, 안면신경마비, 스트레스 등에서 미각감
퇴가 나타날 수 있다.

(5) 타액분비장애를 확인한다. 열성질환, 당뇨, 콜레
라, 항암제 복용 등에서는 심한 수분 손실로 타
액분비가 감소되고, 위통, 구내염, 의치, 히스테
리, 연수마비, 수은중독 등에서 타액분비가 증가
될 수 있다. 생후 3-5개월의 신생아에서는 생리
적으로 타액분비가 증가될 수 있다.

(6) 음성 및 언어장애를 확인한다. 구개파열, 결손
및 천공, 연구개 마비 등에서는 개방성 비음이
나타나고 구개궁의 종창, 비인강 종양 등에서는
폐색성 비음이 나타난다.

3) 觸診

(1) 안면 하반부의 촉진으로 턱 밑 림프절, 하악지,
구륜근 및 협근의 운동 상태, 치아를 악물었을
때의 교근의 강도, 악관절의 운동 등을 살펴본
다.

(2) 혀의 궤양 주위에 경결이 있으면 설암의 가능성
도 생각해 보아야 한다.

(3) 구강내의 종양이나 腫瘤가 있을 때는 양손으로
구강 안팎을 촉진하는 것이 좋다.

2. 檢査法

1) 미각검사

설점막의 장애뿐만 아니라 지배신경의 장애와 부위
를 파악할 수 있다.

(1) 미각검사 : 공복시 환자에게 각각의 맛을 가진
액체를 면봉에 묻혀 혀 각부분에 찍어 바른 후
환자에게 酸味, 苦味, 甘味, 鹹味, 不明의 다섯가
지 종이 중 하나를 고르게 한다. 酸味는 주석산
을, 苦味는 염산키니네액을, 甘味는 포도당을,
鹹味는 생리식염수를 사용한다. 苦味는 설인신
경의 지배를 받고 나머지 미각은 설신경의 지배
를 받는다.

(2) 전기미각검사 : 혀 가장자리에 5 mm 직경의 스
테인레스 금속판을 대어 신맛이 나는 금속미를
느끼는 정도를 측정한다.

治療 및 管理

1. 治療

1) 內治法

(1) 疏風淸熱
實熱로 인한 구강질환, 순질환, 설질환 등에 활용한다. 薄荷連翹湯, 升麻黃連湯, 雙解通聖散 등을 사용한다.

(2) 淸心凉血
心火上炎으로 인한 口瘡, 口糜, 重舌, 弄舌 등에 활용한다. 導赤散, 凉膈散 등이 있다.

(3) 祛痰除濕
脾胃濕熱, 膀胱濕熱로 인한 口糜, 脣腫, 舍腮瘡, 舌下痰包 등에 활용한다. 甘露飮, 加味二陳湯 등을 사용한다.

(4) 活血祛瘀
心脾積熱로 인한 口, 脣, 舌 등에 腫脹, 出血이 있는 경우에 활용한다. 消毒犀角飮, 蒲黃散, 蟾酥丸 등을

사용한다.

(5) 祛腐排膿
口脣에 潰瘍이 발생하는 口糜, 走馬牙疳 등에 활용한다. 仙方活命飮, 托裏消毒飮 등을 사용한다.

(6) 利膈通便
脾胃積熱로 인한 口瘡, 口臭 등에 활용한다. 大承氣湯, 調胃承氣湯 등을 사용한다.

(7) 補腎健脾
心腎不交나 腎陰不足으로 虛火가 上炎되거나 혹은 胃陰이 不足하여 津液이 枯竭되어 발생하는 口舌瘡, 舌裂 등에 활용한다. 連理湯, 黑參丸, 知柏地黃丸, 右歸飮, 附桂八味丸 등을 사용한다.

(8) 補益氣血
久病, 大病으로 氣血이 虛損하여 발생하는 오래된 口乾, 口瘡, 舌上生瘡, 齒齟 등에 활용한다. 四君子湯, 八珍湯, 十全大補湯 등을 사용한다.

2) 外治法

구강질환에서 사용하는 外治法은 吹藥法, 敷藥法, 含漱法, 刺破法 등이 있다.

(1) 吹藥法
약물을 직접 구강의 환부에 불어 넣어 치료하는 방법이다. 구강은 병변부위가 얕고 충분이 노출되어 있어 吹藥이 병소에 직접 도달할 수 있으므로 상용하는 外治法이다. 淸熱解毒, 消腫止痛, 化腐生肌 등의 錫類散, 靑黛散을 주로 사용하며 氷硼散, 珠黃散, 錫類散 靑黛散, 黃柏散 등이 있다.

(2) 敷藥法
약물을 병변부위에 貼敷하여 구강의 질병을 치료하는 방법이다. 주로 頷下癰, 痄腮, 滯頤, 骨槽風 및 턱까지 파급되는 종양 등 구강외 질환에 활용되었으나, 최근에는 팩처럼 얇은 막의 형태로도 나와 구강내 궤양과 같은 질병에도 사용되고 있다. 淸熱解毒, 消腫化腐 등의 효과가 있는 약물을 사용하며 黃連膏, 如意金黃膏 등이 있다.

(3) 含漱法
약물을 녹여 구강 내에 含漱함으로써 구강을 청결하게 하고 解毒消腫시키는 치료법이다. 含漱한 약물이 구강 병변부위에 직접 접촉함으로써 급만성 구강질환의 국소적 치료에 많이 활용하고 있다. 淸熱解毒, 消腫化腐하는 약물인 銀花甘草液, 薄荷水煎液 등이나 淡鹽水, 淡醋水 등을 활용한다.

(4) 刺破法
병변 부위를 刺破하거나 切開하여 독소를 배출시키는 방법이다. 구강 내외에 발생하는 癰腫이 紅腫疼痛하거나, 成癰化膿하거나 飛揚喉와 같이 血疱가

발생한 경우에 활용한다. 옹종이 생겨 화농되지 않은 경우에는 삼릉침으로 환처를 點刺出血 시켜 濁血을 제거하고 熱毒을 배출하며 消腫止痛 시키고, 이미 농이 만들어진 경우에는 가장 돌출된 부위를 切開排膿시킨 후에 解毒消腫, 化腐排膿하는 약물을 매일 1회씩 貼敷한다.

3) 鍼灸治療

鍼刺, 艾灸, 耳鍼, 藥針法 등의 방법이 있으며 이중 鍼刺法을 주로 사용한다.

(1) 鍼刺法
급만성 구강질환 및 牙痛, 面痛, 턱관절장애 등에 사용한다. 주로 手足陽明經을 활용하는데, 合谷, 陽溪, 手三里, 地倉, 四白, 大迎, 頰車, 下關, 內庭, 廉泉, 承漿, 金津玉液, 등을 활용한다.

(2) 艾灸法
陽虛口瘡과 같은 虛寒性 구강질환에 사용한다. 足三里, 三陰交, 下關, 頰車, 合谷, 太溪, 陰谷, 照海 등을 활용한다.

(3) 藥鍼法
급만성 구강질환, 특히 虛火牙痛, 牙宣, 骨槽風, 口瘡 등의 만성 질환에 사용한다. 穴位는 鍼刺法과 같으며 黃連解毒湯, 紫河車, 蜂毒, 鹿茸 등을 활용한다.

(4) 耳鍼法
慢性 구강질환에 사용하는데, 口, 舌, 上頷, 下頷, 面頰, 腮腺, 上顎, 牙痛點1, 牙痛點2, 脾, 胃, 腎, 內分泌 등을 활용한다.

2. 管理

1) 生津潤口 導引法

방법은 입을 가볍게 벌리고 혀를 입천장에 닿게 하였다가 口脣을 살짝 다물면서 혀로 상하 치은과 입술사이를 회전하듯이 움직여 舌下에 진액이 차올라 입안 가득 머금도록 한 후 서서히 삼킨다. 이는 口舌 乾燥를 예방하고 養陰, 益精, 强身하는 효과가 있다.

제2장

口腔科 各論

韓醫

口腔科

口腔疾患

1. 구내염

구내염은 구강 내에 발적, 동통, 작열감 등이 생기는 질환으로 口瘡, 口舌生瘡, 口中疳瘡, 口破, 口疳, 口瘍, 口中飛瘍이라 한다. 대개 반복 발작의 기왕력이 있거나 반복 발작하며 점차 궤양으로 진행하기도 하는데, 일반적으로 5-7일이면 자연 치유되나 간혹 10여 일이 지나서 회복되기도 한다.

증상 및 발생 부위에 따라 口糜(口糜爛), 口疳(鵝口瘡), 口吻瘡(嚥口) 등으로 나뉘는데, 口糜는 미란과 궤양이 극심한 상태를, 口疳은 소아에서 발생하는 구내염을, 口吻瘡은 구각의 주위에 발생하는 구내염을 의미한다.

1) 단순성 구내염

(1) 槪要

口中飛瘍이라고도 하며 여러 가지 원인에 의하여 발생하고 다양한 경과를 가진다.

(2) 病因病理

① 영양장애, 빈혈, 萎黃症, 위장장애, 고열 등이 유인이 됨.
② 기계적, 화학적, 온열적 자극이 가해져 생김.
③ 감기의 한 증상.
④ 다른 각종 구내염의 전구증.

(3) 臨床症狀

① 자각증: 식사 시의 동통, 작열감, 타액의 증가, 미각감퇴, 구취 등.
② 타각증: 구강점막이 전반적으로 발적 종창된다. 입술이 건조하여 가피 및 균열 생기고 구각 미란, 표피박탈. 설유두 종창, 厚白苔를 관찰할 수 있다.

(4) 治療

① 구강 내 청결 유지(氷硼散 撒布)
② 식이: 자극성 없는 유동음식.
③ 脾胃不調시 脾胃疾患 치료한다.

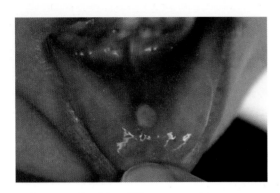

그림 2-1-1 아프타성 구내염

2) 아프타성 구내염(그림 2-1-1)

(1) 槪要

口瘡, 口糜 등에 해당하는 것으로서 재발성 구창이나 만성 재발성 아프타라고도 하며 일종의 구강점막병이다. 청장년이나 중년인에게 호발하며 여성에게 비교적 많고 노인에게는 드물게 나타난다. 아프타성 궤양(aphthous ulcer)이란 원형 또는 타원형의 깊이가 얕은 소궤양을 말하며 소아프타성 구내염(minor aphthous stomatitis), 대아프타성 구내염(major aphthous stomatitis), 포진형 구내염(herpetiform stomatitis)으로 분류된다.

(2) 疫學

구강 점막 질환 중 높은 빈도를 차지하며 동양인에서 발생 빈도가 높다. 20대에 호발하고 사춘기 이후에 증가하였다가 60세 이후에는 감소되며 일반적으로 여성에 많다. 재발의 주기는 병변의 종류나 전신상태에 따라서 차이가 있으나 대개 1-3개월 주기로 나타난다.

(3) 病因病理

정확히 밝혀진 원인은 없으나 여러 가지 요인들이 관여하여 발생하는 것으로 알려져 있다.

① 바이러스 감염: herpes simplex virus (HSV), cytomegalovirus (CMV), varicella zoster virus (VZV), Epstein Barr virus (EBV)
② 세균감염: Streptococcus sanguis type 2A
③ 기타: 면역장애, 스트레스, 외상, 유전적 요인, 호르몬 장애, 음식물에 대한 알레르기, 전신 질환
④ 虛證: 心腎不交
　실證: 心脾實火
⑤ 上焦實熱: 心脾積熱, 或兼感風熱之邪
⑥ 中焦虛寒: 脾胃虛弱, 陽氣不足, 虛陽上浮
⑦ 下焦陰火: 腎陰不足, 虛火上炎虛實의 證 모두 濕濁之邪에 의해 나타날 수 있으며 이는 局部 潰瘍糜爛을 생기게 하거나 병정을 장기화할 수 있다.

(4) 臨床症狀

전구기에는 무증상이 일반적이며 경미한 발열, 감각이상을 느낄 수 있고 전 궤양기에는 구강점막에 반점 또는 구진, 통증과 권태감, 식욕부진이 있을 수 있다. 궤양기는 1-16일간 지속되며 심한 통증과 연하장애, 언어장애 등이 있으나 회복기를 거쳐 호전되며 일반적으로는 전신증상은 동반되지 않는다. 자각증은 심한 동통, 작열감으로 저작과 발음이 힘들어진다. 타액증가, 미각장애, 식욕부진, 두통, 변비 등이 동반되기도 한다. 진찰 소견 상 단순한 구내염을 전구증으로 하고 볼, 구순내면, 치조돌기저부, 혀, 구개 등의 점막에 대소의 원형 혹은 타원형의 얕은 궤양이 생기며 그 주변에는 발적대가 있고 그 밑에는 백색 또는 황백색의 얇은 僞膜이 부착되어 있다.

(5) 分類

① 소아프타성 구내염

아프타성 구내염의 약 80%를 차지하며 대개 한 개 이상의 비교적 작은 궤양이 협점막, 구순, 혀, 연구개, 구인두 등 구강의 움직이는 부위 점막에 재발성으로 잘 발생한다. 궤양은 주위의 경계가 분명하고 변연에 홍반성 테두리가 있으며 궤양의 중앙부는 황색을 띠고 있다. 통증이 심하나 10-14일 이내에 반흔 없이 치유된다.

② 대아프타성 구내염

소아프타성 구내염에 비하여 빈도는 낮으나 아주 심한 형태이다. Sutton병 또는 재발성 괴사성 점액선 주위염(periadenitis mucosa necrotica recurrens)이라고 한다. 각화 부분을 포함한 구강 점막의 어느 곳이나 발생하고 심한 통증을 동반한 10-30 mm 크기의 크고 깊은 궤양이 6주에서 수개월까지 지속되며 치유 후에도 반흔이 남는 특징이 있다.

③ 포진형 구내염

헤르페스 바이러스 감염에 의한 재발성 단순포진과 모양은 유사하나 원인은 다르다. 1-3 mm 크기 내외의 20-200개의 낮은 소궤양이 군집하여 나타나고 구강 점막의 모든 부위에서 재발성으로 생긴다. 발생 후 1-2주 내에 치유되며 30% 정도에서 치유 후 반흔이 남게 된다.

④ 虛火로 인한 구내염의 경우 腫瘡이 淡紅色을 띠고 온 입안에 흰 반점이 퍼져있고, 극심하면 거북이 등 무늬를 나타낸다. 實火로 인한 경우는 腫瘡이 짙은 紅色을 띠고 온 입안에 헤어진 반점이 퍼져있으며, 극심하면 이하선부위와 턱 부위, 혀가 모두 붓는다.

(6) 鑑別診斷

헤르페스 바이러스 감염, Behçet 증후군, 외상성 궤양, 악성 종양, 구강 결핵 등과의 감별을 요한다.

헤르페스 바이러스 감염의 경우 주로 경구개나 치은 같은 고정된 점막에 소수포를 만들어 융합되고 단시간에 궤파되어 황백색 태로 덮인 작은 궤양을 많이 만들고 전신증상을 동반하게 되므로 경구개에서 수포가 증명되지 않으면 아프타성 구내염과 구별하기 어렵다.

악성 종양의 경우 노년에서 비교적 다발하고 궤양면이 불규칙하며 궤양주위의 침윤이 넓고 단단하며 분화구 모양을 띠고 있고 전신 상태가 약하며 재발의 기왕력이 없다.

결핵성 궤양의 경우 청소년 및 중년에서 다발하며 궤양주위는 정상 혹은 가벼운 침윤이 있는 정도이고 궤양의 저부에서 육아상의 돌출을 볼 수 있으며 폐결핵을 동반한 경우가 많다.

(7) 辨證施治

구창의 변증은 먼저 허실을 구별하는 것이 중요한데, 이에 국소증상을 주요근거로 하고 전신증상을 결합하여 분석하며 치료는 內外同治하여야 한다.

① 內治

- 風熱上擾 口瘡의 초기로 灼熱痛이 있고 發熱惡寒 等 症을 동반한다. 疎風散熱하는 銀翹散, 桑菊飮 等과 金銀花, 連翹, 竹葉, 牛蒡子, 薄荷, 桑葉, 桔梗, 升麻 等을 사용한다.
- 心脾積熱 口瘡의 瘡面이 크고, 灼熱痛이 심하며 주위가 充血되어 있고 發熱, 頭痛, 림프절종대, 口渴多飮을 동반한다. 淸泄心脾하는 白虎湯合導赤散을 사용하고 체온이 상승하고 大便秘結할 때는 凉膈散을 쓰거나 혹은 黃連解毒湯을 合用할 수 있다. 약제는 石膏, 知

母, 生地, 竹葉, 燈心, 木通, 澤瀉, 銀花, 蘆根, 甘中黃 等을 사용한다.

- 陰虛火炎 口瘡이 1-2개이며 한쪽이 나으면 다른 쪽에서 생기고 舌紅少苔한다. 滋陰淸火하는 知柏地黃湯이나 沙參, 石斛, 麥冬 等을 사용한다.
- 脾虛濕盛 口瘡이 오래되고 궤양은 황색을 띠며 食少便溏, 舌胖嫩하다. 健脾利濕化濁하는 蔘苓白朮散加減을 사용한다.
- 虛陽上浮 口瘡의 病程이 비교적 길고, 궤양은 백색이며, 주위 역시 充血되지 있지 않고, 刑寒肢冷, 口中不渴, 舌胖淡, 脈沈細하다. 溫補脾腎, 引火歸元하는 椒梅附桂連理湯 혹은 川椒, 烏梅, 附子, 肉桂, 黃連, 乾薑, 茯苓, 白朮 等을 사용한다.

② 外治

- 養陰生肌散 혹은 綠袍散, 靑黛散을 매일 3-4회로 매번 조금씩 口瘡의 환부 및 주위에 뿌린다.

(8) 治療

일반적으로 원인을 알지 못하므로 증상 경감을 위한 대증적 치료가 이루어진다. 국소적으로 10% lidocane 구강 분무액을 살포하고 구강을 청결히 하며 tetracycline 용액 또는 chlorhexidine 함수액으로 함수한다. 국소 스테로이드연고를 oral base와 함께 사용할 수 있으며 대아프타성 구내염의 경우 전신 스테로이드 치료를 하기도 한다.

3) 바이러스성 구내염

(1) 단순포진성 구내염

① 槪要

구순 포진(herpes labialis, recurrent herpes)과 유사한데 속발성 또는 잠복성 감염으로서 단순포진 바이러스가 숙주의 신경조직에 잠복해 있다가 피로, 발열, 자외선, 스트레스, 상기도 감염, 월경, 임신, 면역억제 등의 유발요인으로 인해 입 주위에 포진이 나타나는 것을 말한다. 脣部에 발생할 때는 脣疱疹이라하며 口腔粘膜에 발생할 때는 疱疹性 口炎이라한다. 임상특징은 초기에 局部 充血水腫, 灼熱感이 있으면서 가렵다. 계속해서 주삿바늘 크기의 수포가 다수 발생하고 투명하며 주위는 紅暈이 있다. 쉽게 潰破되어 糜爛, 潰瘍을 형성하고 표면은 황백색 위막으로 덮여있다. 發熱, 頭痛 등 증을 동반할 수 있다. 영아 혹은 아동에서 많이 볼 수 있으며 感冒혹은 기타 전염병 이후에 발생하는 경향이 있다.

② 病因

대부분 風熱挾濕이 肺胃를 침범하여 口腔으로 上攻하여 일어난다. 風熱이 외부에서 들어오고 쉽게 陽明積熱을 작용하게 만들어 火熱의 證候가 발생한다.

③ 症狀

상순, 하순, 구각부의 점막, 피부, 점막과 피부 사이의 이행부에 작열감과 동통, 감각이상이 나타나면서 1-2 mm의 구진성 홍반이 밀집형으로 생기며 소수포를 형성하고 동시에 림프절 종창이 나타난다. 수포는 수일대로 농포화되고 파열되어 미란과 가피가 형성되고 2주 전후에 치유된다.

④ 辨證施治

- 內治
  - 風熱挾濕上擾 포진이 급속히 일어나고 급속

히 潰爛되어 局部에서는 새로운 포진과 潰破, 糜爛이 挾雜된 것을 볼 수 있다. 發熱, 頭痛을 동반한다. 疏風淸熱化濕하는 銀翹散合藿香正氣散 혹은 金銀花, 連翹, 菊花, 薄荷, 蘆根, 藿香, 佩蘭, 澤瀉, 茯苓, 滑石 等을 選用한다.

- 陽明積熱上攻 포진의 수가 비교적 많고 통증이 있으며 局部 充血이 뚜렷하다. 비교적 고열의 發熱이 있고 口渴, 便秘, 舌紅, 苔黃이 있다. 淸泄陽明火熱하는 凉膈白虎湯 혹은 大黃, 芒硝, 甘草, 連翹, 梔子, 黃芩, 薄荷, 石膏, 知母 等을 사용한다

• 外治
- 口腔粘膜에 冰硼散 혹은 綠袍散을 매일 3-4회 뿌린다.
- 脣疱疹이 脣紅部 혹은 피부에 나타날 때는 黃連膏를 매일 2-3회 도포한다.

보존적 치료와 2차 감염 예방을 위주로 치료한다. 스테로이드 복합제의 연고 도포 및 투여, 항바이러스제 도포 및 투여 등을 시행한다.

(2) 대상포진(varicella zoster virus)

① 槪要
대상포진이 구각부 및 안면부에 나타나는 것으로 잠복되어 있다가 양성 종양, 약물, 방사선 치료, 고농도 스테로이드 치료 등으로 숙주의 면역기능이 저하되었을 때 말초의 신경분포에 일치하여 띠 모양으로 수포를 형성한다. 脇部의 대상포진은 한방 문헌에서 纏腰火丹과 유사하나 구강을 침범하는 대상포진을 표현하는 한방 병명 및 증상명은 찾아보기 어렵다.

② 臨床症狀
일반저으로 편측성으로 나타나며 뇌척수신경 지배 영역에서 볼 수 있는데 호발부위는 흉부, 경부, 삼차신경 순이며 삼차신경의 경우 眼 신경 분지 지배영역에서 자주 나타난다. 경도 또는 중등도의 동통과 작열감, 권태감, 발열과 같은 감기 증상을 보이다가 수일 후 신경 분포 영역을 따라 미만성 종창, 집단성 구진, 소수포가 형성되며 수포는 농포를 형성하고 곧 파열되어 갈색의 가피를 형성한다. 구강을 침범하는 경우 협점막, 구개, 인두에 수포와 궤양을 형성하여 아프타성 궤양과 유사하나 통증은 심하지 않다. 3-4주 경과 후 치유되나 피부 색소 침착, 반흔 형성, 포진 후 신경통, 운동신경 마비 등이 남을 수 있다.

③ 辨證施治
휴식과 안정을 취하며 통증 완화와 이차 감염을 방지하기 위해 항생제, 소염제, 선택적 스테로이드제, 국소 항바이러스제로 치료할 수 있다.

(3) 수족구병(hand-foot-mouth disease)(그림 2-1-2)

① 槪要
주로 소아에서 coxackie virus A 군에 감염되어 손바닥, 발바닥, 둔부와 구강점막에 수포가 형성되는 전염성 피부 점막 질환으로 6-8월에 유행한다.

② 臨床症狀
구강 병변은 환자의 약 90%에서 나타나나 약 15%에서는 피부 침범 없이 구강 병변만 보이기도 한다. 3-5일간의 잠복기 후 발열을 동반하는 수포와 구진이 손, 발바닥, 구강에 생기며 수포는 잘 파열되지

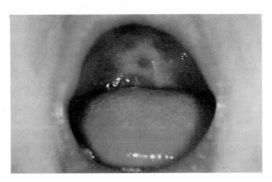

그림 2-1-2 수족구 구내염

먼저 피부에 변화가 생기고 다음에 구강, 소화기의 장애가 일어나 구강, 장, 생식기 등에 심한 염증성 변화가 일어난다. 입술에는 미란, 위막형성, 균열형성이 일어나고 치은은 종창되고 출혈성이다.

(3) Vitamin C 결핍(壞血病, scurvy)
치은이 암자색으로 종창되고 동통이 있으며 출혈되기 쉽고 더 진행되면 궤양이 생겨 악취가 나는 더러운 백태가 끼게 되며 치아는 이완 또는 탈락된다.

않는다. 구강 내에 나타나는 병소는 포진성 구협염보다 광범위하며 수포는 주로 구개, 혀, 협부 점막에 호발한다.

③ 辨證施治
대개의 경우 경과는 양호하며 1주일 전후 자연 치유된다.

4) 중독성 구내염

수은, 연, 동, 비소 등의 금속이 약제로 사용되거나 직업상 이들을 취급함으로써 구내염을 일으킬 수 있다.

5) Vitamin결핍구내염

(1) Vitamin B2 결핍(ariboflavinosis)
입술에 가피, 균열이 생긴다. 구각부에 심한 발적과 상피박리가 일어나며 구각에는 작은 수포가 생긴다.

(2) Niacin 결핍(aniacinosis; pellagra)

2. 구강의 궤양성 질환

口瘍, 口糜, 口糜爛, 口疳, 口破 등으로 口瘡보다 증상이 심한 상태이며 鵝口瘡의 일부 증상도 포함된다.

1) 재발성 아프타성 구내염

(1) 槪要
재발성 구창 또는 만성 재발성 아프타라고도 하는 일종의 구강점막병이다. 가장 흔하게 발생하는 질환으로, 청장년이나 중년인에게 호발하며 여성에게 비교적 많고 노인에게는 드물게 나타난다. 원형 또는 타원형의 깊이가 얕은 소궤양으로 주위와 경계가 뚜렷하고 붉은 테두리로 싸여 있는 형태를 아프타성 궤양(aphthous ulcer)이라 한다. 소아프타성 구내염(minor aphthous stomatitis), 대아프타성 구내염(major aphthous stomatitis), 포진형 구내염(herpetiform stomatitis)으로 분류된다.

(2) 辨證施治
아프타성 구내염 치료 참조

2) 베체트 증후군

(1) 槪要

구강, 눈, 성기의 병소가 특징인 특발성 질환으로 동양인에서 흔히 관찰된다. 스트레스, 정서적 자극, 여성의 월경 기간, 자극성 음식, 과로 등이 유발요인으로 작용될 수 있으며 계절적으로는 초여름과 가을에 자주 나타나는 경향이 있다. 狐惑의 병증은 사지가 무겁고 기운이 없어 자꾸 자려고 하고, 혀가 하얗고 치아가 어두운 색을 띠며 얼굴과 눈이 때로는 붉어졌다가 때로는 하얗게 변하며, 때로는 검게 나타나는데 喉部를 침범하면 惑이라 하고 聲啞가 나타나며 항문을 침범하면 狐라하는데 咽乾症이 함께 나타나게 된다. 또 傷寒狐惑은 병변이 臟을 침범하게 되면 윗입술에 瘡이 생기고 肛門部를 침범하게 되면 아랫입술에 瘡이 생긴다고 하여 장부질환이 口腔과 相應함을 언급하였다.

(2) 病因病理

확실하지 않으나 바이러스 감염설, 알레르기설, 자가면역설 등이 있다.

(3) 疫學

20-30대에서 호발하고 남자에게서 다소 많이 관찰된다.

(4) 臨床症狀

주 증상으로는 구강점막의 아프타성 궤양, 홍채염, 포도막염, 생식기 궤양 등이 있으며 부증상으로 결절성 홍반성 발진과 같은 피부질환, 관절염 증상, 소화기 증상, 비뇨기계 증상, 혈관염 증상, 중추신경계 증상 등이 있을 수 있다. 주 증상 중 두 가지 이상이 있으면 진단할 수 있다. 대부분 아프타성 구내염이 동반되는데 크기가 큰 편이며 수가 적고 치유 후 반흔이 남을 수 있다.

(5) 診斷

needle prick test: 주사침을 피부에 가볍게 찔러 자극을 받은 부위가 24-48시간 후에 발적이나 소농포를 형성하면 양성으로 간주한다. 감별 진단으로는 재발성 아프타성 구내염, Steven-Johnson증후군, Reiter병 등과 감별을 요한다.

(6) 辨證施治

① 狐惑病

- 蝕上部할 때: 三黃瀉心湯
- 蝕下部할 때: 苦蔘湯으로 熏洗한다.
- 蝕肛門할 때: 生艾汁에 雄黃 가루를 타서 태워 煙薰한다.
- 通治: 黃連犀角湯, 治惑桃仁湯, 雄黃銳散

② 구강 점막병변 치료는 아프타성 구내염의 치료와 동일하며 타 증상의 치료에는 스테로이드, 면역억제제, 항응고제, 항바이러스제 등을 사용한다. 환자의 2-4%가 사망할 수 있고 중추신경계 증상 또는 혈전성 혈관염을 동반하는 경우 예후가 나쁘다.

3) 구강 결핵

드물게 나타나며 대부분은 폐결핵에 의한 2차 감염으로 혀, 구개, 구순에 많다. 이차 감염인 경우 다양한 양상을 보이는데 회황색 태로 덮여 있고 궤양저는 작은 과립상이며 주위에 경결을 동반하지 않는 궤양성 결핵이 가장 많다.

4) 구강매독

최근에는 매우 드물게 나타나는데 임상 증상과 경과에 따라 제 1기, 2기, 3기 매독과 선천성 매독으로 분류할 수 있다.

(1) 제1기 매독: 편도, 설첨부에 초기 경결, 경성하감
과 인접 림프절에 무통성 종창이 발생한다. 환자
의 구강, 성기, 식기에 접촉했을 때 감염될 수 있
다.

(2) 제2기 매독: 제1기 매독 3-5주 후에 나타나며 구
순, 경구개, 혀, 협점막에 경계가 선명한 침윤성
경결이 생기는데 최기에는 선홍색이나 진행되
면서 유백색을 띤 점막반으로 변화된다.

(3) 제3기 매독: 연구개, 경구개, 설배부에 고무종
(gumma)을 형성하고 혀에는 매독성 미만성 경
화성 설염이 발생될 수 있다.

(4) 선천매독: 태반혈행으로 감염되며 구각부를 중
심으로 입 주위에 깊은 균열상의 반흔을 형성하
는 열구와 Hutchinson 치아를 관찰할 수 있다.

5) 외상성 궤양

(1) 외상성 궤양
저작에 위한 기계적 자극, 온열, 화학적 또는 전기적
자극 등에 의해 궤양이 생길 수 있는데 주로 6세 이
하의 소아에 자주 나타나며 특히 남아에게서 흔하
다.

(2) Riga-Fede 병
유소아의 설하면, 설소대 또는 설첨부 등에 하나의
불규칙한 궤양이 발생하는 질환으로 하악절치부에
비정상적으로 돌출한 신생치아가 자극을 가해 궤양
이 생기며 육아조직을 동반하는 백태로 덮여 있다.

(3) 욕창성 궤양
압박이나 마찰 등의 기계적 자극으로 인해 발생하는

데 부적합한 의치나 보철물이 구강 점막을 눌러 형성
하게 된다. 궤양의 변연은 비교적 부드러우며 궤양
중앙부에 육아조직과 백태가 관찰되고 저작통이나
구음장애를 초래한다. 결핵이나 종양과 같은 병변과
감별하기 위해 조직검사가 필요하다. 원인 제거와 더
불어 이차적 염증을 제거하면 쉽게 치유되나 치유가
늦어지면 궤양벽이 점차 섬유화되므로 육아조직의
형성이 심한 경우에는 레이저를 이용하여 궤양 중앙
부의 육아조직을 제거해 주는 것이 효과적이다.

3. 구강의 홍반, 미란성 질환

대부분 구강뿐만 아니라 전신에도 여러 가지 증상
이 동반될 수 있으므로 원인 질환의 치료에 중점을
두어야 한다.

1) 다형홍반

(1) 槪要
점막이나 피부에 염증으로 인한 모세혈관 확장, 홍
색 팽진, 구진, 결절이 생기고 혈관의 투과성 항진으
로 조직액이 삼출되어 부종을 형성한다. 진행되면
서로 융합하여 모양이나 크기가 서로 다양해지고
표층에 수포, 미란, 출혈의 소견이 나타난다.증상이
경할 때는 피부와 점막에 국한되어 증상이 나타나
고 심한 수포를 형성하는 다형홍반은 발열과 중독
증상을 수반하면서 급성적인 경과를 취하는 Steven-
Johnson 증후군의 양상으로 나타난다.

(2) 疫學
10-30대 남자에게 호발하며 원인은 바이러스 감염,
세균, 진균 감염, 약품, 식품에 의한 알레르기 등으

로 생각된다. 임신, 여성의 월경, 방사선 치료 등이 유발요인으로 작용될 수 있다.

(3) 臨床症狀

두통, 관절통, 오한, 구토 등의 전구증상이 있은 후 급속히 진행되며 3 mm 이내의 부정성 홍반이 점막에 다발성으로 발생한다. 수일 내에 수포를 형성하고 파열되어 미란과 궤양을 형성하며 황백색 또는 섬유성 위막으로 덮이게 되며 쉽게 출혈되고 구순에 가피를 형성한다. 미란과 궤양은 얕게 발생되고 반흔을 남기지는 않는다. 구순, 협점막, 혀 등에 잘 나타나고 일반적으로 치은에는 나타나지 않는다. Steven-Johnson 증후군은 다형홍반이 심하고 심한 전신 증상을 수반하기도 하는데 안 결막, 비 점막, 외음, 항문 등에도 같은 증상을 나타낼 수 있다.

(4) 鑑別診斷

피부 병변 없이 구강에만 나타나는 경우 천포창, 수포성 유천포창, 아프타성 구내염 등과의 감별을 요한다.

(5) 辨證施治

수액공급 및 영양관리가 중요하며 심한 경우 스테로이드 요법을 사용하기노 한다. 농포와 위막 형성으로 이차감염이 의심되는 경우 적절한 항생제를 선택하여 투여한다. 경한 경우는 특별한 치료 없이도 2-3주 내에 자연 치유되나, 중증인 경우 6주 정도 지속된다.

2) 방사선 점막염

(1) 槪要

방사선에 구강점막이 노출된 후 대개 2주째부터 나타나기 시작하나 심한 경우 방사선 조사 후 수시간 내에 점막에 홍반과 미란이 나타난다. 호발 부위는 구순, 협부 점막, 연구개이다.

(2) 臨床症狀

급성기에는 구강점막에 발적 부종성 종창이 나타나며 점막표층이 백색으로 변한다. 이후 황백색 위막으로 덮여 있는 미란 또는 궤양을 형성하는데 위막 박리시 출혈이 일어나기 쉽다. 방사선 조사를 중단한 후 3-4주 내에 호전되나 치유 후에도 점막이 위축되거나 색이 변할 수 있고 점막하 분비선이 파열되어 구강건조를 가져올 수 있다. 만성적으로 진행되면 점막 상피의 위축, 점막하 조직의 섬유화, 혈관확장, 소타액선의 파괴 등을 관찰할 수 있고 미란과 궤양이 반복되는 양상을 보인다.

(3) 鑑別診斷

증상면에서는 디프테리아로 인한 위막성 구내염, 편평태선, 칸디다성 구내염과 유사하나 병력 및 이학적 소견으로 감별이 가능하다.

(4) 辨證施治

방사선 조사를 중단하는 것이 바람직한 방법이나 암종의 치료를 위해 불가피하게 방사선 치료를 지속해야 하는 경우가 대부분이므로 치료가 쉽지 않다. 보존적 치료로 구강을 청결히 하고 수분을 충분히 공급하며 통증이 심한 경우 이에 따른 치료를 한다. 방사선 조사로 인한 악성으로의 변화 가능성은 많지 않으나 방사선 치료 종료 수년 후에도 점막상피가 건조하고 각화가 심하면서 미란과 궤양이 지속되는 경우 조직검사를 고려해 보아야 한다.

3) 적색반

선홍색을 띠는 벨벳상의 구강 점막병변이다. 상피의 이형성률이 높아 악성으로 변화될 가능성이 백반증보다 훨씬 높다. 60-70대에 호발된다. 만성적인 국소염증, 부적합한 의치에 의한 만성 자극, 의치성 구내염, 칸디다증, 흡연, 음주 등이 유발요인이다.

구강저에 호발하나 협점막, 연구개, 치은에서도 관찰된다. 육안 소견상 경계가 뚜렷하고 약간 융기되어 있거나 평활하고 광택이 있는 선홍색의 홍반성 병소로 기구로 긁으면 출혈 경향이 있다. 자극에 의해 통증이 유발된다. 조직 검사를 통해 악성 여부 진단이 반드시 필요하다.

4) 구강점막 백반

白斑(leukoplakia)은 비교적 흔한 구강 점막병으로 이 중 일부는 악성으로 변화될 수 있어 진단 및 관리에 주의하여야 한다. 白斑은 구강 어느 부위에도 발생할 수 있다. 경미한 것은 증상이 없고 중등도에서는 가벼운 불편함이 있을 수 있으며 자극성 음식에 대해서 민감하거나 혹은 灼熱痛을 느끼는데 병이 舌部에 있을 때 특히 작열감을 느끼게 된다. 口乾이 심한 것은 患部의 硬化로 인하여 局部 活動이 원활하지 못해 발생하는 것이다. 병으로 손상된 부위의 표면이 까칠까칠해지는데 환자가 항상 혀로 患部를 마찰하는 안 좋은 습관을 가지고 있기도 하다. 白斑의 형태는 點狀 혹은 片狀으로 되어 있고 점막 표면에 약간 돌출되어 있는 경우도 있다. 병리조직검사에서 점막이 과도하게 角化되어 있을 때는 예후가 양호하고 만약 角化不良 혹은 비전형적인 증식이 있을 때는 쉽게 악성으로 변화될 수 있으므로 주의하여야 한다.

한의학에서는 이 질환에 대한 전문적인 명칭은 없으나 증상에 근거하여 口乾, 口糜 등의 범주에서 언급할 수 있다.

5) 口腔扁平苔蘚(그림 2-1-3)

扁平苔蘚은 비교적 흔히 볼 수 있는 피부와 점막의 만성 염증성 질환으로 피부와 점막에 동시에 발병하거나 구강 점막에만 국한되어 발생할 수 있다. 구강 점막 중 頰部 粘膜에 발생률이 가장 높고 항상 양쪽 대칭적으로 발생하고 편측에 발생하는 경우는 드물며 脣, 舌, 口底部 및 口蓋部에도 발생한다. 기본 형태는 丘疹狀, 圓頂狀, 혹은 半球狀이며 백색의 광택을 띠고 내부분 백색의 小丘疹이 망상, 환상, 반점 덩어리 等의 형태로 배열되어 있다. 또한 어떤 것은 환부가 糜爛, 潮紅을 나타내거나 혹은 직경 1-5 mm의 포진이 쉽게 파열되어 맑은 삼출액이 흐르고 상피가 박탈되어 피부 고유층이 노출되는 剝皮樣을 띠기도 한다. 병리조직검사상 上皮角化過度나 불완전한 角化를 나타난다. 일반적으로 양성이며 악성으로 변하는 경우는 드물다.

한의학에서는 이 질환에 해당하는 명칭은 없으나 증상에 근거하여 口瘡, 口糜 등의 범주에서 살펴볼 수 있다.

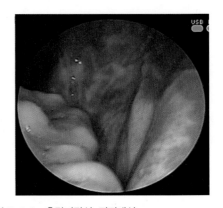

그림 2-1-3　홍란미란성-편평태선

6) 색소 침착성 병변

(1) 미만성 멜라닌 색소 침착
전치부, 치은, 협점막, 구개, 구순, 혀에 멜라닌 색소 침착을 보인다. Addison 병, Albright 증후군, Von Recklinghausen 병, Peutz-Jeghere 증후군과의 감별이 필요하다. 양방에서는 미용적 치료 요구에 따라 절제법, 탈색법, 점막표층 동결요법 등을 활용한다.

(2) 중금속에 의한 색소침착
치과 치료 시 사용된 아말감, 창연, 납, 수은 등의 중금속에 의해 착색이 발생한다.

(3) 약물복용으로 인한 착색
진정제, 항경련, 항말라리아제 등을 과량 또는 장기간 복약 시 착색이 발생할 수 있다. 약물 복약을 중단하면 대부분 없어진다.

(4) 색소성 모반
멜라닌 세포의 과잉 증식으로 인한 병변으로 주로 피부에 발생하며 구강 점막에는 드물게 나타나는데 악성으로 변화될 우려가 있어 외과적 절제를 고려한다.

(5) Peutz-Jegher 증후군
입술, 구강점막, 피부의 멜라닌 색소반과 위장관의 용종을 특징으로 하는 증후군으로 우성 유전된다.

(6) Fordyce 반
피지선이 구순점막 또는 협점막에 존재하게 되는 이소성 피지선으로 발현율이 높아 성인의 70%에서 볼 수 있다. 약간 융기되어 있으나 표면이 매끈하고 투명하게 보이는 1-2 mm의 작은 황백색의 반점이 수 개에서 수백 개에 이른다. 병적인 것은 아니며 치료의 필요성은 없다.

4. 구강의 위막궤양성 질환

구강에 위막을 동반한 궤양을 형성하는 질환으로 아구창, 천포창에서 주로 보인다.

1) 鵝口瘡(그림 2-1-4)

(1) 槪要
구강 상재균인 Candida albicans가 과다 증식하여 발생한 구강 진균증(구강 칸디다증)으로 白斑瘡, 雪口, 小兒鵝口, 口糜라고도 한다. 특징은 충혈된 구강점막에 백색의 우유찌꺼기 모양의 반점이나 혹은 백색 융난 표면 형태의 斑片이 나타난다.

(2) 疫學
AIDS 환자에서 가장 흔한 증상의 하나이며, 수유를 하는 영아와 쇠약한 성인에게서 호발한다. 악성 종양, 혈액질환, 면역부전증, 결핵 및 당뇨병 등의 질환이 있거나 체력이나 저항력이 약한 경우 항생물

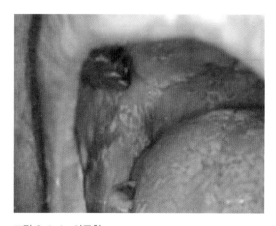

그림 2-1-4 　아구창

질의 사용으로 구강의 정상균총의 파괴를 가져와 이로 인해 구강에 존재하는 monilia의 증식을 초래하여 발생한다.

(3) 臨床症狀

급성의 경우 구개, 치은 등에 동통, 작열감을 동반하는 발적이 생기면서 점차 특징적인 백색의 부드러운 표재성 백반이 발생한다. 백반을 제거하면 홍반을 띠는 기저부 또는 출혈을 쉽게 볼 수 있다. 영아에서는 발병 후, 국부 작열, 건조, 동통이 있어 포유하는데 영향을 미친다. 일반적인 전신반응은 뚜렷하지 않고 몇몇 영아는 체온이 상승할 수도 있다. 증상이 심해지면 인두, 후두 및 식도에까지 번져 삼키기가 곤란해진다.

(4) 診斷

KOH (20% potassium hydroxide preparation), PAS (periodic acid schiff stain), GMS (Gomori's methenamine silver stain) 염색으로 효모와 가성 균사를 관찰할 수 있다.

(5) 辨證施治

① 內治

- 心脾積熱 입안에 白屑이 서로 융합되어 응고된 우유형태를 띠고 주위가 紅腫한 것을 볼 수 있다. 영아는 자꾸 울면서 포유를 못하고 불안해하기도 하며 發熱, 尿赤, 便秘, 舌紅, 苔黃厚, 脈數 혹 滑數 등을 동반한다. 淸熱瀉火, 解毒消腫하는 涼膈散, 淸熱瀉脾散加減 등을 選用한다.
- 脾虛濕盛 입안에 白屑이 두껍고 담황색을 띠나 주위가 紅腫하지는 않는다. 침을 흘리며 식욕은 감퇴되고 얼굴은 㿠白하며 體倦, 腹

瀉하고 舌淡胖, 苔黃膩, 脈滑數 등을 동반한다. 健脾益氣, 化濕淸熱하는 連理湯合蔘苓白朮散加減, 理中湯 등을 選用한다

② 外治

- 白苔를 제거하고 冰硼散 혹은 五倍子散을 매일 3-4회 뿌린다.
- 黃連, 甘草를 전탕하여 환부를 자주 씻어준다.

③ 구강 위생에 주의해야 한다. 따뜻한 식염수로 자주 함수하고 소화가 잘 되며 영양이 풍부한 음식을 섭취하도록 한다. Nystatin 구강세정제(mycostatin)를 사용하거나 1% methylene blue 혹은 gentian violet액을 1일 2-3회 도포한다.

2) 天疱瘡(pemphigus)

(1) 槪要

천포창이란 상피세포간 접합물의 변성으로 인한 극세포분리로 인해 피부나 점막의 상피 내에 수포가 형성되는 질환이다. 대부분의 환자에서 세포간 결합에 관여하는 물질인 cadherin, desmoglein에 대한 혈청내 자가항체와 상피세포간의 면역글로불린 IgG 침착 등이 증명되어 자가면역성 질환으로 추정되고 있다.

(2) 分類

임상적으로는 심상성 천포창(pemphigus vulgaris), 증식성 천포창(pemphigus vegetans), 낙엽상 천포창(pemphigus foliaceus), 홍반성 천포창(pemphigus erythematosus) 등으로 분류된다.

(3) 臨床症狀

① 심상성 천포창

주로 협점막, 구개, 치은에 호발하는데 돌발성으로 구강에 수포가 생기고 쉽게 파열되어 회색 위막과 출혈성의 미란과 궤양을 형성하며 통증을 유발한다. 얇은 상피층은 불규칙하게 떨어져 나와 벗겨지게 되며 병소 가장자리가 주위로 계속 확대되어 구강이나 구순 점막까지 번지게 된다. 피부를 침범하는 경우에는 안면, 두피, 등, 액와부, 사지 등에 호발하며 반흔 없이 치유되나 색소 침착이 남을 수 있다.

② 증식성 천포창

수포가 파열된 후 미란부위가 바로 과증식하여 육아조직으로 변하거나 농포를 형성하기도 하고 유두상으로 증식할 수 있다.

③ 낙엽상 천포창

작은 미란성 수포가 생기는데 수포가 표재성이어서 쉽게 터지고 미란이 생기며 가피와 인설을 형성하면서 아물게 되는데 경과가 길지만 예후는 양호하다.

④ 홍반성 천포창

구강병변은 드물며 낙엽상 천포창과 유사한 소견을 보인다.

5. 구각구순염

1) 槪要

구각염, 구각미란증이라고도 불리는데 구각부의 피부와 점막에 미란, 궤양이 생겨 만성적인 경과를 보이는 것이 특징이다. 口丫瘡, 口吻瘡, 燕口瘡, 燕兒瘡 이라고도 한다. 소아와 중년 이후 여성에서 많이 발생한다.

2) 原因

포도상구균, 연쇄상구균, candida albicans 등에 의해 발생한다. 전신적 요인은 당뇨병, 철결핍성 빈혈, 악성 빈혈, 항생 물질 및 스테로이드 장기 투여, 비타민 B군 결핍 등이 있고, 국소 요인은 타액 분비항진, 구강 건조증, 의치에 대한 알레르기, 부정교합, 구각부에 침을 묻히는 버릇 등이 있다.

3) 症狀

구각에 건조, 작열감과 함께 약간의 부종이 나타나면서 미세한 물집이 발생하고 파열되어 진물이 흐르면서 침윤, 궤란, 균열 등이 나타난다. 백색의 가피가 덮히기도 하며 심할 경우 입을 크게 벌리다가 환부가 찢어져 出血도 보이고 開口困難이 발생한다.

4) 辨證施治

(1) 內治

① 脾胃熱盛

초기에 구각에 건조, 작열감이 있으면서 약간의 부종이 있는 경우에 淸胃散加減을 사용한다.

② 脾虛濕盛

구각에 미세한 물집이 생기고 터져 진물이 흐르며 침윤, 궤란 등과 함께 백색의 가피가 발생한 경우에 蔘苓白朮散加減, 八珍湯加減 등을 사용한다.

③ 燥邪傷肺

구순에 파열이 반복적으로 발생하는 경우에 百合固金湯, 六味丸, 八味丸 등을 사용한다.

(2) 外治

① 黃連膏나 黃柏·野薔薇根을 세말하여 油에 개서 환부에 바른다.

(3) 양방 치료

Vitamin B군과 철분제를 투여하는데 간혹 항진균제를 투여하기도 한다.

6. 口角流涎

1) 槪要

口吐涎, 多唾, 滯頤라고도 하며 타액의 분비가 증가되어 구각주위가 항상 젖어 있게 되어 구각염이 쉽게 동반된다.

2) 原因

주로 위통, 유문부 협착 등의 위장질환에서 보이며, 히스테리, 고삭신경 이상, 척수마비, 필로카인 중독, 수은 중독 등에서도 발생할 수 있다. 생후 3-5개월의 영아에서는 생리적으로 타액분비가 증가되어 流涎(salivation)이 나타난다.

3) 症狀

입가에 침을 흘리는 것이 계속되면서 面色萎黃, 神疲短氣, 脘腹脹滿, 不思飮食, 便溏, 泄瀉, 舌淡, 苔薄少, 脈弱 등이 발생하고 심하면 口角이 헐어서 구각미란이 발생하기도 한다.

4) 辨證施治

脾胃虛寒으로 인한 경우에는 香砂六君子湯, 理中湯加減 등을, 胃熱로 인한 경우에는 二陳湯加減을 사용한다. 口眼喎斜로 인한 경우는 구안와사 치료에 준해서 시행한다.

7. 구강 종양

1) 槪要

上顎癰, 重顎證, 飛揚喉, 懸旗風, 垂癰, 懸癰 등이라고 하며 구강내에 갑자기 血疱가 발생하여 삼키기가 곤란하고 음식물이 입에 가득 들어있는 형테를 보이는 질환이다.

2) 分類

(1) 양성 종양

① 유두종

상피성 종양이다. 백색의 유경성 종물로 완만한 증식상을 보이며 남성에서 많이 발생한다.

② 혈관종

혈관들의 증식에 의해 이루어지는 가장 흔한 양성 종양 중의 하나로 출생시 또는 어린 나이에 많이 발생한다. 입술이나 혀에 호발한다. 종양이라기보다는 혈관의 양이 불필요하게 많은 기형과 같은 것이다. 진행성으로 커지는 경우는 드물다.

③ 림프관종

혈관종과 거의 유사하다. 출생할 때나 10세 이전의 어릴 때부터 존재하는데 림프가 미만성으로 증식된 것으로 주로 혀에 호발한다.

④ 섬유종

구강내에서 가장 빈발하는 양성종양으로 비교적 경계가 명확하고 융기된 표면이 부드러운 종물을 형성하며 무경성 또는 유경성으로 경구개, 편도, 혀, 치은 등에 발생한다.

⑤ 지방종

피하조직에서 자주보는 양성종양으로 혀, 볼, 구강저, 치은 구순부에 호발한다. 통증은 없고 황색을 띠며 연한 종물이 촉지된다.

⑥ 하마종

악하선 또는 설하선의 저류낭종으로 소아에서 많이 발생한다. 구강저 점막 바로 아래에 편측성으로 완만히 종창되나 통증은 없고 부드러우며 파동이 촉지된다.

(2) 악성 종양

① 구순암

주로 노인에서 많이 보이고 백인에서 흔하다. 아랫입술에 많이 발생하는 편평상피암이다. 구순의 피부점막 경계에서 발생되어 경결감과 궤양을 형성한다. 진이는 늦게 된다.

② 구강저암

구강암의 10.4%를 차지하고 대부분 편평상피암이며, 50-60대 남자에서 많이 발생한다. 구강저의 정중부에 무통성 유두종상 혹은 궤양을 형성한다. 위치때문에 양측 경부 림프선으로 전이되고 치료가 가장 어렵다.

③ 협암

모든 구강암의 10%를 차지하는 암으로, 보통 협부 점막의 중 1/3부에 호발한다. 협점막의 교합선하에서 발생하여 외향성 또는 침윤성 증식을 하며 악하림프절로 전이가 잘 된다.

④ 구개암

구강암중 다른 부위에 비해 발생률이 적다. 주로 55-65세의 남자에서 호발하는데, 60세 이상에서는 편평상피암이, 50세 이하에서는 선암이 많이 발생한다. 경계가 불명확하고 궤양을 형성하며 편측성으로 발생된다. 경구개에 발생시 골파괴를 동반하여 종양이 상악동이나 비강내로 확산된다.

⑤ 설암

혀에 발생된 종양은 악하선이나 경부림프선으로 전이가 잘 된다. 전이보다는 주위조직의 파괴로 사망에 이르는 경우가 많다.

3) 症狀

上顎 혹은 懸雍垂에 갑자기 紫紅色의 血疱가 발생하고 灼熱感, 脹痛이 있어 음식물을 삼키기 어려우며 심하면 舌의 伸縮이 어려워지게 되어 언어장애나 음식을 먹기 어렵게 된다.

4) 辨證施治

(1) 內治

① 脾胃積熱

입안에 血疱가 갑자기 발생하여 신속하게 커지게 되어 桃核狀을 띠고 작열, 동통하며 음식을 삼키기 어렵고 舌의 伸縮도 방해를 받게 되면서 口渴, 便秘, 舌紅, 苔黃膩, 脈洪數한 경우 淸熱瀉火, 凉血解毒하는 黃連解毒湯加味를 사용한다.

② 血絡損傷

단단한 음식물을 섭취하다가 구강점막을 손상하거나 심하게 기침 등을 함으로써 懸雍垂나 上顎에 血疱가 생기면서 다른 증상은 없는 경우에는 凉血止血, 活血消腫하는 十灰散을 사용한다.

(2) 外治

- 金銀花, 蒲公英, 甘草 각 20 g을 전탕하여 하루 3-4차례 含漱한다.

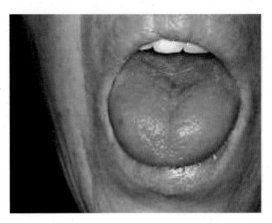

그림 2-1-5　쇼그렌증후군

8. Sjögren 증후군(그림 2-1-5)

1) 槪要

만성 염증성 자가면역성 질환으로 외분비선이 침범되어 건성 각결막염(keratoconjunctivitis sicca)과 구내건조증(xerostomia)이 발생되며 류마티스성 관절염과 같은 다른 결체조직병이 합병된다. 대부분 여성에서 발생하고 평균연령은 50세 이상이나 점차 연령층의 범위가 넓어지고 있다.

2) 病因病理

(1) 자가면역관련: 특징적인 림프구 침윤, 여러 가지 자가면역항체의 존재, 림프구 핵의 추출물에 대한 침강소 등으로 보아 자가면역질환으로 생각되고 있다.
(2) 유전적인 소인

3) 臨床症狀

(1) 구강건조증

입마름, 물이 없으면 식사하기 어려움, 맛을 잘 못느낌, 입안 통증, 언어와 저작에 징애가 생기고, 충치, 미각장애가 발생할 수 있으며 만성적인 염증으로 이하선의 양측성 부종이 특징적으로 나타난다. 설유두 위축, 설균열, 구각부 미란 등을 동반한다.

(2) 눈건조증

피로감, 소양감, 눈부심, 눈물이 나오지 않음, 눈의 뻑뻑함과 함께 책을 읽을 때 눈이 아프기도 한다.

(3) 비강건조증

건성 비염으로 인해 비강내 가피형성과 후각장애가 생길 수 있다.

(4) 피부 증상

하지의 자반증, 두드러기, 다형홍반, 발한 감소로 피부건조증과 소양증이 생길 수 있다.

(5) 전신 증상

레이노이드 현상, 이하선 종창, 후두염, 갑상선 비대, 당뇨병, 재발성 췌장염, 괴사성 혈관염, 비종대가 생길 수 있다. 이외에도 폐나 신장에도 영향을 미칠 수 있다.

4) 診斷

안구건조증, 구내건조증, 류마티스성 질환 또는 림프 증식 질환 등의 세 가지 중 두 가지가 있으면 진단할 수 있으며 임상검사 소견에서는 염증의 비특이적 징후로 적혈구 침강속도 증가, 고감마글로불린혈증이 관찰되고 80% 환자에서 Ro/SS-A항원에 대한 항체, 약 50%에서 La/SS-B항원에 대한 항체가 검출되며 류마티스 인자와 C-반응 단백 양성 반응을 보이는 경우가 많다.

5) 辨證施治

한의학의 口乾에 준하여 치료하게 된다.

　　다양한 증상에 대한 대증요법이 시행된다. 안구건조증과 구내건조증을 예방하기 위해 인공누액, 인공타액과 윤활제연고가 사용되어 지고 pilocarpine hydrochroride를 사용하여 타액분비를 증가시키며 nystatin으로 칸디다증을 예방하고 치료한다. 이뇨제, 항고혈압제, 항우울제의 사용을 금한다.

　　타액선을 자극하기 위해 저작, 미각에 의한 자극(껌, 사탕 등)을 반복하도록 한다.

9. 口臭

1) 槪要

입안에서 좋지 않은 냄새가 나는 것으로 腥臭, 口中膠臭, 口氣穢惡이라고도 한다. 구취는 성인의 약 50% 이상이 경험하는 증상으로, 특히 아침에 느끼는 구취는 타액분비 감소로 구강 세균의 활동이 활발해져 발생하게 된다. 노인이 되면 구취가 증가하고 여성의 경우 월경, 생리, 임신 중에 더 증가하게 된다.

2) 原因

(1) 구강내 원인

불결한 구강위생, 냄새나는 음식, 과도한 흡연, 구강내의 염증, 충치, 치석, 치주질환, 구강건조증, 농양, 괴저 및 악성종양 등.

(2) 구강외 원인

비강 및 부비동질환, 만성 편도염, 만성 위장염, 폐농양, 다량의 방사선 치료 후 등.

(3) 전신질환

간부전(썩은 계란냄새), 요독증(암모니아), 신장투석(생선비린내), 당뇨병(과일향, 아세톤), 성홍열 및 장티푸스(곰팡이냄새), 백혈병(썩은혈액 냄새),

3) 診斷

구취의 주요 성분은 휘발성 황화합물(volatile sulfur compounds; VSC)로 알려져 있는데 이는 주로 황화수소, 메칠멜캅탄, 디메칠설파이드 등으로 구성된다. 구취의 측정은 VSC를 측정하는 방법을 사용한다. 주로 브레스트론(요시다)과 오랄 크로마(ABILIT)를 사용하여 각각의 수치를 분석한다.

4) 辨證施治

(1) 胃熱積盛

口渴하여 찬물을 마시려 하고 口舌生瘡, 齒齦腫痛, 便秘溲黃, 舌紅, 苔黃, 脈滑有力한 경우 淸胃散, 升麻黃連湯 등을 사용한다.

(2) 腸胃食積

酸臭, 乾噫食臭, 吞酸, 噯腐, 脘腹脹滿, 舌苔厚膩腐膩,

脈弦滑한 경우 保和丸, 枳實導滯丸 등을 사용한다.

(3) 痰熱壅肺

口苦, 舌乾, 胸滿, 胸痛, 咳嗽, 吐膿血, 唾腥臭痰, 舌苔黃膩, 脈滑數한 경우 瀉白散加減을 사용한다.

5) 豫防 및 管理

식사 시 구취를 유발할 수 있는 식품(양파, 마늘, 파, 고사리, 계란, 무, 겨자, 파래, 고추냉이, 아스파라가스 등)의 섭취를 자제하고 그 외의 채소나 과일 섭취를 장려한다. 식사후 즉시 칫솔질, 혀닦기 및 치실을 사용한다. 또한, 구강 내가 건조하지 않도록 타액의 원활한 분비를 유지하고 수분을 충분히 섭취한다.

10. 미각이상

미각이상에는 크게 미각소실(ageusia), 미각감퇴(hypogeusia), 미각이상(dysgeusia), 미각과민(hyper-geusia), 미각실인(taste ageusia)로 구분된다. 미각소실은 미각자극에 대한 미각 기능이 완전히 상실된 경우를, 미각감퇴는 일부 혹은 모든 미각자극에 대한 미각 감응성이 감소된 경우를, 미각이상은 일부 혹은 모든 미각자극에 대하여 왜곡된 미각을 느끼는 경우를, 미각과민은 미각 감응성이 증가된 경우를, 미각실인은 미각자극을 인식하거나 구분할 수 있는 능력은 있지만 그것을 언어로 확인, 분류, 대조할 수 있는 능력이 없는 경우를 말한다.

미각이상을 일으키는 원인으로는 구강 혹은 구강주변의 감염, 벨마비, 약물, 의치, 노화 등이 흔한 원인이 된다.

미각기능장애를 호소하는 환자들 중에는 실제로 후각기능의 장애를 가지고 있는 경우가 훨씬 많은데, 예를 들면 상기도 감염 후에 나타나는 미각기능이상의 경우 실제로 후각기능에 이상이 있는 경우가 많다.

1) 미각감퇴

(1) 概要

입안이 담담하고 맛을 느끼지 못하는 것으로 口淡無味, 口淡乏味, 口爽 등에 해당한다. 주로 약물의 내복이나 바이러스 감염, 삼차신경통, 안면신경마비의 고삭신경마비 등에서 나타난다.

(2) 辨證施治

① 脾胃虛弱

口淡無味, 不思飮食, 神疲無力, 便溏, 舌淡, 苔薄, 脈緩弱 등이 있는 경우 香砂六君子湯加減을 選用한다.

② 脾胃濕熱

口淡無味, 胸脘痞悶, 惡心嘔吐, 苔白膩, 脈濡 등이 있는 경우 胃苓湯加減, 藿朴夏苓湯 등을 選用한다.

2) 五味症

(1) 口酸

입안에서 酸味를 느끼는 것으로, 胃中에서 酸水가 上泛하는 呑酸과는 다르다. 肝膽熱盛한 경우에는 柴胡淸肝湯, 當歸龍薈丸 등을, 食積으로 胃氣上逆한 경우에는 保和丸, 木香檳榔丸 등을, 脾虛하여 肝氣乘脾한 경우에는 六君子湯合左金丸을 選用한다.

(2) 口苦

입안에서 苦味를 느끼는 것으로 膽癉이라고도 한다. 心火上炎으로 인한 경우에는 瀉心湯, 涼膈散 등을, 肝膽火盛한 경우에는 龍膽瀉肝湯, 小柴胡湯加味 등을 選用한다.

(3) 口甘

입안에서 甘味를 느끼는 것으로 口甛, 脾癉이라고도 한다. 脾胃積熱로 인한 경우에는 瀉黃散, 甘露飲加減 등을, 氣血虛弱한 경우에는 補中益氣湯을 選用한다.

(4) 口辛

입안에서 辛味를 느끼는 것으로, 때로 腥臭와 함께 唾液乾燥, 舌乾澁 등이 동반된다. 肺熱로 인한 경우 甘桔湯, 生脈散加味 등을, 腥臭가 있는 경우 瀉白散加減을 選用한다.

(5) 口鹹

입안에서 鹹味를 느끼는 것으로, 때로 痰涎을 토하기도 한다. 腎陰虛으로 인한 경우에는 大補陰丸을, 腎陽虛로 인한 경우에는 腎氣丸加味를, 脾虛濕盛으로 인한 경우에는 胃苓湯, 二陳湯加味 등을 選用한다.

11. 괴사성 치은구내염

1) 槪要

궤양위막성 치은구내염, 괴저성 치은구내염과 유사하고 走馬牙疳, 牙疳, 重齶證 등에 해당된다. 특징적인 임상 증상은 급성적으로 발병하고 齦乳頭 및 齦緣에 괴사가 생기고 腐肉을 형성한다. 구강위생이 불량한 가운데 유행성 감기, 마진, 폐렴 등 급성

선염병에 걸린 후에 구강 내 Borrelia vincentii와 방추막대균이 대량으로 번식하여 발생하고 환경이 열악한 경우 쉽게 유행한다. 최근에는 거의 드물게 발생한다.

2) 病因病理

麻疹 혹은 기타 전염병 후에 餘毒이 남아있고 正氣衰弱하여 邪毒이 陽明經을 따라 齒齦을 上攻하여 局部 氣血이 凝滯되고 血敗肉腐하여 발생한다.

3) 辨證施治

明代 秦景明은《幼科金針》에 "走馬疳, 其名有五. 初起因熱奔上焦, 口焦出血, 名'臭息'. 次第齒黑, 名'崩沙'. 致于斷根, 名'潰槽'. 熱血進出, 名'宣露'. 甚者牙皆脫落, 名'腐根'."이라 하였다. 임상에서는 앞의 세 가지에 근거하여 이 병을 3기로 나누어 각각 다르게 치료하였다.

(1) 內治

① 臭息期

麻疹 혹은 기타 열병의 後期에 체온이 떨어지지 않고 경우에 따라서는 오히려 상승하며, 煩躁하고, 타액이 증가되며, 齒齦의 邊緣이 충혈되어 있고 심해지면 齦乳頭에 괴사성 궤양이 생기기도 한다. 표면은 간혹 회백색 위막으로 덮여 있는데 가볍게 닦아서는 제거되지 않고 세게 닦으면 궤양면에 출혈이 생긴다. 口臭가 몹시 심하고 舌苔黃膩하다. 淸熱解毒하는 淸疳解毒湯을 사용하고 人中黃, 黃連, 知母, 連翹, 牛蒡子, 玄蔘, 石膏, 山梔 等을 選用한다.

② 崩沙期

병정이 발전되어 齒齦 邊緣 및 齦乳頭는 미란되어다 없어지거나 혹은 약간 남아있고, 계속되면 치아가 흔들리고 타액 속에 膿血이 섞여 있으며 냄새가 심하다. 이때 동통은 심하지 않고 간혹 소양감이 있어 환자가 항상 손가락으로 병변부위를 누르게 되는 양상을 보인다. 高熱, 神衰, 舌苔黃厚或黑을 동반한다. 淸熱解毒하면서 정기를 보하는 蘆薈消毒飮을 사용한다. 蘆薈, 胡黃連, 生石膏, 山梔, 桔梗, 玄蔘, 甘草를 選用하며 人蔘(別煎)을 加할 수 있다.

③ 潰槽期

齒齦腐爛 외에 潰瘍이 頰, 脣, 舌, 上顎, 咽峽 等의 부위까지 발전하고 심할 때는《外科正宗》에서 기술한 "牙齒脫落, 根柯黑朽, 不數日間, 以致穿腮破脣(치아가 빠지고 뿌리가 검게 변하며 며칠 지나지 않아 이하선과 입술부위까지 병변이 퍼지게 된다)"상태를 볼 수 있다. 이것은 走馬牙疳의 전형적인 증상이며 脈細 身凉하고, 병정은 이미 邪毒內陷, 正氣欲脫의 위독한 상태로 전변되게 된다. 固脫을 위주로 하고 解毒淸心하는 獨蔘湯, 蔘附湯合安宮牛黃丸 혹은 紫雪丹을 選用한다.

(2) 外治

① 臭息期에는 人中白散을 局部에 뿌린다.

② 만약 이미 脣頰이 穿潰되었을 때는 局部를 米泔水로 씻은 후 靑蓮膏를 붙인다. 麻油로 개어 糊狀으로 만들고 종이 위에 평평하게 놓고 다시 종이 한 장을 덮어 약이 중심에 오게 하여 나무 방망이로 두들기고 종이를 벗긴 다음 창면의 크기에 따라 적당히 고약을 잘라 붙이는데 12시간에 한 번씩 교환한다.

(3) 潰瘍後期에 괴사조직이 탈락하고 肉芽가 노출될 때는 珠黃散을 사용할 수 있다. 만약 피부가 남아있으면 珠黃散을 섞은 후 黃連膏를 바른 거즈로 넣는다.

6) 豫防 및 管理

구강 위생을 청결히 하도록 하고 평소에 淡鹽水 혹은 崩沙溶液으로 가글한다.

唾液腺疾患

타액선 질환의 진찰시에는 자세한 병력청취가 중요하다. 예를 들어, 증상 발현의 급성과 만성 여부와 만성의 경우 간헐적인지 지속적인지, 다른 전신증상과 관련이 있는지, 외상이 있는지의 여부 등을 확인하는 것이 필요하다. 진단할 때 타액선의 크기와 모양, 단단한 정도와 림프절의 유무 등을 잘 관찰해야 하고, 타액선관의 염증, 타석의 유무 등을 정확히 관찰하여야 한다.

　타액선 질환의 검사에 있어서는 방사선검사와 병리조직학적 검사가 중요한데, 방사선검사는 단순 방사선검사와 소영제를 이용한 타액선 조영술(sialography) 및 방사선 타액선 조영술(radiosialography, salivary gland scanning)이 있고 전산화단층촬영(CT), 자기공명영상(MRI) 등을 진단에 이용할 수 있다. 병리조직학적 검사에서는 세침흡인세포검사를 이용하는데, 80%의 정확성이 있다고 보고되고 있다.

　타액선 질환에서 감별해야 할 주요 증상으로는 통증, 부종, 종물(腫物) 등이 있는데, 통증의 경우 급성과 만성 여부 및 침범 부위를 먼저 보아야 하고, 또한 식사시 통증 여부가 진단에 있어서 매우 중요

한 의미가 있다. 종창은 염증성 병변과 관계가 깊으며, 종창과 압통이 동반되는 경우에는 염증성 병변을 의심해 보아야 한다. 종물(腫物)은 종양과 관련이 있고 80%가 이하선에서 발생하며 이하선 종양의 85%, 악하선 종양의 50%, 소타액선 종양의 25%가 양성종양이다.

1. 급성 타액선염

1) 유행성 이하선염

(1) 槪要

타액선을 침범하는 바이러스성 질환으로 이하선 종창의 가장 흔한 원인이 된다. 어린이에게 주로 발생하는데 계절적으로 봄, 가을에 많으며 한번 이환되면 대개 면역을 획득하게 된다. 時疫邪毒으로 인하여 腮頰部가 종창되고 燃熱疼痛이 나타나며 瘡瘍이 발생되는 것으로 痄腮, 髭發, 搭腮腫, 蛤蟆瘟, 鸕鶿瘟 등 여러 가지 명칭으로 불리는 瘟疫病의 일종이다. 부위에 따라 구분하면 痄腮, 髭發은 腮頰의

바깥쪽에 발생한 것이며 含腮瘡은 腮頰의 안쪽에서 발생한 것이다. 胃經의 風熱 또는 濕熱에 의해 발생된다.

(2) 異名

痄腮, 髭發, 含腮瘡, 搭腮腫, 蛤蟆瘟, 鸕鷀瘟

(3) 病因病理

① 바이러스로 인한 급성 열성질환으로 주로 이하선을 잘 침범한다.

② 風蘊疫毒이 腮, 頰, 頸, 項部 등을 순환하는 三陰經에 鬱滯되어 발생된다.

③ 陽明胃經에 風熱이나 濕熱이 과다하여 발생한다.

(4) 臨床症狀

1-2주의 잠복기가 있은 후 1-2일간 경도의 발열, 오한, 두통, 전신 권태감 등의 전구증상 있은 후 이하선의 갑작스런 종창과 동통이 나타나며 미약한 開口運動 장애가 있을 수 있다. 종창은 점점 심해져서 2일 이내에 경부 및 측경부까지 미치고 귀 앞쪽으로 확대된다. 소아의 경우는 10일 내외, 성인의 경우는 2주 내외의 기간에 별다른 장애없이 치유되는 경우가 많다.

합병증으로 ① 농양형성 및 외루형성(外瘻形成), 안면신경마비, ② 이하선 이외의 타액선이나 고환, 전립선, 난소, 흉선, 유선 등의 염증을 동반하기도 한다. 심해지면 ③ 신염, 뇌척수막염, 신경염, 감음성 난청 등이 속발하기도 한다.

(5) 診斷

대개는 임상증상으로 쉽다. 종창의 부위와 형태로 진단된다. 혈청학적으로는 mumps S, V 항원이나 혈구응집항원에 대한 항체를 증명하여 진단한다.

증상 발현 6일 전과 13일 이후에 소변에서 바이러스를 검출하는 것으로도 진단이 가능하다. 일반적으로 특별한 검사 없이 임상증상으로도 진단이 가능하다. 합병증이 없으면 백혈구 수는 정상이지만 상대적으로 림프구수는 증가하는 경향이 있고 혈중 amylase 수치도 상승한다.

(6) 辨證施治

① 四順淸凉飮이나 敗毒散을 투여하고 二金散(鷄內金, 鬱金 각 등분 분말)을 먼저 鹽湯으로 세척하고 흡입한다.

② 양방치료: 보존적 치료를 원칙으로 충분한 수분 공급과 휴식이 필수적이고 부가직으로 타액분비를 최소화할 수 있는 음식조절이 필요하다. 소아는 10일 이내, 성인에서는 2주 내외에 치유된다.

(7) 예후 및 관리법

조기에 치료하는 것이 중요하다. 대증요법(對症療法)을 시행하는데 충분한 휴식과 안정을 취하고 종창이 가라앉을 때까지 격리하며 환부에 냉습포를 하는 것도 좋다. 아동의 경우 발병률과 합병증을 낮추기 위하여 백신(예방접종)이 권장된다.

2) 급성 화농성 타액선염(acute suppurative parotitis)

(1) 概要

발병 빈도가 높고 수술 후에 주로 이하선에서 발생하기 때문에 외과적 이하선염, 이차성 이하선염 등으로 불리기도 한다. 50-60세 전후에 많이 나타나고 남녀의 비는 같으며 전신이 쇠약한 사람이나 고령자에게 많이 나타난다.

(2) 病因病理

장티푸스, 폐렴, 홍역 등의 전신감염 경과 중 혈행성

으로 발생하거나 수술 후의 탈수상태나 약물, 구토로 인한 타액분비의 감소, 유행성 이하선염, 구강내 감염 후 속발할 수 있다. 주로 전신이 쇠약한 사람에 다발하며 소아에게도 재발성으로 생길 수 있다. 원인균은 대개 포도상구균이나 연쇄상구균이다.

(3) 臨床症狀

국소 증상으로는 급격한 동통, 압통, 부종, 이환된 타액선의 경화 등이 나타나고 전신 증상으로는 발열, 오한, 전신쇠약감 등을 호소한다. 농양이 발생해도 강인한 이하선 피막으로 덮여져 있기 때문에 파동을 촉지하기 힘들다.

(4) 診斷

혈액검사상 중성구 증다증이 나타나며 항생제 투여 전에 균배양과 항생제 감수성검사가 필수직인데 주로 황색포도상구균이 나타나며 화농성 연쇄상구균, 녹색연쇄구균, 폐렴연쇄구균 등이 검출된다. 3-4일 간의 보존적 치료에 반응하지 않는 경우 농양을 의심해 볼 수 있다. 림프종, Bezold 농양, 경부 림프절염, 치성 협부농양, 교근부 농양 등과 감별진단이 중요하다.

(5) 治療

적절한 항생제 투여, 수액 및 전해질 보충, 구강위생, 타액분비촉진제 등이 사용된다. 항생제에 대한 반응은 통상 48-72시간 내에 보이나 증상이 소실된 1주 후까지 계속 사용해야 한다. 스테로이드제재는 염증과정을 억제하고 타액의 배출을 용이하게 해준다. 진통제와 국소온열요법은 불쾌감을 완화시켜줄 수 있다. 농양형성, 안면신경마비, 골수염, 경정맥의 혈전정맥염, 패혈증 등이 나타날 수 있으나 합병증의 발병률은 매우 낮다.

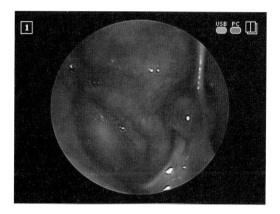

그림 2-2-1　급성 악하선염

(6) 예후 및 관리법

탈수상태를 교정하는 것이 중요하고, 국소 부위에 온습포를 시행한다.

3) 급성 악하선염(acute submandibular gland sialadenitis)
(그림 2-2-1)

타석(唾石)이나 궤양성 구내염, 구강저의 봉와직염 등에 속발하는 경우가 많다. 선의 위치와 형태에 일치하여 종창이 발생하고 그 부위의 점막과 피부가 발적되며 압통이 발생한다. 일상생활에서 언어, 연하, 저작의 활동에 장애가 생길 수 있다.

2. 만성 타액선염(그림 2-2-2)

1) 槪要

舌下痰包와 유사한 질환이다. 舌의 아래에 腫塊가 結하여 囊胞를 이루고 瓠匏狀을 띠며, 내부에는 황백색의 稠粘한 痰液이 있어서 유연하고 광택이 나타나는 것으로 匏舌이라 한다.

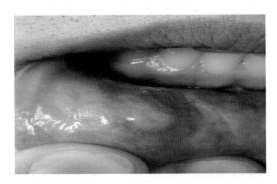

그림 2-2-2 만성 타액선염

2) 病因病理

(1) 타석, 타액선관의 협착, 점액전(mucous plug), 타액선관 유두(ductal papilla)의 병변, 외인으로 인한 관의 압박, 구강 또는 인두의 감염병소가 원인이 되며 타액 배출의 폐쇄가 특징이다.
(2) 思慮, 勞倦過多로 脾胃를 상하여 痰濁이 內停되고 이때 外感熱邪가 침입해 濕痰이 挾하고 舌下로 流注되어 발생된다.

3) 臨床症狀

舌의 아래에 結腫이 瓠匏狀을 이루고 비단과 같이 광택을 띠며 가벼운 疼痛과 口內가 폐색되거나 혹은 충만감 등이 일어나 음식물의 삼킴과 발성이 곤란해진다. 자발통 및 압통이 있고 식사 시의 산통, 개구장애가 동반되기도 한다. 타액선관의 개구부에 발적과 부종이 생기고 타액선이 화농되었을 때는 농성 타액이 나온다.

4) 辨證論治

일반적으로 특별한 치료를 요하지는 않으나 보존적 치료에 반응하지 않을 경우 외과적 절제를 하기도 한다.

(1) 加味二陳湯 : 半夏, 陳皮, 茯笭, 黃芩, 黃連, 薄荷, 甘草
(2) 痰包를 三稜鍼이나 鈹鍼으로 潰破하고 冰硼散 (玄明粉, 朱砂, 硼砂, 龍腦)을 도포한다.

3. 소아의 재발성 이하선염

1) 槪要

유아에서 12세 사이에 발생하며 보통 2-4세에 초발하는데 남아가 여아보다 발생율이 높다. 보통 유행선 이하선염의 과거력이 있다.

2) 原因

명확한 원인은 없으나 선행요인으로 탈수, 타석증, 자가면역질환이 있을 수 있다.

3) 症狀

1년에 1-5회 종창이 있고 종창이 수일에서 14일까지 지속된다.

4) 辨證論治

급성 화농성 이하선염에 준하여 치료한다.

5) 豫候

대부분의 경우 사춘기 때 자연 치유된다.

4. 타석증

1) 槪要

한의학의 重舌과 유사하다. 舌의 아래에 疼痛이 발생하며 紅 혹은 紫色의 종괴가 돌출되어 小舌과 같은 모양을 나타내는 것으로 子舌, 重舌風, 蓮花舌, 雀舌이라 한다. 대부분 만성 타액선염과 동반되어 나타나고 환자의 대부분이 50-80세이다. 타석의 80%는 악하선에 발생하고 19%는 이하선, 1%는 설하선에 발생한다.

2) 異名

子舌, 重舌風, 蓮花舌, 雀舌

3) 病因病理

(1) 타액선수출관내에 침입한 작은 이물과 세균 등이 핵이 되어 이것에 석회가 침착되어 타석이 형성된다. 타액이 정체되거나 농축되는 것만으로는 생기지 않고 분비물의 변성, 염증의 동반이 중요하다.
(2) 心脾經에 熱이 있거나 心火가 妄動하거나 心脾積熱로 인하여 火毒이 舌을 상충하여 발생된다.
(3) 心火가 上炎하거나 火氣에 손상되어 있어 발생하거나 음주 후에 바람을 쐬고 서늘한 곳에 머물면서 風痰이 相搏하여 발생한다.
(4) 脾, 肝, 心 三經이 胎毒을 받아서 상공하기 때문에 발생한다.

4) 臨床症狀

크기와 위치, 감염의 유무에 따라 다르다. 舌의 아래 疼痛이 있으면서 紅 혹은 紫色을 띤 종괴가 돌출되어 小舌狀으로 보이며 심하면 呑咽 및 발성이 곤란해지고 더욱 重해지면 이미 형성된 小舌狀에 紅腫疼痛, 潰爛, 糜爛 등이 동반된다. 음식 섭취시 간헐적인 종창과 동통이 구강저 또는 악하삼각(submandibular triangle)에 나타난다. 때로는 급성 염증으로 개구부로부터 배농되어 타액농루를 수반하기도 한다.

5) 診斷

타액선관의 양손을 이용한 촉진, 타액선관의 탐침(探針, probing), 구강저 단순 촬영과 타액선 조영술의 방사선 검사를 통해 이루어진다. 타석은 약 20% 이상의 경우 방사선에 잘 나타나지 않으며 단순 X선 촬영으로 관찰되지 않으면 타액선 조영술을 시행한다.

6) 辨證論治

(1) 초기: 患處를 鍼刺出血시키고 氷硼酸을 도포한다. 黃連瀉心湯, 消毒犀角飮, 當歸連翹湯을 투여한다.
(2) 淸胃降火를 위하여 解毒瀉心湯, 黃連瀉心湯, 加味二陳湯, 消毒犀角飮, 導赤散合瀉脾散 등과 黃連解毒湯에 燈心, 犀角 등을 加하거나 甘桔湯에 黃連, 山梔子 등을 加하여 투여한다.
(3) 紫雪散을 살포하여 痰涎을 유출시키고 甘桔湯에 生薑과 燈心을 가하여 투여한다.
(4) 頭痛, 項强, 潮熱이 동반되는 경우: 凉膈散을 투여하고 氷硼酸을 살포한다.
(5) 皀角刺方: 먼저 물로 입을 청결히 헹구고 皀角刺를 燒灰한 후 龍腦를 조금 넣어서 분말하여 혀의 위아래를 문지른다.
(6) 黃連煎湯을 수시로 含漱한다.
(7) 염증을 동반하는 경우 항생물질의 투여로 염증

을 억제할 필요가 있다.

(8) 조기 치료는 비폐쇄성 타액선염의 치료와 유사한 보존적 치료가 원칙이며 필요시 입구부를 절개하여 타석을 제거할 수 있다.

5. 타액선의 육아종성 질환

1) 타액선 결핵

(1) 槪要

매우 드물며 주로 편도선 또는 치아에서 기원하는 것으로 생각되며 급성 염승성 질환 또는 만성 종양성 질환의 형태로 나타날 수 있다.

(2) 臨床症狀

부종이나 종괴가 나타난다. 말기에는 압통, 병변부의 발적, 괴사가 나타나고 심한 경우 농양이 생겨 피부로 배농되어 누공을 형성하며 경우에 따라서는 안면신경마비를 초래하기도 한다.

(3) 診斷

AFB (acid fast bacillus)와 PPD (purified protein derivative) 피부검사를 통해 확진할 수 있으나 원발성인 경우 그 빈도가 매우 낮고 수술 전 진단이 어려워 대개는 수술 후 조직검사로 진단되는 경우가 많다.

(4) 治療

다른 결핵과 동일하게 치료한다. 하지만 약물 치료에 반응이 없을 경우 적출술을 시행하기도 한다.

2) 사르코이드증(sarcoidosis)

(1) 槪要

원인불명 질환이며 우선적으로 다른 질환들을 배제한 후 진단할 수 있다. 포도막이하선열(uveoparotid fever, Heerfordt's syndrome)은 이 질환의 특징적인 형태로 포도막염, 이하선 비대, 안면신경마비를 특징으로 한다.

(2) 臨床症狀

초기 증상은 발열, 쇠약감, 오심과 야간 발열 등이 수일에서 수 주간 지속된다. 악하선, 설하선, 누선의 종창이 수개월에서 수년까지 화농 없이 지속되며 대부분 자연 관해된다.

(3) 治療

대증요법으로 스테로이드, chloroquine, oxyphenbutazone 등의 효과적이다.

6. 타액선 종양

1) 槪要

원인은 명확히 밝혀진 것은 없으나 유발요인으로는 방사선 조사, 바이러스, 유전적 소인 등이 알려져 있다. 두경부 종양의 2-3% 정도를 차지하고 타액선에서 촉지되는 종괴 중에서 95%가 종양이며, 이하선에 주로 발생한다. 타액선의 크기가 작을수록 악성일 가능성이 높은 경향이 있다.

2) 診斷

(1) 세침흡입세포검사법
(2) 영상진단: CT, MRI, 초음파검사, 동위 원소 검사, 타액선 조영술 등을 통해 진단한다.

3) 分類

(1) 양성종양

① 다형선종(pleomorphic adenoma, mixed tumor)
양성 타액선 종양 가장 흔해서 65% 정도를 차지하며 이하선 종양의 77%, 악하선 종양의 60%, 구개종양의 53%를 차지한다. 젊은 여성층에서 잘 발생되며 대부분 안면신경 천엽에서 수년에 걸쳐 서서히 자라는 무통성 종괴로 나타난다.

② 단형선종(monomorphic adenoma)
60세 이상의 고령자에서 잘 나타나고 전체 타액선 종양 중 1-3%를 차지한다. 경계가 분명하며 피막을 잘 형성하는 특징이 있다.

③ Warthin 종양(Warthin's tumor, adenolymphoma, papillary cystadenoma lymphomatosun)
다형선종 다음으로 흔한 양성 종양으로 거의 대부분 이하선에 생긴다. 중년 백인 남자에게 호발하고 동양인에게서는 드물게 나타난다. 유발요인으로는 흡연을 들 수 있다.

④ 호산성과립세포종
성인에서만 발생하는 종양으로 타액선 종양의 1% 이하에서 발생하며 호산성 과립세포에서 유래하는 양성 종양이다.

⑤ 혈관종
소아에서 가장 흔한 타액선 종양으로 이하선에서 가장 흔하게 나타난다. 출생시부터 나타나서 6개월에 급속히 커졌다가 대부분 12세 이전에 점차 소실한다.

(2) 종양유사병변

① 괴사성 타액이형성증(necrotizing sialometaplasia)
경구개의 무통성 단일 궤양의 형태로 나타나는데 경구대의 점액장액성 타액선을 침범하며 일반적으로 자연치유된다. 여성에서 흔하고 궤양은 1-3 cm 직경의 둥글고 주위조직과의 경계가 뚜렷하며 붉은 테두리를 가진다.

② Mikulicz 병
타액선이나 누액선에 기저질환이나 특별한 증상 없이 커져 있는 상태를 말한다.

③ Sjogren 증후군
만성 자가면역성 질환으로 건성 각결막염, 구강건조증, 류마티스성 관설염이 주로 나타나는데 중년 이후 여성에서 흔하게 나타난다. 50% 정도에서 타액선의 미만성 종창을 보인다.

④ 선천성 낭종
새열낭(branchial cleft cyst)이라고도 하며 대부분 출생 시에 나타나나 성인이 될 때까지 불확실한 경우도 있다. 이하선에 무통성의 일측성 종괴가 나타나며 감염되면 동통을 수반한다.

⑤ 후천성면역결핍증
다발성의 림프상피성 낭종이 이하선 내에서 관찰될 수 있다.

(3) 악성 종양

① 점액표피양암종(mucoepidermoid carcinima)
가장 흔한 타액선 악성 종양으로 대부분 이하선에 생기며 악하선에서도 선양낭성암종 다음으로 흔한 악성 종양이다.

② 선양낭성 암종

타액선 악성 종양 중 두 번째로 흔하며 이하선에서는 점액표피양암종보다 발생률이 낮지만 악하선과 소타액선에서는 가장 흔하게 발생하는 악성 종양이다. 대부분 서서히 자라지만 국소적으로 침윤성이고 재발율이 높으며 신경을 따라 퍼지는 경향이 있어 소수에서는 초기 증상으로 안면신경마비와 통증을 호소한다.

③ 선방세포암종(acinic cell carcinoma)

주로 이하선에 생기며 여성에게 흔하고 Warthin 종양 다음으로 흔한 양측성 종양으로 3% 정도에서 발현된다. 소아기에 점액상피암 다음으로 흔한 암종이다. 예후는 비교적 양호하다.

④ 선암종(adenocarcinoma)

소타액선에서 가장 흔하게 발생하고 그 다음으로 이하선에 발생한다. 재발과 전이가 잘 되며 육안적 소견으로는 단단하고 주위 조직에 유착되어 있다.

⑤ 악성 혼합종(malignant mixed tumor)

드물게 나타나며 양성 다형선종에서 다양한 조직형태의 악성 종양이 기원된 경우를 말하며 대부분 이하선에서 발생하나 악하선과 소타액선에서도 발생할 수 있다. 혼합종양(mixed tumor)은 일반적으로 20-40세의 남자에게 많으며 조직학적으로 내피세포종, 섬유종, 점액종, 연골종 등을 내포하는 경우가 많은데 이 종양은 조직학적으로는 양성으로 분류되

나 임상적으로는 악성종양으로 생각해야 할 것이다.

⑥ 림프종(lymphoma)

원발성 림프종은 드물며 이하선에 가장 호발하고 그 다음으로는 악하선에 발생한다.

4) 治療

치료 원칙은 특이한 증상이 없더라도 조기에 철저한 검사와 적절한 수술적 처치를 통해 종괴를 제거하여 병리조직학적 확진을 해야 한다는 것이다. 미분화암종을 제외한 절제 가능한 타액선 암종은 수술적 치료가 일차적인 치료 방법이 되며 절제가 불가능한 암종은 방사선 치료나 항암화학치료를 시행한다. 종양의 크기와 주위 침범 정도에 따라 치료지침이 결정되는데 안면신경과 설신경 등을 포함하여 주요 뇌신경들이 직접 침범되지 않는 경우 보존하는 것이 원칙이다.

5) 豫候

예후의 가장 중요한 인자는 병변의 크기 즉 병기이다. 그 다음으로는 암종의 조직학적 악성도가 중요하다. 일반적으로 주 타액선의 경우 크기가 작은 타액선에서 생긴 암종일수록 예후가 좋지 않으며 재발암, 다결절, 절제연의 잔존, 안면신경마비가 있으면 예후가 불량하다. 원격전이의 빈도는 폐전이가 가장 높으며 뼈, 내장, 뇌 등으로 전이될 수 있어 흉부촬영과 bone scan을 정기적으로 시행해야 한다.

脣疾患

입술질환은 많은 영역이 피부의 이상을 동반하고 있는 피부외과 영역에 속한다. 입술 질환의 경우 입술에 생기는 바이러스성 수포 혹은 피부염이 주가 되므로 여기에서는 한의학 질환을 기준으로 한다.

1. 순염(그림 2-2-3)

1) 脣瘡

(1) 槪要
上下脣에 미세한 水泡와 궤란이 발생되어 삼출물과 비지 같은 것이 있으면서 동통, 소양하며 結痂가 나타나는 것을 말한다. 구순 주위에 발생되는 단순성 또는 대상포진성의 포진(疱疹, simplex herpes)과 비슷하다. 입술에 수포가 나타나는 질환은 Herpes 바이러스에 의한 단순 및 대상포진 외에도 천포창(天疱瘡), 포진성 구협염(疱疹性 口峽炎), 다형성홍반(多形性紅斑, erythema multiforme), stevens- johnson증후군, 약물반응 등에서 순창은 나타날 수 있다.

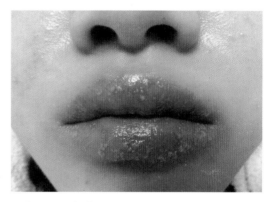

그림 2-2-3   순염

(2) 異名
脣胗, 脣瘍, 脣腫脹

(3) 病因病理
思慮過多로 脾氣가 鬱結되어 脾胃에 熱이 성하여 津液이 損傷되거나 또는 久病, 大病 後에 陰血이 損傷되어 虛熱이 口脣에 上衝되어서 발생한다.

(4) 臨床症狀
초기에는 上下脣에 紅斑, 瘙痒, 焮熱, 腫脹이 일어

나고 점차적으로 細粒小瘡이 나타나며 궤란되어 삼출물과 비지 같은 것이 흐르고 동통하거나 瘙癢하기도 한다. 소수포가 궤란된 부위에 痂皮가 형성된 후 탈락되면 脣에 회갈색의 結痂를 보이기도 한다.

(5) 辨證論治

① 脾胃積熱: 瀉胃湯, 瀉黃散을 이용한다. 熱甚하여 脣舌燥裂, 口脣生瘡, 大渴引飮 하면 竹葉石膏湯을 사용하고 脣腫, 口脣瞤動하면 薏苡仁湯을 이용한다.

② 胃實熱: 瀉胃湯을 투여한다.

③ 風腫일 때: 薏苡仁湯을 투여한다.

④ 脾火가 왕성할 때: 芍藥湯(赤芍藥, 梔子, 黃連, 石膏, 連翹, 薄荷, 甘草)을 투여한다.

⑤ 黃柏과 野薔薇根을 분말하여 물과 혼합해 外敷하거나 藍葉의 즙을 짓찧어서 바른다.

⑥ 藍葉을 짓찧어서 바른다.

⑦ 白荷花瓣을 펴서 붙인다.

⑧ 葵根(焙)을 분말하여 麻油와 섞어서 바른다.

⑨ 瓦松과 生薑汁을 짓찧은 후 소금을 넣어 붙인다.

2) 脣燥裂

(1) 概要

口脣이 건조하고 주름과 균열이 생겨 심한 경우 출혈이 되는 것으로 脣焦, 脣燥裂, 脣腫裂이라 하며 서양의학에서는 순염의 증상과 유사하다.

(2) 異名

口脣乾燥, 脣焦, 脣燥裂, 脣腫裂

(3) 病因病理

本病의 病因은 주로 燥邪와 熱邪로 病이 되는 것으로 外感燥邪와 內燥傷津은 차이가 있다.

① 外感燥邪

가을, 겨울 계절에 흔히 보이며 風冷邪는 급히 乾燥하게 만드는데 이러한 燥邪는 斂肅之氣로 쉽게 肺金을 傷하게 하여 피부에 이르러 口脣乾燥하고 갈라지게 된다.

② 內燥傷津

체질적으로 陰虛하거나 濕熱病 후 津液이 손상되어 肺燥津傷에 이르면 陰津이 不足하여 입술을 濡潤하지 못하여 燥裂하게 된다. 혹은 맵고 자극적이고 기름진 음식을 과식하면 脾胃에 熱이 쌓이고 蘊結化火, 火熱傷津하여 脾陰이 不足해져 입술은 영화로움을 잃고 燥裂하게 된다.

(4) 臨床症狀

上下脣이 乾板처럼 마르고 갈라지며 입술의 피부에 골이 진다.

① 外感燥邪

가을, 겨울에 주로 많다. 面部皮膚腠理乾澁, 脣肌膜皸裂, 裂縫乾痂出血鮮紅, 遇水疼痛難受, 全身皮膚亦乾皺粗糙, 口鼻咽喉乾燥, 毛髮不榮, 舌乾紅, 脈細數

② 脾胃熱盛

脣部肌膜乾燥皺揭, 脣色赤, 皸裂이 다소 적다. 口渴, 口甘或臭, 舌質紅, 脈數

③ 肺燥傷津

脣失濡潤, 色乾無華, 皺縮而使脣部肌膜乾結, 如痂皮狀, 皸裂不甚, 裂紋表面有出絲滲出, 脣色暗紅. 겸하여 舌紅少津, 形體消瘦, 五心煩熱, 乾咳無痰, 脈細數 등을 나타낸다.

(5) 辨證論治

① 外感燥邪: 外治法 위주. 潤燥護膚藥物을 도포할 수 있다. 혹은 桑杏湯加減을 사용하여 淸燥凉潤之劑 內服을 겸할 수 있다.

② 脾胃熱盛: 養陰 淸熱潤燥. 淸凉飮을 사용할 수 있다.

③ 脾不化濕, 濕濁久蘊化熱上蒸하여 脣肌膜皺揭而腫, 糜爛流粘性液인 경우 加味導赤散을 사용할 수 있다.

④ 思慮傷脾而成心脾虧損으로 心煩不得臥, 健忘多夢, 口脣色淡紅而乾燥, 舌質淡嫩, 脈細弱인 경우 黃連阿膠鷄子黃湯을 사용한다.

⑤ 熱邪壅盛內傳胃腑하여 熱이 中焦를 곤란하게 하여 化火上炎하여 나타나는 脣部肌膜紅腫, 灼熱皺裂, 裂甚出血, 脣乾舌燥, 口焦臭, 小便黃, 苔薄黃, 脈象洪數인 경우 淸胃湯을 사용하고 大便秘結인 경우 凉隔散을 合하여 사용한다.

⑥ 肺燥傷津: 淸肺潤燥, 養陰生津, 百合固金湯加減을 사용한다.

⑦ 外治: 潤燥護膚 약물을 患處에 塗布한다. 상용약물로는 橄欖燒灰硏末을 猪脂에 섞어 脣部에 바른다. 건조하여 파열되고 출혈이 될 때 桃仁을 찧어서 猪油에 섞어서 바른다. 甘油는 燥處에 外塗한다. 黃連膏를 外塗하기도 한다.

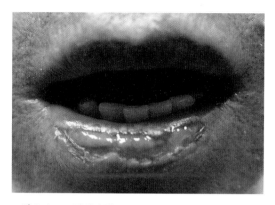

그림 2-2-4 만성 순염

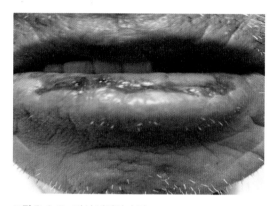

그림 2-2-5 만성 박탈성 순염

2. 만성 순염, 박탈성 순염(그림 2-2-4, 2-2-5)

1) 槪要

만성 순염은 脣風, 驢嘴風 등의 범위에 속한다. 입술 부위가 붉게 붓고 가려운 것이 오래되어 파열되어 삼출물이 흐르는 것이 특징적이며 이를 脣風이라고 한다. 부위에 따라서 上脣에서 나타나는 것을 魚口風, 주로 下脣에 발생하고 당나귀 주둥이처럼 腫大되는 것을 驢嘴風이라고도 한다. 입술에 시도 때도 없이 실룩거림이 있어 脣瞤이라고도 하여 脣瞤動을 脣風에 포함시키기도 하였다.   서양의학에서의 剝脫性脣炎과 유사하다. 剝脫性脣炎은 입술의 홍순(vermilion border)에 나타나는 만성의 표재성 염증 질환으로 지속적인 가피 형성이 특징이다. 대부분의 경우 젊은 여자에서 발생하며, 처음에는 아랫입술의 가운데에서 시작하여 퍼져 나가 입술의 지속적인 박탈이 아랫입술 때로는 양 입술의 홍순(vermilion border)에 국한되어 수개월, 수년 동안 지속한다. 구열, 작열감, 압통 또는 동통 등이 동반한다.

2) 異名

脣瞤, 驢嘴風, 魚口風

3) 病因病理

(1) 胃經風熱
대개의 경우 맵고 자극적이고 기름진 음식을 과식하여 胃腑積熱化火한데 여기에 風熱外襲을 받아 風火가 相搏하여 脣部를 熏灼하고 氣血이 凝滯되어 病이 생긴다.

(2) 脾經血燥
'脾開竅於口, 其華在脣, 主統血'하는데 만일 맵고 자극적인 음식을 과식하면 脾熱이 시간이 지나면 陰血을 손상시켜 血熱化燥하여 風을 生하여 筋을 傷하면 입술이 실룩거리고 肌膜을 燥熱薰灼하면 乾裂流水하고 심하면 피부가 벗겨지는 상태가 된다.

4) 臨床症狀

주로 아랫입술에서 많이 발생하는데 가을, 겨울에 다발한다. 초기에는 입술이 붉고 가려우며 붓는데 작열감과 통증이 생긴다. 오래되면 표면이 건조하고 가피가 생기며 가피가 떨어지면 붉은 색의 살이 노출된 후 다시 가피가 생기는 증상이 반복하여 발생한다. 환자는 건조한 느낌을 완화하기 위하여 혀로 입술을 핥는다.

(1) 胃經風熱
발병이 신속하고 입술부위가 紅腫痛하며 破裂되어 진물이 흐르고 심하면 피부가 벗겨져 가렵고 때 없이 입술이 실룩거리고 口臭, 口渴喜冷飮하거나 大便秘結, 舌苔黃膩, 脈滑數한다.

(2) 脾經血燥
발병이 완만하고 입술부위가 腫脹, 乾燥如火燎, 舌乾無津, 口甘粘濁, 小便黃赤短澁, 脈數而實하다.

5) 辨證論治

(1) 胃經風熱: 淸熱凉血, 疏散風邪. 雙解通聖散 加生地黃, 金銀花. 만일 熱盛한 경우 黃連을 加하고 便秘가 있으면 大黃, 芒硝를 加한다.

(2) 脾經血燥: 祛風, 凉血, 潤燥. 四物消風飮. 脣部瞤動 時 白殭蠶, 全蝎을 가하여 祛風淸熱시키며, 乾裂流黃水한 경우 黃白, 滑石을 가하여 利水淸熱燥濕시킨다. 舌乾無津한 경우 麥門冬, 石斛을 가하여 淸熱養陰生津시키며 口甘粘濁한 경우는 茯苓, 白扁豆, 佩蘭을 가하여 芳香化濕, 健脾化中滲濕시킨다. 小便黃籍短澁한 경우 澤瀉, 綿茵蔯을 가하여 淸熱利濕한다.

(3) 外治의 원칙: 淸熱解毒, 凉血燥濕

(4) 雙解通聖散을 투여하고 患處에 黃連膏를 도포한다.

(5) 깨끗한 물로 患處를 세척하고 芒硝를 바른다.

(6) 消蘆散으로 薰하며 冰硼散을 撒布한다.

6) 豫候 및 管理法

조기에 치료하면 경과가 양호하며 疼痛이 없고 삼출물이 계속 흐르는 경우는 예후가 좋지 못하다. 자극성이 없는 음식물을 섭취하고 風寒邪를 피하는 것이 좋다.

3. 입술부종

1) 槪要

입술부종은 脣腫의 범위에 속한다. 口脣이 갑자기 腫脹되는 것이다. 맥관부종이 이와 유사하다.

2) 異名

脣風腫

3) 病因病理

脾胃虛弱으로 運化기능이 실조되어 水濕이 停滯되고 여기에 風邪가 들어와 風濕이 搏結되어 經絡을 따라 口脣이 모이게 되면 本病이 발생하게 된다.

4) 臨床症狀

입술이 돌연히 腫脹되고 일반적으로 不紅不痛 혹은 微痛하고 많은 경우 감각이 둔한 느낌이 있고 舌苔白膩, 脈濡滑 등의 證이 있다. 風盛하여 筋脈을 상한 경우 口脣瞤動하고 濕이 모여 흩어지지 않으면 입술이 붓고 가려움이 발생하며 脾虛不攝을 겸하는 경우 대부분 변이 무르고 納少, 面黃肌瘦, 氣少乏力 등 症을 나타낼 수 있다.

5) 辨證論治

脣腫하면서 赤色을 나타내는 것은 胃內가 熱極한 것이고, 脣口가 건조하고 脣裂 煩渴하는 증상은 胃實熱로 인한 것이며, 脣口가 瞤動하는 것은 風邪 때문이다. 치료는 健脾祛濕, 散風活絡이 원칙이다.

(1) 脾胃虛弱, 中氣虛寒한 경우: 補中益氣湯 혹 蔘苓白朮散加減
(2) 口脣瞤動한 경우: 羌活, 白殭蠶, 地龍乾, 牡蠣 등을 加한다.

(3) 腫脹木痒이 심한 경우: 雙解通聖散 혹 過敏煎을 사용하여 祛風消腫止痒한다.
(4) 胃에 實熱이 있는 경우: 瀉胃湯을 투여한다.
(5) 脣腫하면서 發赤한 경우: 薏苡湯을 투여하고 外用으로 生蒲黃 7.5 g, 黃連, 頂上梅花, 氷片 각 3.75 g을 분말하여 麻油에 섞어서 붙인다.
(6) 外治: 生蒲黃, 黃連, 頂上海花, 氷片을 粉末하여 麻油에 조제하여 붙이거나 紫金錠에 소금을 소량하여 汁을 患處에 매일 2-3회 바른다. 破爛되어 삼출물이 흐르는 경우에는 銅靑 18.75 g, 宮粉 11.25 g, 明礬 5.6 g, 氷片 0.375 g을 熬膏하고 다시 麝香 0.018 g, 氷片 0.018 g을 조제하여 患處에 바른다.
(7) 鍼灸治療: 上脣腫에 人中穴에 淺刺하고 下脣腫에 承漿穴을 취하여 매일 1회 침 치료를 하며 중등도 자극을 가하고 15분간 留鍼시킨다.

4. 구순암, 봉와직염

1) 脣疔

(1) 槪要

구순암은 脣疔과 유사하다. 口角의 兩傍 혹은 上下脣에 발생한 疔瘡으로 脣裏棱에 발생한 것을 脣疔, 脣外飜으로 인한 것을 反脣疔, 인중의 상부에 있으면 龍須疔, 인중의 양방에 있으면 虎須疔, 脣中에 일점의 紅黃色의 小泡가 있고 火와 같은 艶色을 보이면 火焰疔, 口角에서 생겨서 입술을 움직이기 어렵거나 열기가 곤란한 것을 鎖口疔이라고 한다. 구각 또는 구순에 나타나는 봉와직염의 증상과 혹은 구순에 발생하는 악성암과 유사하다.

(2) 異名

反脣疔, 鎖口疔, 龍須疔, 虎須疔, 火焰疔

(3) 病因病理

脾胃의 火毒이 원인이 되어 발생한다. 疔瘡은 입술의 발생부위에 비록 차이가 있지만 그 원인은 모두 脾胃鬱熱이 오래되어 火로 변하거나 혹 外感風熱邪毒을 兼하여 안팎으로 서로 합쳐져 火毒이 壅盛하여 위로 口脣深處에 凝聚되어 발생한다.

(4) 臨床症狀

口角旁 또는 上下脣에서 발생하는데 주로 上脣에 많이 발생한다. 脣疔은 초기 형태는 粟粒처럼 일어나 한 개의 약간 붉은 돌기 형태를 띤 작은 硬結이 되어 윗부분은 白色 膿頭가 있고 주변은 붉게 부어 단단히 硬結되어 있으며 크기는 작고 그 뿌리가 비교적 깊고 灼熱感 및 鈍痲感, 瘙痒感 등이 있다.

(5) 辨證論治

治療는 祛風淸脾胃熱毒 위주로 한다.

① 風熱邪毒이 침범한 경우 輕症은 五味消毒飲, 重症은 五味消毒飲合黃連解毒湯을 사용한다.
② 疔瘡走黃이 나타나 邪實正實할 경우 마땅히 涼血解毒 위주로 하며 犀角地黃湯合黃連解毒湯을 복용하는데, 神昏譫語가 있는 경우는 七星劍湯을 사용하거나 安宮牛黃丸이나 紫雪丹을 加한다.
③ 火毒을 泄下하되 脾胃의 氣가 손상되지 않게 하여야 한다. 救脣湯을 투여한다.
④ 外治 상 脣疔 초기에 紅腫未潰 時 玉露散, 金黃散을 外敷하며 혹 紫金錠, 蟾酥丸을 外塗한다. 만일 疔頭가 이미 潰破되었다면 芙蓉膏를 外敷할 수 있으며 膿이 소멸되었으나 癒合되지 않은 경우 珍珠八寶丹을 사용하고 환부 윗부분은 太

乙膏로 덮어 生肌長肉收口한다. 이 밖에 針刺放血法으로 정강이 만곡 부위를 살피어 紫黑筋이 있는 경우 長針을 針刺하여 放血 시키고 난 후 다시 口脣湯을 服用한다. 脣疔은 病處에 압력을 가하여 짜고 桃刺하며, 환부가 악화되는 것을 가장 경계하여야 하며 그렇지 않으면 火毒이 확산되어 走黃이 될 수 있다. 이른 시기에 절개하는 것을 금하며 灸法을 禁하고 흡연, 음주, 辛辣한 음식 등을 금한다.

(6) 豫候 및 管理法

초기에 粟粒大의 가벼운 腫瘍이라 하더라도 신속하게 치료해야 한다. 병세가 가벼운 경우는 단지 국소 부위 병변을 나타내고 전신증상은 없다. 병세가 심하면 寒熱交作, 頭痛, 心煩, 惡心, 納呆 등 증상을 보이고 5-7일경이면 疔頭가 무르게 변하여 潰瘍이 化膿되고 腫痛이 사그라지게 되며 潰口가 신속히 癒合되고 身熱이 점차 제거되는데 이것은 順症이다. 만약 脣疔 처치가 적당하지 못하거나 압력을 가하여 짜거나 한다면 3-5일만에 병이 진행되어 腫勢가 점차 확대되고 입술 부위 腫瘡이 外飜되고 疔頭가 紫黑色으로 堅硬되고 膿이 없다면 腫勢는 급히 확산되어 頭面이 함께 붓고 寒戰高熱, 飲食減少, 夜不安寢, 大便燥結이 생기고 심하면 惡心嘔吐, 煩燥氣急, 皮膚見瘀点, 瘀斑 혹 全身發黃, 舌質紅絳, 脈象洪數한 경우 이는 毒이 血分에 들어간 것으로 走黃逆症으로 危急하여 생명에 영향을 미칠 수 있다. 다만 脣疔은 일반적으로 輕症이 비교적 흔하고 走黃逆症은 비교적 드물다.

2) 繭脣

(1) 槪要

입술에 惡性 腫瘤를 말한다. 脣이 腫大되고 白皮처

럼 皴裂되어 蠶繭狀을 띠며, 口가 緊하게 되어 口가 脹하지 못하여 水漿 및 飮食不入이 되는 것으로 腫의 白皮皴裂이 蠶繭狀과 같이 발생하여 繭脣이라고 한다. 혹 입술에 惡瘡을 繭脣風이라고 한다. 또한 口脣이 緊小하게 된다 하여 月闕瘡, 蟲蝕瘡, 雁來風이라고도 한다. 서양의학에서 말하는 脣癌과 비슷하다. 구순암은 대부분이 아래 입술에 발생되며 입술의 경계부에서 호발 된다. 조직학적으로는 대부분 편평상피암이나 소수에서는 口脣腺에서 생긴 腺癌 혹은 紡錘狀細胞癌으로 구분할 수 있다. 증상은 보통은 작고 편편하게 두드러진 硬結 혹은 주위보다 다소 낮은 경결이며, 구순상피가 떨어져 나와 분비물이 생기고 가피가 형성되며 이것을 제거하면 다소의 출혈이 발생된다. 상피의 표면이 갈라져 평활하지 못하고 점차 궤양이 깊어지고 주위도 단단하게 비후가 되어 종양의 형태로 바뀌며 둑 모양의 궤양도 생긴다. 전이는 비교적 늦게 나타나는 경향이 있으며 악하 및 頤下淋巴節에 나타난다.

(2) 異名
繭脣風, 白繭脣, 緊脣, 脣緊, 瀋脣, 月闕瘡, 蟲蝕瘡, 雁來風

(3) 病因病理
① 煎炒, 炙煿한 음식을 많이 섭취하고 또 思慮를 과도하게 하여서 痰이 火를 따라 脣部에 留注하여 발생한다.
② 胃經의 痰火가 脣部에 流注하여 발생한다.
③ 많은 경우 憂思過度, 過食炙煿, 傷及心脾, 令心火內燔, 脾胃熱盛, 火熱灼津하여 痰을 이루고 또한 氣血을 傷하여 氣血痰涎循經蘊結上脣한 까닭이다. 즉,
④ 六氣, 七情의 感觸 혹은 心憂, 思慮大過로서 心火가 왕성하거나 醇酒厚味의 過量攝取로 積熱

이 생겨서 脾를 손상하고 腎水를 고갈하였기 때문에 발생한다.
⑤ 평소 虛弱하여 腎陰이 虧損되고 虛火上炎하여 다른 병에 영향을 받아 邪毒이 입술에 滯留하거나 드물게 抽烟 등 입술에 장기간 자극으로 惡性으로 변하는 경우도 있다.

(4) 臨床症狀
本病은 脣部 전반에 걸쳐서 발생하지만 주로 下脣에 발생하며 上脣에 발생하는 경우는 드물다.

초기에 입술에 硬結이 보이고 점차 커져 형태가 마치 누에고치와 같고 痂塊가 脫落하여 腫物表面에 潰爛이 노출되고 翻花狀, 揚梅狀, 疙瘩狀, 靈芝狀, 菌狀 등과 같은 凹凸이 생기고 出血하기 쉽다. 痂塊가 脫落하면 새로운 結痂가 생기며 疼痛이 있고 음식 먹는데 제약이 있으며 癌腫이 진행되어 심할 경우 입술에서부터 牙槽骨, 頷骨에 이르고 頰部 및 양측 頸部에 惡核이 있을 수 있다. 口乾, 口渴, 身體虛弱, 五心煩熱, 顔面黑或赤色, 腮觀紅潮, 大便秘結, 小便黃, 舌質紅赤, 黃厚苔, 脈弦或滑或數 등이 발생한다. 확진은 조직 검사로 가능하다.

(5) 辨證論治
① 淸瀉心脾, 行氣活血, 解毒散結을 하기위해 加味導赤散 加 紅花, 桃仁, 赤芍을 사용한다.
② 陰虛熱盛한 경우 滋陰淸熱하여 地骨皮, 旱蓮草를 加하고 또한 먼저 血府逐瘀湯 加 蓮子心, 靑天葵를 사용거나 丹梔逍遙散 加 穿山甲, 牡蠣, 三棱, 蓬朮, 黨蔘 등을 사용할 수 있다.
③ 口乾脣燥熱하여 痂塊가 두터울 경우 養陰生津潤燥하기 위해 甘露飮을 사용한다.
④ 面赤, 脣紅燥熱, 疼痛加劇, 便結, 舌質紅, 脈數有力한 경우 通便泄熱하기 위해 凉隔散을 복용하고 瀉下通便 後 大黃, 芒硝를 去하고 杭菊, 龍膽

草, 玄蔘, 知母를 加할 수 있다.

⑤ 낮에 가볍고 야간에 심하여 五心煩熱, 頭暈, 耳鳴, 顴紅, 腰痛 등 腎陰虧損의 證을 나타낼 경우 滋補腎陰하기 위해 左歸丸을 사용할 수 있다.

⑥ 虛火旺盛한 경우 養陰降火를 중요시하여 知柏地黃湯을 先用한다.

⑦ 상술한 방법 외에 치료상 結聚를 풀고 去痰濁하는 瓜蔞仁, 制半夏, 葶藶子, 浙貝母, 天南星, 山慈姑 등과 같은 약물을 배합할 수 있다.

⑧ 外治 약물로 초기에는 麻子大艾 三壯을 灸한 후에 蟾酥丸을 患處에 도포하여 攻毒化腐, 消堅散結, 消腫止痛한다. 脣紅燥裂하고 痂塊가 두터운 경우 피부연화제를 塗布하여 淸熱解毒, 凉血潤燥하며 이미 潰破된 경우 生肌玉紅膏를 敷貼하거나 黃柏散를 外敷한다.

(6) 豫候 및 管理法
식이요법과 생활양식은 지방성 음식물과 鷄, 鵝, 羊肉, 새우, 게 및 비린내 나는 海魚類를 금하고, 生冷物 등을 피하며 성생활이나 분노를 삼가야 한다.

5. 입술 결핵

1) 槪要

입술 결핵은 脣疽와 유사하다. 입술 전반에 걸쳐 疽가 생겨 입술이 붓고 紫色을 띠며 단단하여 麻木과 疼痛이 있는 것을 말하며, 서양의학적으로 脣部 結核과 유사하다.

2) 異名

脣口疽

3) 病因病理

평소 기름진 음식이나 燻製肉을 過度하게 섭취하고 술을 過飮하여 脾經積熱內蘊으로 經絡이 오래도록 풀리지 않고 입술에서 막히어 熱邪로 입술 經絡이 損傷되어 발생한다.

4) 臨床症狀

입술에 疽가 생기는데 위치가 일정하지 않아 或上或下, 或左或右하며 紫色의 붓고 단단한 腫頭가 있으며 복숭아나 배 모양과 유사하고 작은 것은 대추 같기도 하다. 기상시 麻木, 疼痛이 있어 심한 경우 몸에 寒熱이 생기고 오래도록 사라지지 않으면 潰破되어 癒合이 비교적 완만히 이루어지고 몸에 약간의 微熱, 脈數 등 증상이 있을 수 있다.

5) 辨證論治

(1) 초기에는 活血解毒消散 위주로 치료하여, 神授衛生湯 혹 消疽湯을 사용한다.

(2) 疽腫過大而裏熱甚하여 舌紅, 苔黃, 脈數, 便秘 등을 겸할 경우 淸心凉隔할 수 있는 凉隔散 加黃連, 蒲公英 이어서 淸熱解毒之劑인 雙解貴金丸를 사용한다.

(3) 潰破된 이후에 오래도록 상처부위가 아물지 않는 경우 十全大補湯으로 托瘡生肌하여 癒合부위를 촉진한다.

(4) 脣疽가 아직 潰破되지 않은 경우 外用으로 離宮錠을 물에 녹여 매일 2-3회 도포하여 消腫散結한다. 潰破된 후에는 生肌散을 外敷하여 빠른 시일 내에 癒合되게 한다.

6) 豫候 및 管理法

초기에 신속히 치료하면 예후가 양호하나 정신이 昏迷하고 譫語하며 얼굴과 입술이 모두 붓고 상처 부위가 陷沒되어서 軟弱하고 病毒이 퍼져서 확대되면 疔毒과 같아지거나 口面에 脫疽가 발생하는 것은 위험하다. 식이요법과 생활양식은 지방성 음식물과 鷄, 鵝, 羊肉, 조개, 새우, 게 및 비린내 나는 海魚類를 피하고 炒炙한 음식물, 燻製肉 및 生冷物, 麵食, 술 등을 금하는 것이 좋다.

6. 脣瞤動

1) 槪要

입술이 떨리는 증상을 의미하며 脣瞤, 脣風, 脣顫動 이라 한다. 脣風의 경우 대부분 下脣에 紅腫, 疼痒, 破裂流水 등의 증상이 발생하고 때때로 瞤動이 나타나지만 脣瞤動은 이러한 증상이 없이 오직 口脣

이 떨리는 것이다.

2) 異名

脣瞤, 脣風, 脣顫動

3) 病因病理

주로 脾氣虛弱으로 陰血이 부족해져서 血虛生風하여 발생하며 때로는 脣風이 심해져서 발병한다.

4) 臨床症狀

口脣이 떨리는 증상이다.

5) 辨證論治

風火의 上攻으로 발생한 脣風 때문에 증상이 발생한 경우에는 脣風에 준하여 치료하며 脣瞤動에는 調理脾胃藥에 가감하여 활용한다.

舌疾患

1. 천재성 설염<small>(그림 2-4-1)</small>

1) 槪要

설 표면에 생기는 염증을 말하며 이것은 구내염과 병발되므로 거의 구내염의 병태와 동일하다. 한의학적으로는 舌瘡에 해당하는 질환으로 舌表面에 腫瘡, 潰瘍이 발생되고 치료가 용이하나 重하면 舌疳 혹은 舌菌으로 진행되거나 舌瘡과 함께 목구멍이 붓고 막힐 때도 있으므로 주의를 요한다. 일반적으로 난독석으로 나타나는 것은 드물며 주로 口瘡과 겸해 일어나는 경우가 많다. 서양의학에서 카타르성 또는 아프타성 설염의 증상에 해당한다.

2) 病因

心火熾盛 또는 胃內에 잠복되었던 熱이 上焦에서 울체되어 舌을 薰蒸하여 발생된다. 혹은 虛火가 上炎하거나 또는 血虛로 인해 燥熱이 舌에 上沖하여 나타난다.

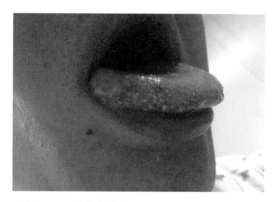

그림 2-4-1　천재성 설염

3) 症狀

카타르성 설염은 단순성 설염으로 가장 흔히 볼 수 있는 설염이다. 설에 발적, 종대가 나타나고 설 표면에 백태가 덮인다. 종창이 심하면 그 측연에 치아로 인한 압흔이 생기는 수가 있으며 사상유두가 발적, 종창되어 명확히 보인다. 또한 설첨 부근에는 작은 궤양 혹은 균열이 나타나며 심부로 진행되면 혀가 단단해진다. 자각증상으로는 설에 이상감각이 나타나고 미각장애와 동통으로 섭식장애가 발생한다.

아프타성 설염은 구강 및 구순에 병발되기도 하고 또는 국한적으로 설에만 발생되기도 한다. 설연, 설첨에 다발성 혹은 고립성으로 米粒大에서 小豆大에 이르는 원형 혹은 타원형의 미란이 일어나고 그 표면은 황백색의 태로 덮이고 주위에는 紅暈이 나타난다. 주로 반복적으로 만성적인 형태를 보이며, 자각증상으로는 심한 동통과 식사 및 발음에 장애가 일어난다.

Moeller 설염은 증상: 설첨, 설배, 설연에 암적색의 불규칙한 원형, 난원형의 斑紋이 나타나 점차 확대되어 상호 융합한다. 반문은 대칭성으로 발생되는 수가 많고 상피의 박탈은 있으나 침윤, 궤양, 균열, 반흔의 형성 등은 없으며, 자각증상으로 심한 작열성의 동통이 있고 이러한 동통은 식사 때에 특히 심하다.

舌表面에 腫脹이 일어나 처음에는 多少의 黃粟狀의 潰瘍이 나타나고 심하면 侵蝕되어 孔穴을 형성하며 음식을 섭취하기 곤란하다. 혹은 口渴, 口內惡臭, 大便秘結 등이 발생된다. 腫하면 舌疳 또는 舌菌으로 변하기도 한다.

4) 辨證 및 治法

心火熾盛한 경우에는 凉膈散加減, 回春凉膈散 혹은 導赤散에 玄蔘, 梔子, 黃連을 가하며, 胃火積盛한 경우에는 升麻葛根湯加減을 투여한다. 虛火上炎에는 養正丹 등을 활용하고, 血虛燥熱에는 歸脾湯加減과 四物湯에 知母, 黃柏, 麥門冬, 五味子, 白茯苓 등을 가하여 복용한다. 外治로는 빙편산을 환처에 바르거나 빙편 0.4 g을 蚌內에 놓아 녹아서 물이 되게 한 후 舌上에 바른다. 혹은 蚌水나 田螺水 및 茶水로 혀를 깨끗이 씻은 후 분말약을 바른다.

구강 위생을 개선하는 것이 가장 중요하다. 원인이 되는 요소를 교정하고 항생제와 진통제 등의 약물을 사용할 수 있다. 또한, 통증을 완화하고 염증을 줄이는 가글린 액을 사용하는 것이 중요하다. 진균성 감염이 의심되면 항진균제가 포함된 가글린액을 사용할 수 있다.

2. 舌下膿腫 (그림 2-4-2)

1) 槪要

舌下部 深部에 癰腫이 생긴 것으로 局部腫脹으로 인해 흡사 새로 작은 혀가 생긴 것 같으며 병세가 엄중하며 舌根과 喉部에 파급되어 舌下癰, 舌根癰, 揷舌喉癰이라고도 한다.

2) 異名

舌根癰, 揷舌喉癰

3) 原因

많은 경우 過食肥甘醇酒하여 心火가 旺盛하고 胃內에 잠복되었던 濕熱이 薰蒸하고 邪熱이 舌下에

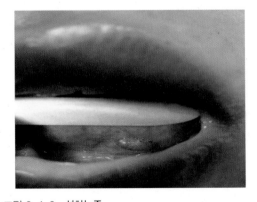

그림 2-4-2　설하농종

壅聚하고 氣血凝滯하여 이루어진다. 혹은 拔牙損傷 後 邪毒에 감염되어 舌下에 邪熱이 蘊結하여 血澁氣滯하고 腐肉成膿하게 된다.

4) 症狀

초기에는 혀가 紅色을 띠고 腫大되며, 口底部가 紅腫疼痛, 舌被撐起并稍强硬, 迅速增劇致舌體運動不靈, 語音不淸, 음식을 먹을 때 舌下部 疼痛이 劇烈하여 음식 먹는 것을 제한하며, 턱 밑 깊은 부위에 통증이 있다. 병세가 발전하면 痰多涎溢하고 점차 턱 밑이 腫脹하고 열이 심하며, 누르면 僵硬하고 舌下口底부위도 腫脹하고 열이 심하여 흡사 舌下에 또다른 舌이 있는 것 같다. 重舌狀을 나타내어 語音更含糊한 증상이 있다. 重한 경우 腫勢가 喉部로 발전하여 호흡에 영향을 미치고 코골이를 일으킨다. 전신증상으로 壯熱, 出汗, 舌苔厚而黃濁, 脈洪數하며 邪毒이 확산되면 煩燥神昏, 鼻煽脣靑, 호흡곤란이 발생한다. 응급 시술을 하지 못할 경우 窒息하여 사망에 이를 수 있다.

5) 辨證 및 治法

祛痰消腫, 凉血解毒한다. 五味消毒飮 加 瓜蔞皮, 牛黃, 貝母, 前胡 등으로 祛痰消腫한다. 病情이 嚴重하고 熱이 血分으로 들어간 경우 凉血解毒 위주로 치료하는데 犀角地黃湯 加 祛痰消腫 약물을 사용할 수 있다. 外治로는 조기에 舌根下兩旁에 간간이 黃藥方, 金丹, 碧丹 등을 舌筋에 불어넣거나 金黃散을 바른다. 턱밑에 腫脹硬結이 있는 경우 九一丹을 바르고 癰이 이미 밖으로 潰破된 경우 膿이 흐르는 것을 막기 위해 九黃丹을 사용하여 拔毒去膿, 除腐止痛한다. 收口期에는 生肌散을 사용한다. 癰腫이 성숙하여 膿이 있는 경우 切開排膿하고 턱밑 腫脹이 무르게 변해 파동감이 있는 경우 頸外穿刺하여 膿을 뽑아내거나 切開排膿한다. 이 밖에 腫脹이 기도까지 파급되어 호흡곤란한 경우 반드시 切開하고 病情을 관찰하여 호흡정황을 주의하고 窒息하여 위험한 경우를 예방하고 필요한 경우 기관절개술을 실시한다.

3. 唾石

1) 槪要

타석(唾石, salivary gland stone)은 구강저와 악하삼각(頷下三角, submandibular triangle)에 종창, 동통, 간헐적인 자극 및 불쾌감이 일어나면서 종창은 지속이 되다가 심화되면 타액농루(唾液膿漏)의 상태가 되기도 한다.

舌下疼痛이 있고 한 개 덩어리가 올라와 붉거나 紫色을 띠며 腫塊가 突出되어 小舌狀을 형성하는 것으로 重舌이라 하였다.

2) 異名

蓮花舌, 蓮花細舌, 雀舌, 子舌, 重舌, 重舌風

3) 原因

타액선 수출관 내에 침입한 작은 이물, 세균 등이 핵이 되고, 이것에 탄산칼슘, 인산칼슘 등의 석회가 침착하여 형성된다. 병리는 타액선의 정체로 농축이 되고 타액의 성분이 변화되면서 동시에 감염도 나타난다. 타석의 형성이 가장 많은 발생하는 부위는 Wharton씨 관이고 그 다음에는 악하선, 이하선, Stensen씨 관 순서로 발생되는데, 특히 악하선에서 가장 많이 발생된다.

心脾積熱로 인해 火毒이 舌을 上沖하여 나타나며, 小兒에서는 대개 小兒胎毒內蘊하고 腎氣未充하여 胎毒이 위로 逆行한 所致이다. 舌은 心苗로 胎毒이 心에서 發하여 그 증상이 혀에 드러나는 것이다.

4) 症狀

구강저와 악하삼각(頷下三角, submandibular triangle)에 종창, 동통, 간헐적인 자극 및 불쾌감이 일어나면서 종창은 계속적으로 지속이 된다. 식사 중에 승상이 더욱 심하고 타액분비가 늘어난다. 수술관에 있는 타석이 타액의 분비를 막을 정도가면 갑자기 발생되어 종창이 크고 증상도 심해지며 급성적인 염증으로 개구부로부터 배농이 되어 타액농루(唾液膿漏)의 상태가 되기도 한다.

舌卷短縮, 舌下血脈腫起, 疼痛, 形似小舌之狀, 其色或紅或紫, 或連貫而生, 狀如蓮花, 頰下多呈浮腫 등을 나타낸다. 전신증상으로 潮熱, 疼痛, 項强, 飮食難下, 言語不淸, 口流淸涎하며 重한 경우 오래도록 潰腐한다.

5) 診斷

진단은 악하선관을 양손으로 촉진하거나 방사선 비투과성으로 단순촬영을 하여 나타난다.

6) 辨證 및 治法

(1) 心脾蘊熱: 瀉心脾之熱하는 黃連瀉心湯 便秘가 있는 경우 凉隔散, 言語不利 或不能言한 경우 通關開竅하기 위해 安宮牛黃丸을 사용한다.
(2) 胎毒未淸: 淸心解毒하는 黃連解毒湯 加 大黃,

犀角(磨汁衝服)
(3) 外治: 口腔 淸潔을 주의하여 담담한 소금물이나 金銀花, 甘草 等分하여 煎湯한 것을 빈번히 漱口하고 舌下에 冰硼散이나 薄荷硏末合冰片 소량을 섞은 것을 불어 넣거나 凉心散을 매일 2-3차례 불어 넣는다. 潰爛이 있는 경우 錫類散을 불어 넣고 舌出血이 있는 경우 炒蒲黃末을 사용하며 痰涎의 양이 많은 경우 聖惠方을 사용한다.
(4) 鍼灸치료: 초기 응급 시에 熱을 배출하기 위해 三稜鍼으로 刺하여 惡血을 제거하거나 金津, 玉液 2穴을 5分 정도 刺鍼하여 出血을 낸 후 담담한 소금물로 입을 헹구고 재차 冰硼散을 불어 넣는다. 合谷과 少商穴을 배합하며 瀉法强刺戟을 주고 留鍼을 시키지 않으며 매일 1회 刺鍼하여 泄熱止痛시킨다.
(5) 타액관의 절개로 제거할 수 있다.

4. 설의 농양 및 봉와직염

1) 槪要

설에 급격한 통증과 함께 종창되어 움직이기 힘들고, 입을 다물지 못하며 고열, 구취, 유연과 섭식 및 발성장애, 천명과 호흡곤란 등을 동반 하는 질환이다. 舌이 木硬처럼 腫大되어 口中에 充滿 및 充塞感을 느끼고 舌의 轉動이 불능하여 呑咽 및 言語, 呼吸障碍가 발생되는 상태를 말한다. 木舌脹, 木舌風, 死舌, 舌瘖이라고도 하며 舌이 홀연 腫大堅硬하고 口中充滿하며 때때로 氣絶하는 것을 繁舌이라 하고, 舌이 腫大되어 紫色을 띤 것이 마치 肝과 비슷하고 堅硬, 疼痛한 것을 紫舌이라 한다. 이는 다양한 질환에 의한 혀의 상태를 나타내는 것으로 급성 심재성 설염, 농양, 봉와직염 또는 양성 및 악성종양과 유사하다.

2) 異名

木舌脹, 木舌風, 死舌, 舌瘡, 嬰舌, 紫舌

3) 原因

이물, 외상 또는 편도, 치아에서 파급된 화농성 염증 등에서 나타나며 원인균은 대부분이 연쇄상구균, 포도상구균 등이고 여기에 혐기성균이 혼합 감염되는 경우가 많다.

心火上炎 혹 心脾積熱이 上衝한 所致이다. 대개 舌은 心之苗로 脾經이 舌下에 絡하여 心經火盛 혹 心脾蘊熱이 오랜 기간 지속되면 經絡을 따라 위로 舌에 上衝하여 木舌을 發하게 된다.

4) 症狀

급격하게 동통이 일어나고 설은 종창되어 구강에는 종창된 혀로 충만하며 혀는 거의 움직이지 않고 설연이 치열 밖으로 나오는 수가 있어서 입을 다물지 못하게 되고 염증이 국한되어 나타나서 농양을 형성하며 동통이 귀 쪽으로 방산된다. 자각증상으로 고열, 구취, 유연과 섭식 및 발성이 불가능하며 후두에 副行性의 종창이 있어서 喘鳴과 호흡곤란 등이 발생되는 경우가 있다.

舌體腫脹, 堅硬如木, 其色深紅, 轉動爲伸縮不利, 言語謇澁, 不辨滋味, 防碍飮食

(1) 心脾積熱: 全身或有寒熱, 舌深紅而苔黃, 口渴, 大便秘結, 小便黃赤
(2) 心經火盛: 舌尖紅, 舌體色紫如猪肝, 堅硬疼痛,

飮食難進
(3) 命門火衰: 畏寒便糖, 手足不溫, 脈象沈細

5) 診斷

고열이 있으면서 혀의 동통과 종창 및 운동장애가 있고 후두에 특별한 소견이 없는 점으로 진단은 쉽게 되나 구강저 봉와직염, 설편도 주위농양, 악하선 주위농양, 후두개농양 등과는 감별이 필요하다. 편도의 주위농양은 후두경 검사로 쉽게 진단이 된다. 악하선 주위농양은 구강저의 변화 외에 악하선의 개구부에서 배농이 나타나며 혀의 운동장애는 적다. 후두개농양은 발성장애가 있으나 혀의 운동장애는 적으며 쉽게 후두경 검사로 진단된다.

6) 辨證 및 治法

(1) 心脾積熱: 淸心涼脾하고 佐瀉火解毒之法한다. 當歸連翹湯을 사용한다.
(2) 心經火盛: 淸心瀉火, 涼血解毒之法. 犀角地黃湯 혹 導赤散을 사용한다. 熱毒이 심한 경우 黃連解毒湯 加犀角(磨汁衝服)을 사용한다.
(3) 命門火衰: 辛溫壯陽하기 위해 附桂八味丸을 사용한다.
(4) 外治: 먼저 舌下金津玉液 兩穴을 三稜針으로 瀉血시켜 惡血을 제거한 후 묽은 소금물로 입을 헹군 연후에 冰硼散이나 川硝散을 매일 2-3회 塗布한다. 氷片을 소량 가한 끓인 소금물이나 黃連(蜜制) 6 g, 白殭蠶, 皂角子 등분하여 가루로 만들어 소량 코 속에 불어 넣어 입, 눈을 열어 涎出하고 다시 紫舌丹 1.5 g, 竹瀝 15 ml를 고루 섞어 입속에 넣는다. 침 치료는 合谷, 少商穴을 취하고 手技法으로 강자극한 뒤 留針 없이 매일 1회 시행한다.

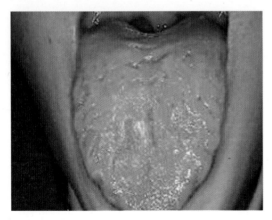

그림 2-4-3　구설

5. 溝舌 (fissured tongue)(그림 2-4-3)

1) 槪要

구설은 혀 표면에 정상적인 舌에서는 볼 수 없는 깊은 溝와 측방으로 뻗치는 다수의 小溝가 있어 마치 혀가 음낭과 같은 외관을 이룬다. 일반적으로 혀에 나타나는 溝는 대부분이 혀의 만성적인 염증에서 발생된다.

舌體 表面에 縱橫으로 交叉하여 裂溝가 생긴 것으로 舌本이 破裂되어서 裂紋을 形成하여 舌破라 한다. 舌裂이 있으나 증상이 없는 것은 정상적이며 疾病에 속하지 않는다.

2) 異名

裂溝의 형태는 매우 다양하여 '縱形裂', '橫形裂', '井形裂' 등이 있다. 혹은 舌破, 舌裂 이라고도 한다.

3) 原因

원인에 대해서 확실치는 않으나 유전적인 소인이라

하기도 하며 동일 가족에서 보는 수가 많다. 머리, 얼굴, 치아의 형태 이상과도 관계가 있다고 하며 특히 저능아, 정신병, 간질과도 관련이 깊다.

舌裂의 病因은 다양한데, 心火上炎하여 燥邪가 津液을 傷하게 하여 舌體가 灼裂하게 되거나 肝腎陰虛하여 虛火가 上炎하여 舌體가 영양을 받지 못해 裂하게 되거나 心脾虧虛로 津液이 上升하지 못하고 舌燥裂이 될 수 있다. 또는 胃陰이 不足하여 胃火가 經絡을 따라 上炎하여 舌裂이 되는 경우도 있다.

4) 症狀

설 표면에 정상적인 설에서는 볼 수 없는 정중을 전후로 달리는 깊은 溝와 여기에서 측방으로 뻗치는 다수의 小溝가 있어 마치 혀가 음낭과 같은 외관을 보여서 음낭설이라 한다. 일반적으로 혀에 나타나는 溝는 대부분이 혀의 만성적인 염증에서 발생된다. 자각증상은 없으나 음식물 찌꺼기 같은 것이 끼어 염증을 일으키면 발적, 설 유두의 종창, 위축 같은 혀의 변화와 동통, 미각이상 등이 나타나며 또 지도상설을 동반하기도 한다.

(1) 心火上炎: 舌中間有裂紋成人字形, 舌痛, 舌質紅而乾, 心煩, 失眠, 口苦, 小便短赤, 刺痛, 脈數 등
(2) 肝腎陰虛: 舌絳紅而光, 有裂紋, 舌痛, 口乾, 耳鳴, 目眩, 腰膝痠軟, 少寢多夢, 遺精, 脈弦細或細數 등
(3) 心脾虧虛: 舌色淡白, 質嫩有裂紋, 面色萎黃, 四肢麻木, 神疲氣短, 睡眠差, 飮食減少, 脈細數緩弱.
(4) 胃陰不足: 舌裂光紅而少津, 口乾, 欲飮, 大便乾燥, 小便短赤.

5) 辨證 및 治法

(1) 心火上炎
淸心瀉火. 黃連解毒湯 或 導赤散加減

(2) 肝腎陰虛
養陰潤燥. 六味地黃丸合生脈散加減

(3) 心脾虧虛
補益氣血, 健脾寧心. 歸脾湯加減

(4) 胃陰不足
養陰生津. 麥門冬湯加減

(5) 外治
金銀花, 生甘草 等分하여 물에 끓여 매일 多飮含水한다. 黃連粉 혹은 養陰生肌散을 舌面에 外敷한다. 冰糖散을 사용하여 환처에 噴敷할 수도 있다.

6. 舌瘖(舌謇)

1) 槪要

설 자체의 운동이 자유롭지 못하여 言語不淸하고 甚하면 舌體가 强硬하게 되어 혀의 움직임이 곤란하고 말을 할 수 없고 飮食을 먹을 수 없는 상태를 말한다. 다양한 질환의 증상으로 나타날 수 있다. 舌澁, 舌瘖, 舌强 등의 증상은 서로 대동소이하며 포괄하여 中風病의 舌體强硬과 舌體炎症 등의 질병이 이에 속한다.

2) 異名
舌謇, 舌澁, 舌强, 舌體强硬

3) 原因
病因病情은 비교적 복잡하다. 본증의 발병 원인은 다음 몇 가지로 귀납할 수 있다.

(1) 心脾熱盛, 熱毒上炎
心脾熱盛, 熱毒久蘊, 復爲外邪所犯, 邪熱相燔. 心主舌하고 脾開竅於口하여 經脈이 舌傍에 이어져 마땅히 邪熱이 上燔하여 舌에 上炎하면 舌陰을 傷하게 되고 經脈을 犯하여 熱毒이 舌體에 停滯되어 脈絡痺阻하고 本病이 된다.

(2) 脾失健運
聚濕生痰, 痰濁中阻, 氣機不利, 氣逆上壅, 痰隨氣升, 上扰舌體經絡. 風痰上扰往往可出現痰迷心竅的病理變化

(3) 肝腎陰虛
肝陽偏亢, 陰陽失調, 血鬱氣逆於上. 肝陽上亢則肝風內動, 上竄舌體的經絡, 經絡爲邪所壅, 氣血痺阻而成病

(4) 久病氣血耗傷
血不養肝, 血行減少, 筋脈失於滋養, 加以血虛生風, 上犯於舌, 以致舌卷不能言

4) 症狀
주요 증상은 혀의 운동이 영화롭지 못하고 鈍感하며 伸舌偏歪하거나 舌體强直, 語音不淸, 口常流涎, 講話困難하며 咀嚼呑咽에 영향을 준다.

(1) 心脾熱盛, 熱毒上炎

舌體紅腫强硬, 疼痛不适, 煩燥失眠, 口渴口苦, 或舌有潰爛点, 脘腹脹滿, 不欲食, 小便黃, 苔黃, 脈數하며 風熱邪毒滯留, 表邪未解한 경우에는 發熱惡寒, 脈浮數, 舌急咽喉均紅腫痛

(2) 脾失健運

舌體腫脹强硬, 麻木不适, 甚者口底亦腫脹, 喉中痰多, 咳喘, 胸脘脹悶, 惡心, 頭昏, 眩暈, 食納減少, 身倦乏力, 大便溏, 舌苔白, 脈滑하며 痰迷心竅하면 意識不淸, 自言自語, 喉中痰聲, 胸悶, 甚則神昏하고 痰涎壅盛하게되면 喉中痰鳴, 頭暈眼花, 氣短, 懶言, 胃呆

(3) 肝腎陰虛, 肝風上竄

舌體紅, 舌拘攣或震顫, 麻木, 頭暈頭痛, 耳鳴目弦, 腰膝痠軟, 少寢多夢, 脈弦細或數, 舌苔白. 甚者兼有口眼喎斜, 手脚抽搐 등

(4) 久病氣血耗傷, 筋脈失養

舌體色淡或卷縮, 伸舌時有震顫, 日久可見萎縮, 并見頭暈目眩, 神疲短氣, 面色萎黃, 四肢發麻, 甚則抽搐, 苔少, 脈弦細弱

5) 辨證 및 治法

(1) 心脾熱盛, 熱毒上炎

淸理心脾, 瀉火活絡. 導赤散 加 麥門冬, 黃連, 夏古草, 鉤藤, 寬筋藤, 海桐皮를 사용하고 風熱邪毒滯留, 表邪未解하면 瀉火消腫, 疏邪通滯. 普濟消毒飮을 쓰고 高熱煩燥하여 以苦瀉心火하면 蓮子心, 梔子, 牧丹皮 등을 배합한다. 大便秘結하면 大黃, 芒硝를 사용하며 潰爛 시 消瘡腫, 除腐生肌하는 白蘞,

馬勃, 靑天葵를 가한다.

(2) 脾失健運

健脾祛濕, 化痰通絡. 溫膽湯 加全蝎, 石菖蒲를 처방할 수 있고 痰迷心竅하면 鎭痙開竅하는 紫雪丹, 至寶丹을 쓴다. 大便溏, 胃納差할 경우 健脾化濕理氣하기 위한 參苓白朮散을 사용한다.

(3) 肝腎陰虛 肝風上竄

滋補肝腎, 平肝熄風. 杞菊地黃丸 加 天麻, 白灼藥, 玄蔘, 鉤藤, 石決明을 가하며, 鎭肝潛陽하는 鎭肝熄風湯도 사용할 수 있다. 口眼喎斜, 手脚抽搐의 증상이 있는 경우 强祛風鎭痙허는 全蝎, 蜈蚣, 白附了을 가한다.

(4) 久病氣血耗傷

滋補氣血, 養肝熄風. 人蔘養榮湯 加 天麻, 僵蠶, 石決明하며 怔忡, 失眠, 盜汗 등 心脾虛 위주의 補益氣血, 養心脾而熄風하는 歸脾湯 加 天麻, 僵蠶, 鉤藤을 사용한다.

(5) 刺針 或 艾灸

疏通經絡, 暢通氣血, 調整筋脈 등을 통해 本病에 대한 치료 효과를 나타낸다. 매 자침 시 주요혈에 1-2穴을 추가하여 배합한다. 자침 시 강자극하며 15-20분간 留針시킨다. 脾胃失運, 風痰爲患, 肝腎陰虛, 肝風上竄 등에 모두 뜸을 겸용할 수 있다. 舌體가 紅腫하여 熱毒壅盛한 경우 關中, 中衝, 少商을 出血하여 泄熱시킬 수 있다.

→ 상용혈: 廉泉, 金津, 玉液, 天突, 天官, 承漿에 風府, 復溜, 陰谷, 液門, 二間, 通理, 翳風, 四白, 地倉, 頰車, 下關, 人迎, 巨髎 등을 배합한다.

7. 舌衄

1) 槪要

혀에 피가 베어 나오거나 출혈이 있는 것으로 舌血, 舌上出血, 舌本出血이라 하는데 舌의 출혈은 舌瘡, 舌疔, 舌癰에서 潰爛 및 疔瘡이 潰破되어서도 나타난다. 서양의학에서는 주로 설의 악성종양에서 발생된다.

2) 原因

本病의 病因은 過食辛辣, 心脾積熱, 情志不遂로 心火가 亢盛하여 火熱이 經絡을 따라 위로 舌을 侵犯해서 생긴다. 또한 腎陰虧損으로 虛火가 上炎하어 舌을 灼燎하고 血絡에 영향을 미치어 舌衄이 된다.《諸病源候論·卷 30》에 "心主血脈, 而候于舌, 若心臟有熱, 則舌上出血如湧泉."이라 하였고《外科證治全書·舌部》에 "舌上忽生孔, 出血如縷, 由心, 脾, 腎 三經火鬱而然."이라고 하였다. 그 외 肝火上沖, 脾不統血로도 나타난다.

3) 症狀

(1) 心脾火熱
舌上出血量多, 舌尖紅, 舌體腫大木硬, 心中煩熱, 小便赤, 口氣熱臭, 苔黃, 脈數

(2) 腎經虛火上炎
舌質乾紅, 舌上滲血量少, 口咽乾燥, 腰痠無力, 潮熱盜汗, 苔黃膩, 大便乾結, 脈細數

4) 辨證 및 治法

(1) 心脾火熱: 淸心瀉火, 凉血止血증상이 輕한 경우 導赤散 가 白茅根, 槐花 혹 舌衄方을 사용한다. 증상이 重한 경우는 犀角地黃湯을 사용하거나 小薊搗汁과 술을 섞어 복용한다.
(2) 腎經虛火上炎: 滋陰凉血. 六味地黃湯 加 白灼藥, 甘草
(3) 肝火上沖으로 인하면 龍膽瀉肝湯에 代赭石, 側柏葉, 木賊 등을 가하여 활용한다.
(4) 脾不統血로 인하면 四物歸脾湯加減을 활용한다.
(5) 外用: 五倍子熬濃汁을 紗布에 浸濕시켜 舌部를 감고 압박하거나 炒蒲黃粉末, 槐花末, 血余炭末을 출혈 부위에 불어 넣는다.

8. 舌癌 (그림 2-4-4)

1) 槪要

설암은 전체 암의 2-3% 정도를 차지하며 남성에서 호발하고 50-60대에 많다. 30세 이전의 젊은 연령에서 발생하는 것을 종종 볼 수 있는데, 이런 예들은

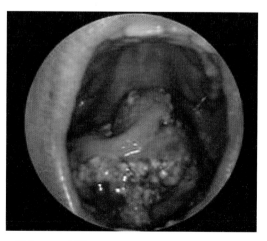

그림 2-4-4 설암

음주, 흡연과 연관되지 않은 경우이며 조기에 생검을 시행하지 않아 진단이 늦어질 수 있다.

2) 病因病理

(1) 원인
불량한 구강위생, 음주, 흡연, 매독성 설염, 백반증, 유두종 등이 원인 인자이며, 간경화나 Plummer-Vinson 증후군과도 잘 동반된다고 보고된 바 있다.

(2) 발생 부위
발생부위에 따라 구강설암과 설기저부암으로 나뉜다. 구강설과 설기저부의 발병률은 4:1정도이며, 구강설 중에서 50%가 혀의 중간 1/3 부위의 측면에 발생하고, 20% 정도는 구강설의 전방 1/3에, 5%는 설배부에 발생한다.

(3) 병리
대부분이 편평세포암에 해당한다. 설암은 구강의 어떤 부위의 암보다 경부림프절 전이가 흔하며 구강설에 비하여 설기저부에서 양측 및 반대쪽 경부림프절 전이가 흔하게 나타난다. 5년 생존율의 경우 제Ⅰ병기 설암은 70%, 제Ⅱ병기는 50%, 제Ⅲ, Ⅳ 병기는 15-35% 정도이다.

3) 症狀

설암은 종종 증상을 동반하지 않은 상태로 발견된다. 조기에 통증은 흔히 동반되지 않으며, 설신경의 분지에 종양이 침습된 경우에 통증이 시작된다. 전체 환자의 30%에서 통증이 있으며, 11%에서는 불편감이 거의 없이 병변이 급속히 진행되기 때문에 입 안의 종괴를 초기 증상으로 갖게 된다. 약 6%에서는 경부 종괴를, 5%에서는 연하장애를 주 증상으로 한다.

4) 診斷

구강암의 전구단계인 백반증, 홍반증, 점막하섬유증 등을 조기에 진단한다. 설연에 궤양이 형성되고 동통이 자주 나타나고 궤양이 있는 측에 이통이 있으면 의심한다.

5) 治療

T1, T2의 조기 설암은 수술과 방사선치료 두 가지 중 어느 방법으로도 치료될 수 있으나, T3, T4의 병기는 병행요법이 필요하다.

9. 弄舌(舒舌)

1) 槪要

舌이 돌출되어 마치 蛇舐狀과 같이 상하, 좌우로 伸縮動搖하는 것으로 소아에서 舌이 돌연히 舒長되거나 腫滿하여 乳食이 困難하게 되는 것을 舌風이라 한다. 弄舌은 소아에서 다발되며, 또한 疳病에서 舌을 자주 口中의 外로 내미는 症狀이 있어 小兒疳病과도 연관이 있다.

2) 異名

舒舌, 吐舌, 舒舌, 頻舐舌, 舌風

3) 病因

心脾積熱로 인해 火熱이 舌에 上沖하거나 또는 脾腎虛熱에서 발생된다. 이외 癎證에서는 돌연히 卒倒, 嘔吐涎沫, 兩目直視, 四肢抽搐, 頭頸動搖와 함

께 弄舌이 발생된다.

4) 症狀

舌이 伸長되어 收縮되지 않고 蛇舐狀과 같이 상하, 좌우로 伸縮動搖하며 때로는 腫滿되기도 하며, 舌質紅, 苔薄少 하면서 五心煩熱, 口渴, 口乾, 細數 혹은 洪數, 弦數한 脈이 나타난다.

5) 辨證 및 治法

心脾積熱로 인하면 淸胃散, 瀉黃散과 瀉心導赤湯에 瀉黃散을 합하여 투여하고 열이 경미하면 燈心煎湯을 투여한다. 증상이 重한 경우 黃連煎湯, 安宮牛黃丸을 복용한다. 外治는 冰片, 冰硼散을 도포한다. 소아의 疳病에서 弄舌이 발생되면 消疳理脾湯, 蔘苓白朮散을 활용하고 五心煩熱이 나타나면 牛黃丸에 胡黃連을 가하여 사용한다.

10. 낙설성 표재성 설염(그림 2-4-5)

1) 槪要

설배에 경계가 명확한 이동성 다발 재발성 반문이 나타나며 자각증상은 거의 없고 경미한 소양감과 작열감이 있다.

舌 表面에 가시가 돋친 것 같은 芒刺가 일어나서 發赤腫脹, 刺痛 등이 나타나는 疾患으로 芒刺舌이라 한다.

2) 原因

원인은 아직까지 확실치는 않으나 주로 삼출성 또

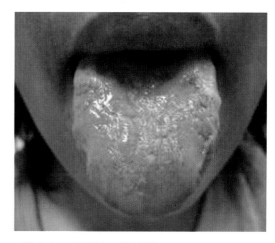

그림 2-4-5　낙설성 표재성 설염

는 림프선 체질을 가지고 있는 4-5개월 혹은 1-3세 사이의 소아에서 빈발된다.

心脾積熱이나 腸胃의 津液이 耗傷되어서 上焦에 熱이 極甚하거나 或은 熱의 鬱結이 甚하여 발생한다.

3) 症狀

설배에 경계가 명확하고 이동성 다발 재발성 반문이 일어난다. 형상은 불규칙한 지도상이며, 원형의 반문이 다발하여 서로 증대 융합되는 경우가 많다. 자각증상은 거의 없으나 때로는 경미한 소양감과 작열감이 나타난다.

舌 表面에 芒刺가 일어나서 發赤腫脹과 疼痛 등이 나타나고 이로 인해 飮食 및 發聲困難이 발생된다. 芒刺가 粟粒狀으로 일어나나 舌의 尖緣에서는 赤瘰를 띠며 舌이 乾澁하면서 楊梅와 같은 芒刺가 발생된다. 때로는 熱이 심해서 口脣에 潰瘍과 糜爛 등이 나타나기도 한다. 이외 口舌乾燥와 口渴이 甚하게 나타난다.

4) 辨證 및 治法

心脾積熱에는 涼膈散, 瀉心湯 등에 加減하여 服用하고, 腸胃의 津液이 枯渴되어서 燥하면 大承氣湯을 投與한다.

紫舌散을 竹瀝에 混合하여 塗布하거나 或은 生薑切片을 蜜에 발라 舌의 表面에 敷貼하며, 脾熱로 인해 雪과 같은 白苔가 乾燥하여 芒刺가 발생된 것처럼 깔깔하면 薄荷蜜을 外敷하고 冰糵丸을 服用한다.

11. 흑색설(설모증)(그림 2-4-6)

1) 槪要

설배의 중앙부가 암갈색으로 착색되고, 사상 유두가 신장되어 모피 모양을 하는데 미각이상, 혀의 이상감 및 작열감 등이 발생할 수 있고 舌上煤煙에 해당한다.

2) 原因

흡연이나 화학물질 등의 만성 자극과 여러 가지 항

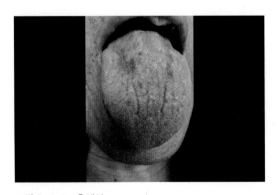

그림 2-4-6 흑색설

생물질의 투여로 인해 정상 구강 세균총이 변화하여 발생되는 것으로 생각된다.

肺胃燥熱, 腎虛寒 등으로 발생된다.

3) 症狀

설배의 중앙부가 암갈색으로 착색되고, 설 표면은 사상유두가 신장되어 모피 모양을 하고 있다. 착색은 수일 내에 소실되는 수도 있으나 오랫동안 지속되는 수도 있다. 자각증상은 거의 없으나 미각이상, 혀의 이상감 및 작열감 등이 발생된다.

舌이 乾燥하고 表面에 苔는 없으나 煤煙과 같은 黑色이 隱隱하게 나타나고, 口燥, 口渴, 煩熱 등이 발생된다.

4) 辨證 및 治法

升麻葛根湯加減에 知母, 黃柏, 天花粉, 玄蔘, 石斛 등을 加하여 사용한다.

12. 舌의 白斑症(그림 2-4-7)

1) 槪要

점막 상피의 이상각화항진에 의해 점막의 백반이 발생되는 질환으로 백색각화증이라 하며 전암 단계의 소견을 관찰할 수 있다.

2) 原因

국소적 요인으로는 날카로운 치아나 부적당한 보철물, 의치, 습관성 교상 등으로 인한 기계적 자극과 흡연, 알코올 등이 있다. 전신적 요인으로는 비타민

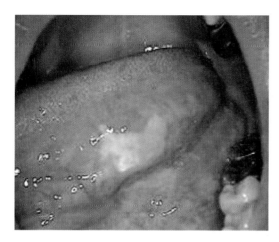

그림 2-4-7   설 백반증

A, B의 결핍, 에스트로겐의 결핍, 고콜레스테롤 혈증, 매독 등이 생각되고 있다. 40세 이상 고령자에서 많이 볼 수 있으며, 여성보다 남성에서 약 2배 정도 많이 발생한다.

3) 症狀

초기에는 설첨, 설연이 적색, 과립상을 띠고 지각과민도 나타나며 이것이 점차적으로 회백색 혹은 유백색으로 변하여 만지면 거칠거칠한 감촉이 있게된다. 자각증상은 적으나 열구가 일어나면 발성장애, 혀에 지각 및 미각의 변화가 나타나기도 하고 동통이 나타난다. 백반증은 만성적인 경과를 거치면

서 때로는 10년 이상 계속되기도 하는데 치료는 잘되지 않으며, 특히 설암의 36.4%가 백반증에서 발생된다.

4) 辨證 및 治法

백반증의 60% 정도가 흡연과 관련이 있으며 흡연을 중지하면 대부분 1년 이내에 정상으로 회복된다. 유발요인 제거 후에도 백반증이 지속되는 경우에는 외과적 절제와 이식술, CO_2 레이저 절제술, 냉동외과수술 등을 시행한다.

참고문헌

- 中医耳鼻喉科学 (王德槛,上海科学技术出版社,1985)_5版教材
- 中医耳鼻喉科学习题集(第2版) (刘蓬,王士贞,上海中医药大学出版社,2003)
- 眼耳鼻喉科临床实习指南 (詹宇坚,刘绍武,科学出版社,2005)
- 中西医结合耳鼻咽喉科学 (田道法,中国中医药出版社)
- 新世纪_中医耳鼻咽喉科学 (2版) (王士贞,中国中医药出版社)
- 中西医结合耳鼻咽喉口齿科学 (李云英,廖月红,科学出版社,2008)
- 中医耳鼻咽喉科学 (熊大经,上海科学技术出版社,2008)
- 中医耳鼻咽喉科临床研究 (工士贞,人民衛生出版社,2009)
- 원색안이비인후과학(노석선, 주민출판사, 2003)
- 이비인후과학 두경부외과학(대한이비인후과학회, 일조각, 2009)

Index

국문

영문